Louis Pauwels
et Jacques Bergier

Le matin des magiciens

Introduction au
réalisme fantastique

Gallimard

PRÉFACE

Je suis d'une grande maladresse manuelle et le déplore. Je serais meilleur si mes mains savaient travailler. Des mains qui font quelque chose d'utile, plongent dans les profondeurs de l'être et y débondent une source de bonté et de paix. Mon beau-père (que j'appellerai ici mon père, car c'est lui qui m'a élevé) était ouvrier tailleur. C'était une âme puissante, un esprit réellement messager. Il disait parfois en souriant que la trahison des clercs avait commencé le jour où l'un d'eux représenta pour la première fois un ange avec des ailes : c'est avec les mains que l'on monte au ciel.

En dépit de cette maladresse, j'ai tout de même relié un livre. J'avais seize ans. J'étais élève au cours complémentaire de Juvisy, en banlieue pauvre. Le samedi après-midi, nous avions le choix entre le travail du bois, du fer, le modelage ou la reliure. Je lisais à cette époque les poètes, et surtout Rimbaud. Cependant, je me fis violence pour ne point relier *Une Saison en Enfer*. Mon père possédait une trentaine de livres, rangés dans l'étroite armoire de son atelier, avec les bobines, les craies, les épaulettes et les patrons. Il y avait aussi, dans cette armoire, des milliers de notes prises d'une petite écriture appliquée, sur un coin de l'établi, pendant les innombrables nuits de labeur.

9

Parmi ces livres, j'avais lu *Le Monde avant la Création de l'Homme*, de Flammarion, et j'étais en train de découvrir *Où va le Monde ?* de Walter Rathenau. C'est l'ouvrage de Rathenau que je me mis à relier, non sans peine. Rathenau avait été la première victime des nazis, et nous étions en 1936. Dans le petit atelier du cours complémentaire, chaque samedi, je faisais du travail manuel pour l'amour de mon père et du monde ouvrier. Le premier mai, j'offris, avec un brin de muguet, le Rathenau cartonné.

Dans ce livre, mon père avait souligné au crayon rouge une longue phrase qui est toujours demeurée dans ma mémoire :

« Même l'époque accablée est digne de respect, car elle est l'œuvre, non des hommes, mais de l'humanité, donc de la nature créatrice, qui peut être dure, mais n'est jamais absurde. Si l'époque que nous vivons est dure, nous avons d'autant plus le devoir de l'aimer, de la pénétrer de notre amour, jusqu'à ce que nous ayons déplacé les lourdes masses de matière dissimulant la lumière qui luit de l'autre côté. »

« Même l'époque accablée... » Mon père est mort en 1948, sans avoir jamais cessé de croire en la nature créatrice, sans avoir jamais cessé d'aimer et de pénétrer de son amour le monde douloureux dans lequel il vivait, sans avoir jamais cessé d'espérer voir luire la lumière derrière les lourdes masses de matière. Il appartenait à la génération des socialistes romantiques, qui avaient pour idoles Victor Hugo, Romain Rolland, Jean Jaurès, portaient de grands chapeaux, et gardaient une petite fleur bleue dans les plis du drapeau rouge. A la frontière de la mystique pure et de l'action sociale, mon père, attaché plus de quatorze heures par jour à son établi — et nous vivions au bord de la misère — conciliait un ardent syndicalisme et une recherche de libération intérieure. Dans les gestes très courts et humbles de son métier, il avait introduit une méthode de concentration et de purification de !'esprit sur laquelle il a laissé des centaines de pages. En faisant des boutonnières, en repassant des toiles, il avait une présence rayonnante. Le jeudi et le dimanche, mes camarades se réunissaient autour de son établi, pour l'écouter et sentir cette présence forte, et la plupart d'entre eux en eurent leur vie changée.

Plein de confiance dans le progrès et la science, croyant à l'avènement du prolétariat, il s'était bâti une puissante philosophie. Il avait eu une sorte d'illumination, à la lecture de l'ouvrage de Flammarion sur la préhistoire. Puis il avait lu, guidé par la passion, des livres de paléontologie, d'astronomie, de physique. Sans préparation, il avait pourtant pénétré au cœur des sujets. Il parlait à peu près comme Teilhard de Chardin, que nous ignorions alors : « Ce que notre siècle va vivre est plus considérable que l'apparition du bouddhisme ! Il ne s'agit plus désormais de l'application faite à telle ou telle divinité des facultés humaines. C'est la puissance religieuse de la terre qui subit en nous une crise définitive : celle de sa propre découverte. Nous commençons à comprendre, et c'est pour toujours, que la seule religion acceptable pour l'homme est celle qui lui apprendra d'abord à reconnaître, aimer et servir passionnément l'univers dont il est l'élément le plus important [1]. » Il pensait que l'évolution ne se confond pas avec le transformisme, mais qu'elle est intégrale et ascendante, augmentant la densité psychique de notre planète, la préparant à prendre contact avec les intelligences des autres mondes, à se rapprocher de l'âme même du cosmos.

1. *Teilhard de Chardin tel que je l'ai connu*, par G. Magloire, revue *Synthèse*, novembre 1957.

Pour lui, l'espèce humaine n'était pas achevée. Elle progressait vers un état de superconscience, à travers la montée de la vie collective et la lente création d'un psychisme unanime. Il disait que l'homme n'est pas encore achevé et sauvé, mais que les lois de condensation de l'énergie créatrice nous permettent de nourrir, à l'échelle du cosmos, une formidable espérance. Et il ne quittait pas des yeux cette espérance. C'est de là qu'il jugeait avec une sérénité et un dynamisme religieux les affaires de ce monde, allant chercher très loin, très haut, un optimisme et un courage immédiatement et réellement utilisables. En 1948, la guerre venait de passer, et des menaces de batailles, atomiques cette fois, renaissaient. Pourtant, il considérait les inquiétudes et les douleurs présentes comme des négatifs d'une image magnifique. Il y avait un fil qui le reliait au destin spirituel de la Terre, et il projetait, sur l'époque accablée où il finissait sa vie de travailleur, malgré d'immenses chagrins intimes, beaucoup de confiance et beaucoup d'amour.

Il est mort dans mes bras, la nuit du 31 décembre, et il m'a dit, avant de fermer les yeux :

« Il ne faut pas trop compter sur Dieu, mais peut-être que Dieu compte sur nous... »

Où en étais-je, à ce moment ? J'avais vingt-huit ans. J'avais eu vingt ans en 1940, dans la débâcle. J'appartenais à une génération charnière qui avait vu s'écrouler un monde, était coupée du passé et doutait de l'avenir. Que l'époque accablée fût digne de respect et qu'il faille la pénétrer de notre amour, j'étais fort loin d'y croire. Il me semblait plutôt que la lucidité menait à refuser de jouer à un jeu où tout le monde triche.

Durant la guerre, je m'étais réfugié dans l'hindouisme. C'était mon maquis. J'y vivais dans la résistance absolue. Ne cherchons pas le point d'appui dans l'histoire et parmi les hommes : il se dérobe sans cesse. Cherchons-le en nous-même. Soyons de ce monde comme si nous n'en étions pas. Rien ne me paraissait plus beau que l'oiseau plongeur de la *Bhagavad-Gîtâ*, « qui plonge et remonte sans avoir mouillé ses plumes ». Les événements contre lesquels nous ne pouvons rien, me disais-je, faisons en sorte qu'ils ne puissent rien contre nous. Je siégeais au plafond, assis en lotus sur un nuage venu d'Orient. La nuit, mon père lisait en cachette mes livres de chevet pour essayer de comprendre ma singulière maladie qui m'éloignait tant de lui.

Plus tard, au lendemain de la Libération, je me donnai un maître à vivre et à penser. Je devins disciple de Gurdjieff. Je travaillai à me séparer de mes émotions, de mes sentiments, de mes élans, afin de trouver, au-delà, quelque chose d'immobile et de permanent, une présence muette, anonyme, transcendante, qui me consolerait de mon peu de réalité et de l'absurdité du monde. Je jugeais mon père avec commisération. Je croyais posséder les secrets du gouvernement de l'esprit et de toute connaissance. En fait, je ne possédais rien que l'illusion de posséder et un intense mépris pour ceux qui ne partageaient pas cette illusion.

Je désespérais mon père. Je me désespérais moi-même. Je m'asséchais jusqu'à l'os dans une position de refus. Je lisais René Guénon. Je pensais que nous avions la disgrâce de vivre dans un monde radicalement perverti, et voué justement à l'apocalypse. Je faisais mien le discours de Cortès à la Chambre des députés de Madrid en 1849 : « La cause de toutes vos erreurs, messieurs, c'est que vous ignorez la direction de la civilisation et du monde. Vous croyez que la civilisation et le monde progressent, ils rétrogradent ! » Pour moi, l'âge moderne était l'âge noir. Je m'occupais à dénombrer les crimes de l'esprit moderne contre l'esprit. Depuis le XIIᵉ siècle l'Occident, détaché des Principes, courait à sa perte. Nourrir quelque espérance, c'était s'allier au mal. Je dénonçais toute confiance comme une complicité. Il ne me restait d'ardeur que pour le refus, la rupture. Seules, dans ce monde déjà aux trois quarts englouti, où les prêtres, les savants, les politiciens, les sociologues et les organisateurs de toutes sortes m'apparaissaient comme des coprophages, les études traditionnelles et une résistance inconditionnelle au siècle étaient dignes d'estime.

Dans cet état, j'en venais à prendre mon père pour un primaire naïf. Son pouvoir d'adhésion, d'amour, de vision lointaine, m'irritait comme un ridicule. Je l'accusais d'en être resté aux enthousiasmes de l'Exposition de 1900. L'espoir qu'il plaçait dans une collectivisation grandissante, et dirigeait infiniment plus haut que le plan politique, excitait mon mépris. Je ne jurais que par les antiques théocraties.

Einstein fondait un comité de désespoir des savants de l'atome, la menace d'une guerre totale planait sur l'humanité divisée en deux blocs. Mon père mourait sans avoir rien perdu de sa foi en l'avenir, et je ne le comprenais plus. Je n'évoquerai pas, dans cet ouvrage, les problèmes de classe. Ce n'est pas le lieu. Mais je sais bien que ces problèmes existent : ils ont mis en croix l'homme qui m'aimait. Je n'ai pas connu mon père de sang. Il appartenait à la vieille bourgeoisie gantoise. Ma mère comme mon second père étaient ouvriers, venaient d'ouvriers. Ce sont mes ancêtres flamands, jouisseurs, artistes, oisifs et orgueilleux, qui m'ont éloigné de la pensée généreuse, dynamique, qui m'ont fait me replier et méconnaître la vertu de participation. Depuis longtemps déjà, il y avait une herse entre mon père et moi. Lui qui n'avait pas voulu avoir d'autre enfant que ce fils d'un autre sang, par crainte de me léser, s'était sacrifié pour que je devienne un intellectuel. M'ayant tout donné, il avait rêvé mon âme semblable à la sienne. A ses yeux, je devais devenir un phare, un homme capable d'éclairer les autres hommes, de leur apporter du courage et de l'espérance, de leur montrer, comme il disait, la lumière qui brille au bout de nous. Mais je ne voyais aucune sorte de lumière, sinon la lumière noire, en moi et au bout de l'humanité. Je n'étais qu'un clerc pareil à beaucoup d'autres. Je poussais jusqu'à leurs extrêmes conséquences ce sentiment d'exil, ce besoin de radicale révolte, que l'on exprimait dans les revues littéraires, aux environs de 1947, en parlant « d'inquiétude métaphysique », et qui furent le difficile héritage de ma génération. Dans ces conditions, comment être un phare ? Cette idée, ce mot hugolien me faisaient sourire méchamment. Mon père me reprochait d'aller en me décomposant, d'être passé, comme il disait, du côté des privilégiés de la culture, des mandarins, des orgueilleux de leur impuissance.

La bombe atomique, alors qu'elle marquait pour moi le commencement de la fin des temps, était pour lui le signe d'un nouveau matin. La matière allait en se spiritualisant et l'homme découvrirait autour de lui et en lui-même des puissances jusqu'ici insoupçonnées. L'esprit bourgeois, pour qui la Terre est un lieu de séjour confortable dont il faut tirer le maximum, allait être balayé par l'esprit nouveau, l'esprit des ouvriers de la Terre, pour qui le monde est une machine en marche, un organisme en devenir, une unité à faire, une Vérité à faire éclore. L'humanité n'était qu'au début de son évolution. Elle recevait les premiers renseignements sur la misson qui lui était assignée par l'Intelligence de l'Univers. Nous commencions tout juste à savoir ce que c'est que l'amour du monde.

Pour mon père, l'aventure humaine avait une direction. Il jugeait les événements selon qu'ils se situaient ou non dans cette direction. L'histoire avait un sens : elle dérivait vers quelque forme d'ultra-humain, elle portait en elle la promesse d'une superconscience Sa philosophie cosmique ne le séparait pas du siècle. Dans l'immédiat, ses adhésions étaient « progressistes ». Je m'en irritais, sans voir qu'il mettait infiniment plus de spiritualité dans son progressisme que je ne progressais dans ma spiritualité.

Cependant, j'étouffais dans ma pensée close. Devant cet homme, je me sentais parfois un petit intellectuel aride et frileux, et il m'arrivait de désirer penser comme lui, respirer aussi largement que lui. Au coin de son établi, le soir, je poussais à fond la contradiction, je le provoquais, en souhaitant sourdement être confondu et changé. Mais, la fatigue aidant, il s'emportait contre moi, contre la destinée qui lui avait donné une grande pensée sans lui accorder les moyens de la faire passer en ce fils au sang rebelle, et nous nous quittions dans la colère et la peine. J'allais retrouver mes méditations et mes livres désespérés. Il se penchait sur les étoffes et reprenait son aiguille, sous la lampe crue qui lui jaunissait les cheveux. De mon lit-cage, je l'entendais longuement souffler, gronder. Puis soudain, il se mettait à siffler entre ses dents, doucement, les premières mesures de l'Hymne à la Joie, de Beethoven, pour me dire de loin que l'amour retrouve toujours les siens. Je pense à lui presque chaque soir, à l'heure de nos anciennes disputes. J'entends ce souffle, ce grondement qui s'achevaient en chant, ce grand vent sublime évanoui.

Douze ans qu'il est mort ! Et je vais avoir quarante ans. Si je l'avais compris de son vivant, j'aurais conduit plus adroitement mon intelligence et mon cœur. Je n'ai cessé de chercher. Maintenant, je me rallie à lui, après bien des quêtes souvent stérilisantes et de dangereuses errances. J'aurais pu, beaucoup plus tôt, concilier le goût de la vie intérieure et l'amour du monde en mouvement. J'aurais pu jeter plus tôt, et peut-être plus efficacement, quand mes forces étaient intactes, un pont entre la mystique et l'esprit moderne. J'aurais pu me sentir à la fois religieux et solidaire du grand élan de l'histoire. J'aurais pu avoir plus tôt la foi, la charité et l'espérance.

Ce livre résume cinq années de recherches, dans tous les secteurs de la connaissance, aux frontières de la science et de la tradition. Je me suis lancé dans cette entreprise nettement au-dessus de mes moyens, parce que je n'en pouvais plus de refuser ce monde présent et à venir qui est pourtant le mien. Mais toute extrémité est éclairante. J'aurais pu trouver plus vite une voie de communication avec mon époque. Il se peut que je n'aie pas tout à fait perdu mon temps en allant jusqu'au bout de ma propre démarche. Il n'arrive pas aux hommes ce qu'ils méritent, mais ce qui leur ressemble. J'ai longtemps cherché, comme le souhaitait le Rimbaud de mon adolescence, « la Vérité dans une âme et un corps ». Je n'y suis pas parvenu. Dans la poursuite de cette Vérité, j'ai perdu le contact avec des petites vérités qui eussent fait de moi, non certes le surhomme que j'appelais de mes vœux, mais un homme meilleur et plus unifié que je ne suis. Pourtant, j'ai appris, sur le comportement profond de l'esprit, sur les différents états possibles de la conscience, sur la mémoire et l'intuition, des choses précieuses que je n'eusse pas apprises ailleurs et qui devaient me permettre, plus tard, de comprendre ce qu'il y a de grandiose, d'essentiellement révolutionnaire à la pointe de l'esprit moderne : l'interrogation sur la nature de la connaissance et le besoin pressant d'une sorte de transmutation de l'intelligence.

Lorsque je sortis de ma niche de Yogi pour jeter un

coup d'œil sur ce monde moderne que je connaissais sans le connaître, j'en perçus d'emblée le merveilleux. Mon étude réactionnaire, qui avait été souvent pleine d'orgueil et de haine, avait été utile en ceci : elle m'avait empêché d'adhérer à ce monde par le mauvais côté : le vieux rationalisme du XIXe siècle, le progressisme démagogique. Elle m'avait aussi empêché d'accepter ce monde comme une chose naturelle et simplement parce que c'était le mien, de l'accepter dans un état de conscience somnolente, ainsi que font la plupart des gens. Les yeux rafraîchis par ce long séjour hors de mon temps, je vis ce monde aussi riche en fantastique réel que le monde de la tradition l'était pour moi en fantastique supposé. Mieux encore : ce que j'apprenais du siècle modifiait en l'approfondissant ma connaissance de l'esprit ancien. Je vis les choses anciennes avec des yeux neufs, et mes yeux étaient neufs aussi pour voir les choses nouvelles.

Je rencontrai Jacques Bergier (je dirai comment tout à l'heure) alors que je finissais d'écrire mon ouvrage sur la famille d'esprits réunie autour de M. Gurdjieff. Cette rencontre, que je n'attribue pas au hasard, fut déterminante. Je venais de consacrer deux années à décrire une école ésotérique et ma propre aventure. Mais une autre aventure commençait à ce moment pour moi. C'est ce que je crus utile de dire en prenant congé de mes lecteurs. On voudra bien me pardonner de me citer moi-même, sachant que je ne suis guère soucieux d'attirer l'attention sur ma littérature : d'autres choses me tiennent au cœur. J'inventai la fable du singe et de la calebasse. Les indigènes, pour capturer la bête vivante, fixent à un cocotier une calebasse contenant des cacahuètes. Le singe accourt, glisse la main, s'empare des cacahuètes, ferme le poing. Alors il ne peut plus retirer sa main. Ce qu'il a saisi le retient prisonnier. Sortant de l'école Gurdjieff, j'écrivis :

« Il faut palper, examiner les fruits-pièges, puis se retirer en souplesse. Une certaine curiosité satisfaite, il convient de reporter souplement l'attention sur le monde où nous sommes, de regagner notre liberté et notre lucidité, de reprendre notre route sur la terre des hommes à laquelle nous appartenons. Ce qui importe, c'est de voir dans quelle mesure la démarche essentielle de la pensée dite traditionnelle rejoint le mouvement de la pensée contemporaine. La physique, la biologie, les mathématiques, à leur extrême pointe, recoupent aujourd'hui certaines données de l'ésotérisme, rejoignent certaines visions du cosmos, des rapports de l'énergie et de la matière, qui sont des visions ancestrales. Les sciences d'aujourd'hui, si on les aborde sans conformisme scientifique, dialoguent avec les antiques mages, alchimistes, thaumaturges. Une révolution s'opère sous nos yeux, et c'est un remariage inespéré de la raison, au sommet de ses conquêtes, avec l'intuition spirituelle. Pour les observateurs vraiment attentifs, les problèmes qui se posent à l'intelligence contemporaine ne sont plus des problèmes de progrès. Il y a déjà quelques années que la notion de progrès est morte. Ce sont des problèmes de changement d'état, des problèmes de transmutation. En ce sens, les hommes penchés sur les réalités de l'expérience intérieure vont dans le sens de l'avenir et donnent solidement la main aux savants d'avant-garde qui préparent l'avènement d'un monde sans commune mesure avec le monde de lourde transition dans lequel nous vivons encore pour quelques heures. »

C'est exactement le propos qui sera développé dans ce gros livre-ci. Il faut donc, me disais-je avant de l'entreprendre, projeter son intelligence très loin en arrière et très loin en avant pour comprendre le présent. Je m'aperçus que les gens qui sont simplement « modernes », et que je n'aimais pas, naguère, j'avais raison de ne pas les aimer. Seulement, je les condamnais à tort. En réalité, ils sont condamnables parce que leur esprit n'occupe qu'une trop petite fraction du temps. A peine sont-ils, qu'ils sont anachroniques. Ce qu'il faut être, pour être présent, c'est contemporain du futur. Et le lointain passé peut être perçu lui-même comme un ressac du futur. Dès lors, quand je me mis à interroger le présent, j'en reçus des réponses pleines d'étrangetés et de promesses.

James Blish, écrivain américain, dit à la gloire d'Einstein que ce dernier « a avalé Newton vivant ». Admirable formule ! Si notre pensée s'élève vers une plus haute vision de la vie, c'est vivantes qu'elle doit avoir absorbé les vérités du plan inférieur. Telle est la certitude que j'ai acquise au cours de mes recherches. Cela peut paraître banal, mais quand on a vécu sur des pensées qui prétendaient occuper les sommets, comme la sagesse guénonienne et le système Gurdjieff, et qui tenaient en ignorance ou en mépris la plupart des réalités sociales et scientifiques, cette nouvelle façon de juger change la direction et les appétits de l'esprit. « Les choses basses, disait déjà Platon, doivent se retrouver dans les choses hautes, quoique dans un autre état. » J'ai maintenant la conviction que toute philosophie supérieure en laquelle ne continuent pas de vivre les réalités du plan qu'elle prétend dépasser, est une imposture.

C'est pourquoi je suis allé faire un assez long voyage du côté de la physique, de l'anthropologie, des mathématiques, de la biologie, avant de recommencer à essayer de me faire une idée de l'homme, de sa nature, de ses pouvoirs, de son destin. Naguère, je cherchais à connaître et à comprendre *le tout* de l'homme, et je méprisais la science. Je soupçonnais l'esprit d'être capable d'atteindre de sublimes sommets. Mais que savais-je de sa démarche dans le domaine scientifique ? N'y avait-il pas révélé quelques-uns de ces pouvoirs auxquels j'inclinais à croire ? Je me disais : il faut aller au-delà de la contradiction apparente entre matérialisme et spiritualisme. Mais la démarche scientifique n'y conduisait-elle pas ? Et, dans ce cas, n'était-il pas de mon devoir de m'en informer ? N'était-ce pas, après tout, une action plus raisonnable, pour un Occidental du XXᵉ siècle, que de prendre un bâton de pèlerin et de s'en aller pieds nus en Inde ? N'y avait-il pas autour de moi quantité d'hommes et de livres pour me renseigner ? Ne devais-je pas, d'abord, prospecter à fond mon propre terrain ?

Si la réflexion scientifique, à son extrême pointe, aboutissait à une révision des idées admises sur l'homme, alors il fallait que je le sache. Et ensuite, il y avait une autre nécessité. Toute idée que je pourrais me faire, après, sur le destin de l'intelligence, sur le sens de l'aventure humaine, ne pourrait être retenue comme valable que dans la mesure où elle n'irait pas à rebours du mouvement de la connaissance moderne.

Je trouvai l'écho de cette méditation dans ces paroles d'Oppenheimer :

« Actuellement, nous vivons dans un monde où poètes, historiens, philosophes, sont fiers de dire qu'ils ne voudraient même pas commencer à envisager la possibilité d'apprendre quoi que ce soit touchant aux sciences : ils voient la science au bout d'un long tunnel, trop long pour qu'un homme averti y glisse la tête. Notre philosophie — pour autant que nous en ayons une —, est donc franchement anachronique, et, j'en suis convaincu, parfaitement inadaptée à notre époque. »

Or, pour un intellectuel bien entraîné, il n'est pas plus difficile, s'il le veut vraiment, d'entrer dans le système de pensée qui régit la physique nucléaire que de pénétrer l'économie marxiste ou le thomisme. Il n'est pas plus difficile de saisir la théorie de la cybernétique que d'analyser les causes de la révolution chinoise ou l'expérience poétique chez Mallarmé. En vérité, on se refuse à cet effort, non par crainte de l'effort, mais parce que l'on pressent qu'il entraînerait un changement des modes de pensée et d'expression, une révision des valeurs jusqu'ici admises.

« Et cependant, depuis longtemps déjà, poursuit Oppenheimer, une intelligence plus subtile de la nature de la connaissance humaine, des rapports de l'homme avec l'univers, aurait dû être prescrite. »

Je me mis donc à fouiller dans le trésor des sciences et des techniques d'aujourd'hui, de manière inexperte, assurément, avec une ingénuité et un émerveillement peut-être dangereux, mais propices à l'éclosion de comparaisons, de correspondances, de rapprochements éclairants. C'est alors que je retrouvai un certain nombre de convictions que j'avais eues, plus tôt, du côté de l'ésotérisme, de la mystique, sur la grandeur infinie de l'homme. Mais je les retrouvai dans un autre état. C'étaient maintenant des convictions qui avaient absorbé vivantes les formes et les œuvres de l'intelligence humaine de mon temps, appliquée à l'étude des réalités. Elles n'étaient plus « réactionnaires », elles réduisaient les antagonismes au lieu de les exciter. Des conflits très lourds, comme ceux entre matérialisme et spiritualisme, vie individuelle et vie collective, s'y résorbaient sous l'effet d'une haute chaleur. En ce sens, elles n'étaient plus l'expression d'un choix, et donc d'une rupture, mais d'un devenir, d'un dépassement, d'un renouvellement, c'est-à-dire de l'existence.

Les danses, si rapides et incohérentes des abeilles, dessinent paraît-il dans l'espace des figures mathématiques précises et constituent un langage. Je rêve d'écrire un roman où toutes les rencontres que fait un homme dans son existence, fugaces ou marquantes, amenées par ce que nous appelons le hasard, ou par la nécessité, dessineraient elles aussi des figures, exprimeraient des rythmes, seraient ce qu'elles sont peut-être : un discours savamment construit, adressé à une âme pour son accomplissement, et dont celle-ci ne saisit, au long d'une vie, que quelques mots sans suite.

Il me semble, parfois, saisir le sens de ce ballet humain autour de moi, deviner qu'on me parle à travers le mouvement des êtres qui s'approchent, restent ou s'éloignent. Puis je perds le fil, comme tout le monde, jusqu'à la prochaine grosse et pourtant fragmentaire évidence.

Je sortais de Gurdjieff. Une amitié très vive me lia à André Breton. C'est par lui que je connus René Alleau, historien de l'Alchimie. Un jour que je cherchais, pour une collection d'ouvrages d'actualité, un vulgarisateur scientifique, Alleau me présenta Bergier. Il s'agissait de besogne alimentaire, et je faisais peu de cas de la science, vulgarisée ou non. Or, cette rencontre toute fortuite allait ordonner pour un long temps ma vie, rassembler et orienter toutes les grandes influences intellectuelles ou spirituelles qui s'étaient exercées sur moi, de Vivekananda à Guénon, de Guénon à Gurdjieff, de Gurdjieff à Breton, et me ramener dans l'âge mûr au point de départ : mon père.

En cinq années d'études et de réflexions, au cours desquelles nos deux esprits, assez dissemblables, furent constamment heureux d'être ensemble, il me semble que nous avons découvert un point de vue nouveau et riche en possibilités. C'est ce que faisaient, à leur manière, les surréalistes voici trente ans. Mais ce n'est pas, comme eux, du côté du sommeil et de l'infra-conscience que nous avons été chercher. C'est à l'autre extrémité : du côté de l'ultraconscience et de la veille supérieure. Nous avons baptisé l'école à laquelle nous nous sommes mis, l'école du réalisme fantastique. Elle ne relève en rien du goût pour l'insolite, l'exotisme intellectuel, le baroque, le pittoresque. « Le voyageur tomba mort, frappé par le pittoresque », dit Max Jacob. On ne cherche pas le dépaysement. On ne prospecte pas les lointains faubourgs de la réalité ; on tente au contraire de s'installer au centre. Nous pensons que c'est au cœur même de la réalité que l'intelligence, pour peu qu'elle soit suractivée, découvre le fantastique. Un fantastique qui n'invite pas à l'évasion, mais bien plutôt à une plus profonde adhésion.

C'est par manque d'imagination que des littérateurs, des artistes, vont chercher le fantastique hors de la réalité, dans des nuées. Ils n'en ramènent qu'un sous-produit. Le fantastique, comme les autres matières précieuses, doit être arraché aux entrailles de la terre, du réel. Et l'imagination véritable est tout autre chose qu'une fuite vers l'irréel. « Aucune faculté de l'esprit ne s'enfonce et ne creuse plus que l'imagination : c'est la grande plongeuse. »

On définit généralement le fantastique comme une violation des lois naturelles, comme l'apparition de l'impossible. Pour nous, ce n'est pas cela du tout. Le fantastique est une manifestation des lois naturelles, un effet du contact avec la réalité quand celle-ci est perçue directement et non pas filtrée par le voile du sommeil intellectuel, par les habitudes, les préjugés, les conformismes.

La science moderne nous apprend qu'il y a derrière du visible simple, de l'invisible compliqué. Une table, une chaise, le ciel étoilé sont en réalité radicalement différents de l'idée que nous nous en faisons : systèmes en rotation, énergies en suspens, etc. C'est en ce sens que Valéry disait que, dans la connaissance moderne, « le merveilleux et le positif ont contracté une étonnante alliance ». Ce qui nous est apparu clairement, comme on le verra, j'espère, dans ce livre, c'est que ce contrat entre le merveilleux et le positif n'est pas valable seulement dans le domaine des sciences physiques et mathématiques. Ce qui est vrai pour ces sciences est sans doute vrai aussi pour les autres aspects de l'existence : l'anthropologie, par exemple, ou l'histoire contemporaine, ou la psychologie individuelle, ou la sociologie. Ce qui joue dans les sciences physiques, joue probablement aussi dans les sciences humaines. Mais il y a de grandes difficultés à s'en rendre compte. C'est que, dans ces sciences humaines, tous les préjugés se sont réfugiés, y compris ceux que les sciences exactes ont aujourd'hui évacués. Et que, dans un domaine si proche d'eux, et si mouvant, les chercheurs ont sans cesse tenté de tout ramener, pour y voir enfin clair, à un système : Freud explique tout, *le Capital* explique tout, etc. Quand nous disons préjugés, nous devrions dire : superstitions. Il y en a d'anciennes et il y en a de modernes. Pour certaines gens, aucun phénomène de civilisation n'est compréhensible si l'on n'admet pas, aux origines, l'existence de l'Atlantide. Pour d'autres, le marxisme suffit à expliquer Hitler. Certains voient Dieu dans tout génie, certains n'y voient que le sexe. Toute l'histoire humaine est templière, à moins qu'elle ne soit hégélienne. Notre problème est donc de rendre sensible, à l'état brut, l'alliance entre le merveilleux et le positif dans l'homme seul ou dans l'homme en société, comme elle l'est en biologie, en physique ou en mathématiques modernes, où l'on parle très ouvertement et, somme toute, très simplement d' « Ailleurs Absolu », de « Lumière Interdite » et de « Nombre Quantique d'Étrangeté ».

« A l'échelle du cosmique (toute la physique moderne nous l'apprend) seul le fantastique a des chances d'être vrai », dit Teilhard de Chardin. Mais, pour nous, le phénomène humain doit aussi se mesurer à l'échelle du cosmique. C'est ce que disent les plus anciens textes de sagesse. C'est aussi ce que dit notre civilisation, qui commence à lancer des fusées vers les planètes et cherche le contact avec d'autres intelligences. Notre position est donc celle d'hommes témoins des réalités de leur temps.

A y regarder de près, notre attitude, qui introduit le réalisme fantastique des hautes sciences dans les sciences humaines, n'a rien d'original. Nous ne prétendons d'ailleurs pas être des esprits originaux. L'idée d'appliquer les mathématiques aux sciences n'était vraiment pas fracassante : elle a pourtant donné des résultats très neufs et importants. L'idée que l'univers n'est peut-être pas ce que l'on en sait, n'est pas originale : mais voyez comment Einstein bouleverse les choses en l'appliquant.

Il est enfin évident qu'à partir de notre méthode, un ouvrage comme le nôtre, établi avec le maximum d'honnêteté et le minimum de naïveté, doit susciter plus de questions que de solutions. Une méthode de travail n'est pas un système de pensée. Nous ne croyons pas qu'un système, aussi ingénieux qu'il soit, puisse éclairer complètement la totalité du vivant qui nous occupe. On peut malaxer indéfiniment le marxisme sans parvenir à intégrer le fait qu'Hitler eut conscience plusieurs fois, avec terreur, que le Supérieur Inconnu était venu le visiter. Et l'on pouvait tordre dans tous les sens la médecine d'avant Pasteur sans en extraire l'idée que les maladies sont causées par des animaux trop petits pour être vus. Cependant, il est possible qu'il y ait une réponse globale et définitive à toutes les questions que nous soulevons, et que nous ne l'ayons pas entendue. Rien n'est exclu, ni le oui, ni le non. Nous n'avons découvert aucun « gourou » ; nous ne sommes pas devenus les disciples d'un nouveau messie ; nous ne proposons aucune doctrine. Nous nous sommes simplement efforcés d'ouvrir au lecteur le plus grand nombre possible de portes, et comme la plupart d'entre elles s'ouvrent de l'intérieur, nous nous sommes effacés pour le laisser passer.

Je le répète : le fantastique, à nos yeux, n'est pas l'imaginaire. Mais une imagination puissamment appliquée à l'étude de la réalité découvre que la frontière est très mince entre le merveilleux et le positif, ou, si vous préférez, entre l'univers visible et l'univers invisible. Il existe peut-être un ou plusieurs univers parallèles au nôtre. Je pense que nous n'aurions pas entrepris ce travail si, au cours de notre vie, il ne nous était arrivé de nous sentir, réellement, physiquement, en contact avec un autre monde. Cela s'est produit, pour Bergier, à Mauthausen. A un autre degré, cela s'est produit pour moi chez Gurdjieff. Les circonstances sont bien distinctes, mais le fait essentiel est le même.

L'anthropologue américain Loren Eiseley, dont la pensée est proche de la nôtre, raconte une telle histoire qui exprime bien ce que je veux dire.

« Rencontrer un autre monde, dit-il, n'est pas uniquement un fait imaginaire. Cela peut arriver aux hommes. Aux animaux aussi. Parfois, les frontières glissent ou s'interpénètrent : il suffit d'être là à ce moment. J'ai vu la chose arriver à un corbeau. Ce corbeau-là est mon voisin. Je ne lui ai jamais fait le moindre mal, mais il prend soin de se tenir à la cime des arbres, de voler haut et d'éviter l'humanité. Son monde commence là où ma faible vue s'arrête. Or, un matin, toute notre campagne était plongée dans un brouillard extraordinairement épais, et je marchais à tâtons vers la gare. Brusquement, à la hauteur de mes yeux, apparurent deux ailes noires immenses, précédées d'un bec géant, et le tout passa comme l'éclair en poussant un cri de terreur tel que je souhaite ne plus jamais rien entendre de semblable. Ce cri me hanta tout l'après-midi. Il m'arriva de scruter mon miroir, me demandant ce que j'avais de si révoltant...

« J'ai fini par comprendre. La frontière entre nos deux mondes avait glissé, à cause du brouillard. Ce corbeau, qui croyait voler à son altitude habituelle, avait soudain vu un spectacle bouleversant, contraire pour lui aux lois de la nature. Il avait vu un homme marchant en l'air, au cœur même du monde des corbeaux. Il avait rencontré une manifestation de l'étrangeté la plus absolue qu'un corbeau puisse concevoir : un homme volant...

« Maintenant, quand il m'aperçoit, d'en haut, il pousse des petits cris, et je reconnais dans ces cris l'incertitude d'un esprit dont l'univers a été ébranlé. Il n'est plus, il ne sera jamais plus comme les autres corbeaux... »

Ce livre n'est pas un roman, quoique l'intention en soit romanesque. Il n'appartient pas à la science-fiction, quoiqu'on y côtoie des mythes qui alimentent ce genre. Il n'est pas une collection de faits bizarres, quoique l'Ange du Bizarre s'y trouve à l'aise. Il n'est pas non plus une contribution scientifique, le véhicule d'un enseignement inconnu, un témoignage, un documentaire, ou une affabulation. Il est le récit, parfois légende et parfois exact, d'un premier voyage dans des domaines de la connaissance encore à peine explorés. Comme dans les carnets des navigateurs de la Renaissance, la féerie et le vrai, l'extrapolation hasardeuse et la vision exacte s'y mêlent. C'est que nous n'avons eu ni le temps ni les moyens de pousser à fond l'exploration. Nous ne pouvons que suggérer des hypothèses et établir des esquisses de chemins de communication entre ces divers domaines qui sont encore, pour l'instant, des terres interdites. Sur ces terres interdites, nous n'avons fait que de brefs séjours. Quand on les aura mieux explorées, on s'apercevra sans doute que beaucoup de nos propos étaient délirants, comme les rapports de Marco Polo. C'est une éventualité que nous acceptons de bon cœur. « Il y avait quantité de sottises dans le bouquin de Pauwels et Bergier. » Voilà ce que l'on dira. Mais si c'est ce bouquin qui a donné envie d'aller y voir de plus près, nous aurons atteint notre but.

Nous pourrions écrire, comme Fulcanelli essayant de percer à jour et de dépeindre le mystère des cathédrales : « Nous laissons au lecteur le soin d'établir tous rapprochements utiles, de coordonner les versions, d'isoler la vérité positive combinée à l'allégorie légendaire dans ces fragments énigmatiques. » Cependant, notre documentation ne doit rien à des maîtres cachés, des livres enterrés ou des archives secrètes. Elle est vaste, mais accessible à tous. Pour ne pas alourdir à l'excès, nous avons évité de multiplier les références, les notes en bas de page, les indications bibliographiques, etc. Nous avons parfois procédé par images et allégories, par souci d'efficacité et non par ce goût du mystère, si vif chez les ésotéristes qu'il nous fait penser à ce dialogue des Marx Brothers :

« Dis donc, il y a un trésor dans la maison d'à côté.

— Mais il n'y a pas de maison à côté.

— Eh bien, nous en construirons une ! »

Ce livre, comme je l'ai dit, doit beaucoup à Jacques Bergier. Non seulement dans sa théorie générale qui est le fruit du mariage de nos pensées, mais aussi dans sa documentation. Tous ceux qui ont approché cet homme à la mémoire surhumaine, à la dévorante curiosité et — ce qui est plus rare encore — à la constante présence d'esprit, me croiront sans peine si je dis qu'en un lustre Bergier m'a fait gagner vingt ans de lecture active. Dans ce puissant cerveau, une formidable bibliothèque est en service; le choix, le classement, les connexions les plus complexes s'établissent à la vitesse de l'électronique. Le spectacle de cette intelligence en mouvement n'a jamais manqué de produire en moi une exaltation des facultés, sans laquelle la conception et la rédaction de cet ouvrage m'eussent été impossibles.

Dans un bureau de la rue de Berri qu'un grand imprimeur avait généreusement mis à notre disposition, nous avons réuni quantité de livres, de revues, de rapports, de journaux en toutes les langues, et une secrétaire prit en dictée des milliers de pages de notes, de citations, de traductions, de réflexions. Chez moi, au Mesnil-le-Roi, tous les dimanches, nous poursuivions notre conversation, entrecoupée de lectures, et je consignais par écrit, la nuit même, l'essentiel de nos propos, les idées qui en avaient surgi, les nouvelles directions de recherche qu'ils avaient suggérées. Chaque jour, durant ces cinq ans, je me suis mis à ma table dès l'aube, car ensuite de longues heures de travail extérieur m'attendaient. Les choses étant ce qu'elles sont dans ce monde auquel nous ne voulons pas nous dérober, la question du temps est une question d'énergie. Mais il nous eût fallu encore dix ans, beaucoup de moyens matériels et une nombreuse équipe pour commencer à mener à bien notre entreprise. Ce que nous voudrions, si nous disposons un jour de quelque argent, arraché ici ou là, c'est créer et animer une sorte d'institut où les études, à peine amorcées dans ce livre, seraient poursuivies. Je souhaite que ces pages nous y aident, si elles ont quelque valeur. Comme le dit Chesterton, « l'idée qui ne cherche pas à devenir mot est une mauvaise idée, et le mot qui ne cherche pas à devenir action est un mauvais mot ».

Pour diverses raisons, les activités extérieures de Bergier sont nombreuses. Les miennes aussi, et d'une certaine ampleur. Mais j'ai vu dans mon enfance mourir de travail. « Comment faites-vous tout ce que vous faites ? » Je ne sais, mais je pourrais répondre par la parole de Zen : « Je vais à pied et cependant je suis assis sur le dos d'un bœuf. »

Quantité de difficultés, sollicitations et gênes de toutes sortes ont surgi par la traverse, jusqu'à me faire désespérer. Je n'aime guère la figure du créateur farouchement indifférent à tout ce qui n'est pas son œuvre. Un amour plus vaste me tient, et l'étroitesse en amour, fût-elle le prix d'une belle œuvre, me semble une indigne contorsion. Mais on comprendra que dans ces dispositions, dans le flot d'une vie largement participante, il arrive qu'on risque la noyade. Une pensée de Vincent de Paul m'a aidé : « Les grands desseins sont toujours traversés par diverses rencontres et difficultés. La chair et le sang diront qu'il faut abandonner la mission, gardons-nous bien de les écouter. Dieu ne change jamais dans ce qu'il a une fois résolu, quelque chose de contraire qu'il nous semble qu'il arrive. »

Dans ce cours complémentaire de Juvisy, que j'évoquais au début de cette préface, on nous donna un jour à commenter la phrase de Vigny : « Une vie réussie est un rêve d'adolescent réalisé dans l'âge mûr. » Je rêvais alors d'approfondir et de servir la philosophie de mon père, qui était une philosophie du progrès. C'est, après bien des fuites, oppositions et détours, ce que je tente

de faire. Que mon combat donne la paix à ses cendres !
A ses cendres aujourd'hui dispersées, ainsi qu'il le
souhaitait, pensant, comme je le pense aussi, que « la
matière n'est peut-être qu'un des masques parmi tous
les masques portés par le Grand Visage ».

PREMIÈRE PARTIE

Le futur antérieur

I

Hommage au lecteur pressé. — Une démission en 1875. — Les
oiseaux de malheur. — Comment le XIXᵉ siècle fermait les
portes. — La fin des sciences et le refoulement du fantastique.
— Les désespoirs de Poincaré. — Nous sommes nos propres
grands-pères. — Jeunesse! Jeunesse!

Comment un homme intelligent, aujourd'hui, ne se
sentirait-il pas pressé? « Levez-vous, monsieur, vous
avez de grandes choses à faire! » Mais il faut se lever
de plus en plus tôt. Accélérez vos machines à voir, à
entendre, à penser, à vous souvenir, à imaginer. Notre
meilleur lecteur, le plus cher à nos yeux, en aura fait
avec nous en deux ou trois heures. Je connais quelques
hommes qui lisent avec le profit maximum, cent pages
de mathématiques, de philosophie, d'histoire ou
d'archéologie en vingt minutes. Les acteurs apprennent à « placer » leur voix. Qui nous apprendra à
« placer » notre attention? Il y a une hauteur à partir
de laquelle tout change de vitesse. Je ne suis pas, dans
cet ouvrage, de ces écrivains qui veulent garder le
lecteur auprès d'eux le plus longtemps possible, le
berçant. Rien pour le sommeil, tout pour l'éveil. Allez
vite, prenez et partez! Il y a de l'occupation dehors. Au
besoin, sautez des chapitres, commencez par où il vous
plaira, lisez en diagonale : ceci est un instrument à

35

usages multiples, comme les couteaux de campeurs. Par exemple, si vous redoutez d'arriver trop tard au vif du sujet qui vous importe, passez ces premières pages. Sachez seulement qu'elles montrent comment le XIXᵉ siècle avait fermé les portes à la réalité fantastique de l'homme, du monde, de l'univers; comment le XXᵉ les rouvre, mais que nos morales, nos philosophies et notre sociologie, qui devraient être contemporaines du futur, ne le sont pas, demeurant attachées à ce XIXᵉ périmé. Le pont n'est pas jeté entre le temps des chassepots et celui des fusées, mais on y pense. C'est pour qu'on y pense encore plus que nous écrivons. Pressés, ce n'est pas sur le passé que nous pleurons, c'est sur le présent, et d'impatience. Voilà. Vous en savez assez pour feuilleter vite ce début, si besoin est, et voir plus loin.

L'histoire n'a pas retenu son nom, c'est dommage. Il était directeur du *Patent Office* américain et c'est lui qui sonna le branle-bas. En 1875, il envoya sa démission au Secrétaire d'État au Commerce. Pourquoi rester ? disait-il en substance, il n'y a plus rien à inventer.

Douze ans après, en 1887, le grand chimiste Marcellin Berthelot écrivait : « L'univers est désormais sans mystère. » Pour obtenir du monde une image cohérente la science avait fait place nette. La perfection par l'omission. La matière était constituée par un certain nombre d'éléments impossibles à transformer les uns dans les autres. Mais tandis que Berthelot repoussait dans son savant ouvrage les rêveries alchimiques, les éléments, qui ne le savaient pas, continuaient à se transmuter sous l'effet de la radio-activité naturelle. En 1852, le phénomène avait été décrit par Reichenbach, mais aussitôt rejeté. Des travaux datant de 1870 évoquaient « un quatrième état de la matière » constaté lors de la décharge dans les gaz. Mais il fallait refouler tout mystère. Refoulement : c'est le mot. Il y a une psychanalyse à faire d'une certaine pensée du XIXᵉ siècle.

Un Allemand, nommé Zeppelin, de retour au pays après avoir combattu dans les rangs sudistes, tenta d'intéresser des industriels à la direction des ballons. « Malheureux ! Ne savez-vous pas qu'il y a trois sujets sur lesquels l'Académie des sciences française n'accepte plus de mémoires : la quadrature du cercle, le tunnel sous la Manche et la direction des ballons. » Un autre Allemand, Herman Gaswindt, proposait de construire des machines volantes plus lourdes que l'air, propulsées par des fusées. Sur le cinquième manuscrit, le ministre de la Guerre allemand, après avoir pris avis des techniciens, écrivit, avec la douceur de sa race et de sa fonction : « Quand donc cet oiseau de malheur crèvera-t-il enfin ! »

Les Russes, eux, s'étaient débarrassés d'un autre oiseau de malheur, Kibaltchich, lui aussi partisan des machines volantes à fusées. Peloton d'exécution. Il est vrai que Kibaltchich avait usé de ses qualités de technicien pour fabriquer une bombe qui venait de découper en petits morceaux l'empereur Alexandre II. Mais il n'y avait pas de raison pour envoyer au poteau le professeur Langley, du *Smithsonian Institute* américain, qui proposait, lui, des machines volantes actionnées par les moteurs à explosion de fabrication toute récente. On le déshonora, on le ruina, on l'expulsa du *Smithsonian*. Le professeur Simon Newcomb démontra mathématiquement l'impossibilité du plus lourd que l'air. Quelques mois avant la mort de Langley, que le chagrin tuait, un petit garçon anglais revint un jour de l'école en sanglotant. Il avait montré à ses copains une photo de maquette que Langley venait d'envoyer à son père. Il avait proclamé que les hommes finiraient

par voler. Les copains s'étaient moqués. Et l'instituteur avait dit : « Mon ami, votre père serait donc un
sot ? » Le présumé sot se nommait Herbert George
Wells.

Toutes les portes se refermaient donc avec un bruit
sec. Il n'y avait plus, en effet, qu'à démissionner et
M. Brunetière pouvait tranquillement, en 1895, parler
de « La faillite de la science ». Le célèbre professeur
Lippmann, à la même époque, déclarait à l'un de ses
élèves que la Physique était finie, classée, rangée,
complète, et qu'il ferait mieux de s'engager sur d'autres chemins. L'élève s'appelait Helbronner et devait
devenir le premier professeur de chimie-physique
d'Europe, faire des découvertes remarquables sur l'air
liquide, l'ultraviolet et les métaux colloïdaux. Moissan,
chimiste génial, était contraint à « l'autocritique » et
devait déclarer publiquement qu'il n'avait pas fabriqué de diamants, qu'il s'agissait d'une erreur expérimentale. Inutile de chercher plus loin : les merveilles
du siècle étaient la machine à vapeur et la lampe à gaz,
jamais l'humanité ne ferait plus grande invention.
L'électricité ? Simple curiosité technique. Un fol
Anglais, Maxwell, avait prétendu qu'au moyen de
l'électricité on pourrait produire des rayons lumineux
invisibles : pas sérieux. Quelques années plus tard,
Ambrose Bierce pourrait écrire dans son *Dictionnaire
du Diable* : « On ne sait pas ce que c'est que l'électricité, mais en tout cas elle éclaire mieux qu'un cheval-
vapeur et va plus vite qu'un bec de gaz. »

Quant à l'énergie, c'était une entité tout à fait
indépendante de la matière, et sans mystère aucun.
Elle était composée de fluides. Les fluides remplis-
saient tout, se laissaient décrire par des équations
d'une grande beauté formelle et satisfaisaient la pensée : fluide électrique, lumineux, calorifique, etc. Une
progression continue et claire : la matière avec ses
trois états (solide, liquide, gazeux) et les divers fluides

énergétiques, plus subtils encore que les gaz. Il suffisait de repousser comme rêverie philosophique les théories naissantes de l'atome pour conserver une image « scientifique » du monde. On était fort loin des grains d'énergie de Planck et Einstein.

L'Allemand Clausius démontrait qu'aucune source d'énergie autre que le feu n'était concevable. Et l'énergie, si elle se conserve en quantité, se dégrade en qualité. L'univers a été remonté une bonne fois, comme une horloge. Il s'arrêtera quand son ressort sera détendu. Rien à attendre, pas de surprise. Dans cet univers au destin prévisible, la vie était apparue par hasard et avait évolué par le simple jeu des sélections naturelles. Au sommet définitif de cette évolution : l'homme. Un ensemble mécanique et chimique, doté d'une illusion : la conscience. Sous l'effet de cette illusion, l'homme avait inventé l'espace et le temps : des vues de l'esprit. Si l'on avait dit à un chercheur officiel du XIXe siècle que la physique absorberait un jour l'espace et le temps et que celle-ci étudierait expérimentalement la courbure de l'espace et la contraction du temps, il eût appelé la police. L'espace et le temps n'ont aucune existence réelle. Ce sont des variables de mathématicien et des sujets de réflexion gratuite pour philosophes. L'homme ne saurait avoir quelque rapport avec ces grandeurs. En dépit des travaux de Charcot, de Breuer, d'Hyslop, l'idée de perception extra-sensorielle ou extra-temporelle est à repousser avec mépris. Pas d'inconnu dans l'univers, pas d'inconnu dans l'homme. Savant mon fils, tiens ton nez propre !

Il était tout à fait inutile de tenter une exploration du monde intérieur, mais cependant un fait mettait des bâtons dans les roues de la simplification : on parlait beaucoup de l'hypnose, le naïf Flammarion, le douteux Edgar Poe, le suspect H. G. Wells s'intéressaient au phénomène. Or, aussi fantastique que cela puisse paraître, le XIXᵉ siècle officiel démontra que l'hypnose n'existait pas. Le patient a tendance à mentir, à simuler pour plaire à l'hypnotiseur. C'est exact. Mais, depuis Freud et Morton Price, on sait que la personnalité peut être divisée. A partir de critiques exactes, ce siècle parvint à créer une mythologie négative, à éliminer toute trace d'inconnu dans l'homme, à refouler tout soupçon d'un mystère.

La biologie, elle aussi, était finie. M. Claude Bernard en avait épuisé les possibilités et l'on avait conclu que le cerveau sécrète la pensée comme le foie, la bile. Sans doute, on parviendrait à déceler cette sécrétion et à en écrire la formule chimique conformément aux jolis arrangements en hexagones immortalisés par M. Berthelot. Quand on saurait comment les hexagones de carbone s'associent pour créer l'esprit, la dernière page serait tournée. Qu'on nous laisse travailler sérieusement ! Les fous à l'asile ! Un beau matin de 1898, un monsieur sérieux ordonna à la gouvernante de ne plus laisser lire Jules Verne à ses enfants. Ces idées fausses déformeraient les jeunes esprits. Le monsieur sérieux s'appelait Édouard Branly. Il venait de décider de renoncer à ses expériences sans intérêt sur les ondes pour devenir médecin de quartier.

Le savant doit abdiquer. Mais il doit aussi réduire à rien les « aventuriers », c'est-à-dire les gens qui réfléchissent, imaginent, rêvent. Berthelot attaque les philosophes « qui s'escriment contre leur propre fantôme dans l'arène solitaire de la logique abstraite » (voilà une bonne description d'Einstein, par exemple). Et Claude Bernard déclare : « Un homme qui trouve le fait le plus simple rend plus de services que le plus grand philosophe du monde. » La science ne saurait être qu'expérimentale. Hors d'elle, point de salut. Fermons les portes. Nul n'égalera jamais les géants qui ont inventé la machine à vapeur.

Dans cet univers organisé, compréhensible, et d'ailleurs condamné, l'homme devait se tenir à sa juste place d'épiphénomène. Pas d'utopie et pas d'espoir. Le combustible fossile s'épuisera en quelques siècles, et ce sera la fin par le froid et la famine. Jamais l'homme ne volera, jamais il ne voyagera dans l'espace. Jamais non plus il ne visitera le fond des mers. Étrange interdiction que celle de la visite des abîmes marins ! Rien n'empêchait le XIXe siècle, en l'état des techniques, de construire le bathyscaphe du professeur Piccard. rien qu'une énorme timidité, rien que le souci, pour l'homme, de « rester à sa place ».

Turpin, qui invente la mélinite, se fait promptement enfermer. Les inventeurs des moteurs à explosion sont découragés et l'on tente de montrer que les machines électriques ne sont que des formes du mouvement perpétuel. C'est l'époque des grands inventeurs isolés, révoltés, traqués. Hertz écrit à la Chambre de Commerce de Dresde qu'il faut décourager les recherches sur la transmission des ondes hertziennes : aucune application pratique n'est possible. Les experts de Napoléon III prouvent que la dynamo Gramme ne tournera jamais.

Pour les premières automobiles, pour le sous-marin, pour le dirigeable, pour la lumière électrique (une escroquerie de ce sacré Edison !) les doctes académies ne se dérangent pas. Il y a une page immortelle. C'est le compte rendu de la réception du phonographe à l'Académie des sciences de Paris : « Dès que la machine a émis quelques paroles, M. le secrétaire perpétuel se précipite sur l'imposteur et lui serre la gorge d'une poigne de fer. Vous voyez bien ! dit-il à ses collègues. Or, à l'étonnement général, la machine continue à émettre des sons. »

Cependant, d'immenses esprits, fortement contrariés, s'arment en secret pour préparer la plus formidable révolution des connaissances que l'homme « historique » ait connue. Mais, pour l'heure, toutes les voies sont bouchées.

Bouchées en avant et en arrière. On refoule les fossiles d'êtres préhumains que l'on commence à découvrir en quantité. Le grand Heinrich Helmholtz n'a-t-il pas démontré que le soleil tire son énergie de sa propre contraction, c'est-à-dire de la seule force, avec la combustion, existant dans l'univers ? Et ses calculs ne montrent-ils pas qu'une centaine de milliers d'années, au plus, nous séparent de la naissance du soleil ? Comment une longue évolution aurait-elle pu se produire ? Et, d'ailleurs, qui trouvera jamais le moyen de dater le passé du monde ? Dans ce court espace entre deux néants, nous autres, épiphénomènes, demeurons sérieux. Les faits ! rien que les faits !

La recherche sur la matière et l'énergie n'étant guère encouragée, les meilleurs curieux se lancent dans une impasse : l'éther. C'est le milieu pénétrant toute matière et servant de support aux ondes lumineuses et électromagnétiques. Il est à la fois infiniment solide et infiniment ténu. Lord Rayleigh, qui représente, à la fin du XIXe siècle, la science officielle anglaise dans sa splendeur; construit une théorie de l'éther giroscopique. Un éther composé de multiples toupies tournant en tous sens et réagissant entre elles. Aldous Huxley écrira plus tard que « si une œuvre humaine peut donner l'idée de la laideur dans l'absolu, la théorie de Lord Rayleigh y parvient ».

C'est dans la spéculation sur l'éther que se trouvent engagées les intelligences disponibles, à l'orée du XXe siècle. En 1898, se produit la catastrophe : l'expérience de Michelson et Morley détruit l'hypothèse de l'éther. Toute l'œuvre d'Henri Poincaré va témoigner de cet effondrement. Poincaré, mathématicien de génie, sentait peser sur lui l'énorme poids de ce XIXᵉ siècle geôlier et bourreau du fantastique. Il aurait découvert la relativité, s'il avait osé. Mais il n'osa pas. *La Valeur de la Science, La Science et l'Hypothèse,* sont des livres de désespoir et de démission. Pour lui, l'hypothèse scientifique n'est jamais vraie, elle ne peut être qu'utile. Et c'est une auberge espagnole : on n'y trouve que ce que l'on y apporte. Selon Poincaré, si l'univers se contractait un million de fois, et nous avec lui, nul ne s'apercevrait de rien. Spéculations inutiles, donc puisque détachées de toute réalité sensible. L'argument fut cité jusqu'au début de notre siècle comme un modèle de profondeur. Jusqu'au jour où un ingénieur praticien fit observer que le charcutier, du moins, le saurait parce que tous les jambons tomberaient. Le poids d'un jambon est proportionnel à son volume, mais la force d'une ficelle n'est pas proportionnelle qu'à sa section. Que l'univers se contracte d'un millionième, et plus de jambons au plafond ! Pauvre, grand et cher Poincaré ! C'est ce maître à penser qui écrivait : « Le bon sens à lui tout seul est suffisant pour nous dire que la destruction d'une ville par la désintégration d'un demi-kilo de métal est une impossibilité évidente. »

Caractère limité de la structure physique de l'univers, inexistence des atomes, faibles ressources de l'énergie fondamentale, incapacité d'une formule mathématique à donner plus qu'elle ne contient, vacuité de l'intuition, étroitesse et mécanicité absolue du monde intérieur de l'homme : tel est l'esprit dans les sciences, et cet esprit s'étend à tout, crée le climat dans lequel baigne toute l'intelligence de se siècle. Siècle petit ? Non. Grand mais étroit. Un nain qu'on a étiré.

Brusquement, les portes soigneusement fermées par le XIXᵉ siècle sur les infinies possibilités de l'homme, de la matière, de l'énergie, de l'espace et du temps, vont voler en éclats. Les sciences et les techniques vont faire un bond formidable, et la nature même de la connaissance va être remise en question.

Autre chose qu'un progrès : une transmutation. Dans cet autre état du monde, la conscience elle-même doit changer d'état. Aujourd'hui, en tous domaines, toutes les formes de l'imagination sont en mouvement. Sauf dans les domaines où se déroule notre vie « historique », bouchée, douloureuse, avec la précarité des choses périmées. Un immense fossé sépare l'homme de l'aventure de l'humanité, nos sociétés de notre civilisation. Nous vivons sur des idées, des morales, des sociologies, des philosophies, une psychologie qui appartiennent aux XIXᵉ siècle. Nous sommes nos propres arrière-grands-pères. Nous regardons monter vers le ciel les fusées, notre terre vibrer de mille radiations nouvelles, en tétant la pipe de Thomas Graindorge. Notre littérature, nos débats philosophiques, nos conflits idéologiques, notre attitude devant la réalité, tout cela dort derrière des portes qui viennent de sauter. Jeunesse ! Jeunesse ! Allez dire à tout le monde que les ouvertures sont faites et que, déjà, le Dehors est entré !

II

La délectation bourgeoise. — Un drame de l'intelligence ou la tempête de l'irréalisme. — L'ouverture sur une réalité autre. — Au-delà de la logique et des philosophies littéraires. — La notion d'éternel présent. — Science sans conscience : et conscience sans science ? — L'espoir.

« La marquise prit son thé à cinq heures » : Valéry disait à peu près qu'on ne peut écrire de pareilles choses quand on est entré dans le monde des idées, mille fois plus fort, romanesque, mille fois plus *réel* que le monde du cœur et des sens. « Antoine aimait Marie qui aimait Paul ; ils furent très malheureux et eurent beaucoup de néants. » Toute une littérature ! Des palpitations d'amides et d'infusoires, quand la Pensée entraîne tragédies et drames géants, transmute des êtres, bouleverse des civilisations, mobilise d'immenses masses humaines. Sommeilleuses jouissances, délectation bourgeoise ! Nous autres, adeptes de la conscience éveillée, travailleurs de la terre, savons où sont l'insignifiance, la décadence, le jeu pourri...

La fin du XIXᵉ siècle marque l'apogée du théâtre et du roman bourgeois et la génération littéraire de 1885 se reconnaîtra un moment pour maîtres Anatole France et Paul Bourget. Or, à la même époque se joue, dans le domaine de la connaissance pure, un drame beaucoup plus grand et palpitant que chez les héros du *Divorce* ou ceux du *Lys Rouge*. Une soudaine ivresse se glisse dans le dialogue entre matérialisme et spiritualisme, science et religion. Du côté des savants, héritiers du positivisme de Taine et Renan, des découvertes formidables vont faire s'écrouler les murailles de l'incrédulité. On ne croyait qu'aux réalités dûment établies : brusquement, c'est l'irréel qui devient possible. Voyez les choses comme une intrigue romanesque, avec volte-face des personnages, passage des traîtres, passions contrariées, débat parmi les illusions.

Le principe de la conservation de l'énergie était du solide, du certain, du marbre. Et voici que le radium produit de l'énergie sans l'emprunter à aucune source. On était sûr de l'identité de la lumière et de l'électricité : elles ne pouvaient se propager qu'en ligne droite et sans traverser d'obstacles. Et voici que les ondes, que les rayons X franchissent les solides. Dans les tubes à décharge, la matière semble s'évanouir, se transformer en corpuscules. La transmutation des éléments s'opère dans la nature : le radium devient hélium et plomb. Voici que le Temple des Certitudes s'effondre. Voici que le monde ne joue plus le jeu de la raison ! Tout devient-il donc possible ? D'un seul coup, ceux qui savent, ou croyaient savoir, cessent de faire le partage entre physique et métaphysique, chose vérifiée et chose rêvée. Les piliers du Temple se font nuées, les prêtres de Descartes délirent. Si le principe de conservation de l'énergie est faux, qu'est-ce qui empêcherait le médium de fabriquer un ectoplasme à partir de rien ? Si les ondes magnétiques traversent la terre, pourquoi une pensée ne voyagerait-elle pas ? Si tous les corps émettent des forces invisibles, pourquoi pas un corps astral ? S'il y a une quatrième dimension, est-ce le domaine des esprits ?

Mme Curie, Crookes, Lodge font tourner les tables. Edison tente de construire un appareil qui communiquérait avec les morts. Marconi, en 1901, croit avoir capté des messages de Martiens. Simon Newcomb trouve tout naturel qu'un médium matérialise des coquillages frais du Pacifique. Une tempête de fantastique irréel renverse les chercheurs de réalités.

Mais les purs, les irréductibles, tentent de repousser ce flux. La vieille garde du positivisme livre un baroud d'honneur. Et, au nom de la Vérité, au nom de la Réalité, elle refuse tout en bloc : les rayons X et les ectoplasmes, les atomes et l'esprit des morts, le quatrième état de la matière et les Martiens.

Ainsi, entre le fantastique et la réalité va se dérouler un combat souvent absurde, aveugle, désordonné, qui retentira bientôt sur toutes les formes de la pensée, dans tous les domaines : littéraire, social, philosophique, moral, esthétique. Mais c'est dans la science physique que l'ordre se rétablira, non par régression, amputations, mais par dépassement. C'est en physique que naît une nouvelle conception. On le doit à l'effort de titans comme Langevin, Perrin, Einstein. Une science nouvelle apparaît, moins dogmatique que l'ancienne. Des portes s'ouvrent sur une réalité *autre*. Comme dans tout grand roman, il n'y a finalement ni bons ni méchants et tous les héros ont raison si le regard du romancier s'est situé dans une dimension complémentaire où les destins se rejoignent, se confondent, portés tous ensemble à un degré supérieur.

Où en sommes-nous aujourd'hui ? Des portes se sont ouvertes dans presque tous les édifices scientifiques, mais l'édifice de la physique est désormais presque sans murs : une cathédrale toute en vitrail où se reflètent les lueurs d'un autre monde, infiniment proche.

La matière s'est révélée aussi riche, sinon plus riche

en possibilités que l'esprit. Elle renferme une énergie incalculable, elle est susceptible de transformations infinies, ses ressources sont insoupçonnables. Le terme « matérialiste », au sens du XIXᵉ siècle, a perdu tout sens, de même que le terme « rationaliste ».

La logique du « bon sens » n'existe plus. En physique nouvelle, une proposition peut être à la fois vraie et fausse. A.B. n'est plus égal à B.A. Une même entité peut être à la fois continue et discontinue. On ne saurait plus se référer à la physique pour condamner tel ou tel aspect du possible[1].

Prenez une feuille de papier. Percez-y deux trous, à faible distance. Il est évident, pour le sens commun,

---

1. Un des signes les plus étonnants de l'ouverture qui se produit dans le domaine de la physique est l'introduction de ce que l'on appelle le « nombre quantique d'étrangeté ». Voici en gros ce dont il s'agit. On pensait naïvement au début du XIXᵉ siècle que deux nombres, trois au plus, suffiraient pour définir une particule. Ce nombre aurait été sa masse, sa charge électrique et son moment magnétique. La vérité était loin d'être aussi simple. Pour décrire complètement une particule il a fallu ajouter une grandeur intraduisible en paroles et qu'on appelait *spin*. On avait cru d'abord que cette grandeur correspondait à une période de rotation de la particule sur elle-même, quelque chose qui pour la planète Terre, par exemple, correspondrait à la période de vingt-quatre heures réglant l'alternance des jours et des nuits. On s'est aperçu qu'aucune explication simpliste de ce genre ne pouvait tenir. Le *spin* était simplement le *spin*, une quantité d'énergie liée à la particule, se présentant mathématiquement comme une rotation sans que quoi que ce soit dans la particule tourne.

De savants travaux, dus surtout au professeur Louis de Broglie, n'ont réussi que partiellement à expliquer le mystère du *spin*. Mais brusquement, on s'est avisé qu'entre les trois particules connues : protons, électrons, neutrons (et leurs images dans le miroir antiproton négatif, positron, antineutron), il existait une bonne trentaine d'autres particules. Les rayons cosmiques, les grands accélérateurs en produisaient d'énormes quantités. Or, pour décrire ces particules les quatre nombres habituels, masse, charges, moment magnétique, *spin* ne suffisaient plus. Il fallait créer un cinquième nombre, peut-être un sixième et ainsi de suite. Et c'est d'une façon tout à fait naturelle que les physiciens ont nommé ces grandeurs nouvelles des « nombres quantiques d'étrangeté ». Ce salut à l'Ange du Bizarre a quelque chose de grandement poétique. Comme bien d'autres expressions de la physique moderne : « Lumière Interdite », « Ailleurs Absolu », le « nombre quantique d'étrangeté » a des prolongements au-delà de la physique, des liaisons avec les profondeurs de l'esprit humain.

qu'un objet suffisamment petit pour passer par ces trous passera par l'un ou l'autre. Aux yeux du sens commun, un électron est un objet. Il possède un poids défini, il produit un éclair lumineux quand il frappe un écran de télévision, un choc quand il frappe un microphone. Voilà notre objet suffisamment petit pour passer par un de nos deux trous. Or, l'observation avec le microscope électronique nous apprendra que l'électron est passé à la fois par les deux trous. Voyons! S'il est passé par l'un, il ne peut en même temps être passé par l'autre! Si, il est passé par l'un et l'autre. C'est fou, mais c'est expérimental. De tentatives d'explications sont nées diverses doctrines, la mécanique ondulatoire en particulier. Mais la mécanique ondulatoire ne parvient cependant pas à expliquer totalement un tel fait qui se maintient hors de notre raison, laquelle ne saurait fonctionner que par oui ou non, A ou B. C'est la structure même de notre raison qu'il faudrait modifier pour comprendre. Notre philosophie veut thèse et antithèse. Il faut croire que dans la philosophie de l'électron, thèse et antithèse sont vraies à la fois. Parlerons-nous d'absurde? L'électron semble obéir à des lois, et la télévision, par exemple, est une réalité. L'électron existe-t-il ou non? Ce que la nature appelle exister n'a pas d'existence à nos yeux. L'électron est-il de l'être ou du néant? Voilà une question parfaitement vide de sens. Ainsi disparaissent à la pointe de la connaissance, nos méthodes de pensée habituelles et les philosophies littéraires, nées d'une vision périmée des choses.

La Terre est liée à l'univers, l'homme n'est pas seulement en contact avec la planète qu'il habite. Les rayons cosmiques, la radioastronomie, les travaux de physique théorique révèlent des contacts avec la totalité du cosmos. Nous ne vivons plus dans un monde fermé : un esprit vraiment témoin de son temps ne saurait l'ignorer. Comment, dans ces conditions, la pensée, sur le plan social, par exemple, peut-elle demeurer aux prises avec des problèmes non pas même planétaires, mais étroitement régionaux, provinciaux ? Et comment notre psychologie, telle qu'elle s'exprime dans le roman, peut-elle rester aussi fermée, réduite aux mouvements infraconscients de la sensualité et de la sentimentalité ? Tandis que des millions de civilisés ouvrent des livres, vont au cinéma ou au théâtre pour savoir comment Françoise sera émue par René, mais haïssant la maîtresse de son père, deviendra lesbienne par sourde vengeance, des chercheurs qui font chanter aux nombres une musique céleste se demandent si l'espace ne se contracte pas autour d'un véhicule [1]. L'univers tout entier serait dès lors accessible : il serait possible de se rendre sur l'étoile la plus lointaine dans l'espace d'une vie humaine. Si de telles équations se trouvaient confirmées, la pensée humaine en serait bouleversée. Si l'homme n'est pas limité à cette Terre, de nouvelles questions se poseront sur le sens profond de l'initiation et sur d'éventuels contacts avec des intelligences du Dehors.

Où en sommes-nous encore ? En matière de recherche sur les structures de l'espace et du temps, nos notions de passé et d'avenir ne tiennent plus. Au niveau de la particule, le temps circule dans les deux sens à la fois : avenir et passé. A une vitesse extrême, limite de celle de la lumière qu'est-ce que le temps ? Nous sommes à Londres en octobre 1944. Une fusée V2, volant à 5 000 kilomètres-heure est au-dessus de la ville. Elle va tomber. Mais ce *va* s'applique à quoi ? Pour les habitants de la maison qui sera écrasée dans un instant, et qui n'ont que leurs yeux et leurs oreilles, la V2 *va* tomber. Mais pour l'opérateur du radar, qui se sert des ondes se propulsant à 300 000 kilomètres-seconde (vitesse par rapport à laquelle la

---

1. Un des aperçus de la *Théorie unitaire* de Jean Charon.

fusée rampe), la trajectoire de la bombe est déjà fixée. Il observe : il ne peut rien. A l'échelle humaine, rien ne peut déjà plus intercepter l'instrument de mort, rien ne peut prévenir. Pour l'opérateur, la fusée s'est déjà écrasée. A la vitesse du radar, le temps ne s'écoule pratiquement pas. Les habitants de la maison *vont* mourir. Dans le super-œil du radar, ils sont déjà morts.

Autre exemple : on trouve dans les rayons cosmiques, lorsqu'ils atteignent la surface de la Terre des particules, les mésons mu, dont la vie sur le globe n'est que d'un millionième de seconde. Au bout de ce millionième de seconde, ces éphémères se détruisent eux-mêmes par radio-activité. Or, ces particules sont nées à 30 kilomètres dans le ciel, région où l'atmosphère de notre planète commence à être dense. Pour franchir ces 30 kilomètres, elles ont déjà dépassé leur temps de vie, considéré à notre échelle. Mais leur temps n'est pas le nôtre. Elles ont vécu ce voyage dans l'éternité et ne sont entrées dans le temps que lorsqu'elles ont perdu leur énergie, arrivant au niveau de la mer. On envisage de construire des appareils où le même effet serait produit. On créerait ainsi des tiroirs du temps, où se trouveraient rangés des objets de faible durée, conservés dans la quatrième dimension. Ce tiroir serait un anneau creux de verre, placé dans un énorme champ de forces, et où les particules tourneraient si vite que le temps, pour celles-ci, aurait pratiquement cessé de couler. Une vie d'un millionième de seconde pourrait être ainsi maintenue et observée durant des minutes ou des heures...

« Il ne faut pas croire que le temps écoulé rentre dans le néant ; le temps est un et éternel, le passé, le présent et l'avenir ne sont que des aspects différents — de gravures différentes, si vous préférez —, d'un enregistrement continu, invariable, de l'existence perpétuelle[1]. » Pour les disciples modernes d'Einstein, il n'existerait réellement qu'un éternel présent. C'est ce que disaient les anciens mystiques. Si l'avenir existe déjà, la précognition est un fait. Toute l'aventure de la connaissance avancée est orientée vers une description des lois de la physique, mais aussi de la biologie et de la psychologie dans le continu à quatre dimensions, c'est-à-dire dans l'éternel présent. Passé, présent, futur *sont*. C'est peut-être la conscience seule qui se déplace. Pour la première fois, la conscience est admise de plein droit dans les équations de physique théorique. Dans cet éternel présent, la matière apparaît comme un mince fil tendu entre le passé et l'avenir. Le long de ce fil, glisse la conscience humaine. Par quels moyens est-elle capable de modifier les tensions de ce fil, de façon à contrôler les événements ? Nous le saurons un jour et la psychologie deviendra une branche de la physique.

Et sans doute la liberté est-elle conciliable avec cet éternel présent. « Le voyageur qui remonte la Seine en bateau sait d'avance les ponts qu'il rencontrera. Il n'en est pas moins libre de ses actions, il n'en est pas moins capable de prévoir ce qui pourra venir par la traverse[2]. » Liberté de devenir, au sein d'une éternité qui *est*. Vision double, admirable vision de la destinée humaine liée à la totalité de l'univers !

Si ma vie était à refaire, je ne choisirais certes pas d'être écrivain et d'écouler mes jours dans une société retardataire où l'aventure gîte sous les lits, comme un chien. Il me faudrait une aventure-lion. Je me ferais physicien théorique, pour vivre au cœur ardent du romanesque véritable.

Le nouveau monde de la physique dément formellement les philosophies du désespoir et de l'absurde.

---

1. Eric Temple Bell : *Le Flot du temps*, Gallimard Édit., Paris.
2. R. P. Dubrale : *Débat radiophonique*, 12 avril 1957.

Science sans conscience n'est que ruine de l'âme. Mais conscience sans science est ruine égale. Ces philosophies, qui ont traversé l'Europe au xxᵉ siècle, étaient des fantômes du xixᵉ, vêtus à la nouvelle mode. Une connaissance réelle, objective du fait technique et scientifique, qui entraîne tôt ou tard le fait social, nous apprend qu'il y a une direction nette de l'histoire humaine, un accroissement de la puissance de l'homme, une montée de l'esprit général, une énorme forge des masses qui les transforme en conscience agissante, l'accession à une civilisation dans laquelle la vie sera aussi supérieure à la nôtre que la nôtre l'est à celle des animaux. Les philosophes littéraires nous ont dit que l'homme est incapable de comprendre le monde. Déjà, André Maurois, dans *Les Nouveaux Discours du Docteur O'Grady* écrivait : « Vous admettrez pourtant, docteur, que l'homme du xixᵉ siècle pouvait croire que la science, un jour, expliquerait le monde. Renan, Berthelot, Taine, au début de leur vie, l'espéraient. L'homme du xxᵉ siècle n'a plus de tels espoirs. Il sait que les découvertes font reculer le mystère. Quant au progrès, nous avons constaté que les puissances de l'homme n'ont produit que famine, terreur, désordre, torture et confusion d'esprit. Quel espoir reste-t-il ? Pourquoi vivez-vous, docteur ? » Or, le problème ne se posait déjà plus ainsi. A l'insu des discoureurs, le cercle se refermait autour du mystère et le progrès incriminé ouvrait les portes du ciel. Ce ne sont plus Berthelot ou Taine qui témoignent pour l'avenir humain, mais bien plutôt des hommes comme Teilhard de Chardin. D'une récente confrontation entre des savants de diverses disciplines se dégage l'idée suivante : peut-être un jour les derniers secrets des particules élémentaires nous seront-ils révélés par le comportement profond du cerveau, car celui-ci est l'aboutissement et la conclusion des réactions les plus complexes dans notre région de l'univers, et sans doute contient-il en lui-même les lois les plus intimes de cette région.

Le monde n'est pas absurde et l'esprit n'est point inapte à le comprendre. Tout au contraire, il se pourrait que l'esprit humain *ait déjà compris le monde*, mais ne le sache pas encore...

III

Réflexions hâtives sur les retards de la sociologie. — Un dialogue de sourds. — Les planétaires et les provinciaux. — Un chevalier de retour parmi nous. — Un peu de lyrisme.

En physique, en mathématiques, en biologie modernes, la vue s'étend à l'infini. Mais la sociologie a toujours l'horizon bouché par les monuments du siècle dernier. Je me souviens de notre étonnement triste lorsque nous suivîmes, Bergier et moi, en 1957, la correspondance entre le célèbre économiste soviétique Eugène Varga et la revue américaine *Fortune.* Cette luxueuse publication exprime les idées du capitalisme éclairé. Varga est un esprit solide et jouit de la considération du pouvoir suprême. On pouvait attendre, d'un dialogue public entre ces deux autorités, une aide sérieuse pour comprendre notre époque. Or, le résultat fut affreusement décevant.

M. Varga suivait à la lettre son évangile. Marx annonçait une crise inévitable du capitalisme. M. Varga voyait cette crise très prochaine. Le fait que la situation économique des États-Unis s'améliore sans cesse et que le grand problème commence à être l'utilisation rationnelle des loisirs, ne frappait pas du tout ce théoricien qui, au temps du radar, voyait toujours les choses à travers les besicles de Karl. L'idée que l'écroulement annoncé pourrait ne pas se produire selon le schéma fixé et qu'une société nouvelle est peut-être en train de naître outre-Atlantique, ne l'effleurait pas une seconde. La rédaction de *Fortune*, de son côté, n'envisageait pas non plus un changement de société en U.R.S.S., et expliquait que l'Amérique de 1957 exprimait un idéal parfait, définitif. Tout ce que les Russes pouvaient espérer était d'accéder à cet état, s'ils étaient bien sages, dans un siècle ou un siècle et demi. Rien n'inquiétait, rien ne troublait les adversaires théoriques de M. Varga, ni la multiplicité des cultes nouveaux chez les intellectuels américains (Oppenheimer, Aldous Huxley, Gerald Heard, Henry Miller, et bien d'autres tentés par les anciennes philosophies orientales), ni l'existence, dans les grandes villes, de millions de jeunes « rebelles sans cause » groupés en gangs, ni les vingt millions d'individus ne résistant au mode de vie qu'en absorbant des drogues aussi dangereuses que la morphine ou l'opium. Le problème d'un *but* à la vie ne semblait pas les atteindre. Quand toutes les familles américaines posséderont deux voitures, il faudra qu'elles en achètent une troisième. Quand le marché des postes de télévision sera saturé, il faudra équiper les automobiles.

Et cependant, par rapport aux sociologues, aux économistes et aux penseurs de chez nous, M. Eugène Varga et la direction de *Fortune* sont en avance. Le complexe de la décadence ne les paralyse pas. Ils ne font pas de délectation morose. Ils n'imaginent pas que le monde est absurde et que la vie ne vaut pas la peine d'être vécue. Ils croient ferme en la vertu du progrès, ils marchent droit vers une augmentation indéfinie du pouvoir de l'homme sur la nature. Ils ont du dynamisme et de la grandeur. Ils voient large sinon haut. On choquerait en déclarant que M. Varga est partisan de la libre entreprise et que la rédaction de *Fortune* est composée de progressistes. Au sens européen, étroitement doctrinal, c'est pourtant vrai. M. Varga n'est pas communiste, *Fortune* n'est pas capitaliste, si l'on se réfère à nos façons de voir étriquées, provinciales. Le Russe et l'Américain responsables ont en commun l'ambition, la volonté de puissance et un indomptable optimisme. Ces forces, maniant le levier des sciences et des techniques, font sauter les cadres de la sociologie construits aux XIXe siècle. Si l'Europe occidentale devait s'enfoncer et se perdre dans les conflits byzantins — ce qu'à Dieu ne plaise —, la marche en avant de l'humanité ne s'en poursuivrait pas moins, faisant éclater les structures, établissant une nouvelle forme de civilisation entre les deux nouveaux pôles de la conscience active que sont Chicago et Tachkent, tandis que les masses immenses d'Orient, puis d'Afrique, passeront à la forge.

Tandis qu'en France, un de nos meilleurs sociologues pleure sur *Le Travail en miettes*, titre d'un de ses ouvrages, les syndicats américains étudient la semaine de vingt heures. Tandis que les intellectuels parisiens prétendument d'avant-garde se demandent si Marx doit être dépassé, ou si l'existentialisme est ou n'est pas un humanisme révolutionnaire, l'institut Stehnfeld de Moscou étudie l'implantation de l'humanité dans la Lune. Tandis que M. Varga attend l'écroulement des États-Unis annoncé par le prophète, les biologistes américains préparent la synthèse de la vie à partir de l'inanimé. Tandis que continue de se poser le problème de la coexistence, le communisme et le capitalisme sont en train d'être transformés par la plus puissante révolution technologique que la Terre ait sans doute connue. Nous avons les yeux derrière la tête. Il serait temps de les mettre à leur place.

Le dernier sociologue puissant et imaginatif a sans doute été Lénine. Il avait justement défini le communisme de 1917 : « C'est le socialisme plus l'électricité. » Près d'un demi-siècle a passé. La définition vaut encore pour la Chine, l'Afrique, l'Inde. Elle est lettre morte pour le monde moderne. La Russie attend le penseur qui décrira l'ordre nouveau : le communisme plus l'énergie atomique, plus l'automation, plus la synthèse des carburants et des aliments à partir de l'air et de l'eau, plus la physique des corps solides, plus la conquête des étoiles, etc. John Buchan, après avoir assisté aux funérailles de Lénine, annonçait la venue d'un autre Voyant, qui saurait promouvoir un « communisme à quatre dimensions ».

Si l'U.R.S.S. n'a pas de sociologue à sa taille, l'Amérique n'est pas mieux nantie. La réaction contre les « historiens rouges » de la fin du XIXe siècle a mené sous la plume des observateurs, l'éloge franc des grandes dynasties capitalistes et des puissantes organisations. Il y a de la santé dans cette franchise, mais la perspective est courte. Les critiques de l' « American way of life » sont rares, littéraires et procèdent de la façon la plus négative. Nul ne paraît pousser l'imagination jusqu'à voir naître, à travers cette « foule solitaire », une civilisation différente de ses formes extérieures, jusqu'à sentir un craquement des consciences, l'apparition de mythes nouveaux. A travers l'abondante et étonnante littérature dite de « science-fiction », on distingue pourtant l'aventure d'un esprit qui sort de l'adolescence, se déplie à la mesure de la planète, s'engage dans une réflexion à l'échelle cosmique et situe *autrement* le destin humain dans le vaste univers. Mais l'étude d'une telle littérature, si comparable à la tradition orale des conteurs antiques, et qui témoigne des mouvements profonds de l'intelligence en route, n'est pas chose sérieuse pour les sociologues.

Quant à la sociologie européenne, elle demeure strictement provinciale, toute l'intelligence fixée sur des débats de clochers. Dans ces conditions, il n'est pas étonnant que les âmes sensibles se réfugient dans le catastrophisme. Tout est absurde et la bombe H a mis fin à l'histoire. Cette philosophie qui paraît à la fois sinistre et profonde, est plus facile à manier que les lourds et délicats instruments de l'analyse du réel. Elle est une passagère maladie de la pensée chez les civilisés qui n'ont pas adapté leur héritage de notions (liberté individuelle, personne humaine, bonheur, etc.) au déplacement de buts de la civilisation en devenir. Elle est une fatigue nerveuse de l'esprit, au moment où cet esprit, aux prises avec ses propres conquêtes, doit, non pas périr, mais changer de structure. Après tout, ce n'est pas la première fois dans l'histoire de l'humanité que la conscience doit passer d'un plan à un autre. Toute forge est douloureuse. S'il y a un avenir, il mérite d'être examiné. Et, dans ce présent accéléré, ce n'est pas par référence au proche passé que la réflexion doit se faire. Notre proche futur est aussi différent de ce que nous venons de connaître, que le XIXe siècle l'était de la civilisation Maya. C'est donc par d'inces-santes projections dans les plus grandes dimensions du temps et de l'espace qu'il nous faut procéder, et nullement par comparaisons minuscules dans une infinie fraction, où le passé récemment vécu n'a aucune des propriétés de l'avenir, et où le présent est à peine incarné qu'il s'engloutit dans cet inutilisable passé.

La première idée vraiment féconde est qu'il y a déplacement de buts. Un chevalier des croisades, de retour parmi nous, demanderait aussitôt pourquoi l'on n'utilise pas la bombe atomique contre les Infidèles. De cœur ferme et d'intelligence ouverte, il serait finalement moins déconcerté par nos techniques que par le fait que les Infidèles tiennent encore la moitié du Saint-Sépulcre, l'autre étant d'ailleurs entre les mains des juifs. Ce qu'il aurait le plus de mal à comprendre, c'est une civilisation riche et puissante, dont la richesse et la puissance ne sont pas explicitement consacrées au service et à la gloire de Jésus. Que lui diraient nos sociologues ? Que ces immenses efforts, batailles, découvertes, ont pour objet exclusif d'élever le « niveau de vie » de tous les hommes ? Cela lui semblerait absurde, dès lors que cette vie lui paraîtrait sans but. Ils lui parleraient encore de Justice, de Liberté, de Personne Humaine, ils lui réciteraient l'évangile humaniste-matérialiste du XIXᵉ siècle. Et le chevalier répondrait sans doute : mais la liberté pour quoi faire ? La justice pour quoi faire ? La personne humaine pour en faire quoi ? Pour que notre chevalier voie notre civilisation comme une chose digne d'être vécue par une âme, il ne faudrait pas lui tenir le langage rétrospectif des sociologues. Il faudrait lui tenir un langage prospectif. Il faudrait lui montrer notre monde en marche, l'intelligence en marche, comme le formidable ébranlement d'une croisade. Il s'agit encore une fois de délivrer le Saint-Sépulcre : l'esprit retenu dans la matière, et de repousser l'Infidèle : tout ce qui est infidèle à l'infini pouvoir de l'esprit. Il s'agit toujours de religion : de rendre manifeste tout ce qui relie l'homme à sa propre grandeur et cette grandeur aux lois de l'univers. Il faudrait lui montrer un monde où les cyclotrons sont comme les cathédrales, où les mathématiques sont comme un chant grégorien, où des transmutations s'opèrent, non seulement au sein de la matière, mais dans les cerveaux, où les masses humaines de toutes couleurs s'ébranlent, où l'interrogation de l'homme fait vibrer ses antennes dans les espaces cosmiques, où l'âme de la planète s'éveille. Alors notre chevalier ne demanderait-il peut-être pas à s'en retourner vers le passé. Peut-être se sentirait-il ici chez lui, mais simplement placé à un autre niveau. Peut-être s'élancerait-il vers l'avenir, comme jadis il s'élançait vers l'Orient, ayant renoué avec la foi, mais à un autre degré.

Voyez donc ce que nous vivons ! Ayez l'œil sur vos yeux ! Faites la lumière sur ces ombres !

LA CONSPIRATION
AU GRAND JOUR

I

*La génération des « ouvriers de la Terre ». — Êtes-vous un
moderne attardé ou un contemporain du futur ? — Une
affiche sur les murs de Paris en 1622. — Voir les choses
anciennes avec des yeux nouveaux. — Le langage ésotérique
est le langage technique. — Une nouvelle notion de la société
secrète. — Un nouvel aspect de « l'esprit religieux ».*

Griffin, l'homme invisible de Wells, disait : « Les
hommes, même cultivés, ne se rendent pas compte des
puissances cachées dans les livres de science. Dans ces
volumes, il y a des merveilles, des miracles. »

Ils s'en rendent compte maintenant, et les hommes
de la rue mieux que les lettrés, toujours en retard d'une
révolution. Il y a des miracles, des merveilles, et il y a
des épouvantes. Les pouvoirs de la science, depuis
Wells, se sont étendus au-delà de la planète et menacent la vie de celle-ci. Une nouvelle génération de
savants est née. Ce sont des gens qui ont conscience
d'être, non des chercheurs désintéressés et des spectateurs purs, mais, selon la belle expression de Teilhard
de Chardin, des « ouvriers de la Terre », solidaires du
destin de l'humanité et, dans une notable mesure,
responsables de ce destin.

Joliot-Curie lance des bouteilles d'essence contre les
chars allemands lors des combats pour la libération de

Paris. Norbert Wiener, le cybernéticien, apostrophe les hommes politiques : « Nous vous avons donné un réservoir infini de puissance et vous avez fait Bergen-Belsen et Hiroshima ! »

Ce sont là des savants d'un style nouveau, dont l'aventure est liée à celle du monde[1]. Ils sont les héritiers directs des chercheurs du premier quart de notre siècle : les Curie, Langevin, Perrin, Planck, Einstein, etc. On n'a pas assez dit que, durant ces années, la flamme du génie s'éleva à des hauteurs qu'elle n'avait pas atteintes depuis le miracle grec. Ces maîtres avaient livré des batailles contre l'inertie de l'esprit humain. Ils avaient été violents dans ces batailles. « La vérité ne triomphe jamais, mais ses adversaires finissent par mourir », disait Planck. Et Einstein : « Je ne crois pas à l'éducation. Ton seul modèle doit être toi-même, ce modèle fût-il effrayant. » Mais ce n'étaient pas des conflits au niveau de la Terre, de l'histoire, de l'action immédiate. Ils se sentaient responsables devant la Vérité uniquement. Cependant, la politique les rejoignit. Le fils de Planck fut assassiné par la Gestapo, Einstein exilé. L'actuelle génération éprouve de tous côtés, en toutes circonstances, que le savant est lié au monde. Il détient la quasi-totalité du savoir utile. Il détiendra bientôt la quasi-totalité du pouvoir. Il est le personnage clé de l'aventure où se trouve engagée l'humanité. Cerné par les politiques, pressé par les polices et les services de renseignements, surveillé par les militaires, il a d'égales chances de trouver au bout de la course le Prix Nobel ou le peloton d'exécution. Dans le même temps, ses travaux le conduisent à voir la dérision des particularismes, l'élèvent à un niveau de conscience planétaire, sinon cosmique. Entre son pouvoir et les pouvoirs, il y a un

1. « Le chercheur a dû reconnaître qu'à l'instar de tout être humain, il est autant spectateur qu'acteur dans le grand drame de l'existence. » Bohr.

malentendu. Entre ce qu'il risque lui-même et les risques qu'il fait courir au monde, seul un effroyable lâche pourrait hésiter. Kourchatov rompt la consigne du silence et révèle ce qu'il sait aux physiciens anglais d'Harwell. Pontecorvo fuit en Russie pour y poursuivre son œuvre. Oppenheimer entre en conflit avec son gouvernement. Les atomistes américains prennent parti contre l'armée et publient leur extraordinaire Bulletin : la couverture représente une horloge dont les aiguilles s'avancent vers minuit chaque fois qu'une expérience ou une découverte redoutables tombent entre les mains des militaires.

« Voici ma prédiction pour l'avenir, écrit le biologiste anglais J. B. S. Haldane : ce qui ne fut pas sera ! Et personne n'en est à l'abri ! »

La matière libère son énergie et la route des planètes s'ouvre. De tels événements semblent sans parallèle dans l'histoire. « Nous sommes à un moment où l'histoire retient son souffle, où le présent se détache du passé comme l'iceberg rompt ses liens avec les falaises de glace et s'en va sur l'océan sans limites [1]. »

Si le présent se détache du passé, il s'agit d'une rupture, non avec tous les passés, non avec les passés arrivés à maturité, mais avec le passé dernier-né, c'est-à-dire ce que nous avons appelé « la civilisation moderne. » Cette civilisation sortie du bouillonnement des idées dans l'Europe occidentale du XVIIIe siècle, qui s'est épanouie au XIXe, qui a répandu ses fruits sur le monde entier dans la première moitié du XXe, est en train de s'éloigner de nous. Nous le sentons à chaque instant. Nous sommes au moment de rupture. Nous nous situons, tantôt comme modernes attardés, tantôt comme contemporains du futur. Notre conscience et notre intelligence nous disent que ce n'est pas du tout la même chose.

1. Arthur Clarke : *Les Enfants d'Icare* (Éd. Gallimard).

Les idées sur lesquelles s'est fondée cette civilisation moderne, sont usées. Dans cette période de rupture, ou plutôt de transmutation, nous ne devons pas trop nous étonner si le rôle de la science et la mission du savant subissent de profonds changements. Quels sont ces changements ? Une vision venue d'un lointain passé peut nous permettre d'éclairer l'avenir. Ou, plus précisément, elle peut nous rafraîchir l'œil pour la recherche d'un nouveau point de départ.

Un jour de 1622, les Parisiens découvrirent sur leurs murs des affiches ainsi libellées :

« Nous, députés du collège principal des Frères de la Rose-Croix, faisons séjour visible et invisible dans cette ville, par la grâce du Très-Haut vers lequel se tourne le cœur des Justes, afin de tirer les hommes, nos semblables, d'erreur de mort. »

L'affaire fut considérée comme une plaisanterie par beaucoup, mais, comme nous le rappelle aujourd'hui M. Serge Hutin : « On attribuait aux Frères de la Rose-Croix les secrets suivants : la transmutation des métaux, la prolongation de la vie, la connaissance de ce qui se passe en des lieux éloignés, l'application de la science occulte à la découverte des objets les plus cachés[1]. » Supprimez le terme « occulte » : vous vous trouvez devant les pouvoirs que la science moderne possède ou vers lesquels elle tend. Selon la légende depuis longtemps formée à cette époque, la société des Rose-Croix prétendait que le pouvoir de l'homme sur la nature et sur lui-même allait devenir infini, que l'immortalité et le contrôle de toutes les forces naturelles étaient à sa portée et que tout ce qui se passe dans l'univers lui pourrait être connu. Il n'y a rien

---

1. Serge Hutin : *Histoire des Rose-Croix*, Gérard Nizet, édit., Paris.

d'absurde dans ceci, et les progrès de la science ont en partie justifié ces rêves. De sorte que l'appel de 1622, en langage moderne, pourrait être affiché sur les murs de Paris ou paraître dans un quotidien, si des savants se réunissaient en congrès pour informer les hommes des dangers qu'ils courent et de la nécessité de placer leurs activités dans de nouvelles perspectives sociales et morales. Telle déclaration pathétique d'Einstein, tel discours d'Oppenheimer, tel éditorial du Bulletin des atomistes américains rendent exactement le son de ce manifeste Rose-Croix. Voici même un texte russe récent. Au sujet de la conférence sur les radio-isotopes, tenue à Paris en 1957, l'écrivain soviétique Vladimir Orlov écrivait : « Les " alchimistes " d'aujourd'hui doivent se rappeler les statuts de leurs prédécesseurs du Moyen Âge, statuts conservés dans une bibliothèque parisienne, et qui proclament que ne peuvent se consacrer à l'alchimie que les hommes " au cœur pur et aux intentions élevées ". »

L'idée d'une société internationale et secrète, groupant des hommes intellectuellement très avancés, transformés spirituellement par l'intensité de leur savoir, désireux de protéger leurs découvertes scientifiques contre les pouvoirs organisés, la curiosité et l'avidité des autres hommes, se réservant d'utiliser leurs découvertes au bon moment, ou de les enterrer pour plusieurs années, ou de n'en mettre qu'une infime partie en circulation, — cette idée est à la fois très ancienne et ultra-moderne. Elle était inconcevable au xixe siècle ou voici seulement vingt-cinq ans. Elle est concevable aujourd'hui. Sur un certain plan, j'ose affirmer que cette société existe en ce moment. Certains hôtes de Princeton (je songe notamment à un savant voyageur oriental [1]) en ont pu avoir conscience. Si rien ne prouve que la société secrète Rose-Croix a

1. Mon ami Rajah Raô.

existé au XVIIᵉ siècle, tout nous invite à penser qu'une société de cette nature se forme aujourd'hui, par la force des choses, et qu'elle s'inscrit logiquement dans l'avenir. Encore faut-il nous expliquer sur la notion de société secrète. Cette notion même, si lointaine, est éclairée par le présent.

Revenons aux Rose-Croix. « Ils constituent alors, nous dit l'historien Serge Hutin, la collectivité des êtres parvenus à l'état supérieur à l'humanité ordinaire, possédant ainsi les mêmes caractères intérieurs leur permettant de se reconnaître entre eux. »

Cette définition a le mérite d'éloigner le fatras occultiste, tout au moins à nos yeux. C'est que nous avons de « l'état supérieur » une idée claire, quasi scientifique présente, optimiste[1].

Nous sommes à un stade des recherches où l'on envisage la possibilité de mutations artificielles améliorant les êtres vivants, et l'homme lui-même. « La radio-activité peut créer des monstres, mais elle nous donnera aussi des génies », déclare un biologiste anglais. Le terme de la recherche alchimique, qui est la transmutation de l'opérateur lui-même, est peut-être le terme de la recherche scientifique actuelle. Nous verrons tout à l'heure que, dans une certaine mesure, cela s'est déjà produit pour quelques savants contemporains.

Les études avancées en psychologie semblent prouver l'existence d'un état différent des états de sommeil et de veille, d'un état de conscience supérieur dans lequel l'homme serait en possession de moyens intellectuels décuplés. A la psychologie des profondeurs, que nous devons à la psychanalyse, nous ajoutons aujourd'hui une psychologie des altitudes qui nous met sur la voie d'une superintellectualité possible. Le

1. Voir la troisième partie du présent ouvrage : « L'homme, cet infini. »

génie ne serait que l'une des étapes du chemin que peut parcourir l'homme en lui-même pour atteindre l'usage de la totalité de ses facultés. Nous n'utilisons pas, dans une vie intellectuelle normale, le dixième de nos possibilités d'attention, de prospection, de mémoire, d'intuition, de coordination. Il se pourrait que nous fussions sur le point de découvrir, ou de redécouvrir les clés qui nous permettront d'ouvrir en nous des portes derrière lesquelles nous attend une multitude de connaissances. L'idée d'une mutation prochaine de l'humanité, sur ce plan, ne relève pas du rêve occultiste, mais de la réalité. Nous y reviendrons longuement dans la suite de notre ouvrage. Sans doute des mutants existent déjà parmi nous, ou, en tout cas, des hommes qui ont déjà fait quelques pas sur la route que nous prendrons tous quelque jour.

Selon la tradition [1], le terme « génie » ne suffisant pas à rendre compte de tous les états supérieurs possibles du cerveau humain, les Rose-Croix auraient été des esprits d'un autre calibre, se réunissant par cooptation. Disons plutôt que la légende Rose-Croix aurait servi de support à une réalité : la société secrète permanente des hommes supérieurement éclairés ; — une conspiration au grand jour.

La société Rose-Croix se serait formée naturellement des hommes parvenus à un état de conscience élevé, cherchant des correspondants, d'autres hommes, semblables à eux par la connaissance, avec qui le dialogue soit possible. C'est Einstein compris seulement par cinq ou six hommes dans le monde, ou quelques centaines de mathématiciens et physiciens susceptibles de réfléchir utilement sur la remise en question de la loi de parité.

Pour les Rose-Croix, il n'y a d'autre étude que celle

1. Une tradition moins sûre ferait des Rose-Croix les héritiers de civilisations englouties.

de la nature, mais cette étude n'est réellement éclairante que pour des esprits d'un calibre différent de l'esprit ordinaire.

En appliquant un esprit d'un calibre différent à l'étude de la nature, on arrive à la totalité des connaissances et à la sagesse. Cette idée neuve, dynamique, a séduit Descartes et Newton. On a évoqué plus d'une fois les Rose-Croix à leur propos. Est-ce à dire qu'ils étaient affiliés ? Cette question n'a pas de sens. Nous n'imaginons pas une société organisée, mais des contacts nécessaires entre esprits autrement calibrés, et un langage commun, non pas secret, mais simplement inaccessible aux autres hommes dans un temps donné.

Si des connaissances profondes sur la matière et l'énergie, sur les lois qui régissent l'univers, ont été élaborées par des civilisations aujourd'hui disparues, et si des fragments de ces connaissances ont été conservés au cours des âges (ce dont nous ne sommes pas d'ailleurs certains), ils n'ont pu l'être que par des esprits supérieurs et dans un langage forcément incompréhensible pour le commun. Mais si nous ne retenons pas cette hypothèse, nous pouvons cependant imaginer, au cours des temps, une succession d'esprits hors mesure, communiquant entre eux. De tels esprits savent avec évidence qu'ils n'ont aucune sorte d'intérêt à faire étalage de leur puissance. Si Christophe Colomb avait été un esprit hors mesure, il aurait tenu secrète sa découverte. Obligés à une sorte de clandestinité, ces hommes ne peuvent établir de contacts satisfaisants qu'avec leurs égaux. Il suffit de songer à la conversation des médecins autour du lit d'un patient de l'hôpital, conversation à haute voix et dont rien pourtant n'arrive à l'entendement du malade, pour comprendre ce que nous avançons sans noyer l'idée dans les brouillards de l'occultisme, de l'initiation, etc. Enfin, il va de soi que des esprits de cette sorte appliqués à passer inaperçus simplement pour n'être pas entravés auraient autre chose à faire qu'à jouer entre eux aux conspirateurs. S'ils forment une société c'est par la force des choses. S'ils ont un langage particulier, c'est que les notions générales que ce langage exprime sont inaccessibles à l'esprit humain ordinaire. C'est dans ce sens, et uniquement, que nous acceptons l'idée de société secrète. Les autres sociétés secrètes, celles qui sont repérées, et qui sont innombrables, et qui sont plus ou moins puissantes et pittoresques, ne sont à nos yeux que des imitations, des jeux d'enfants copiant les adultes.

Aussi longtemps que les hommes nourriront le rêve d'obtenir quelque chose pour rien, de l'argent sans travailler, la connaissance sans l'étude, le pouvoir sans le savoir, la vertu sans l'ascèse, les sociétés prétendument secrètes et initiatiques fleuriront, avec leurs hiérarchies imitatives et leur grommelo qui singe le langage secret, *c'est-à-dire technique*.

Nous avons choisi l'exemple des Rose-Croix de 1622, parce que le véritable rosicrucien, selon la tradition, ne se réclame pas de quelque initiation mystérieuse, mais d'une étude approfondie et cohérente du *Liber Mundi*, du livre du monde et de la nature. La tradition Rose-Croix est donc la même que celle de la science contemporaine. Nous commençons aujourd'hui à comprendre qu'une étude approfondie et cohérente de ce livre de la nature exige autre chose que l'esprit d'observation, que ce que nous appelions dernièrement l'esprit scientifique, et même autre chose que ce que nous appelons l'intelligence. Il faudrait, au point où en sont nos recherches, que l'esprit se surmonte lui-même, que l'intelligence se transcende. L'humain, trop humain, ne suffit plus. C'est peut-être à cette même constatation, faite dans des siècles passés par des hommes supérieurs, que nous devons, sinon la réalité, du moins la légende Rose-Croix. Le moderne attardé est rationaliste. Le contemporain du futur se sent religieux. Beaucoup de modernisme nous éloigne du passé. Un peu de futurisme nous y ramène.

« Parmi les plus jeunes atomistes, écrit Robert Jungk[1], il en est qui regardent leurs travaux comme une sorte de concours intellectuel qui ne comporterait ni signification profonde ni obligations, mais quelques-uns trouvent déjà dans la recherche une expérience religieuse. »

Nos rosicruciens de 1622 faisaient dans Paris « séjour invisible ». Ce qui nous frappe, c'est que, dans le climat actuel de police et d'espionnage, les grands chercheurs parviennent à communiquer entre eux tout en coupant les pistes qui pourraient conduire jusqu'à leurs travaux les gouvernements. Le sort du monde pourrait être débattu par dix savants, et à haute voix, devant Khrouchtchev et Eisenhower, sans que ces messieurs comprennent un mot. Une société internationale de chercheurs qui n'interviendrait pas dans les affaires des hommes, aurait toutes les chances de passer inaperçue, de même que passerait inaperçue une société bornant ses interventions à des cas très particuliers. Ses moyens de communication même pourraient ne pas être repérés. La T.S.F. aurait très bien pu être découverte au XVIIᵉ siècle et les postes à galène, si simples, auraient pu servir aux « initiés ». De même, les recherches modernes sur les moyens parapsychologiques ont pu aboutir à des applications de télécommunications. L'ingénieur américain Victor Enderby a écrit récemment que, si des résultats avaient été obtenus dans ce domaine, ils avaient été gardés secrets, par la volonté spontanée des inventeurs.

Ce qui nous frappe encore, c'est que la tradition

1. Robert Jungk : *Plus clair que mille Soleils ou la Tragédie des Atomistes*. Traduit de l'anglais. Éd. Arthaud, Paris.

Rose-Croix fait allusion à des appareils ou à des machines que la science officielle de l'époque n'a pu fabriquer : lampes perpétuelles, enregistreurs de sons et d'images, etc. La légende décrit des appareils trouvés dans la tombe du symbolique « Christian Rosenkreutz », qui eussent pu être de 1958, mais non de 1622. C'est que la doctrine Rose-Croix porte sur la domination de l'univers par la science et la technique, nullement par l'initiation ou la mystique.

De même, nous pouvons concevoir à notre époque une société maintenant une technologie secrète. Les persécutions politiques, les contraintes sociales, le développement du sens moral et de la conscience d'une effrayante responsabilité, forceront de plus en plus les savants à entrer dans la clandestinité. Or, ce n'est pas cette clandestinité qui ralentira les recherches. On ne saurait penser que les fusées et les énormes machines à briser les atomes sont désormais les seuls instruments du chercheur. Les véritables grandes découvertes ont toujours été faites avec des moyens simples, un équipement succinct. Il est possible qu'il existe dans le monde, en ce moment, certains lieux où la densité intellectuelle est particulièrement grande et où s'affirme cette nouvelle clandestinité. Nous entrons dans une époque qui rappelle beaucoup le début du XVIIe siècle et un nouveau manifeste de 1622 est peut-être en préparation. Il est peut-être même déjà paru. Mais nous ne nous en sommes pas aperçus.

Ce qui nous éloigne de ces pensées, c'est que les temps anciens s'expriment toujours en formules religieuses. Alors, nous ne leur accordons qu'une attention littéraire, ou « spirituelle ». C'est par là que nous sommes des modernes. C'est par là que nous ne sommes pas des contemporains du futur.

Ce qui nous frappe, enfin, c'est l'affirmation réitérée des Rose-Croix et des alchimistes, selon laquelle le but de la science des transmutations est la transmutation de l'esprit lui-même. Il ne s'agit ni de magie, ni de récompense descendue du ciel, mais d'une découverte des réalités qui oblige l'esprit de l'observateur à se situer autrement. Si nous songeons à l'évolution extrêmement rapide de l'état d'esprit des plus grands atomistes, nous commençons à comprendre ce que voulaient dire les Rose-Croix. Nous sommes dans une époque où la science, à son extrémité, atteint l'univers spirituel et transforme l'esprit de l'observateur lui-même, le situe à un autre niveau que celui de l'intelligence scientifique devenue insuffisante. Ce qui arrive à nos atomistes est comparable à l'expérience décrite par les textes alchimiques et par la tradition Rose-Croix. Le langage spirituel n'est pas un balbutiement qui précède le langage scientifique, c'est bien plutôt l'aboutissement de celui-ci. Ce qui se passe dans notre présent a pu se passer dans des temps anciens, sur un autre plan de connaissance, de sorte que la légende Rose-Croix et la réalité d'aujourd'hui s'éclairent mutuellement. Il faut regarder les choses anciennes avec des yeux nouveaux, cela aide à comprendre demain.

Nous ne sommes déjà plus au temps où le progrès s'identifie exclusivement à l'avance scientifique et technique. Une autre donnée apparaît, celle que l'on trouve chez les Supérieurs Inconnus des siècles passés lorsqu'ils montrent l'observation du *Liber Mundi* débouchant sur « autre chose ». Un physicien éminent, Heisenberg, déclare aujourd'hui : « L'espace dans lequel se développe l'être spirituel de l'homme a d'autres dimensions que celle dans laquelle il s'est déployé pendant les siècles derniers. »

Wells mourut découragé. Ce puissant esprit avait vécu de la foi dans le progrès. Or, Wells, au soir de sa vie, voyait ce progrès prendre des aspects effrayants. Il n'avait plus confiance. La science risquait de détruire le monde, les plus grands moyens d'anéantissement venaient d'être inventés. « L'homme, dit en 1946 le vieux Wells désespéré, est parvenu au terme de ses possibilités. » C'est à ce moment que le vieil homme qui avait été un génie de l'anticipation cessa d'être un contemporain du futur. Nous commençons à deviner que l'homme n'est parvenu qu'au terme d'une de ses possibilités. D'autres possibilités apparaissent. D'autres voies s'ouvrent, que le flux et le reflux de l'océan des âges couvrent et découvrent tour à tour. Wolfgang Pauli, mathématicien et physicien mondialement connu, faisait naguère profession de scientisme étroit dans la meilleure tradition du XIXe siècle. En 1932, au congrès de Copenhague, par son scepticisme glacé et sa volonté de puissance, il apparaissait comme le Méphisto de *Faust*. En 1955, cet esprit pénétrant avait si largement étendu ses perspectives qu'il se faisait le peintre éloquent d'une voie de salut intérieur longtemps négligée. Cette évolution est typique. Elle est celle de la plupart des grands atomistes. Ce n'est pas une retombée dans le moralisme ou dans une vague religiosité. Il s'agit, au contraire, d'un progrès dans l'équipement de l'esprit d'observation ; d'une réflexion nouvelle sur la nature de la connaissance. « En face de la division des activités de l'esprit humain en domaines distincts, strictement maintenue depuis le XVIIe siècle, dit Wolfgang Pauli, j'imagine un but qui serait la domination des contraires, une synthèse embrassant l'intelligence rationnelle et l'expérience mystique de l'unité. Ce but est le seul qui s'accorde au mythe, exprimé ou non, de notre époque. »

II

*Les prophètes de l'Apocalypse. — Un Comité du Désespoir. — La
mitrailleuse de Louis XVI. — La Science n'est pas une Vache
Sacrée. — Monsieur Despotopoulos veut occulter le progrès.
— La légende des Neuf Inconnus.*

Il y eut, dans la deuxième moitié du XIXe siècle, à
l'orée des temps modernes, une pléiade de penseurs
violemment réactionnaires. Ils voyaient dans la mystique du progrès social une duperie ; dans le progrès
scientifique et technique une course à l'abîme. C'est
Philippe Lavastine, nouvelle incarnation du héros du
Chef-d'Œuvre inconnu de Balzac, et disciple de Gurdjieff, qui me les fit connaître. A cette époque où je lisais
René Guénon, maître de l'antiprogressisme, et fré-
quentais Lanza del Vasto de retour des Indes, je n'étais
pas loin de me ranger aux raisons de ces penseurs à
contre-courant. C'était tout de suite après la guerre.
Einstein venait d'envoyer son fameux télégramme :
« Notre monde est en face d'une crise encore inaperçue par ceux qui possèdent le pouvoir de prendre de
grandes décisions pour le bien ou pour le mal. La
puissance déchaînée de l'atome a tout changé, sauf nos
habitudes de penser, et nous dérivons vers une catastrophe sans précédent. Nous, scientifiques, qui avons

libéré cet immense pouvoir, avons l'écrasante responsabilité, dans cette lutte mondiale pour la vie ou la mort, de juguler l'atome au bénéfice de l'humanité, et non pour sa destruction. La fédération des savants américains se joint à moi dans cet appel. Nous vous prions de soutenir nos efforts pour amener l'Amérique à concevoir que la destinée du genre humain se décide aujourd'hui, maintenant, à cette minute même. Il nous faut deux cent mille dollars immédiatement pour une campagne nationale destinée à faire connaître aux hommes qu'un nouveau mode de pensée est essentiel si l'humanité veut survivre et gagner de plus hauts niveaux. Cet appel ne vous est envoyé qu'après une longue méditation sur l'immense crise que nous affrontons. Je vous réclame d'urgence un chèque immédiat à m'envoyer à moi, président du Comité de Désespoir des Savants de l'Atome, Princeton, New Jersey. Nous réclamons votre aide à cet instant fatal comme un signe que nous, hommes de science, ne sommes pas seuls. »

Cette catastrophe, me disais-je (et deux cent mille dollars n'y changeront rien), mes maîtres l'avaient prévue depuis longtemps. Dieu avait offert à l'homme l'obstacle de la matière et, comme disait Blanc de Saint-Bonnet, « l'homme est le fils de l'obstacle ». Mais les modernes, détachés des principes, ont voulu faire disparaître les obstacles. La matière, qui faisait obstacle, a été vaincue. La voie est libre vers le néant. Voici deux mille ans, Origène écrivait superbement que « la matière est l'absorbant de l'iniquité ». Désormais, l'iniquité n'est plus absorbée : elle se répand en flots destructeurs. Ce Comité de Désespoir ne l'épongera pas.

Les anciens étaient sans doute aussi mauvais que nous, mais ils le savaient. Cette sagesse faisait placer des garde-fous. Une bulle du pape condamne l'emploi du trépied destiné à affermir l'arc : cette machine, ajoutant aux moyens naturels de l'archer, rendrait le combat inhumain. La bulle est observée deux cents ans. Roland de Roncevaux, abattu par les frondes sarrasines, s'écrie : « Maudit soit le lâche qui inventa des armes capables de tuer à distance ! » Plus près de nous, en 1775, un ingénieur français, Du Perron, présenta au jeune Louis XVI, un « orgue militaire » qui, actionné par une manivelle, lançait simultanément vingt-quatre balles. Un mémoire accompagnait cet instrument, embryon des mitrailleuses modernes. La machine parut si meurtrière au roi, à ses ministres Malesherbes et Turgot, qu'elle fut refusée et son inventeur considéré comme un ennemi de l'humanité.

À tout vouloir émanciper, nous avons aussi émancipé la guerre. Jadis occasion de sacrifice et de salut pour quelques-uns, elle est devenue la damnation de tous.

Telles étaient à peu près mes pensées aux environs de 1946, et je songeais à publier une anthologie des « penseurs réactionnaires » dont les voix furent couvertes, en leur temps, par le chœur des progressistes romantiques. Ces écrivains à rebours, ces prophètes de l'Apocalypse, qui criaient dans le désert, se nommaient Blanc de Saint-Bonnet, Émile Montagut, Albert Sorel, Donoso Cortès, etc. C'est dans un esprit de révolte bien proche de celui de ces ancêtres que je réalisai un pamphlet intitulé *Le Temps des Assassins*, auquel collaborèrent notamment Aldous Huxley et Albert Camus. La presse américaine fit écho à ce pamphlet où savants, militaires et politiciens se trouvaient fort maltraités et où l'on souhaitait un procès de Nuremberg pour tous les techniciens de la destruction.

Je crois aujourd'hui que les choses sont moins simples et qu'il faut voir d'un autre œil, et de plus haut, l'histoire irréversible. Cependant, en 1946, inquiétante après-guerre, ce courant de pensée faisait une trace fulgurante dans l'océan d'angoisses où se trouvaient plongés les intellectuels qui ne se voulaient « ni victimes ni bourreaux ». Et il est vrai que, depuis le télégramme d'Einstein, les choses ont empiré. « Ce qu'il y a dans la serviette des savants est effrayant », dit Khrouchtchev en 1960. Mais les esprits se sont lassés et, après beaucoup de solennelles et inutiles protestations, tournés vers d'autres matières à réflexion. En attendant, comme le condamné à mort dans sa cellule, la grâce ou non. Toutefois, il y a, dans toutes les consciences, désormais, un fond de révolte contre la science capable d'anéantir le monde, un doute sur la valeur salvatrice du progrès technique. « Ils vont finir par tout faire sauter. » Depuis les furieuses critiques d'Aldous Huxley dans *Contrepoint* et *Le Meilleur des Mondes*, l'optimisme scientiste s'est effondré. En 1951, le chimiste américain Anthony Standen publiait un livre intitulé : *La Science est une Vache Sacrée*, où il protestait contre l'admiration fétichiste pour la science. En octobre 1953, un célèbre professeur de droit à Athènes, M.O.J. Despotopoulos, adressait à l'U.N.E.S.C.O. un manifeste pour demander l'arrêt du développement scientifique, ou plutôt sa mise au secret. La recherche, proposait-il, serait désormais confiée à un conseil de savants mondialement élu et ainsi maître de garder le silence. Cette idée, pour utopique qu'elle soit, n'est pas sans intérêt. Elle décrit une possibilité de l'avenir et, comme nous le verrons tout à l'heure, recoupe un des grands thèmes des civilisations passées. Dans une lettre qu'il nous adressait en 1955, M. Despotopoulos précisait sa pensée :

« La science de la nature est certes un des exploits les plus dignes de l'histoire humaine. Mais à partir du moment où elle déclenche des forces capables de détruire l'humanité entière, elle cesse d'être ce qu'elle était du point de vue moral. La distinction entre la science pure et ses applications techniques est devenue pratiquement impossible. On ne saurait donc parler de la science comme d'une valeur en soi. Ou plutôt, dans certains secteurs, les plus grands, elle est maintenant une valeur négative, dans la mesure où elle échappe au contrôle de la conscience pour répandre ses périls au gré de la volonté de puissance des responsables politiques. L'idolâtrie du progrès et de la liberté en matière de recherche scientifique est totalement pernicieuse. Notre proposition est celle-ci : codification des conquêtes de la science de la nature réalisées jusqu'ici et interdiction totale ou partielle de son progrès futur par un conseil suprême mondial de savants. Certes, une telle mesure est tragiquement cruelle, son objet touchant un des plus nobles élans de l'humanité, et nul ne peut sous-estimer les difficultés inhérentes à une telle mesure. Mais il n'y en a pas d'autre qui soit assez efficace. Les objections faciles : retour au Moyen Âge, à la barbarie, etc., n'apportent aucun argument sérieux. Il ne s'agit pas de faire régresser l'intelligence, il s'agit de la défendre. Il ne s'agit pas de restrictions au bénéfice d'une classe sociale : il s'agit de la sauvegarde de toute l'humanité. Tel est le problème. Le reste n'est que division et dispersion de l'activité dans l'affrontement de sous-problèmes. »

Ces idées reçurent un accueil favorable dans la presse anglaise et allemande et ont été largement commentées dans le bulletin des savants atomistes de Londres. Elles ne sont pas éloignées de certaines propositions formulées dans les conférences mondiales consacrées au désarmement.

Il n'est pas interdit de croire que, dans d'autres civilisations, il y ait eu, non pas absence de science, mais mise au secret de la science. Telle semble être l'origine de la merveilleuse légende des Neuf Inconnus.

La tradition des Neuf Inconnus remonte à l'empereur Asoka qui régna sur les Indes à partir de 273 avant J.-C. Il était le petit-fils de Chandragupta, premier unificateur de l'Inde. Plein d'ambition, comme son ancêtre dont il voulut parfaire la tâche, il entreprit la conquête du pays de Kalinga qui s'étendait de l'actuelle Calcutta à Madras. Les Kalinganais résistèrent et perdirent cent mille hommes dans la bataille. La vue de cette multitude massacrée bouleversa Asoka. Il prit, à tout jamais, la guerre en horreur. Il renonça à poursuivre l'intégration des pays insoumis, déclarant que la vraie conquête consiste à gagner le cœur des hommes par la loi du devoir et la piété, car la Majesté Sacrée désire que tous les êtres animés jouissent de la sécurité, de la libre expression d'eux-mêmes, de la paix et du bonheur.

Converti au bouddhisme, Asoka, par l'exemple de ses propres vertus, répandit cette religion à travers les Indes et tout son empire qui s'étendait jusqu'en Malaisie, Ceylan et l'Indonésie. Puis le bouddhisme gagna le Népal, le Tibet, la Chine et la Mongolie. Asoka respectait cependant toutes les sectes religieuses. Il prôna le végétarisme, fit disparaître l'alcool et les sacrifices d'animaux. H. G. Wells, dans son abrégé d'histoire universelle, écrit : « Parmi les dizaines de milliers de noms de monarques qui s'entassent dans les colonnes de l'histoire, le nom d'Asoka brille presque seul, comme une étoile. »

On dit qu'instruit des horreurs de la guerre, l'empereur Asoka voulut pour toujours interdire aux hommes l'usage méchant de l'intelligence. Sous son règne entre dans le secret la science de la nature, passée et à venir. Des recherches, allant de la structure de la matière aux techniques de psychologie collective, vont se dissimuler désormais, et pendant vingt-deux siècles, derrière le visage mystique d'un peuple que le monde ne croit plus occupé que d'extase et de surnaturel. Asoka fonde la plus puissante société secrète de la terre : celle des Neuf Inconnus.

On dit encore que les grands responsables du destin moderne de l'Inde, et des savants comme Bose et Ram, croient en l'existence des Neuf Inconnus, en recevraient même conseils et messages. L'imagination entrevoit la puissance des secrets que peuvent détenir neuf hommes bénéficiant directement des expériences, des travaux, des documents accumulés pendant plus de deux dizaines de siècles. Quels sont les buts de ces hommes? Ne pas laisser tomber entre les mains profanes les moyens de destruction. Poursuivre des recherches bénéfiques pour l'humanité. Ces hommes se renouvelleraient par cooptation afin de garder les secrets techniques venus du lointain passé.

Les manifestations extérieures des Neuf Inconnus sont rares. L'une d'elles se rattache à la prodigieuse destinée de l'un des hommes les plus mystérieux de l'Occident : le pape Sylvestre II, connu aussi sous le nom de Gerbert d'Aurillac. Né en Auvergne en 920, mort en 1003, Gerbert fut moine bénédictin, professeur de l'université de Reims, archevêque de Ravenne et pape par la grâce de l'empereur Othon III. Il aurait fait séjour en Espagne, puis un mystérieux voyage l'aurait mené aux Indes où il aurait puisé diverses connaissances qui stupéfièrent son entourage. C'est ainsi qu'il possédait, dans son palais, une tête de bronze qui répondait par OUI ou NON aux questions qu'il lui posait sur la politique et la situation générale de la chrétienté. Selon Sylvestre II (volume CXXXIX de la *Patrologie latine* de Migne) ce procédé était fort simple et correspondait au calcul avec deux chiffres. Il s'agirait d'un automate analogue à nos modernes machines binaires. Cette tête « magique » fut détruite à sa mort, et les connaissances rapportées par lui soigneusement dissimulées. Sans doute la bibliothèque du Vatican réserverait-elle quelques surprises au chercheur autorisé. Le numéro d'octobre 1954 de *Computers and Automation*, revue de cybernétique, déclare : « Il faut supposer un homme d'un savoir extraordinaire, d'une ingéniosité et d'une habileté mécaniques extraordinaires. Cette tête parlante aurait été façonnée " sous une certaine conjonction des étoiles qui se place exactement au moment où toutes les planètes sont en train de commencer leur course ". Il n'était pas question ni de passé, ni de présent, ni de futur, cette invention dépassant apparemment de loin la portée de sa rivale : le pervers " miroir sur le mur " de la reine, précurseur de nos cerveaux mécaniques modernes. Il fut dit, évidemment, que Gerbert ne fut capable de produire cette machine que parce qu'il était en rapport avec le Diable et lui aurait juré éternelle fidélité. »

D'autres Européens furent-ils en contact avec cette société des Neuf Inconnus ? Il faut attendre le XIXᵉ siècle pour que resurgisse ce mystère, à travers les livres de l'écrivain français Jacolliot.

Jacolliot était consul de France à Calcutta sous le Second Empire. Il écrivit une œuvre d'anticipation considérable, comparable, sinon supérieure, à celle de Jules Verne. Il a laissé en outre plusieurs ouvrages consacrés aux grands secrets de l'humanité. Cette œuvre extraordinaire a été pillée par la plupart des occultistes, prophètes et thaumaturges. Complètement oubliée en France, elle est célèbre en Russie.

Jacolliot est formel : la société des Neuf Inconnus est une réalité. Et, ce qui est troublant, c'est qu'il cite à ce propos des techniques tout à fait inimaginables en 1860 comme, par exemple, la libération de l'énergie, la stérilisation par radiations, et la guerre psychologique.

Yersin, l'un des plus proches collaborateurs de Pasteur et de Roux, aurait eu communication de secrets biologiques lors d'un voyage à Madras, en 1890, et, selon les indications qui lui auraient été données, mit au point le sérum contre la peste et le choléra.

La première vulgarisation de l'histoire des Neuf Inconnus eut lieu en 1927, avec la publication du livre de Talbot Mundy qui fit partie, durant vingt-cinq ans, de la police anglaise aux Indes. Son livre est à mi-chemin entre le roman et l'enquête. Les Neuf Inconnus feraient usage d'un langage synthétique. Chacun d'eux serait en possession d'un livre constamment récrit et contenant l'exposé détaillé d'une science.

Le premier de ces livres serait consacré aux techniques de propagande et de guerre psychologique. « De toutes les sciences, dit Mundy, la plus dangereuse serait celle du contrôle de la pensée des foules, car elle permettrait de gouverner le monde entier. » Il est à noter que la *Sémantique générale* de Korjybski ne date que de 1937 et qu'il faut attendre l'expérience de la dernière guerre mondiale pour que commencent à se cristalliser en Occident les techniques de psychologie du langage, c'est-à-dire de propagande. Le premier collège de sémantique américain n'a été créé qu'en 1950. En France, nous ne connaissons guère que *Le Viol des Foules* de Serge Tchakhotine, dont l'influence a été importante dans les milieux intellectuels politisants, bien qu'il ne fasse qu'effleurer la question.

Le deuxième livre serait consacré à la physiologie. Il donnerait notamment le moyen de tuer un homme en le touchant, la mort survenant par inversion de l'influx nerveux. Le judo, dit-on, serait né des « fuites » de cet ouvrage.

Le troisième étudierait la microbiologie, et notamment les colloïdes de protection.

Le quatrième traiterait de la transmutation des métaux. Une légende veut qu'aux temps de disette, les temples et les organismes religieux de secours reçoivent de source secrète de grandes quantités d'un or très fin.

Le cinquième renfermerait l'étude de tous les moyens de communication, terrestres et extra-terrestres.

Le sixième contiendrait les secrets de la gravitation.

Le septième serait la plus vaste cosmogonie conçue par notre humanité.

Le huitième traiterait de la lumière.

Le neuvième serait consacré à la sociologie, donnerait les règles de l'évolution des sociétés et permettrait de prévoir leur chute.

A la légende des Neuf Inconnus, on rattache le mystère des eaux du Gange. Des multitudes de pèlerins, porteurs des plus épouvantables et diverses maladies, s'y baignent sans dommage pour les bien-portants. Les eaux sacrées purifient tout. On a voulu attribuer cette étrange propriété du fleuve à la formation de bactériophages. Mais pourquoi ne se formeraient-ils pas aussi dans le Brahmapoutre, l'Amazone ou la Seine ? L'hypothèse d'une stérilisation apparaît dans l'ouvrage de Jacolliot, cent ans avant que l'on sache possible un tel phénomène. Ces radiations, selon Jacolliot, proviendraient d'un temple secret creusé sous le lit du Gange.

A l'écart des agitations religieuses, sociales, politiques, résolument et parfaitement dissimulés, les Neuf Inconnus incarnent l'image de la science sereine, de la science avec conscience. Maîtresse des destinées de l'humanité, mais s'abstenant d'user de sa propre puissance, cette société secrète est le plus bel hommage qui soit à la liberté dans la hauteur. Vigilants au sein de leur gloire cachée, ces neuf hommes regardent se faire, défaire et refaire les civilisations, moins indifférents que tolérants, prêts à venir en aide, mais toujours dans cet ordre du silence qui est la mesure de la grandeur humaine.

Mythe ou réalité ? Mythe superbe, en tout cas, venu du fond des temps, — et ressac du futur.

III

Encore un mot sur le réalisme fantastique. — Il y a eu des techniques. — Il y a eu la nécessité du secret et l'on y revient. — Nous voyageons dans le temps. — Nous voulons voir dans sa continuité l'océan de l'esprit. — Réflexions nouvelles sur l'ingénieur et le magicien. — Le passé, l'avenir. — Le présent retarde dans les deux sens. — L'or des livres antiques. — Un regard neuf sur le monde ancien.

Nous ne sommes ni matérialistes, ni spiritualistes : ces distinctions n'ont d'ailleurs plus pour nous aucun sens. Simplement, nous cherchons la réalité sans nous laisser dominer par le réflexe conditionné de l'homme moderne (à nos yeux retardataire) qui se détourne dès que cette réalité revêt une forme fantastique. Nous nous sommes refaits barbares, afin de vaincre ce réflexe, exactement comme ont dû faire les peintres pour déchirer l'écran de conventions tendu entre leurs yeux et les choses. Comme eux aussi, nous avons opté pour des méthodes balbutiantes, sauvages, enfantines parfois. Nous nous plaçons devant les éléments et les méthodes de la connaissance, comme Cézanne devant la pomme, Van Gogh devant le champ de blé. Nous nous refusons à exclure des faits, des aspects de la réalité, sous prétexte qu'ils ne sont pas « convenables », qu'ils débordent les frontières fixées par les théories en usage. Gauguin n'exclut pas un cheval rouge, Manet une femme nue parmi les convives du *Déjeuner sur l'herbe*, Max Ernst, Picabia, Dali, les figures sorties du rêve et le monde vivant dans la partie immergée de la conscience. Notre façon de faire et de voir déchaînera révolte, mépris, sarcasmes. On nous refusera au Salon. Ce que l'on a fini par accepter des peintres, des poètes, des cinéastes, des décorateurs, etc., on n'est pas encore prêt à l'accepter dans notre domaine. La science, la psychologie, la sociologie sont des forêts de tabous. Sitôt chassée, l'idée de sacré revient au galop, sous divers déguisements. Que diable! La science n'est pas une vache sacrée : on peut la bousculer, dégager la route.

Revenons à notre propos. Dans cette partie de notre ouvrage, intitulée *Le Futur Antérieur*, notre raisonnement est celui-ci :

— Il se pourrait que ce que nous appelons l'ésotérisme, ciment des sociétés secrètes et des religions, soit le résidu difficilement compréhensible et maniable d'une connaissance très ancienne *de nature technique* s'appliquant à la fois à la matière et à l'esprit. C'est ce que nous développerons plus loin.

— Les « secrets » ne seraient pas des fables, des histoires ou des jeux, mais des recettes techniques précises, des clés pour ouvrir les puissances contenues dans l'homme et dans les choses.

— La science n'est pas la technique. Contrairement à ce que l'on peut penser, la technique, dans bien des cas, ne suit pas la science, elle la précède. La technique fait. La science démontre qu'il est impossible de faire. Puis les barrières d'impossibilités craquent. Nous ne prétendons pas, bien entendu, que la science est vaine. On verra quel prix nous attachons à la science et de quels yeux émerveillés nous la voyons changer de visage. Nous pensons simplement que des techniques ont pu précéder, dans le lointain passé, l'apparition de la science.

— Il se pourrait que des techniques passées aient donné aux hommes des pouvoirs trop redoutables pour être divulgués.

— La nécessité du secret pourrait tenir à deux raisons :

a) La prudence. « Celui qui sait ne parle pas. » Ne pas laisser tomber les clés entre des mains mauvaises.

b) Le fait que la possession et le maniement de telles techniques et connaissances exige de l'homme d'autres structures mentales que celles de l'état de veille ordinaire, une situation de l'intelligence et du langage sur un autre plan, — de telle sorte que rien n'est communicable au degré de l'homme ordinaire. Le secret n'est pas un effet de la volonté de celui qui le détient, il est un effet de sa nature même.

— Nous constatons l'existence d'un phénomène comparable dans notre monde présent. Un développement sans cesse accéléré des techniques conduit ceux qui savent au désir, puis à la nécessité du secret. L'extrême danger mène à l'extrême discrétion. Au niveau où elle parvient, à mesure que la connaissance progresse, elle s'occulte. Des guildes de savants et techniciens se forment. Le langage du savoir et du pouvoir devient incommunicable. Le problème des structures mentales différentes se pose nettement, au plan de la recherche physico-mathématique. A la limite, ceux qui détiennent, comme disait Einstein, « le pouvoir de prendre de grandes décisions, pour le bien et pour le mal », forment une véritable cryptocratie. Le proche avenir ressemble aux descriptions traditionnelles.

— Notre vision de la connaissance passée n'est pas conforme au schéma « spiritualiste ». Notre vision du présent et du proche avenir introduit du magique là où l'on ne veut placer que du rationnel. Pour nous, il ne s'agit que de chercher des correspondances éclairantes. Celles-ci nous promettent de situer l'aventure humaine dans la totalité des temps. Tout ce qui peut servir de pont nous est bon.

Au fond, dans cette partie du livre comme ailleurs, notre propos est celui-ci :

L'homme a sans doute la possibilité d'être en rapport avec la totalité de l'univers. On connaît le paradoxe du voyageur de Langevin. Andromède est à trois millions d'années-lumière de la terre. Mais le voyageur, se déplaçant à une vitesse proche de celle de la lumière, ne vieillirait que de quelques années. Selon la théorie unitaire de Jean Charon, par exemple, il ne serait pas inconcevable que la Terre, pendant ce voyage, ne vieillisse pas davantage. L'homme serait donc en contact avec le tout de la création, espace et temps jouant un autre jeu que le jeu apparent. D'autre part, la recherche physico-mathématique, au point où l'a laissée Einstein, est une tentative de l'intelligence humaine pour découvrir la loi qui régirait l'ensemble des forces universelles (gravitation, électro-magnétisme, lumière, énergie nucléaire). Une tentative de vision unitaire, tout l'effort de l'esprit étant pour se situer en un point d'où la continuité serait visible. Et d'où viendrait ce désir de l'esprit si celui-ci ne pressentait que ce point existe, que se situer de la sorte lui est possible ? « Tu ne me chercherais pas si tu ne m'avais déjà trouvé. »

Sur un autre plan, mais dans ce même mouvement, ce que nous cherchons, c'est une vision continue de l'aventure de l'intelligence humaine, de la connaissance humaine. C'est pourquoi on nous verra voyager à toute vitesse de la magie à la technique, des Rose-Croix à Princeton, des Maya à l'homme des prochaines mutations, du sceau de Salomon à la table périodique des éléments, des civilisations disparues aux civilisations à venir, de Fulcanelli à Oppenheimer, du sorcier à la machine électronique analogique, etc. A toute vitesse, ou plutôt à une vitesse telle que l'espace et le temps fassent éclater leur coque, et que la vision du continu apparaisse. Il y a voyager en rêve et voyager réellement. Nous avons voulu le voyage réel. C'est en ce sens que ce livre n'est pas une fiction. Nous avons construit des appareils (c'est-à-dire des correspondances démontrables, des comparaisons valables, des équivalences incontestables). Des appareils qui fonctionnent, des fusées qui partent. Et parfois, en de certains instants, il nous a semblé que notre esprit atteignait le point d'où la totalité de l'effort humain est visible. Les civilisations, les moments de la connaissance et de l'organisation humaine, sont comme autant de rochers dans l'océan. Quand on voit une civilisation, un moment de la connaissance, on ne voit que le heurt de l'océan contre ce rocher, la vague qui se brise, l'écume jaillissante. Ce que nous avons cherché, c'est le lieu d'où l'on pourrait contempler l'océan tout entier, dans sa calme et puissante continuité, dans son harmonieuse unité.

Nous revenons maintenant aux réflexions sur la technique, la science et la magie. Elles vont préciser notre thèse sur l'idée de société secrète (ou plutôt de « conspiration au grand jour ») et nous servir d'ouverture pour de prochaines études, l'une sur l'Alchimie, l'autre sur les civilisations disparues.

Lorsqu'un jeune ingénieur entre dans l'industrie, il distingue vite deux univers différents. Il y a celui du laboratoire, avec les lois définies des expériences que l'on peut reproduire, avec une image du monde compréhensible. Et il y a l'univers réel, où les lois ne s'appliquent pas toujours, où les phénomènes sont parfois imprévus, où l'impossible se réalise. Si son tempérament est fort, l'ingénieur en question réagit par la colère, la passion, le désir de « violer cette garce de matière ». Ceux qui adoptent cette attitude vivent des vies tragiques. Voyez Edison, Tesla, Armstrong. Un démon les conduit. Werner von Braun essaie ses fusées sur les Londoniens, en massacre des milliers pour être finalement arrêté par la Gestapo parce qu'il avait déclaré : « Après tout, je me fous de la victoire de l'Allemagne, c'est la conquête de la Lune qu'il me faut[1] ! » On dit que la tragédie était, aujourd'hui, la politique. C'est une vision périmée. La tragédie, c'est le laboratoire. C'est à de tels « magiciens » que l'on doit le progrès technique. La technique n'est nullement, pensons-nous, l'application pratique de la science. Tout au contraire, elle se développe contre la science. L'éminent mathématicien et astronome Simon New-comb démontre que le plus lourd que l'air ne saurait voler. Deux réparateurs de bicyclettes lui donneront tort. Rutherford, Millikan[2] prouvent qu'on ne pourra jamais exploiter les réserves d'énergie du noyau atomique. La bombe d'Hiroshima explose. La science enseigne qu'une masse d'air homogène ne peut se séparer en air chaud et en air froid. Hilsch montre qu'il suffit de faire circuler cette masse à travers un tube approprié[3]. La science place des barrières d'impossibilité. L'ingénieur, comme fait le magicien sous les yeux de l'explorateur cartésien, passe à travers les barrières, par un phénomène analogue à ce que les physiciens nomment « l'effet tunnel ». Une aspiration magique l'attire. Il veut voir derrière le mur, aller sur Mars, capturer la foudre, faire de l'or. Il ne cherche ni le gain, ni la gloire. Il cherche à prendre l'univers en flagrant délit de cachotterie. Au sens jungien, c'est un arché-

1. Walter Dornberger : *L'Arme secrète de Peenemünde*. Éd. Arthaud, Paris.
2. Millikan : *L'Électron*.
3. *Technique Mondiale*, Paris, avril 1957.

type. Par les miracles qu'il tente de réaliser, par la fatalité qui pèse sur lui et la fin douloureuse qui l'attend le plus souvent, il est le fils du héros des Sagas et des tragédies grecques [1].

Comme le magicien, il tient au secret, et comme lui encore, il obéit à cette loi de similarité que Frazer [2] a dégagée dans son étude de la magie. A ses débuts, l'invention est une imitation du phénomène naturel. La machine volante ressemble à l'oiseau, l'automate à l'homme. Or, la ressemblance avec l'objet, l'être ou le phénomène dont il veut capter les pouvoirs, est presque toujours inutile, voire nuisible au bon fonctionnement de l'appareil inventé. Mais, comme le magicien, l'inventeur puise dans la similarité, une puissance, une volupté, qui le poussent en avant.

Le passage de l'imitation magique à la technologie scientifique pourrait être, dans bien des cas, retracé. Exemple :

A l'origine, le durcissement superficiel de l'acier a été obtenu, dans le Proche-Orient, en plongeant une lame portée au rouge dans le corps d'un prisonnier. C'est là une pratique magique typique : il s'agit de transférer dans la lame les qualités guerrières de l'adversaire. Cette pratique fut connue en Occident par les Croisés qui avaient constaté que l'acier de Damas était en effet plus dur que l'acier d'Europe. Des expériences furent faites : on trempa l'acier dans de l'eau sur laquelle flottaient des peaux de bêtes. Le même résultat fut obtenu. Au XIXe siècle, on s'aperçut que ces résultats étaient dus à l'azote organique. Au XXe siècle, lorsque la liquéfaction des gaz fut au point, on perfectionna le procédé en trempant l'acier dans l'azote liquide à basse température. Sous cette forme, la « nitruration » fait partie de notre technologie.

1. Edwin Armstrong : *The Inventor as Hero*, article du *Harper's Magazine*.
2. Frazer : *Le Rameau d'Or*.

On pourrait constater un autre lien entre magie et technique en étudiant les « charmes » que les anciens alchimistes prononçaient durant leurs travaux. Probablement s'agissait-il de mesurer le temps dans l'obscurité du laboratoire. Les photographes usent souvent de véritables comptines qu'ils récitent au-dessus du bain, et nous avons entendu une de ces comptines au sommet de la Jungfrau, pendant que se développait une plaque impressionnée par les rayons cosmiques.

Enfin, il existe un autre lien, plus fort et curieux, entre magie et technique : c'est la simultanéité dans l'apparition des inventions. La plupart des pays enregistrent le jour, l'heure même du dépôt d'un brevet. Or, on a maintes fois constaté que des inventeurs qui ne se connaissaient pas, travaillant fort loin les uns des autres, déposaient le même brevet au même instant. Ce phénomène ne saurait guère s'exprimer par l'idée vague que « les inventions sont dans l'air » ou que « l'invention apparaît dès que l'on en a besoin ». S'il y a là perception extra-sensorielle, circulation des intelligences branchées sur la même recherche, le fait mériterait une étude statistique poussée. Cette étude nous rendrait peut-être compréhensible cet autre fait : que les techniques magiques se retrouvent, identiques, dans la plupart des anciennes civilisations, à travers montagnes et océans...

Nous vivons sur l'idée que l'invention technique est un phénomène contemporain. C'est que nous ne faisons jamais l'effort d'aller consulter les vieux documents. Il n'existe pas un seul service de recherche scientifique dirigée vers le passé. Les livres antiques, s'ils sont lus, ne le sont que par de rares érudits de formation purement littéraire ou historique. Ce qu'ils contiennent de science et de technique échappe donc à l'attention. Se désintéresse-t-on du passé parce que l'on est trop sollicité par la préparation de l'avenir ? Ce n'est pas sûr. L'intelligence française semble attardée par les schémas du XIXᵉ siècle. Les écrivains d'avant-garde sont sans appétit pour la science, et une sociologie qui date de la machine à vapeur, un humanisme révolutionnaire né avec le fusil chassepot, mobilisent encore l'attention. On n'imagine pas à quel point la France s'est figée aux environs de 1880. L'industrie est-elle plus alerte ? En 1955 s'est tenue la première conférence atomique mondiale, à Genève. René Alleau s'est trouvé chargé de la diffusion en France des documents relatifs aux applications pacifiques de l'énergie nucléaire. Les seize volumes contenant les résultats expérimentaux obtenus par les savants de tous les pays constituaient la plus importante publication de l'histoire des sciences et techniques. Cinq mille industries, devant être intéressées à plus ou moins longue échéance par l'énergie nucléaire, reçurent une lettre annonçant cette publication. Il y eut vingt-cinq réponses.

Sans doute faudra-t-il attendre l'arrivée aux postes de responsabilité des nouvelles générations pour que l'intelligence française retrouve une véritable agilité. C'est pour ces générations que nous écrivons ce livre. Si l'on était réellement attiré par l'avenir, on le serait aussi par le passé, on irait chercher son bien dans les deux sens du temps, avec le même appétit.

Nous ne savons rien ou presque rien du passé. Des trésors dorment dans les bibliothèques. Nous préférons imaginer, nous qui prétendons « aimer l'homme », une histoire de la connaissance discontinue et des centaines de milliers d'années d'ignorance pour quelques lustres de savoir. L'idée qu'il y ait eu, soudain, un « siècle des lumières », idée que nous avons admise avec une très déconcertante naïveté, a plongé dans l'obscurité tout le reste des temps. Un regard neuf sur les livres antiques changerait tout cela. On serait bouleversé par les richesses contenues. Et encore faudrait-il penser, comme le disait Atterbury, contemporain de Newton, « qu'il y a plus d'ouvrages antiques perdus que conservés ».

C'est ce regard neuf que notre ami René Alleau, à la fois technicien et historien, a voulu jeter. Il a esquissé une méthode et obtenu quelques résultats. Jusqu'à ce jour, il semble n'avoir obtenu aucune sorte d'encouragement à poursuivre cette tâche qui dépasse les possibilités d'un homme seul. En décembre 1955, devant les ingénieurs de l'automobile, réunis sous la présidence de Jean-Henri Labourdette, il prononçait, sur ma demande, une conférence dont voici l'essentiel :

« Que reste-t-il des milliers de manuscrits de la bibliothèque d'Alexandrie fondée par Ptolémée Sôter, de ces documents irremplaçables et à jamais perdus sur la science antique ? Où sont les cendres des 200 000 ouvrages de la bibliothèque de Pergame ? Que sont devenues les collections de Pisistrate à Athènes, et la bibliothèque du Temple de Jérusalem, et celle du sanctuaire de Ptah à Memphis ? Quels trésors contenaient les milliers de livres qui furent brûlés en 213 avant Jésus-Christ par ordre de l'empereur Cheu-Hoang-ti dans un but uniquement politique ? Dans ces conditions, nous nous trouvons placés devant les ouvrages antiques comme devant les ruines d'un temple immense dont il reste seulement quelques pierres. Mais l'examen attentif de ces fragments et de ces inscriptions nous laisse entrevoir des vérités beaucoup trop profondes pour les attribuer à la seule intuition des Anciens.

« Tout d'abord, contrairement à ce que l'on croit, les méthodes du rationalisme n'ont pas été inventées par Descartes. Consultons les textes : " Celui qui cherche la vérité, écrit Descartes, doit autant qu'il est possible, douter de tout. " C'est là une phrase bien connue, et cela paraît fort nouveau. Mais si nous lisons le deuxième livre de la métaphysique d'Aristote, nous lisons : " Celui qui cherche à s'instruire doit premièrement savoir douter car le doute de l'esprit conduit à manifester la vérité. " On peut constater d'ailleurs que Descartes a emprunté non seulement cette phrase capitale à Aristote, mais aussi la plupart des règles fameuses pour la direction de l'esprit et qui sont à la base de la méthode expérimentale. Cela prouve en tout cas que Descartes avait lu Aristote, ce dont s'abstiennent trop souvent les cartésiens modernes. Ceux-ci pourraient aussi constater que quelqu'un a écrit : " Si je me trompe, j'en conclus que je suis, car celui qui n'est pas ne peut pas se tromper, et par cela même que je me trompe, je sens que je suis. " Malheureusement, ce n'est pas Descartes, c'est saint Augustin.

« Quant au scepticisme nécessaire à l'observateur, on ne peut vraiment pas le pousser plus loin que Démocrite, lequel ne considérait comme valable que l'expérience à laquelle il avait personnellement assisté et dont il avait authentifié les résultats par l'empreinte de son anneau.

« Cela me semble fort éloigné de la naïveté que l'on reproche aux Anciens. Certes, me direz-vous, les philosophes de l'Antiquité étaient doués d'un génie supérieur dans le domaine de la connaissance, mais enfin, que savaient-ils de véritable sur le plan scientifique ?

« Contrairement aussi à ce que l'on peut lire dans les ouvrages actuels de vulgarisation, les théories atomiques n'ont pas été trouvées ni formulées d'abord par Démocrite, Leucippe et Épicure. En effet, Sextus Empiricus nous apprend que Démocrite lui-même les avait reçues par tradition et qu'il les tenait de Moschus le Phénicien, lequel, point capital à noter, semble avoir affirmé que l'atome était divisible.

« Remarquez-le bien, la théorie la plus ancienne est aussi plus exacte que celles de Démocrite et des

Atomistes grecs concernant l'indivisibilité des atomes. Dans ce cas précis, il semble bien s'agir d'un obscurcissement de connaissances archaïques devenues incomprises plutôt que de découvertes originales. De même, comment ne pas s'étonner sur le plan cosmologique, compte tenu de l'absence de télescopes, de constater que souvent, plus les données astronomiques sont anciennes et plus elles sont justes ? Par exemple, en ce qui concerne la Voie lactée, elle était constituée selon Thalès et Anaximène, par des étoiles dont chacune était un monde contenant un soleil et des planètes, et ces mondes étaient situés dans un espace immense. On peut constater chez Lucrèce la connaissance de l'uniformité de la chute des corps dans le vide et la conception d'un espace infini rempli d'une infinité de mondes. Pythagore avant Newton avait enseigné la loi inverse du carré des distances. Plutarque, après avoir entrepris d'expliquer la pesanteur, en cherche l'origine dans une attraction réciproque entre tous les corps et qui est cause que la Terre fait graviter vers elle tous les corps terrestres, de même que le Soleil et la Lune font graviter vers leur centre toutes les parties qui leur appartiennent et par une force attractive les retiennent dans leur sphère particulière.

« Galilée et Newton ont avoué expressément ce qu'ils devaient à la science antique. De même, Copernic, dans la préface de ses œuvres adressées au pape Paul III, écrit textuellement qu'il a trouvé l'idée du mouvement de la Terre en lisant les Anciens. D'ailleurs, l'aveu de ces emprunts n'enlève rien à la gloire de Copernic, de Newton et de Galilée, lesquels appartenaient à cette race d'esprits supérieurs dont le désintéressement et la générosité ne tiennent aucun compte de l'amour-propre d'auteur et de l'originalité à tout prix, qui sont des préjugés modernes. Plus humble et plus profondément vraie semble l'attitude de la modiste de Marie-Antoinette, Mlle Bertin. Rajeunissant d'une main preste un antique chapeau, elle s'écria : " Il n'y a de nouveau que ce qui est oublié. "

« L'histoire des inventions comme celle des sciences suffirait à montrer la vérité de cette boutade. " Il en est de la plupart des découvertes, écrit Fournier, comme de cette fugitive occasion dont les Anciens avaient fait une déesse insaisissable pour quiconque la laissait échapper une première fois. Si, de prime abord, l'idée qui met sur la trace, le mot qui peut mener à résoudre le problème, le fait significatif ne sont point saisis au vol, voilà une invention perdue ou tout au moins ajournée pour plusieurs générations. Il faut, pour qu'elle revienne triomphante, le hasard d'une pensée nouvelle ressuscitant la première de son oubli, ou bien le plagiat heureux de quelque inventeur de seconde main ; en fait d'invention, malheur au premier venu, gloire et profit au second. " Ce sont de telles considérations qui justifient le titre de mon exposé.

« En effet, j'ai pensé qu'il devait être possible de remplacer dans une large mesure le hasard par le déterminisme, et les risques de mécanismes spontanés de l'invention par les garanties d'une vaste documentation historique appuyée sur des contrôles expérimentaux. A cette fin, j'ai proposé de constituer un service spécialisé non pas dans la recherche de l'antériorité des brevets, laquelle, de toute façon, s'arrête au XVIIIᵉ siècle, mais un service technologique qui étudierait simplement les procédés anciens et qui essaierait de les adapter éventuellement aux besoins de l'industrie contemporaine.

« Si un service comme celui-là avait existé autrefois, il aurait pu signaler, par exemple, l'intérêt d'un petit livre passé inaperçu, publié en 1618, et intitulé *Histoire naturelle de la fontaine qui brûle près de Grenoble*. Son auteur était un médecin de Tournon, Jean Tardin. Si l'on avait étudié ce document, le gaz d'éclairage aurait pu être utilisé dès le début du XVIIᵉ siècle. En effet, Jean

Tardin, non seulement étudia le gazomètre naturel de la fontaine, mais encore il reproduisit dans son laboratoire les phénomènes observés. Il enferma de la houille dans un vase clos, soumit le récipient à une haute température et obtint la production des flammes dont il cherchait l'origine. Il explique clairement que la matière de ce feu est le bitume et qu'il suffit de la réduire en gaz qui donne une " exhalation inflammable ". Or, le Français Lebon, avant l'Anglais Winsor, fit breveter sa " thermo-lampe " seulement en l'an VII de la République. Ainsi, durant près de deux siècles, faute de relire les textes anciens, une découverte, dont les conséquences industrielles et commerciales auraient été considérables, avait été oubliée, donc pratiquement perdue.

« De même, près de cent ans avant les premiers signaux optiques de Claude Chappe en 1793, une lettre de Fénelon datée du 26 novembre 1695, adressée à Jean Sobieski, secrétaire du roi de Pologne, fait mention d'expériences récentes non seulement de télégraphie optique, mais de téléphonie par porte-voix.

« En 1636, un auteur inconnu, Schwenter, examine déjà dans ses *Délassements physico-mathématiques*, le principe du télégraphe électrique et comment selon ses propres termes, deux individus peuvent communiquer entre eux " au moyen de l'aiguille aimantée ". Or, les expériences d'Œrsted sur les déviations de l'aiguillage aimanté datent de 1819. Là encore, près de deux siècles d'oubli s'étaient écoulés.

« Je cite rapidement quelques inventions peu connues : la cloche à plongeur se retrouve dans un manuscrit de la *Romance d'Alexandre* du Cabinet Royal des Estampes de Berlin; l'inscription porte la date de 1320. Un manuscrit du poème allemand *Salman und Morolf*, écrit en 1190 (bibliothèque de Stuttgart) montrait le dessin d'un bateau sous-marin; l'inscription demeure, le submersible était en cuir et capable de résister aux tempêtes. Se trouvant un jour entouré par des galères, l'inventeur, sur le point d'être capturé, fit couler l'esquif et vécut quatorze jours au fond de l'eau en respirant au moyen d'un tube flottant. Dans un ouvrage écrit par le chevalier Ludwig von Hartenstein vers 1510, on peut voir le dessin d'un costume de scaphandrier ; deux ouvertures sont ménagées à la hauteur des yeux et obturées par des lunettes de verre. Au sommet, un long tuyau terminé par un robinet permet l'accès de l'air extérieur. A droite et à gauche du dessin figurent les accessoires indispensables facilitant la descente et l'ascension, à savoir des semelles de plomb et une perche à échelons.

« Voici encore un exemple d'oubli : un écrivain inconnu, né en 1729 à Montebourg près de Coutances, publia un ouvrage intitulé *Giphantie*, anagramme de la première partie du nom de l'auteur Tiphaigne de la Roche. On y décrit non seulement la photographie des images, mais aussi celle des couleurs : " L'impression des images, écrit l'auteur, est l'affaire du premier instant où la toile les reçoit. On l'ôte sur-le-champ et on la place dans un endroit obscur. Une heure après, l'enduit est séché et vous avez un tableau d'autant plus précieux qu'aucun art ne peut en imiter la vérité. " L'auteur ajoute : " Il s'agit premièrement d'examiner la nature du corps gluant qui intercepte et garde les rayons, deuxièmement, les difficultés de le préparer et de l'employer, troisièmement, le jeu de la lumière et de ce corps desséché. " Or, on sait que la découverte de Daguerre fut annoncée à l'Académie des Sciences par Arago, un siècle plus tard, le 7 janvier 1839. D'ailleurs, signalons que les propriétés de certains corps métalliques capables de fixer les images ont été signalées dans un traité de Fabricius : *De rebus metallicis*, paru en 1566.

« Autre exemple : la vaccination, décrite depuis un temps immémorial par l'un des Védas, le *Sactaya*

Grantham. Ce texte a été cité par Moreau de Jouet, le 16 octobre 1826, à l'Académie des Sciences, dans son *Mémoire sur la variolide* : " Recueillez le fluide des pustules sur la pointe d'une lancette, introduisez-le dans le bras en mêlant le fluide avec le sang, la fièvre sera produite ; cette maladie sera alors très douce et elle ne pourra inspirer aucune crainte. " On trouve ensuite une description exacte de tous les symptômes.

« S'agissait-il des anesthésiques ? On aurait pu consulter à ce sujet un ouvrage de Denis Papin écrit en 1681 et intitulé : *Le traité des opérations sans douleur,* ou bien reprendre les antiques expériences des Chinois sur les extraits de chanvre indien ou encore utiliser le vin de mandragore très connu au Moyen Âge complètement oublié au XVIIᵉ siècle et dont un médecin de Toulouse, en 1823, le docteur Auriol, a étudié les effets. Personne n'a jamais songé à vérifier les résultats obtenus.

« Et la pénicilline ? Dans ce cas, nous pouvons citer d'abord une connaissance empirique, à savoir les pansements au fromage de Roquefort utilisés au Moyen Âge, mais on peut constater à ce propos quelque chose de plus singulier encore. Ernest Duchesne, élève de l'École de Santé Militaire de Lyon, présenta le 17 décembre 1897 une thèse intitulée : *Contribution à l'étude de la concurrence vitale chez les micro-organismes — antagonisme entre les moisissures et les microbes.* Dans cet ouvrage, on trouve des expériences relatant l'action du *penicillium glaucum* sur les bactéries. Or, cette thèse est passée inaperçue. J'insiste sur cet exemple d'oubli évident à une époque très proche de la nôtre, en plein triomphe de la bactériologie.

« Veut-on encore des exemples ? Ils sont innombrables et il faudrait consacrer une conférence à chacun. Je citerai notamment l'oxygène, dont les effets ont été étudiés au XVᵉ siècle par un alchimiste nommé Eck de Sulsback, comme l'a signalé Chevreul dans le *Journal des Savants* d'octobre 1849 ; d'ailleurs, Théophraste disait déjà que la flamme était entretenue par un corps aériforme, ce qui était aussi l'opinion de saint Clément d'Alexandrie.

« Je ne citerai aucune des anticipations extraordinaires de Roger Bacon, de Cyrano de Bergerac et d'autres, car il est trop facile de les mettre sur le compte de la seule imagination. Je préfère rester sur le terrain solide des faits contrôlables. A propos de l'automobile — et en m'excusant de ne pouvoir insister sur un sujet que beaucoup d'entre vous connaissent bien mieux que moi — je signalerai qu'au XVIIᵉ siècle, à Nuremberg, un nommé Jean Hautch fabriquait des " chariots à ressorts ". En 1645, un véhicule de ce genre fut essayé dans l'enclos du Temple et je crois que la Société commerciale fondée pour exploiter cette invention n'a pu être réalisée. Il y eut peut-être des obstacles comparables à ceux que connut la première Société des Transports Parisiens dont — je le rappelle — l'initiative est due à Pascal qui la fit patronner par le nom et par la fortune d'un de ses amis, le duc de Roannès.

« Même pour des découvertes plus importantes que celles-là, nous méconnaissons l'influence des données fournies par les Anciens. Christophe Colomb a sincèrement avoué tout ce qu'il devait aux savants, aux philosophes, aux poètes antiques. On ignore généralement que Colomb recopia deux fois le chœur du second acte de *Médée*, une tragédie de Sénèque, où l'acteur parlait d'un monde dont la découverte était réservée aux siècles futurs. On peut consulter cette copie dans le manuscrit de *las profecias*, lequel se trouve à la bibliothèque de Séville. Colomb s'est souvenu aussi de l'affirmation d'Aristote dans son traité de *De Caelo* à propos de la sphéricité de la terre.

« Joubert n'avait-il pas raison d'observer que " rien ne rend les esprits si imprudents et si vains que l'ignorance du temps passé et le mépris des anciens livres " ? Comme Rivarol l'écrivait admirablement : " Tout État est un vaisseau mystérieux qui a ses ancres dans le ciel " ; on pourrait dire à propos du temps que le vaisseau de l'avenir a ses ancres dans le ciel du passé. Seul, l'oubli nous menace des pires naufrages.

« Il semble atteindre ses limites avec l'histoire incroyable, si elle n'était vraie, des mines d'or de la Californie. En juin 1848, Marshall en découvrit pour la première fois des pépites sur le bord d'un cours d'eau près duquel il surveillait la construction d'un moulin. Or, Fernand Cortez était déjà passé par là, cherchant, en Californie, des Mexicains que l'on disait porteurs de trésors considérables ; Cortez bouleversa le pays, fouilla toutes les huttes sans même songer à ramasser un peu de sable ; pendant trois siècles, les bandes espagnoles, les missions de la Compagnie de Jésus piétinèrent le sable aurifère, cherchant toujours plus loin l'Eldorado. Pourtant, en 1737, plus de cent ans avant la découverte de Marshall, les lecteurs de la *Gazette de Hollande* auraient pu savoir que les mines d'or et d'argent de Sonora étaient exploitables car leur journal en donnait la position exacte. De plus, en 1767, on pouvait acheter à Paris un livre intitulé *Histoire naturelle et civile de la Californie* où l'auteur, Buriell, décrivait les mines d'or et rapportait les témoignages des navigateurs à propos des pépites. Personne ne remarqua ni cet article, ni cet ouvrage, ni ces faits qui, un siècle plus tard, suffirent à déterminer la " ruée vers l'or ". D'ailleurs, lit-on encore les récits des anciens voyageurs arabes ? On y trouverait pourtant des indications fort précieuses pour la prospection minière.

« L'oubli, en réalité, n'épargne rien. De longues recherches, des contrôles précis m'ont donné la conviction que l'Europe et la France possèdent des trésors qu'elles n'exploitent pratiquement point : à savoir les documents anciens de nos grandes bibliothèques. Or, toute technique industrielle doit être élaborée à partir de trois dimensions : l'expérience, la science et l'histoire. Éliminer ou négliger cette dernière, c'est faire preuve d'orgueil et de naïveté. C'est aussi préférer courir le risque de trouver ce qui n'existe pas encore plutôt que de chercher raisonnablement à adapter ce qui est à ce que l'on désire obtenir. Avant d'engager des investissements coûteux, un industriel doit être en possession de tous les éléments technologiques d'un problème. Or, il est clair que la seule recherche de l'antériorité des brevets ne suffit absolument pas à faire le point d'une technique à un moment donné de l'histoire. En effet, les industries sont beaucoup plus anciennes que les sciences ; elles doivent donc être parfaitement informées de l'histoire de leurs procédés dont elles sont souvent moins bien averties qu'elles ne le croient.

« Les Anciens, par des techniques très simples, obtenaient des résultats que nous pouvons reproduire, mais que, souvent, nous serions bien en peine d'expliquer, malgré le lourd arsenal théorique dont nous disposons. Cette simplicité était le don par excellence de la science antique.

« Oui, me direz-vous, mais l'énergie nucléaire ? A cette objection, je répondrai par une citation qui devrait nous faire quelque peu réfléchir. Dans un livre très rare, presque inconnu, même de beaucoup de spécialistes, paru voici plus de quatre-vingts ans et intitulé *Les Atlantes*, un auteur qui se cacha prudemment sous le pseudonyme de Roisel exposa les résultats de cinquante-six années de recherches et de travaux sur la science antique. Or, exposant les connaissances scientifiques qu'il attribue aux Atlantes, Roisel écrit ces lignes extraordinaires à son époque : " La conséquence de cette activité incessante est en effet l'apparition de la matière, de cet autre équilibre dont la rupture déterminerait également de puissants phénomènes cosmiques. Si, par une cause inconnue, notre système solaire était désagrégé, ses atomes constituants devenus par l'indépendance immédiatement actifs brilleraient dans l'espace d'une lumière ineffable qui annoncerait au loin une vaste destruction et l'espérance d'un monde nouveau. " Il me semble que ce dernier exemple suffit à faire comprendre toute la profondeur du mot de M\ :superscript{lle} Bertin : " Il n'y a de nouveau que ce qui est oublié. "

« Voyons maintenant quel intérêt pratique présente pour l'industrie un sondage systématique du passé. Quand je prétends qu'il faut se pencher avec le plus vif intérêt sur les travaux anciens, il ne s'agit pas du tout d'effectuer un travail d'érudition. Il faut seulement, en fonction d'un problème concret posé par l'industrie, rechercher dans les documents scientifiques et techniques anciens, s'il existe, ou bien des faits significatifs négligés, ou bien des procédés oubliés, mais dignes d'intérêt et se rapportant directement à la question posée.

« Les matières plastiques dont nous croyons l'invention très récente, auraient pu être découvertes beaucoup plus tôt si l'on s'était avisé de reprendre certaines expériences du chimiste Berzelius.

« En ce qui concerne la métallurgie, je signalerai un fait assez important. Au début de mes recherches sur certains procédés chimiques des Anciens, j'avais été assez surpris de ne pouvoir reproduire au laboratoire des expériences métallurgiques qui me semblaient pourtant décrites fort clairement. En vain, je cherchai à comprendre les raisons de cet échec, car j'avais observé les indications et les proportions données. En réfléchissant, je m'aperçus que j'avais commis pourtant une erreur. J'avais utilisé des fondants *chimiquement purs*, alors que les Anciens se servaient de *fondants impurs*, c'est-à-dire de sels obtenus à partir de produits naturels et capables, par conséquent, de provoquer des actions catalytiques. En effet, l'expérience confirma ce point de vue. Les spécialistes comprendront quelles perspectives importantes ouvrent ces observations. Des économies de combustible et d'énergie pourraient être réalisées par l'adaptation à la métallurgie de certains procédés anciens qui, presque tous, reposent sur l'action de catalyseurs. Sur ce point, mes expériences ont été confirmées aussi bien par les travaux du docteur Ménétrier sur l'action catalytique des oligo-éléments que par les recherches de l'Allemand Mittash sur la catalyse dans la chimie des Anciens. Par des voies différentes, des résultats convergents ont été obtenus. Cette convergence semble prouver qu'en technologie, le temps est venu de tenir compte de l'importance fondamentale de la notion de qualité et de son rôle dans la production de tous les phénomènes quantitatifs observables.

« Les Anciens connaissaient également des procédés métallurgiques qui semblent oubliés, par exemple la trempe du cuivre dans certains bains organiques. Ils obtenaient ainsi des instruments extraordinairement durs et pénétrants. Ils n'étaient pas moins habiles pour fondre ce métal, même à l'état d'oxyde. Je n'en donnerai qu'un exemple. Un de mes amis, spécialiste de la prospection minière, se trouvait au nord-ouest d'Agadès en plein Sahara. Il y découvrit des minerais de cuivre présentant des traces de fusion et des fonds de creuset contenant encore du métal. Or, il ne s'agissait pas d'un sulfure, mais d'un oxyde, c'est-à-dire d'un corps qui, pour l'industrie actuelle, pose des problèmes de réduction qu'il n'est pas possible de régler sur un simple feu de nomade.

« Dans le domaine des alliages, l'un des plus importants de l'industrie actuelle, bien des faits significatifs n'ont pas échappé aux Anciens. Non seulement ils connaissaient les moyens de produire directement, à partir de minerais complexes, des alliages aux propriétés singulières, procédés auxquels l'industrie soviétique accorde d'ailleurs un très vif intérêt en ce moment, mais encore les Anciens utilisaient des alliages particuliers comme l'électrum que nous n'avons jamais eu la curiosité d'étudier sérieusement, bien que nous en connaissions les recettes de fabrication.

« J'insisterai à peine sur les perspectives du domaine pharmaceutique et médical presque inexploré et ouvert à tant de recherches. Je signalerai seulement l'importance du traitement des brûlures, question d'autant plus grave que les accidents d'automobile et d'aviation la posent pratiquement chaque minute. Or, aucune époque plus que le Moyen Âge, dévasté sans cesse par les incendies, ne découvrit de meilleurs remèdes contre les brûlures, recettes complètement oubliées. Sur ce point, il faut que l'on sache que certains produits de l'ancienne pharmacopée non seulement calmaient les douleurs, mais permettaient d'éviter les cicatrices et de régénérer les cellules.

« Quant aux colorants et aux vernis, il serait superflu de rappeler la très haute qualité des matières élaborées selon les procédés des Anciens. Les couleurs admirables utilisées par les peintres du Moyen Âge n'ont pas été perdues comme on le croit généralement ; je connais en France au moins un manuscrit qui en donne la composition. Personne n'a jamais songé à adapter et à vérifier ces procédés. Or, les peintres modernes, s'ils vivaient encore dans un siècle, ne reconnaîtraient plus leurs toiles car les couleurs utilisées actuellement ne dureront point. D'ailleurs, les jaunes de Van Gogh ont perdu déjà, semble-t-il, l'extraordinaire luminosité qui les caractérisait.

« S'agit-il de mines ? J'indiquerai seulement à ce sujet une étroite liaison entre la recherche médicale et la prospection minière. Les applications thérapeutiques des plantes, ce que l'on appelle la phytothérapie, très connue des Anciens, se relient en effet à une science nouvelle, la biogéochimie. Cette discipline se propose de déceler les anomalies positives concernant les traces de métaux dans les plantes et qui indiquent la proximité des gîtes miniers. Ainsi, peut-on déterminer des affinités particulières de certaines plantes pour certains métaux et par conséquent, ces données sont capables d'être utilisées aussi bien sur le plan de la prospection minière que dans le domaine de l'action thérapeutique. C'est là encore un exemple caractéristique d'un fait qui me semble être le plus important de l'histoire actuelle des techniques, à savoir *la convergence des diverses disciplines scientifiques*, ce qui implique l'exigence de constantes synthèses.

« Citons encore quelques autres directions de recherches et d'applications industrielles : les engrais, vaste domaine dans lequel les anciens chimistes ont obtenu des résultats généralement ignorés. Je songe notamment à ce qu'ils nommaient " l'essence de fécondité ", produit composé de certains sels mêlés à des fumiers digérés ou distillés.

« La verrerie antique, vaste question encore mal connue : les Romains utilisaient déjà des planchers de verre ; d'ailleurs, l'étude des anciens procédés de verriers pourrait apporter une aide précieuse à la solution de problèmes ultra-modernes, comme par exemple la dispersion des terres rares et du palladium dans le verre, ce qui permettrait d'obtenir des tubes fluorescents en lumière noire.

« Quant à l'industrie textile, malgré le triomphe des plastiques ou plutôt en raison même de ce triomphe, elle devrait s'orienter vers la production, par le commerce de luxe, de tissus de très haute qualité, qui pourraient être par exemple teints selon les normes antiques, ou bien encore essayer de fabriquer cette singulière étoffe connue sous le nom de *Piléma*. Il s'agissait de tissus de lin ou de laine traités par certains acides et qui résistaient au tranchant du fer comme à l'action du feu. D'ailleurs, le procédé a été connu des Gaulois et ils l'utilisaient pour la fabrication des cuirasses.

« L'industrie de l'ameublement, en raison du prix encore très élevé des revêtements plastiques, pourrait trouver aussi des solutions avantageuses en adaptant des procédés anciens qui augmentaient considérablement, par une sorte de trempe, la résistance du bois aux divers agents physiques et chimiques. Les entreprises de travaux publics auraient intérêt à reprendre l'étude de ciments spéciaux dont les proportions sont données dans les traités des xve et xvie siècles et qui présentent des caractéristiques très supérieures à celles du ciment moderne.

« L'industrie soviétique a utilisé récemment, dans la fabrication des outils de coupe, de la céramique plus dure que les métaux. Ce durcissement pourrait également être étudié à la lumière des anciens procédés de trempe.

« Enfin, sans pouvoir insister sur ce problème, j'indiquerai une orientation des recherches physiques qui pourrait avoir des conséquences profondes. Je fais allusion à des travaux concernant l'énergie magnétique terrestre. Il y a dans ce sens des observations très anciennes qui n'ont jamais été sérieusement vérifiées malgré leur intérêt incontestable.

« Qu'il s'agisse finalement des expériences du passé ou des possibilités de l'avenir, je crois que le réalisme profond nous enseigne à nous détourner du présent. Cette affirmation peut sembler paradoxale, mais il suffit de réfléchir pour comprendre que le présent n'est qu'un point de contact entre la ligne du passé et celle de l'avenir. Appuyés fermement sur l'expérience ancestrale, nous devons regarder devant nous plutôt qu'à nos pieds et ne pas tenir compte exagérément du bref intervalle de déséquilibre durant lequel nous traversons l'espace et la durée. Le mouvement de la marche nous le prouve et la lucidité de notre regard doit maintenir égale la balance entre ce qui a été et ce qui va être. »

IV

Le Savoir et le Pouvoir s'occultent. — Une vision de la guerre révolutionnaire. — La technique ressuscite les Guildes. — Le retour à l'âge des Adeptes. — Un romancier avait vu juste : il y a des « Centrales d'Énergie ». — De la monarchie à la cryptocratie. — La société secrète, future forme de gouvernement. — L'intelligence est elle-même une société secrète. — On frappe à la porte.

Dans un article très étrange, mais qui, semble-t-il, reflétait l'opinion de beaucoup d'intellectuels français, Jean-Paul Sartre refusait purement et simplement à la bombe H le droit à l'existence. L'existence, dans la théorie de ce philosophe, précède l'essence. Mais voici un phénomène dont l'essence ne lui convient pas : il en refuse l'existence. Singulière contradiction ! « La bombe H, écrivait Jean-Paul Sartre, est contre l'histoire. » Comment un fait de civilisation pourrait-il être « contre l'histoire » ? Qu'est-ce que l'histoire ? Pour Sartre, c'est le mouvement qui doit nécessairement amener les masses au pouvoir. Qu'est-ce que la bombe H ? Une réserve de puissance maniable par quelques hommes. Une société très étroite de savants, de techniciens, de politiques, peut décider du sort de l'humanité. Pour que l'histoire ait le sens que nous lui avons assigné, supprimons la bombe H. Ainsi voyait-on le progressisme social exiger l'arrêt du progrès. Une sociologie née au XIXe siècle réclamait le retour à son époque d'origine. Qu'on nous entende bien : il ne s'agit pas pour nous, ni d'approuver la fabrication des armes de destruction, ni d'aller contre la soif de justice qui anime ce qu'il y a de plus pur dans les sociétés humaines. Il s'agit d'examiner les choses d'un point de vue différent.

1° Il est vrai que les armes absolues font peser sur l'humanité une effroyable menace. mais c'est dans la mesure où elles sont entre peu de mains qu'elles ne sont pas utilisées. La société humaine moderne ne se survit que parce qu'un très petit nombre d'hommes possède la décision.

2° Ces armes absolues ne peuvent aller qu'en se développant. Dans la recherche opérationnelle d'avant-garde, la cloison entre le bien et le mal est de plus en plus mince. Toute découverte au niveau des structures essentielles est *à la fois* positive et négative. D'autre part, les techniques, en se perfectionnant, ne s'alourdissent pas : tout au contraire, elles se simplifient. Elles font appel à des forces qui vont en se rapprochant des élémentaires. Le nombre d'opérations se réduit, l'équipement s'allège. A la limite, la clé des forces universelles tiendra dans le creux de la main. Un enfant la pourra forger et manier. Plus on ira vers la simplification-puissance, plus il faudra occulter, hausser les barrières, pour assurer la continuité de la vie.

3° Cette occultation se fait d'ailleurs elle-même, le véritable pouvoir passant entre les mains des hommes de savoir. Ceux-ci ont un langage et des formes de pensée qui leur sont propres. Ce n'est pas une barrière artificielle. Le verbe est différent parce que l'esprit se trouve situé à un autre niveau. Les hommes de savoir ont persuadé les possédants qu'ils posséderaient devantage, les gouvernants qu'ils gouverneraient davantage, s'ils faisaient appel à eux. Et ils ont rapidement conquis une place au-dessus de la richesse et du pouvoir. Comment ? D'abord en introduisant partout l'infinie complexité. La pensée qui se veut directrice complique à l'extrême le système qu'elle veut détruire pour le ramener au sien sans réaction de défense, comme l'araignée enveloppe sa proie. Les hommes dits « de pouvoir », possédants et gouvernants, ne sont plus que les intermédiaires dans une époque qui est elle-même intermédiaire.

4° Tandis que les armes absolues se multiplient, la guerre change de visage. Un combat sans interruption se livre, sous forme de guérillas, de révolutions de palais, de guets-apens, de maquis, d'articles, de livres, de discours. La guerre révolutionnaire se substitue à la guerre tout court. Ce changement de formes de la guerre correspond à un changement de buts de l'humanité. Les guerres étaient faites pour « l'avoir ». La guerre révolutionnaire est faite pour « l'être ». Jadis, l'humanité se déchirait pour se partager la terre et y jouir. Pour que quelques-uns se partagent les biens de la terre et en jouissent. Maintenant, à travers cet incessant combat qui ressemble à la danse des insectes qui palpent mutuellement leurs antennes, tout se passe comme si l'humanité cherchait l'union, le rassemblement, l'unité pour changer la Terre. Au désir de jouir, se substitue la volonté de faire. Les hommes de savoir, ayant aussi mis au point les armes psychologiques, ne sont pas étrangers à ce profond changement. La guerre révolutionnaire correspond à la naissance d'un esprit nouveau : l'esprit ouvrier. L'esprit des ouvriers de la Terre. C'est en ce sens que l'histoire est un mouvement messianique des masses. Ce mouvement coïncide avec la concentration du savoir. Telle est la phase que nous traversons, dans l'aventure d'une hominisation croissante, d'une assomption continue de l'esprit.

Descendons dans les faits apparents. Nous nous verrons rentrer dans l'âge des sociétés secrètes. Quand nous remonterons vers les faits plus importants, et donc moins visibles, nous nous apercevrons que nous rentrons aussi dans l'âge des Adeptes. Les Adeptes faisaient rayonner leur connaissance sur un ensemble de sociétés organisées pour le maintien au secret des techniques. Il n'est pas impossible d'imaginer un monde très prochain bâti sur ce modèle. A ceci près que l'histoire ne se répète pas. Ou plutôt que si elle passe par le même point, c'est à un degré plus élevé de la spirale.

Historiquement, la conservation des techniques fut un des objets des sociétés secrètes. Les prêtres égyptiens gardaient jalousement les lois de la géométrie plane. Des recherches récentes ont établi l'existence à Bagdad d'une société détenant le secret de la pile électrique et le monopole de la galvanoplastie, voici deux mille ans. Au Moyen Âge, en France, en Allemagne, en Espagne, s'étaient formées des guildes de techniciens. Voyez l'histoire de l'Alchimie. Voyez le secret de la coloration du verre en rouge, par l'introduction de l'or au moment de la fusion. Voyez le secret du feu grégeois, huile de lin coagulée avec la gélatine, ancêtre du napalm. Tous les secrets du Moyen Âge n'ont pas été retrouvés : celui du verre minéral flexible, celui du procédé simple pour obtenir la lumière froide, etc. De même nous assistons à l'apparition de groupes de techniciens gardant des secrets de fabrication, qu'il s'agisse de techniques artisanales comme la fabrication des harmonicas ou des billes de verre, ou de techniques industrielles comme la production d'essence synthétique. Dans les grandes usines atomiques américaines, les physiciens portent des insignes qui indiquent leur degré de savoir et de responsabilité. On ne peut adresser la parole qu'au porteur du même insigne. Il y a des clubs, les amitiés et les amours se forment à l'intérieur de la catégorie. Ainsi se constituent des milieux fermés tout à fait semblables aux Guildes du Moyen Âge, qu'il s'agisse d'aviation à réaction, de cyclotrons, ou d'électronique. En 1956, trente-cinq étudiants chinois sortant de l'institut de technologie du Massachusetts, demandèrent à rentrer chez eux. Ils n'avaient pas travaillé sur des problèmes militaires, cependant on s'avisa qu'ils savaient beaucoup trop de choses. On leur interdit le retour. Le gouvernement chinois, très désireux de récupérer ces jeunes gens éclairés, proposa, en échange, des aviateurs américains détenus sous l'inculpation d'espionnage.

La surveillance des techniques et secrets scientifiques ne peut être confiée aux policiers. Ou plutôt, les spécialistes de la sécurité sont aujourd'hui obligés d'apprendre les sciences et techniques qu'ils ont mission de garder. On dresse ces spécialistes à travailler dans les laboratoires nucléaires, et les physiciens nucléaires à assurer eux-mêmes leur sécurité. De sorte qu'on voit se créer une caste plus puissante que les gouvernements et les polices politiques.

Enfin, le tableau se trouve complété si l'on songe aux groupements de techniciens disposés à travailler pour les pays les plus offrants. Ce sont les nouveaux mercenaires. Ce sont les « épées à louer » de notre civilisation, où le condottiere porte blouse blanche, l'Afrique du Sud, l'Argentine, l'Inde sont leurs meilleurs terrains d'action. Ils s'y taillent de véritables empires.

Remontons vers les faits moins visibles, mais plus importants. Nous y verrons le retour à l'âge des Adeptes. « Rien dans l'univers ne peut résister à l'ardeur convergente d'un nombre suffisamment grand d'intelligences groupées et organisées », disait en confidence Teilhard de Chardin à George Magloire.

Il y a plus de cinquante ans, John Buchan, qui joua en Angleterre un grand rôle politique, écrivait un roman qui était en même temps un message à destination de quelques esprits avertis. Dans ce roman, intitulé, non par hasard, *La Centrale d'Énergie*, le héros rencontre un monsieur distingué et discret qui lui tient, sur le ton de la conversation de golf, des propos assez déroutants :

« — Certes, il y a de nombreuses clefs de voûte dans la civilisation, dis-je, et leur destruction entraînerait sa chute. Mais les clefs de voûte tiennent bon.

« — Pas tellement... Songez que la fragilité de la machine s'accroît de jour en jour. A mesure que la vie se complique, le mécanisme devient plus inextricable et par conséquent plus vulnérable. Vos soi-disant sanctions se multiplient si démesurement que chacune d'elles est précaire. Dans les siècles d'obscurantisme, on avait une seule grande puissance : la crainte de Dieu et de son Église. Aujourd'hui, vous avez une multitude de petites divinités, également délicates et fragiles, et dont toute la force provient de notre consentement tacite à ne pas les discuter.

« — Vous oubliez une chose, répliquai-je, le fait que les hommes sont en réalité d'accord pour maintenir la machine en marche. C'est ce que j'appelais tout à l'heure la " bonne volonté civilisée ".

« — Vous avez mis le doigt sur le seul point important. La civilisation est une conjuration. A quoi servirait votre police si chaque criminel trouvait un asile de l'autre côté du détroit, ou bien vos cours de justice si d'autres tribunaux ne reconnaissaient leurs décisions ? La vie moderne est le pacte informulé des possédants pour maintenir leurs prétentions. Et ce pacte sera efficace jusqu'au jour où il s'en fera un autre pour les dépouiller.

« — Nous ne discuterons pas l'indiscutable, dis-je.

Mais je me figurais que l'intérêt général commandait aux meilleurs esprits de participer à ce que vous appelez une conspiration.

« — Je n'en sais rien, fit-il avec lenteur. Sont-ce réellement les meilleurs esprits qui œuvrent de ce côté du pacte ? Voyez la conduite du gouvernement. Tout compte fait, nous sommes dirigés par des amateurs et des gens de second ordre. Les méthodes de nos administrations mèneraient à la faillite n'importe quelle entreprise particulière. Les méthodes du Parlement — excusez-moi — feraient honte à n'importe quelle assemblée d'actionnaires. Nos dirigeants affectent d'acquérir le savoir par l'expérience, mais ils sont loin d'y mettre le prix que paierait un homme d'affaires, et quand ils l'acquièrent, ce savoir, ils n'ont pas le courage de l'appliquer. Où voyez-vous l'attrait, pour un homme de génie, de vendre son cerveau à nos piètres gouvernants ?

« Et pourtant le savoir est la seule force — maintenant comme toujours. Un petit dispositif mécanique enverra des flottes entières par le fond. Une nouvelle combinaison chimique bouleversera toutes les règles de la guerre. De même pour notre commerce. Il suffirait de quelques modifications infimes pour réduire la Grande-Bretagne au niveau de la République de l'Équateur, ou pour donner à la Chine la clef de la richesse mondiale. Et cependant nous ne voulons pas songer que ces boulerversements soient possibles. Nous prenons nos châteaux de cartes pour les remparts de l'univers.

« Je n'ai jamais eu le don de la parole, mais je l'admire chez les autres. Un discours de ce genre exhale un charme malsain, une sorte d'ivresse, dont on a presque honte. Je me trouvai intéressé, et plus qu'à demi séduit.

« — Mais voyons, dis-je, le premier soin d'un inventeur est de publier son invention. Comme il aspire aux honneurs et à la gloire, il tient à se faire payer cette invention. Elle devient partie intégrante du savoir mondial, dont tout le reste se modifie en conséquence. C'est ce qui s'est produit avec l'électricité. Vous appelez notre civilisation une machine, mais elle est bien plus souple qu'une machine. Elle possède la faculté d'adaptation d'un organisme vivant.

« — Ce que vous dites là serait vrai si la nouvelle connaissance devenait réellement la propriété de tous. Mais en va-t-il ainsi ? Je lis de temps à autre dans les gazettes qu'un savant éminent a fait une grande découverte. Il en rend compte à l'Académie des Sciences, il paraît sur elle des articles de fond, et sa photographie à lui orne les journaux. Le danger ne vient pas de cet homme-là. Il n'est qu'un rouage de la machine, un adhérent au pacte. Ce sont les hommes qui se tiennent en dehors de celui-ci avec lesquels il faut compter, les artistes en découvertes qui n'useront de leur science qu'au moment où ils peuvent le faire avec le maximum d'effet. Croyez-moi, les plus grands esprits sont en dehors de ce que l'on nomme civilisation.

« Il parut hésiter un instant, et reprit :

« — Vous entendrez des gens vous dire que les sous-marins ont déjà supprimé le cuirassé, et que la conquête de l'air a aboli la maîtrise de la mer. Les pessimistes du moins l'affirment. Mais pensez-vous que la science ait dit son dernier mot avec nos grossiers sous-marins, ou nos fragiles aéroplanes ?

« — Je ne doute pas qu'ils se perfectionnent, dis-je, mais les moyens de défense vont progresser parallèlement.

« Il hocha la tête.

« — C'est peu probable. Dès maintenant le savoir qui permet de réaliser les grands engins de destruction dépasse de beaucoup les possibilités défensives. Vous voyez simplement les créations des gens de second

118

ordre qui sont pressés de conquérir la richesse et la gloire. Le vrai savoir, le savoir redoutable, est encore tenu secret. Mais croyez-moi, mon cher, il existe.

« Il se tut un instant, et je vis le léger contour de la fumée de son cigare se profiler sur l'obscurité. Puis il me cita plusieurs exemples, posément, et comme s'il craignait de trop s'avancer.

« Ce furent ces exemples qui me donnèrent l'éveil. Ils étaient de différents ordres : une grande catastrophe, une soudaine rupture entre deux peuples, une maladie détruisant une récolte essentielle, une guerre, une épidémie. Je ne les rapporterai pas. Je n'y ai pas cru, alors, et j'y crois encore moins aujourd'hui. Mais ils étaient terriblement frappants, exposés de cette voix calme, dans cette pièce obscure, en cette sombre nuit de juin. S'il disait vrai, ces fléaux n'étaient pas l'œuvre de la nature ou du hasard, mais bien celle d'un art. Les intelligences anonymes dont il parlait, à l'œuvre souterrainement, révélaient de temps à autre leur force par quelque manifestation catastrophique. Je refusais de le croire, mais tandis qu'il développait son exemple, montrant la marche du jeu avec une singulière netteté, je n'eus pas un mot de protestation.

« A la fin je recouvrai la parole.

« — Ce que vous me décrivez là, c'est de la super-anarchie. Et pourtant elle n'avance à rien. A quel mobile obéiraient ces intelligences ?

« Il se mit à rire.

« — Comment voulez-vous que je le sache ? Je ne suis qu'un modeste chercheur, et mes enquêtes me livrent de curieux documents. Mais je ne saurais préciser les motifs. Je vois seulement qu'il existe de vastes intelligences antisociales. Admettons qu'elles se méfient de la Machine. A moins que ce ne soient des idéalistes qui veulent créer un monde nouveau, ou simplement des artistes, aimant pour elle-même la poursuite de la vérité. Si je devais former une hypothèse je dirais qu'il a fallu ces deux dernières catégories d'individus pour amener des résultats, car les seconds trouvent la connaissance, et les premiers ont la volonté de l'employer.

« Un souvenir me revint. J'étais sur les hauteurs du Tyrol, dans une prairie tout ensoleillée. Là, parmi des arpents de fleurs et au bord d'un torrent bondissant, je déjeunais après une matinée passée à escalader les falaises blanches. J'avais rencontré en chemin un Allemand, un petit homme aux allures de professeur, qui me fit la grâce de partager avec moi mes sandwiches. Il parlait assez couramment un anglais incorrect, et c'était un nietzschéen et un ardent révolté contre l'ordre établi. " Le malheur, s'écria-t-il, c'est que les réformateurs ne savent pas, et que ceux qui savent sont trop nonchalants pour tenter des réformes. Un jour viendra où le savoir et la volonté s'uniront, et alors le monde progressera. "

« — Vous nous faites là un tableau effrayant, repris-je. Mais si ces intelligences antisociales sont si puissantes, pourquoi donc réalisent-elles si peu ? Un vulgaire agent de police, avec la Machine derrière lui, est en état de se moquer de la plupart des tentatives anarchistes.

« — Juste, répondit-il, et la civilisation triomphera jusqu'à ce que ses adversaires apprennent d'elle-même la vraie importance de la Machine. Le pacte doit durer jusqu'à ce qu'il y ait un antipacte. Voyez les procédés de cette idiotie qu'on nomme à présent nihilisme ou anarchie. Du fond d'un bouge parisien, quelques vagues illettrés jettent un défi au monde, et au bout de huit jours les voilà en prison. A Genève, une douzaine d' " intellectuels " russes exaltés complotent de renverser les Romanov, et les voilà traqués par la police de l'Europe. Tous les gouvernements et leurs peu intelligentes forces policières se donnent la main et — passez muscade ! — c'est fini des conspirateurs. Car la civili-

120

sation sait utiliser les énergies dont elle dispose, tandis que les infinies possibilités des non-officiels s'en vont en fumée. La civilisation triomphe parce qu'elle est une ligue mondiale ; ses ennemis échouent parce qu'ils ne sont qu'une chapelle. Mais supposez...

« Il se tut de nouveau et se leva de son fauteuil. S'approchant d'un commutateur, il inonda la salle de lumière. Ébloui, je levai les yeux sur mon hôte, et le vis qui me souriait aimablement avec toute la bonne grâce d'un vieux gentleman.

« — Je tiens à entendre la fin de vos prophéties, déclarai-je. Vous disiez...

« — Je disais : supposez l'anarchie instruite par la civilisation et devenue internationale. Oh, je ne parle pas de ces bandes de bourriques qui s'intitulent à grand fracas l'Union Internationale des Travailleurs et autres stupidités analogues. J'entends que la vraie substance pensante du monde serait internationalisée. Supposez que les mailles du cordon civilisé subissent l'induction d'autres mailles constituant une chaîne beaucoup plus puissante. La terre regorge d'énergies incohérentes et d'intelligences inorganisées. Avez-vous jamais songé au cas de la Chine ? Elle renferme des millions de cerveaux pensants étouffés en des activités illusoires. Ils n'ont ni directive, ni énergie conductrice, tant et si bien que la résultante de leurs efforts est égale à zéro, et que le monde entier se moque de la Chine. L'Europe lui jette de temps à autre un prêt de quelques millions, et elle, en retour, se recommande cyniquement aux prières de la chrétienté. Mais, dis-je, supposez...

« — C'est là une perspective atroce, m'écriai-je, et Dieu merci, je ne la crois pas réalisable. Détruire pour détruire forme un idéal trop stérile pour tenter un nouveau Napoléon, et vous ne pouvez rien faire sans en avoir un.

« — Ce ne serait pas tout à fait de la destruction,

répliqua-t-il doucement. Appelons iconoclastie cette abolition des formules qui a toujours rallié une foule d'idéalistes. Et il n'est pas besoin d'un Napoléon pour la réaliser. Il n'y faut rien de plus qu'une direction, laquelle pourrait venir d'hommes beaucoup moins bien doués que Napoléon. En un mot, il suffirait d'une Centrale d'Énergie, pour inaugurer l'ère des miracles. »

Si l'on songe que Buchan écrivait ces lignes aux environs de 1910, et si l'on songe aux bouleversements du monde depuis cette époque et aux mouvements qui entraînent maintenant la Chine, l'Afrique, les Indes, on peut se demander si une ou plusieurs « Centrales d'Énergie » ne sont pas, en effet, entrées en action. Cette vision ne paraîtra romanesque qu'aux observateurs superficiels, c'est-à-dire aux historiens en proie au vertige de « l'explication par les faits », laquelle n'est en définitive qu'une manière de choisir parmi les faits. Nous décrirons, dans une autre partie de cet ouvrage, une centrale d'énergie qui a échoué, mais après avoir plongé le monde dans le feu et le sang : la centrale fasciste. On ne saurait douter de l'existence d'une Centrale d'Énergie communiste, on ne saurait douter de sa prodigieuse efficacité. « Rien dans l'univers ne saurait résister à l'ardeur convergente d'un nombre suffisamment grand d'intelligences groupées et organisées. » Je répète cette citation : sa vérité éclate ici.

Nous avons, des sociétés secrètes, une idée scolaire. Nous voyons de façon banale les faits singuliers. Pour comprendre le monde qui vient, il nous faudrait fouiller, rafraîchir, revigorer l'idée de société secrète par une étude plus profonde du passé et par la découverte d'un point de vue d'où serait visible le mouvement de l'histoire dans lequel nous sommes engagés.

Il est possible, il est probable que la société secrète soit la future forme de gouvernement dans le monde nouveau de l'esprit ouvrier. Voyez rapidement l'évolution des choses. Les monarchies prétendaient tenir le pouvoir du surnaturel. Le roi, les seigneurs, les ministres, les responsables s'emploient à sortir du naturel, à étonner par leurs vêtements, leurs demeures, leurs manières. Ils font tout pour être très visibles. Ils déploient le plus grand faste possible. Et ils sont présents en toutes occasions. Infiniment abordables et infiniment différents. « Ralliez-vous à mon panache blanc ! » Et parfois, en été, Henri IV s'ébroue nu dans la Seine, au cœur de Paris. Louis XIV est un soleil, mais chacun peut à tout instant pénétrer dans le château et assister à ses repas. Toujours sous les feux des regards, demi-dieux chargés d'or et de plumes, toujours frappant l'attention, à la fois « à part » et publics. A dater de la Révolution, le pouvoir se réclame de théories abstraites et le gouvernement s'occulte. Les responsables s'emploient à passer pour des gens « comme les autres » et en même temps ils prennent des distances. Sur le plan des personnes comme sur le plan des faits, il devient malaisé de définir avec exactitude le gouvernement. Les démocraties modernes prêtent à mille interprétations « ésotériques ». On voit des penseurs assurer que l'Amérique obéit uniquement à quelques chefs d'insdustrie, l'Angleterre aux banquiers de la City, la France aux francs-maçons, etc. Avec les gouvernements issus de la guerre révolutionnaire, le pouvoir s'occulte presque complètement. Les témoins de la révolution chinoise, de la guerre d'Indochine, de la guerre d'Algérie, les spécialistes du monde soviétique sont tous frappés par l'immersion du pouvoir dans les mystères de la masse, par le secret dans lequel baignent les responsabilités, par l'impossibilité de savoir

« qui est qui » et « qui décide quoi ». Une véritable cryptocratie entre en action. Nous n'avons pas le temps, ici, d'analyser ce phénomène, mais il y aurait un ouvrage à écrire sur l'avènement de ce que nous appelons la cryptocratie. Dans un roman de Jean Lartéguy, qui fut acteur de la révolution d'Azerbaïdjan, de la guerre de Palestine et de la guerre de Corée, un capitaine français est fait prisonnier après la défaite de Dien-Bien-Phu :

« Glatigny se retrouva dans un abri en forme de tunnel, long et étroit. Il était assis sur le sol, son dos nu appuyé contre la terre de la paroi. En face de lui, un nha-quê accroupi sur les talons fumait un tabac roulé dans du vieux papier journal.

« Le nha-quê est tête nue. Il porte une tenue kaki sans insignes. Il n'a pas d'espadrilles et ses doigts de pieds s'étalent voluptueusement dans la boue tiède de l'abri. Entre deux bouffées, il a prononcé quelques mots et un bô-doi à l'échine souple et ondulante de boy s'est penché sur Glatigny :

« — Le chef de bataillon demande à vous où est le commandant français qui commandait point d'appui.

« Glatigny a un réflexe d'officier de tradition ; il ne peut croire que ce nha-quê accroupi qui fume du tabac puant commandait comme lui un bataillon, avait le même rang et les mêmes responsabilités que lui... C'est donc l'un des responsables de la division 308, la meilleure, la mieux encadrée de toute l'Armée Populaire ; c'est ce paysan sorti de sa rizière qui l'a battu, lui, Glatigny, le descendant d'une des grandes dynasties militaires d'Occident... »

Paul Mousset, journaliste célèbre, correspondant de guerre en Indochine et en Algérie, me disait : « J'ai toujours eu le sentiment que le boy, le petit boutiquier, étaient peut-être les grands responsables... Le monde nouveau camoufle ses chefs, comme ces insectes qui ressemblent à des branches, à des feuilles... »

Après la chute de Staline, les experts politiques ne parviennent pas à se mettre d'accord sur l'identité du véritable gouvernant de l'U.R.S.S. Au moment où ces experts nous assurent enfin que c'est Béria, on apprend que celui-ci vient d'être exécuté. Nul ne saurait désigner nommément les vrais maîtres d'un pays qui contrôle un milliard d'hommes et la moitié des terres habitables du globe...

La menace de guerre est le révélateur de la forme réelle des gouvernements. En juin 1955, l'Amérique avait prévu une « opération-alerte » au cours de laquelle le gouvernement quittait Washington pour aller travailler « quelque part aux États-Unis ». Dans le cas où ce refuge se trouvait détruit, une procédure était prévue aux termes de laquelle ce gouvernement transférait ses pouvoirs à un gouvernement fantôme (l'expression textuelle est « gouvernement d'ombres ») d'ores et déjà désigné. Ce gouvernement comporte des sénateurs, des députés et des experts dont les noms ne peuvent être divulgués. Ainsi le passage à la cryptocratie, dans un des pays les plus puissants de la planète, est officiellement annoncé.

En cas de guerre, sans doute verrions-nous se substituer aux gouvernements apparents, ces « gouvernements d'ombres », installés peut-être dans les cavernes de Virginie pour les U.S.A., sur une station flottante dans l'Arctique pour l'U.R.S.S. Et, à partir de ce moment, ce serait crime de trahison que de dévoiler l'identité des responsables. Armées de cerveaux électroniques pour réduire au minimum le personnel administratif, des sociétés secrètes organiseraient le gigantesque combat des deux blocs de l'humanité. Il n'est pas même exclu que ces gouvernements siègent hors de notre monde, dans des satellites artificiels tournant autour de la terre.

Nous ne faisons pas de la philosophie-fiction ou de l'histoire-fiction. Nous faisons du réalisme fantastique.

Nous sommes sceptiques sur beaucoup de points où des esprits qui passent pour « raisonnables » le sont moins. Nous ne cherchons pas du tout à orienter l'attention vers quelque vain occultisme, vers quelque interprétation magico-délirante des faits. Nous ne proposons pas quelque religion. Nous ne croyons qu'en l'intelligence. Nous pensons qu'à un certain niveau, l'intelligence est elle-même une société secrète. Nous pensons que son pouvoir est illimité quand elle se développe tout entière, comme un chêne en pleine terre, au lieu d'être rabougrie comme dans un pot à fleurs.

C'est en fonction des perspectives que nous venons de découvrir, d'autres encore, plus étranges, et qui se déploieront bientôt sous nos yeux, qu'il convient donc de reconsidérer l'idée de société secrète. Nous n'avons pu, ici comme ailleurs, qu'esquisser le travail de recherches et de réflexions. Nous savons bien que notre vision des choses risque de paraître folle : c'est que nous disons rapidement et brutalement ce que nous avons à dire, comme on frappe à la porte d'un dormeur quand le temps presse.

L'ALCHIMIE
COMME EXEMPLE

Un alchimiste au café Procope, en 1953. — Conversation à propos de Gurdjieff. — Un homme qui prétend savoir que la pierre philosophale est une réalité. — Bergier m'entraîne à toute vitesse dans un drôle de raccourci. — Ce que je vois me libère du bête mépris du progrès. — Nos arrière-pensées sur l'alchimie : ni révélation, ni tâtonnement. — Courte méditation sur la spirale et l'espérance.

C'est en mars 1953 que j'ai rencontré pour la première fois un alchimiste. Cela se passait au café Procope qui connut, à cette époque, un court regain de vie. Un grand poète, alors que j'écrivais mon livre sur Gurdjieff, m'avait ménagé cette rencontre et je devais revoir souvent cet homme singulier sans toutefois percer ses secrets.

J'avais, sur l'alchimie et les alchimistes, des idées primaires, puisées dans l'imaginerie populaire, et j'étais loin de savoir qu'il y avait encore des alchimistes. L'homme qui était assis en face de moi, à la table de Voltaire, était jeune, élégant. Il avait fait de fortes études classiques, suivies d'études de chimie. Présentement, il gagnait sa vie dans le commerce et fréquentait beaucoup d'artistes, ainsi que quelques gens du monde.

Je ne tiens pas un journal intime, mais il m'arrive, en

quelques occasions importantes, de noter mes observations ou mes sentiments. Cette nuit-là, rentré chez moi, j'écrivis ceci :

« Quel âge peut-il avoir ? Il dit trente-cinq ans. Cela confond. La chevelure blanche, frisée, découpée sur le crâne comme une perruque. Des rides nombreuses et profondes sous une chair rose, dans un visage plein. Très peu de gestes, lents, mesurés, habiles. Un sourire calme et aigu. Des yeux rieurs, mais qui rient de manière détachée. Tout exprime un autre âge. Dans ses propos, pas une fêlure, un écart, une retombée de la présence d'esprit. Il y a du sphinx derrière cet affable visage hors du temps. Incompréhensible. Et ce n'est pas seulement mon impression. A. B., qui le voit presque tous les jours depuis des semaines, me dit qu'il ne l'a jamais, une seconde, pris en défaut " d'objectivité supérieure ".

« Ce qui lui fait condamner Gurdjieff :

« 1° Qui éprouve le besoin d'enseigner ne vit pas entièrement sa doctrine et n'est pas au sommet de l'initiation.

« 2° A l'école de Gurdjieff, il n'y a pas d'intercession matérielle entre l'élève que l'on a persuadé de son néant et l'énergie qu'il doit parvenir à posséder pour passer à l'être réel. Cette énergie — " cette volonté de la volonté ", dit Gurdjieff — l'élève doit la trouver en lui-même, rien qu'en lui-même. Or, cette démarche est partiellement fausse et ne peut conduire qu'au désespoir. Cette énergie existe hors de l'homme, et il s'agit de la capter. Le catholique qui avale l'hostie : captation rituelle de cette énergie. Mais si vous n'avez pas la foi ? Si vous n'avez pas la foi, ayez un feu : c'est toute l'alchimie. Un vrai feu. Un feu matériel. Tout commence, tout arrive par le contact avec la matière.

« 3° Gurdjieff ne vivait pas seul, toujours entouré, toujours en phalanstère. " Il y a un chemin dans la solitude, il y a des rivières dans le désert. " Il n'y a ni chemin ni rivière dans l'homme mêlé aux autres.

« Je pose, sur l'alchimie, des questions qui doivent lui paraître d'une écœurante sottise. Il n'en montre rien et répond :

« Rien que matière, rien que contact avec la matière, travail sur la matière, travail avec les mains. Il insiste beaucoup là-dessus :

« — Aimez-vous le jardinage ? Voilà un bon début, l'alchimie est comparable au jardinage.

« — Aimez-vous la pêche ? L'alchimie a quelque chose de commun avec la pêche.

« Travail de femme et jeu d'enfant.

« On ne saurait enseigner l'alchimie. Toutes les grandes œuvres littéraires qui ont passé les siècles portent une partie de cet enseignement. Elles sont le fait d'hommes adultes — vraiment adultes — qui ont parlé à des enfants, tout en respectant les lois de la connaissance adulte. On ne prend jamais une grande œuvre en défaut sur " les principes ". Mais la connaissance de ces principes et la voie qui mène à cette connaissance doivent demeurer cachées. Cependant, il y a un devoir d'entraide pour les chercheurs du premier degré.

« Aux environs de minuit, je l'interroge sur Fulcanelli[1], et il me laisse entendre que Fulcanelli n'est pas mort :

« — On peut vivre, me dit-il, infiniment plus longtemps que l'homme non éveillé l'imagine. Et l'on peut changer totalement d'aspect. Je le sais. Mes yeux savent. Je sais aussi que la pierre philosophale est une réalité. Mais il s'agit d'un autre état de la matière que celui que nous connaissons. Cet état permet, comme tous les autres états, des mensurations. Les moyens de

1. L'auteur du *Mystère des Cathédrales* et des *Demeures philosophales.*

travail et de mensuration sont simples et n'exigent pas d'appareils compliqués : travail de femme et jeu d'enfant...

« Il ajoute :

« — Patience, espérance, travail. Et quel que soit le travail, on ne travaille jamais assez.

« Espérance : en alchimie, l'espérance se fonde sur la certitude qu'il y a un but. Je n'aurais pas, dit-il, commencé, si l'on ne m'avait clairement prouvé que ce but existe et qu'il est possible de l'atteindre dans cette vie. »

Tel fut mon premier contact avec l'alchimie. Si je l'avais abordée par les grimoires, je pense que mes recherches n'auraient guère été loin : manque de temps, manque de goût pour l'érudition littéraire. Manque de vocation aussi : cette vocation qui saisit l'alchimiste, alors qu'il s'ignore encore comme tel, au moment où il ouvre, pour la première fois, un vieux traité. Ma vocation n'est pas de faire, mais de comprendre. N'est pas de réaliser, mais de voir. Je pense, comme le dit mon vieil ami André Billy, que « comprendre, c'est aussi beau que de chanter », même si la compréhension ne doit être que fugitive[1]. Je suis un homme pressé, comme la plupart de mes contemporains. J'eus le contact le plus moderne qui soit avec l'alchimie : une conversation dans un bistrot de Saint-Germain-des-Prés. Ensuite, lorsque je cherchai à donner un sens plus complet à ce que m'avait dit cet

1. Dans sa geôle de Reading, Oscar Wilde découvre que l'inattention de l'esprit est le crime fondamental, que l'attention extrême dévoile l'accord parfait entre tous les événements d'une vie, mais sans doute aussi, sur un plus vaste plan, l'accord parfait entre tous les éléments et tous les mouvements de la Création, l'harmonie de toutes choses. Et il s'écrie : « Tout ce qui est compris est bien. » C'est la plus belle parole que je connaisse.

homme jeune, je rencontrai Jacques Bergier, qui ne sortait pas poudreux d'un grenier garni de vieux livres, mais de lieux où la vie du siècle s'est concentrée : les laboratoires et les bureaux de renseignements. Bergier cherchait, lui aussi, quelque chose sur le chemin de l'alchimie. Ce n'était pas pour faire un pèlerinage dans le passé. Cet extraordinaire petit homme tout occupé des secrets de l'énergie atomique avait pris ce chemin-là comme raccourci. Je volai, accroché à ses basques, parmi les vénérables textes conçus par des sages amoureux de la lenteur, ivres de patience, à une vitesse supersonique. Bergier avait la confiance de quelques-uns des hommes qui, aujourd'hui encore, se livrent à l'alchimie. Il avait aussi l'oreille des savants modernes. J'acquis bientôt la certitude, auprès de lui, qu'il existe d'étroits rapports entre l'alchimie traditionnelle et la science d'avant-garde. Je vis l'intelligence jeter un pont entre deux mondes. Je m'engageai sur ce pont et vis qu'il tenait. J'en éprouvai un grand bonheur, un profond apaisement. Depuis longtemps réfugié dans la pensée antiprogressiste hindouiste, gurdjieffien, voyant le monde d'aujourd'hui comme un début d'Apocalypse, n'attendant plus, avec un désespoir très grand, qu'une vilaine fin des temps et pas très assuré dans l'orgueil d'être à part, voici que je voyais le vieux passé et l'avenir se donner la main. La métaphysique de l'alchimiste plusieurs fois millénaire cachait une technique enfin compréhensible, ou presque, au XXe siècle. Les techniques terrifiantes d'aujourd'hui ouvraient sur une métaphysique presque semblable à celle des anciens temps. Fausse poésie, que mon retrait ! L'âme immortelle des hommes jetait les mêmes feux de chaque côté du pont.

Je finis par croire que les hommes, dans un très lointain passé, avaient découvert les secrets de l'énergie et de la matière. Non seulement par méditation, mais par manipulation. Non seulement spirituellement, mais techniquement. L'esprit moderne, par des voies différentes, par les routes longtemps déplaisantes, à mes yeux, de la raison pure, de l'irréligiosité, avec des moyens différents et qui m'avaient longtemps paru laids, s'apprêtait à son tour à découvrir les mêmes secrets. Il s'interrogeait là-dessus, il s'enthousiasmait et s'inquiétait à la fois. Il butait sur l'essentiel, tout comme l'esprit de la haute tradition.

Je vis alors que l'opposition entre la « sagesse » millénaire et la « folie » contemporaine était une invention de l'intelligence trop faible et trop lente, un produit de compensation pour intellectuel incapable d'accélérer aussi fort que son époque l'exige.

Il y a plusieurs façons d'accéder à la connaissance essentielle. Notre temps a les siennes. D'anciennes civilisations eurent les leurs. Je ne parle pas uniquement de connaissance théorique.

Je vis enfin que, les techniques d'aujourd'hui étant plus puissantes, apparemment, que les techniques d'hier, cette connaissance essentielle, qu'avaient sans doute les alchimistes (et d'autres sages avant eux), arriverait jusqu'à nous avec plus de force encore, plus de poids, plus de dangers et plus d'exigences. Nous atteignons le même point que les Anciens, mais à une hauteur différente. Plutôt que de condamner l'esprit moderne au nom de la sagesse initiatique des Anciens, ou plutôt que nier cette sagesse en déclarant que la connaissance réelle commence avec notre propre civilisation, il conviendrait d'admirer, il conviendrait de vénérer la puissance de l'esprit qui, sous des aspects différents, repasse par le même point de lumière en s'élevant en spirale. Plutôt que de condamner, répudier, choisir, il conviendrait d'aimer. L'amour est tout : repos et mouvement à la fois.

Nous allons vous soumettre les résultats de nos recherches sur l'alchimie. Il ne s'agit, bien entendu, que d'esquisses. Il nous faudrait dix ou vingt ans de loisir, et peut-être des facultés que nous n'avons pas, pour apporter sur le sujet une contribution réellement positive. Cependant, ce que nous avons fait et la manière dont nous l'avons fait, rendent notre petit travail très différent des ouvrages jusqu'ici consacrés à l'alchimie. On y trouvera peu d'éclaircissements sur l'histoire et la philosophie de cette science traditionnelle, mais quelques lueurs sur des rapports inattendus entre les rêves des vieux « philosophes chimiques » et les réalités de la physique actuelle. Autant dire tout de suite nos arrière-pensées :

L'alchimie, selon nous, pourrait être l'un des plus importants résidus d'une science, d'une technique et d'une philosophie appartenant à une civilisation engloutie. Ce que nous avons découvert dans l'alchimie, à la lumière du savoir contemporain, ne nous invite pas à croire qu'une technique aussi subtile, compliquée et précise, ait pu être le produit d'une « révélation divine » tombée du ciel. Ce n'est pas que nous rejetions toute idée de révélation. Mais nous n'avons jamais constaté, en étudiant les saints et les grands mystiques, que Dieu parle aux hommes le langage de la technique : « Place ton creuset sous la lumière polarisée, ô mon Fils ! Lave les scories à l'eau tridistillée. »

Nous ne croyons pas non plus que la technique alchimique ait pu se développer par tâtonnements, minuscules bricolages d'ignorants, fantaisies de maniaques du creuset, jusqu'à aboutir à ce qu'il faut bien appeler une désintégration atomique. Nous serions plutôt tentés de croire que résident dans l'alchimie des débris d'une science disparue, difficiles à comprendre et à utiliser, le contexte manquant. A partir de ces débris, il y a forcément tâtonnements, mais dans une direction déterminée. Il y a aussi foisonnement d'interprétations techniques, morales, religieuses. Il y a enfin, pour les détenteurs de ces débris, l'impérieuse nécessité de garder le secret.

Nous pensons que notre civilisation, atteignant un savoir qui fut peut-être celui d'une précédente civilisation, dans d'autres conditions, avec un autre état d'esprit, aurait peut-être le plus grand intérêt à interroger avec sérieux l'antique pour hâter sa propre progression.

Nous pensons enfin ceci : l'alchimiste au terme de son « travail » sur la matière voit, selon la légende, s'opérer en lui-même une sorte de transmutation. Ce qui se passe dans son creuset se passe aussi dans sa conscience ou dans son âme. Il y a changement d'état. Tous les textes traditionnels insistent là-dessus, évoquent le moment où le « Grand Œuvre » s'accomplit et où l'alchimiste devient un « homme éveillé ». Il nous semble que ces vieux textes décrivent ainsi le terme de toute connaissance réelle des lois de la matière et de l'énergie, y compris la connaissance technique. C'est vers la possession d'une telle connaissance que se précipite notre civilisation. Il ne nous paraît pas absurde de songer que les hommes sont appelés, dans un avenir relativement proche, à « changer d'état », comme l'alchimiste légendaire, à subir quelque transmutation. A moins que notre civilisation ne périsse tout entière un instant avant d'avoir touché le but, comme d'autres civilisations ont peut-être disparu. Encore, dans notre dernière seconde de lucidité, ne désespérerions-nous pas, songeant que si l'aventure de l'esprit se répète, c'est chaque fois à un degré plus haut de la spirale. Nous remettrions à d'autres millénaires le soin de porter cette aventure jusqu'au point final, jusqu'au centre immobile, et nous nous engloutirions avec espérance.

II

Cent mille livres que personne n'interroge. — On demande une expédition scientifique en pays alchimique. — Les inventeurs. — Le délire par le mercure. — Un langage chiffré. — Y eut-il une autre civilisation atomique ? — Les piles du musée de Bagdad. — Newton et les grands initiés. — Helvétius et Spinoza devant l'or philosophal. — Alchimie et physique moderne. — Une bombe à hydrogène sur un fourneau de cuisine. — Matérialiser, hominiser, spiritualiser.

On connaît plus de cent mille livres ou manuscrits alchimiques. Cette énorme littérature à laquelle se sont consacrés des esprits de qualité, des hommes importants et honnêtes, cette énorme littérature qui affirme solennellement son attachement à des faits, à des réalités expérimentales, n'a jamais été explorée scientifiquement. La pensée régnante, catholique dans le passé, rationaliste aujourd'hui, a entretenu autour de ces textes une conspiration de l'ignorance et du mépris. Cent mille livres et manuscrits contiennent peut-être quelques-uns des secrets de l'énergie et de la matière. Si ce n'est vrai, ils le proclament, tout au moins. Les princes, les rois et les républiques ont encouragé d'innombrables expéditions en pays lointains, financé des recherches scientifiques de toutes sortes. Jamais une équipe de cryptographes, d'historiens, de linguistes et de savants, physiciens, chimistes, mathématiciens, biologistes, n'a été réunie dans une bibliothèque alchimique complète avec mission de voir ce qu'il y a de vrai et d'utilisable dans ses vieux traités. Voilà qui est inconcevable. Que de telles fermetures de l'esprit soient possibles et durables, que des sociétés humaines très civilisées et apparemment, comme la nôtre, sans préjugés d'aucune sorte, puissent oublier dans leur grenier cent mille livres et manuscrits portant l'étiquette : « Trésor », voilà qui convaincra les plus sceptiques que nous vivons dans le fantastique.

Les rares recherches sur l'alchimie sont faites, ou bien par des mystiques qui demandent aux textes une confirmation de leurs attitudes spirituelles, ou bien par des historiens coupés de tout contact avec la science et les techniques.

Les alchimistes parlent de la nécessité de distiller mille et mille fois l'eau qui va servir à préparer l'Élixir. Nous avons entendu un historien spécialisé dire que cette opération était démentielle. Il ignorait tout de l'eau lourde et des méthodes que l'on emploie pour enrichir l'eau simple en eau lourde. Nous avons entendu un érudit affirmer que le raffinage et la purification indéfiniment répétés d'un métal ou d'un métalloïde ne changeant en rien les propriétés de celui-ci, il fallait voir dans les recommandations alchimiques un mystique apprentissage de la patience, un geste rituel comparable à l'égrenage du rosaire. C'est pourtant par un tel raffinage au moyen d'une technique décrite par les alchimistes et que l'on nomme aujourd'hui « la fusion de zone », que l'on prépare le germanium et le silicium pur des transistors. Nous savons maintenant, grâce à ces travaux sur les transistors, qu'en purifiant à fond un métal et en introduisant ensuite quelques millionièmes de gramme d'impuretés soigneusement choisies, on donne au corps traité des propriétés nouvelles et révolutionnaires. Nous ne voulons pas multiplier les exemples, mais nous voudrions faire comprendre à quel point serait souhaitable un examen vraiment méthodique de la littérature alchimique. Ce serait un travail immense, qui exigerait des dizaines d'années de travail et des dizaines de chercheurs appartenant à toutes les disciplines. Ni Bergier ni moi n'avons pu même l'esquisser, mais si notre gros bouquin maladroit pouvait quelque jour décider un mécène à permettre ce travail, nous n'aurions pas perdu tout à fait notre temps.

En étudiant un peu les textes alchimiques, nous avons constaté que ceux-ci sont généralement modernes par rapport à l'époque où ils ont été écrits, alors que les autres ouvrages d'occultisme sont en retrait. D'autre part, l'alchimie est la seule pratique parareligieuse ayant enrichi réellement notre connaissance du réel.

Albert le Grand (1193-1280) réussit à préparer la potasse caustique. Il fut le premier à décrire la composition chimique du cinabre, de la céruse et du minium.

Raymond Lulle (1235-1315) prépara le bicarbonate de potassium.

Théophraste Paracelse (1493-1541) fut le premier à décrire le zinc, jusqu'alors inconnu. Il introduisit également dans la médecine l'usage des composés chimiques.

Giambattista della Porta (1541-1615) prépara l'oxyde d'étain.

Jean-Baptiste Van Helmont (1577-1644) reconnut l'existence des gaz.

Basile Valentin (dont nul ne sut jamais l'identité véritable) découvrit au xviie siècle l'acide sulfurique et l'acide chlorhydrique.

Johann Rudolf Glauber (1604-1668) trouva le sulfate de sodium.

Brandt (mort en 1662) découvrit le phosphore.

Johann Friedrich Boetticher (1682-1719) fut le premier Européen à faire de la porcelaine.

Blaise Vigenère (1523-1596) découvrit l'acide benzoïque.

Tels sont quelques-uns des travaux alchimiques qui enrichissent l'humanité au moment où la chimie progresse[1]. A mesure que d'autres sciences se développent, l'alchimie semble suivre et souvent précéder le progrès. Le Breton, dans ses *Clefs de la Philosophie Spagyrique*, en 1722, parle du magnétisme de manière plus qu'intelligente et fréquemment anticipe sur les découvertes modernes. Le Père Castel, en 1728, au moment où les idées sur la gravitation commencent à se répandre, parle de celle-ci et de ses rapports avec la lumière dans des termes qui, deux siècles plus tard, feront étrangement écho à la pensée d'Einstein :

« J'ai dit que si l'on ôtait la pesanteur du monde, on ôterait en même temps la lumière. Du reste la lumière et le son, et toutes autres qualités sensibles sont une suite et comme un résultat de la mécanique et par conséquent de la pesanteur des corps naturels qui sont plus ou moins lumineux ou sonores, selon qu'ils ont plus de pesanteur et de ressort. »

Dans les traités alchimiques de notre siècle, on voit apparaître fréquemment, plus tôt que dans les ouvrages universitaires, les dernières découvertes de la physique nucléaire, et il est probable que les traités de demain mentionneront les théories physiques et mathématiques les plus abstraites qui soient.

La distinction est nette entre l'alchimie et les fausses sciences comme la radiesthésie qui introduit les ondes ou des rayons dans ses publications après que la

---

1. Cf. *le Miroir de la Magie*, par Kurt Seligmann. Éd. Fasquelle, Paris.

science officielle les a découverts. Tout pourrait nous inviter à penser que l'alchimie est susceptible d'apporter une contribution importante aux connaissances et aux techniques de l'avenir basées sur la structure de la matière.

Nous avons constaté aussi, dans la littérature alchimique, l'existence d'un nombre impressionnant de textes purement délirants. On a parfois voulu expliquer ce délire par la psychanalyse (Jung : *Psychologie et Alchimie*, ou Herbert Silberer : *Problèmes du Mysticisme*). Plus souvent comme l'alchimie contient une doctrine métaphysique et suppose une attitude mystique, les historiens, les curieux et surtout les occultistes se sont acharnés à interpréter ces propos démentiels dans le sens d'une révélation supranaturelle, d'une vaticination inspirée. A y regarder de près, il nous a paru raisonnable de tenir, à côté des textes techniques et des textes de sagesse, les textes démentiels pour des textes démentiels. Il nous a paru aussi que cette démence de l'adepte expérimentateur pouvait trouver une explication matérielle, simple, satisfaisante. Le mercure était fréquemment utilisé par les alchimistes. Sa vapeur est toxique et l'empoisonnement chronique provoque le délire. Théoriquement, les récipients employés étaient absolument hermétiques, mais le secret de cette fermeture n'est pas donné à tout adepte, et la folie a pu envahir plus d'un « philosophe chimique ».

Enfin, nous avons été frappés par l'aspect de cryptogramme de la littérature alchimique. Blaise Vigenère, que nous avons cité tout à l'heure, inventa les codes les plus perfectionnés et les méthodes de chiffrage les plus ingénieuses. Ses inventions en cette matière sont encore utilisées aujourd'hui. Or, il est probable que

Blaise Vigenère prit contact avec cette science du chiffre en essayant d'interpréter les textes alchimiques. Il conviendrait d'ajouter aux équipes de chercheurs que nous souhaitons voir réunies, des spécialistes du déchiffrage.

« Afin de donner un exemple plus clair, écrit René Alleau [1], nous prendrons celui du jeu d'échecs dont on connaît la simplicité relative des règles et des éléments ainsi que l'indéfinie variété des combinaisons. Si l'on suppose que l'ensemble des traités acroamatiques de l'alchimie se présente à nous comme *autant de parties annotées en un langage conventionnel*, il faut admettre d'abord, honnêtement, que nous ignorons et les règles du jeu, et le chiffre utilisé. Sinon, nous affirmons que l'indication cryptographique est composée de signes directement compréhensibles par n'importe quel individu, *ce qui est précisément l'illusion immédiate que doit provoquer un cryptogramme bien composé.* Ainsi la prudence nous conseille-t-elle de ne pas nous laisser séduire par la tentation d'un sens clair et d'étudier ces textes comme s'il s'agissait d'une langue inconnue.

« Apparemment, ces *messages* ne s'adressent qu'à d'autres joueurs, à d'autres alchimistes dont nous devons penser qu'ils possèdent déjà, par quelque moyen différent de la tradition écrite, la clé nécessaire à la compréhension exacte de ce langage. »

Aussi loin que l'on remonte dans le passé, on trouve des manuscrits alchimiques. Nicolas de Valois, au xvᵉ siècle, en déduisait que les transmutations, que les secrets et les techniques de la libération de l'énergie ont été connus des hommes avant l'écriture même. L'architecture a précédé l'écriture. Elle a peut-être été

1. *Aspects de l'Alchimie Traditionnelle.* Éd. de Minuit, Paris.

une forme d'écriture. Aussi bien voyons-nous l'alchimie liée très intimement à l'architecture. Un des textes les plus significatifs de l'alchimie, dont l'auteur est le sieur Esprit Gobineau de Montluisant, s'intitule : « Explications très curieuses des énigmes et figures hiéroglyphiques qui sont au grand portail de Notre-Dame de Paris. » Les ouvrages de Fulcanelli sont consacrés au « Mystère des Cathédrales » et à de minutieuses descriptions des « Demeures Philosophales ». Certaines constructions médiévales témoigneraient de l'habitude immémoriale de transmettre par l'architecture le message de l'alchimie qui remonterait à des âges infiniment reculés de l'humanité.

Newton croyait à l'existence d'une chaîne d'initiés s'étendant dans le temps jusqu'à une très lointaine antiquité, et qui auraient connu les secrets des transmutations et de la désintégration de la matière. Le savant atomiste anglais Da Costa Andrade, dans un discours prononcé devant ses pairs à l'occasion du tricentenaire de Newton, à Cambridge, en juillet 1946, n'a pas hésité à laisser entendre que l'inventeur de la gravitation appartenait peut-être à cette chaîne et n'avait révélé au monde qu'une petite partie de son savoir :

« Je ne peux, a-t-il dit[1], espérer convaincre les sceptiques que Newton avait des pouvoirs de prophétie ou de vision spéciale qui lui auraient révélé l'énergie atomique, mais je dirai simplement que les phrases que je vais vous citer dépassent de beaucoup, dans la pensée de Newton parlant de la transmutation alchimique, l'inquiétude d'un bouleversement du commerce mondial par suite de la synthèse de l'or. Voici ce que Newton écrit :

« " La façon dont le mercure peut être ainsi imprégné a été gardée secrète par ceux qui savaient et

1. *Newton Tercentenary Celebrations*. Université de Cambridge, 1947.

constitue probablement une porte vers quelque chose de plus noble (que la fabrication de l'or) qui ne peut être communiqué sans que le monde coure à un immense danger, si les écrits d'Hermès disent vrai. "

« Et plus loin encore, Newton écrit : " Il existe d'autres Grands Mystères que la transmutation des métaux si les grands maîtres ne se vantent point. Eux seuls connaissent ces secrets. "

« En réfléchissant au sens profond de ce passage, souvenez-vous que Newton parle avec la même réticence et la même prudence annonciatrice de ses propres découvertes en optique. »

De quel passé viendraient ces grands maîtres invoqués par Newton, et dans quel passé eux-mêmes auraient-ils puisé leur science ?

« Si je suis monté si haut, dit Newton, c'est que j'étais sur l'épaule des géants. »

Atterbury, contemporain de Newton, écrivait :

« La modestie nous apprend à parler avec respect au sujet des Anciens, surtout quand nous ne connaissons pas parfaitement leurs ouvrages. Newton, qui les savait presque par cœur, avait pour eux le plus grand respect et il les considérait comme des hommes d'un profond génie et d'un esprit supérieur qui avaient porté leurs découvertes en tous genres beaucoup plus loin qu'il ne nous paraît à présent, par ce qui reste de leurs écrits. Il y a plus d'ouvrages antiques perdus que conservés et peut-être nos nouvelles découvertes ne valent-elles pas nos pertes anciennes. »

Pour Fulcanelli, l'alchimie serait le lien avec des civilisations englouties depuis des millénaires et ignorées des archéologues. Bien entendu, aucun archéologue réputé sérieux et aucun historien d'égale réputation n'admettra l'existence dans le passé de civilisations possédant une science et des techniques supérieures aux nôtres. Mais une science et des techniques avancées simplifient à l'extrême l'appareillage, et les vestiges sont peut-être sous nos yeux, sans que nous soyons capables de les voir comme tels. Aucun archéologue et aucun historien sérieux, n'ayant reçu une formation scientifique poussée, ne pourra effectuer des fouilles susceptibles de nous apporter là-dessus quelque lumière. Le cloisonnement des disciplines, qui fut une nécessité du fabuleux progrès contemporain, nous cache peut-être quelque chose de fabuleux dans le passé.

On sait que c'est un ingénieur allemand, chargé de construire les égouts de Bagdad, qui découvrit dans le bric-à-brac du musée local, sous la vague étiquette « objets de culte », des piles électriques fabriquées dix siècles avant Volta, sous la dynastie des Sassanides.

Tant que l'archéologie ne sera pratiquée que par les archéologues, nous ne saurons pas si la « nuit des temps » était obscure ou lumineuse.

« Jean-Frédéric Schweitzer, dit Helvétius, violent adversaire de l'alchimie, rapporte que dans la matinée du 27 décembre 1666, un étranger se présenta chez lui[1]. C'était un homme d'apparence honnête et grave, et de mine autoritaire, vêtu d'un simple manteau, comme un mennonite. Ayant demandé à Helvétius s'il croyait à la pierre philosophale (ce à quoi le fameux docteur répondit par la négative), l'étranger ouvrit une petite boîte d'ivoire " contenant trois morceaux d'une substance ressemblant à du verre ou à de l'opale ". Son propriétaire déclara que c'était la fameuse pierre, et qu'avec une quantité aussi minime, il pouvait produire vingt tonnes d'or. Helvétius en tint un fragment dans la main, et, ayant remercié le visiteur de son amabilité,

1. Nous empruntons ce récit à l'ouvrage de Kurt Seligmann, déjà cité.

il le pria de lui en donner un peu. L'alchimiste refusa d'un ton brusque, ajoutant avec plus de courtoisie que, pour toute la fortune d'Helvétius, il ne pourrait se séparer de la moindre parcelle de ce minéral, pour une raison qu'il ne lui était pas permis de divulguer. Prié de fournir la preuve de ses dires, en réalisant une transmutation, l'étranger répondit qu'il reviendrait trois semaines plus tard, et montrerait à Helvétius une chose susceptible de l'étonner. Il revint ponctuellement au jour dit, mais refusa d'opérer, affirmant qu'il lui était interdit de révéler le secret. Il condescendit pourtant à donner à Helvétius un petit fragment de la pierre " pas plus gros qu'un grain de sénevé ". Et comme le docteur émettait le doute qu'une quantité aussi infime pût produire le moindre effet, l'alchimiste brisa le corpuscule en deux, en jeta une moitié et lui tendit l'autre en disant : " Voici même ce qui vous suffit. "

« Notre savant dut alors avouer qu'à la première visite de l'étranger, il avait réussi à s'approprier quelques particules de la pierre et qu'elles avaient changé le plomb, non point en or, mais en verre. — " Vous auriez dû protéger votre butin avec de la cire jaune, répondit l'alchimiste, cela aurait aidé à pénétrer le plomb et à le transformer en or. " L'homme promit de revenir le lendemain matin, à neuf heures, et de réaliser le miracle, — mais il ne vint pas, et le surlendemain non plus. Ce que voyant, la femme d'Helvétius le persuada de tenter lui-même la transmutation :

« Helvétius procéda conformément aux directives de l'étranger. Il fit fondre trois drachmes de plomb, entoura la pierre de cire, et la laissa tomber dans le métal liquide. Celui-ci se changea en or ! " Nous le portâmes immédiatement à l'orfèvre, qui déclara que c'était l'or le plus fin qu'il eût jamais vu, et il en offrit cinquante florins l'once. " Helvétius, en concluant son rapport, nous dit que le lingot d'or était toujours en sa possession, preuve tangible de la transmutation. " Puissent les Saints Anges de Dieu veiller sur lui (l'alchimiste anonyme) comme sur une source de bénédictions pour la chrétienté. Telle est notre prière constante, pour lui et pour nous. "

« La nouvelle se répandit comme une traînée de poudre. Spinoza, que nous ne pouvons compter au nombre des naïfs, voulut avoir le fin mot de l'histoire. Il rendit visite à l'orfèvre qui avait expertisé l'or. Le rapport fut plus que favorable : au cours de la fusion de l'argent incorporé au mélange s'était également transformé en or. L'orfèvre, Brechtel, était monnayeur du duc d'Orange. Il connaissait certainement son métier. Il semble difficile de croire qu'il ait pu être la victime d'un subterfuge, ou qu'il ait voulu abuser Spinoza. Spinoza se rendit alors chez Helvétius qui lui montra l'or et le creuset qui avait servi à l'opération Des bribes du précieux métal adhéraient encore à l'intérieur du récipient ; comme les autres, Spinoza fut convaincu que la transmutation avait réellement eu lieu. »

La transmutation, pour l'alchimiste, est un phénomène secondaire, réalisé simplement à titre de démonstration. Il est difficile de se faire une opinion sur la réalité de ces transmutations, quoique diverses observations, comme celle d'Helvétius ou celle de Van Helmont, par exemple, semblent frappantes. On peut alléguer que l'art du prestidigitateur est sans limite, mais quatre mille ans de recherches et cent mille volumes ou manuscrits auraient-ils été consacrés à une fourberie ? Nous proposons autre chose, comme on le verra tout à l'heure. Nous le proposons timidement, car le poids de l'opinion scientifique acquise est redoutable. Nous essaierons de décrire le travail de l'alchimiste, qui aboutit à la fabrication de la « pierre » ou « poudre de projection », et nous verrons que l'interprétation de certaines opérations se heurte à notre savoir actuel sur la structure de la matière. Mais il n'est pas évident que notre connaissance des phénomènes nucléaires soit parfaite, définitive. La catalyse, en particulier, peut intervenir dans ces phénomènes d'une manière encore inattendue pour nous[1].

Il n'est pas impossible que certains mélanges naturels produisent, sous l'effet des rayons cosmiques, des réactions nucléo-catalytiques à grande échelle, conduisant à une transmutation massive d'éléments. Il faudrait voir là une des clés de l'alchimie et la raison pour laquelle l'alchimiste répète indéfiniment ses manipulations, jusqu'au moment où les conditions cosmiques sont réunies.

L'objection est : si des transmutations de cette nature sont possibles, que devient l'énergie dégagée ? Bien des alchimistes auraient dû faire sauter la ville qu'ils habitaient et quelques dizaines de milliers de kilomètres carrés de leur patrie par la même occasion. De nombreuses et immenses catastrophes auraient dû se produire.

Les alchimistes répondent : c'est justement parce que de telles catastrophes ont eu lieu dans un lointain passé, que nous craignons la terrible énergie contenue dans la matière et que nous gardons secrète notre science. En outre, le « Grand Œuvre » est atteint par phases progressives et celui qui, au terme de dizaines et de dizaines d'années de manipulations et d'ascèse, apprend à déchaîner les forces nucléaires, apprend également quelles précautions il convient d'observer pour éviter le danger.

1. Des travaux sont en cours, dans divers pays, sur l'utilisation de particules (produites par de puissants accélérateurs) pour catalyser la fusion de l'hydrogène.

Argument valable ? Peut-être. Les physiciens d'aujourd'hui admettent que, dans certaines conditions, l'énergie d'une transmutation nucléaire pourrait être absorbée par des particules spéciales qu'ils appellent neutrinos, ou antineutrinos. Quelques preuves de l'existence du neutrino semblent avoir été apportées. Il y a peut-être des types de transmutations qui ne libèrent que peu d'énergie, ou dans lesquelles l'énergie libérée s'en va sous forme de neutrinos. Nous reviendrons sur cette question.

M. Eugène Canseliet, disciple de Fulcanelli et l'un des meilleurs spécialistes actuels de l'alchimie, tomba en arrêt sur un passage d'une étude que Jacques Bergier avait écrite en préface à l'un des ouvrages classiques de la Bibliothèque Mondiale. Il s'agissait d'une anthologie de la poésie du XVIe siècle. Dans cette préface, Bergier faisait allusion aux alchimistes et à leur volonté de secret. Il écrivait : « Sur ce point particulier, il est difficile de ne pas leur donner raison. S'il existe un procédé permettant de fabriquer des bombes à hydrogène sur un fourneau de cuisine, il est nettement préférable que ce procédé ne soit pas révélé. »

M. Eugène Canseliet nous répondit alors : « Il ne faudrait surtout pas que l'on prît cela pour une boutade. Vous avez vu juste, et je suis bien placé pour affirmer qu'il est possible de parvenir à la fission atomique en partant d'un minerai relativement commun et bon marché, et cela par un processus d'opérations ne réclamant rien d'autre qu'une bonne cheminée, un four de fusion de charbon, quelques brûleurs Meker et quatre bouteilles de gaz butane. »

Il n'est pas exclu que l'on puisse, même en physique nucléaire, obtenir des résultats importants par des moyens simples. C'est la direction de l'avenir de toute science et de toute technique.

« Nous pouvons plus que nous ne savons », disait

Roger Bacon. Mais il ajoutait cette parole qui pourrait être un adage alchimique : « Bien que tout ne soit pas permis, tout est possible. »

Pour l'alchimiste, il faut sans cesse le rappeler, le pouvoir sur la matière et l'énergie n'est qu'une réalité accessoire. Le véritable but des opérations alchimiques qui sont peut-être le résidu d'une science très ancienne appartenant à une civilisation engloutie, est la transformation de l'alchimiste lui-même, son accession à un état de conscience supérieur. Les résultats matériels ne sont que les promesses du résultat final, qui est spirituel. Tout est dirigé vers la transmutation de l'homme lui-même, vers sa divinisation, sa fusion dans l'énergie divine fixe, d'où rayonnent toutes les énergies de la matière. L'alchimie est cette science « avec conscience » dont parle Rabelais. C'est une science qui matérialise moins qu'elle n'hominise, pour reprendre une expression du Père Teilhard de Chardin, qui disait : « La vraie physique est celle qui parviendra à intégrer l'Homme total dans une représentation cohérente du monde. »

« Sachez, écrivait un maître alchimiste [1], sachez vous tous, Investigateurs de cet Art, que l'Esprit est tout, et que si dans cet Esprit, il n'est enfermé un autre Esprit semblable, tout ne profite de rien. »

1. « La Tourbe des Philosophes » in « Bibliothèque des Philosophes Chimiques », 1741.

III

Où l'on voit un petit Juif préférer le miel au sucre . — Où un alchimiste qui pourrait être le mystérieux Fulcanelli parle du danger atomique en 1937, décrit la pile atomique et évoque des civilisations disparues. — Où Bergier découpe un coffre-fort au chalumeau et promène une bouteille d'uranium sous son bras. — Où un major américain sans nom recherche un Fulcanelli définitivement évanoui. — Où Oppenheimer chante en duo avec un sage chinois d'il y a mille ans.

C'était en 1933. Le petit étudiant juif avait un nez pointu, chaussé de lunettes rondes derrière lesquelles brillaient des yeux agiles et froids. Sur son crâne rond se clairsemait déjà une chevelure pareille à un duvet de poussin. Un effroyable accent, aggravé par des hésitations, donnait à ses propos le comique et la confusion d'un barbotage de canards dans une flaque. Quand on le connaissait un peu mieux, on éprouvait l'impression qu'une intelligence boulimique, tendue, sensible, follement rapide, dansait dans ce petit bon-homme malgracieux, plein de malice et d'une puérile maladresse à vivre, comme un gros ballon rouge retenu par un fil au poignet d'un enfant.

« Vous voulez donc devenir alchimiste ? » demanda le vénérable professeur à l'étudiant Jacques Bergier qui baissait la tête, assis sur le bord du fauteuil, une serviette bourrée de paperasses sur les genoux. Le vénérable était un des plus grands chimistes français.

« Je ne vous comprends pas, monsieur », dit l'étudiant, vexé.

Il avait une mémoire prodigieuse, et il se souvint d'avoir vu, à six ans, une gravure allemande représentant deux alchimistes au travail, dans un désordre de cornues, de pinces, de creusets, de soufflets. L'un, en haillons, surveillait un feu, la bouche ouverte, et l'autre, barbe et cheveux fous, se grattait la tête en titubant au fond du capharnaüm.

Le professeur consulta un dossier :

« Durant vos deux dernières années de travail, vous vous êtes surtout intéressé au cours libre de physique nucléaire de M. Jean Thibaud. Ce cours ne conduit à aucun diplôme, à aucun certificat. Vous exprimez le désir de poursuivre dans cette voie. J'aurais encore compris, à la rigueur, cette curiosité de la part d'un physicien. Mais vous vous destinez à la chimie. Compteriez-vous, par hasard, apprendre à fabriquer de l'or ?

— Monsieur, dit l'étudiant juif en élevant ses petites mains grasses et négligées, je crois en l'avenir de la chimie nucléaire. Je crois que des transmutations industrielles seront réalisées dans un proche avenir.

— Cela me paraît délirant.

— Mais monsieur... »

Parfois, il s'arrêtait au début d'une phrase et se mettait à répéter ce début, comme un phonographe détraqué, non par absence, mais parce que son esprit s'en allait faire un crochet inavouable du côté de la poésie. Il savait par cœur des milliers de vers, et tous les poèmes de Kipling :

> *Ils copièrent tout ce qu'ils pouvaient suivre*
> *Mais ils ne pouvaient rattraper mon esprit*
> *Aussi les ai-je laissés haletants et pensant*
> *Un an et demi en arrière...*

« Mais monsieur, même si vous ne croyez pas aux transmutations, vous devriez croire à l'énergie nucléaire. Les énormes ressources potentielles du noyau...

— Ta, ta, ta, dit le professeur. C'est primaire et enfantin. Ce que les physiciens nomment l'énergie nucléaire est une constante d'intégration dans leurs équations. C'est une idée philosophique, voilà la chose. La conscience est le principal moteur des hommes. Mais ce n'est pas la conscience qui fait marcher les locomotives, n'est-ce pas ? Alors, rêver d'une machine actionnée par l'énergie nucléaire... Non, mon garçon. »

Le garçon avalait sa salive.

« Revenez sur terre et songez à votre avenir. Ce qui vous pousse, pour l'instant, parce que vous ne me paraissez pas sorti de l'enfance, c'est un des plus vieux rêves des hommes : le rêve alchimique. Relisez Berthelot. Il a bien décrit cette chimère de la transmutation de la matière. Vos notes ne sont pas très, très brillantes. Je vous donnerai un conseil : entrez le plus vite possible dans l'industrie. Faites donc une campagne sucrière. Trois mois dans une fabrique de sucre vous remettront en contact avec le réel. Vous en avez besoin. Je vous parle comme un père. »

Le fils indigne remercia en bégayant, et partit le nez au vent, sa grosse serviette au bout de son bras court. C'était un entêté : il se dit qu'il fallait profiter de cette conversation, mais que le miel était meilleur que le sucre. Il continuerait à étudier les problèmes du noyau atomique. Et il se documenterait sur l'alchimie.

C'est ainsi que mon ami Jacques Bergier décida de poursuivre des études jugées inutiles et de les compléter par d'autres études jugées délirantes. Les nécessités de la vie, la guerre et les camps de concentration l'écartèrent un peu de la nucléonique. Il y a cependant apporté quelques contributions estimées par les spécialistes. Au cours de ses recherches, les rêves des alchimistes et les réalités de la physique mathématique se recoupèrent plus d'une fois. Mais dans le domaine scientifique, il s'est produit de grands changements depuis 1933, et mon ami eut de moins en moins l'impression de naviguer à contre-courant.

De 1934 à 1940, Jacques Bergier fut le collaborateur d'André Helbronner, l'un des hommes remarquables de notre époque. Helbronner, assassiné par les nazis à Buchenwald en mars 1944, avait été, en France, le premier professeur de Faculté à enseigner la chimie-physique. Cette science frontière entre deux disciplines a donné naissance, depuis, à de nombreuses autres sciences : l'électronique, la nucléonique, la stéréotronique[1]. Helbronner devait recevoir la grande médaille d'or de l'Institut Franklin pour ses découvertes sur les métaux colloïdaux. Il s'était également intéressé à la liquéfaction des gaz, à l'aéronautique et aux rayons ultraviolets.

En 1934, il se consacrait à la physique nucléaire et avait monté, avec le concours de groupes industriels, un laboratoire de recherches sur la nucléonique où des résultats d'un intérêt considérable furent obtenus jusqu'en 1940. Helbronner était en outre expert auprès des tribunaux pour toutes les affaires touchant la transmutation des éléments, et c'est ainsi que Jacques Bergier eut l'occasion de rencontrer un certain nombre de faux alchimistes, escrocs

---

1. La stéréotronique est une science toute nouvelle qui étudie la transformation de l'énergie dans les solides. Une de ses applications est le transistor.

ou illuminés, et un alchimiste véritable, un vrai maître.

Mon ami ne sut jamais le nom réel de cet alchimiste, et le saurait-il qu'il se garderait de donner trop d'indices. L'homme dont nous allons parler a disparu depuis longtemps déjà, sans laisser de traces visibles. Il est entré en clandestinité, ayant volontairement coupé tous les ponts entre le siècle et lui. Bergier pense seulement qu'il s'agissait de l'homme qui, sous le pseudonyme de Fulcanelli, écrivit aux environs de 1920 deux livres étranges et admirables : *Les Demeures Philosophales* et *Le Mystère des Cathédrales*. Ces livres furent édités par les soins de M. Eugène Canseliet, qui ne révéla jamais l'identité de l'auteur [1]. Ils sont certainement parmi les ouvrages les plus importants sur l'alchimie. Ils expriment une connaissance et une sagesse souveraines, et nous savons plus d'un grand esprit qui vénère le nom légendaire de Fulcanelli.

« Pouvait-il, écrit M. Eugène Canseliet, arrivé au faîte de la connaissance, refuser d'obéir aux ordres du Destin ? Nul n'est prophète en son pays. Ce vieil adage donne, peut-être, la raison occulte du bouleversement que provoque, dans la vie solitaire et studieuse du philosophe, l'étincelle de la révélation. Sous l'effet de cette flamme divine, le vieil homme est tout entier consumé. Nom, famille, patrie, toutes les illusions, toutes les erreurs, toutes les vanités tombent en poussière. Et de ces cendres, comme le phénix des poètes, une personnalité nouvelle renaît. Ainsi, du moins, le veut la tradition philosophique.

« Mon maître le savait. Il disparut quand sonna l'heure fatidique, lorsque le signe fut accompli. Qui donc oserait se soustraire à la loi ? Moi-même, malgré

1. Ces deux ouvrages ont été réédités par l'Omnium Littéraire, 72, Champs-Élysées, Paris. La première édition date de 1925. Elle était depuis très longtemps épuisée et les curieux achetaient les rares exemplaires en circulation des dizaines de milliers de francs.

le déchirement d'une séparation douloureuse, mais inévitable, s'il m'arrivait aujourd'hui l'heureux avènement qui contraignit mon maître à fuir les hommages du monde, je n'agirais pas autrement. »

M. Eugène Canseliet écrivit ces lignes en 1925. L'homme qui lui laissait le soin d'éditer ses ouvrages allait changer d'aspect et de milieu. En 1937, un après-midi de juin, Jacques Bergier crut avoir d'excellentes raisons de penser qu'il se trouvait en présence de Fulcanelli.

C'est à la demande d'André Helbronner que mon ami rencontra le mystérieux personnage, dans le cadre prosaïque d'un laboratoire d'essai de la Société du Gaz de Paris. Voici exactement la conversation :

« M. André Helbronner, dont vous êtes, je crois, l'assistant, est à la recherche de l'énergie nucléaire. M. Helbronner a bien voulu me tenir au courant de quelques-uns des résultats obtenus, et notamment de l'apparition de la radio-activité correspondant à du polonium, lorsqu'un fil de bismuth est volatilisé par une décharge électrique dans du deutérium à haute pression. Vous êtes très près de la réussite, comme d'ailleurs quelques autres savants contemporains. Puis-je me permettre de vous mettre en garde ? Les travaux auxquels vous vous livrez, vous et vos pareils, sont terriblement dangereux. Ils ne vous mettent pas seuls en péril. Ils sont redoutables pour l'humanité tout entière. La libération de l'énergie nucléaire est plus facile que vous ne le pensez. Et la radio-activité artificielle produite peut empoisonner l'atmosphère de la planète en quelques années. En outre, des explosifs atomiques peuvent être fabriqués à partir de quelques grammes de métal, et raser des villes. Je vous le dis tout net : les alchimistes le savent depuis longtemps. »

Bergier tenta d'interrompre en s'insurgeant. Les alchimistes et la physique moderne ! Il allait se lancer dans les sarcasmes, quand son hôte l'interrompit :

« Je sais ce que vous allez me dire, mais c'est sans intérêt. Les alchimistes ne connaissaient pas la structure du noyau, ne connaissaient pas l'électricité, n'avaient aucun moyen de détection. Ils n'ont donc pu opérer aucune transmutation, ils n'ont donc jamais pu libérer l'énergie nucléaire. Je n'essaierai pas de vous prouver ce que je vais vous déclarer maintenant, mais je vous prie de le répéter à M. Helbronner : des arrangements géométriques de matériaux extrêmement purs suffisent pour déchaîner les forces atomiques, sans qu'il y ait besoin d'utiliser l'électricité ou la technique du vide. Je me bornerai ensuite à vous faire une courte lecture. »

L'homme prit sur son bureau l'ouvrage de Frédéric Soddy : *L'interprétation du Radium*, l'ouvrit et lut :

« Je pense qu'il a existé dans le passé des civilisations qui ont connu l'énergie de l'atome et qu'un mauvais usage de cette énergie a totalement détruites. »

Puis il reprit :

« Je vous demande d'admettre que quelques techniques partielles ont survécu. Je vous demande aussi de réfléchir au fait que les alchimistes mêlaient à leurs recherches des préoccupations morales et religieuses, tandis que la physique moderne est née au xviiie siècle de l'amusement de quelques seigneurs et de quelques riches libertins. Science sans conscience... J'ai cru bien faire en avertissant quelques chercheurs, de-ci, de-là, mais je n'ai nul espoir de voir cet avertissement porter ses fruits. Au reste, je n'ai pas besoin d'espérer. »

Bergier devait toujours garder dans l'oreille le son de cette voix précise, métallique et digne.

Il se permit de poser une question :

« Si vous êtes alchimiste vous-même, monsieur, je ne puis croire que vous passiez votre temps à tenter de fabriquer de l'or, comme Dunikovski ou le docteur Miethe. Depuis un an, j'essaie de me documenter sur l'alchimie, et je nage parmi les charlatans ou les interprétations qui me semblent fantaisistes. Vous, monsieur, pouvez-vous me dire en quoi consistent vos recherches?

— Vous me demandez de résumer en quatre minutes quatre mille ans de philosophie et les efforts de toute ma vie. Vous me demandez en outre de traduire en langage clair des concepts pour lesquels n'est pas fait le langage clair. Je puis tout de même vous dire ceci : vous n'ignorez pas que, dans la science officielle en progrès, le rôle de l'observateur devient de plus en plus important. La relativité, le principe d'incertitude vous montrent à quel point l'observateur intervient aujourd'hui dans les phénomènes. Le secret de l'alchimie, le voici : il existe un moyen de manipuler la matière et l'énergie de façon à produire ce que les scientifiques contemporains nommeraient un champ de force. Ce champ de force agit sur l'observateur et le met dans une situation privilégiée en face de l'univers. De ce point privilégié, il a accès à des réalités que l'espace et le temps, la matière et l'énergie, nous masquent d'habitude. C'est ce que nous appelons le Grand Œuvre.

— Mais la pierre philosophale? La fabrication de l'or?

— Ce ne sont que des applications, des cas particuliers. L'essentiel n'est pas la transmutation des métaux, mais celle de l'expérimentateur lui-même. C'est un secret ancien que plusieurs hommes par siècle retrouvent.

— Et que deviennent-ils alors?

— Je le saurai peut-être un jour. »

Mon ami ne devait jamais revoir cet homme qui a laissé une trace ineffaçable sous le nom de Fulcanelli. Tout ce que nous savons de lui est qu'il survécut à la guerre et disparut complètement après la Libération. Toutes recherches échouèrent pour le retrouver[1].

Nous voici maintenant un matin de juillet 1945. Encore squelettique et blafard, Jacques Bergier, vêtu de kaki, est en train de découper un coffre-fort au chalumeau. C'est un avatar de plus. Durant ces dernières années, il a été successivement agent secret, terroriste et déporté politique. Le coffre-fort se trouve dans une belle villa, sur le lac de Constance, qui fut la propriété du directeur d'un grand trust allemand. Découpé, le coffre-fort livre son mystère : une bouteille contenant une poudre extrêmement lourde. Sur l'étiquette : « Uranium, pour applications atomiques. » C'est la première preuve formelle de l'existence en Allemagne d'un projet de bombe atomique suffisamment poussé pour exiger de grandes quantités d'uranium pur. Gœbbels n'avait pas tout à fait tort quand, du bunker bombardé, il faisait circuler dans les rues en ruine de Berlin le bruit que l'arme secrète était sur le point d'éclater au visage des « envahisseurs ». Bergier rendit compte de la découverte aux autorités alliées. Les Américains se montrèrent sceptiques et déclarèrent sans intérêt toute enquête sur l'énergie nucléaire. C'était une feinte. En réalité, leur première bombe avait explosé en secret, à Alamogordo, et une mission américaine dirigée par le physicien Goudsmith était, en ce moment même, en Allemagne, à la recherche de la pile atomique que le professeur Heisenberg avait construite avant l'effondrement du Reich.

1. « L'opinion des plus instruits et des plus qualifiés est que celui qui se cacha, ou se dissimule encore de nos jours sous ce fameux pseudonyme de Fulcanelli, est le plus célèbre et sans doute le seul alchimiste véritable (peut-être le dernier) de ce siècle où l'atome est roi. » Claude d'Ygé, revue *Initiation et Science*, n° 44, Paris.

En France, on ne savait rien formellement, mais il y avait des indices. Et notamment celui-ci, pour les gens avisés : des Américains achetaient à prix d'or tous les manuscrits et documents alchimiques.

Bergier fit un rapport au gouvernement provisoire sur la réalité probable de recherches sur les explosifs nucléaires aussi bien en Allemagne qu'aux États-Unis. Le rapport fut sans doute envoyé au panier, et mon ami garda son flacon qu'il brandissait au nez des gens en déclarant : « Vous voyez cela ? Il suffirait qu'un neutron passe à l'intérieur pour que Paris saute ! » Ce petit bonhomme à l'accent comique avait décidément du goût pour la plaisanterie et l'on s'émerveillait qu'un déporté fraîchement sorti de Mauthausen eût conservé tant d'humour. Mais la plaisanterie perdit brusquement tout son sel le matin d'Hiroshima. Le téléphone se mit à sonner sans relâche dans la chambre de Bergier. Diverses autorités compétentes demandaient des copies du rapport. Les services de renseignements américains priaient le détenteur de la fameuse bouteille de rencontrer d'urgence un certain major qui ne voulait pas dire son nom. D'autres autorités exigeaient que l'on éloignât tout de suite le flacon de l'agglomération parisienne. En vain, Bergier expliqua que ce flacon ne contenait certainement pas d'uranium 235 pur et que, même s'il en contenait, l'uranium était sans doute au-dessous de la masse critique. Sinon, il eût explosé depuis longtemps. On lui confisqua son joujou et il n'en entendit plus jamais parler. Pour le consoler, on lui fit porter un rapport de la « Direction Générale des Études et Recherches ». C'était tout ce que cet organisme, émanant des services secrets français, savait de l'énergie nucléaire. Le rapport portait trois cachets : « Secret », « Confidentiel », « A ne pas diffuser ». Il contenait uniquement des coupures de la revue *Science et Vie*.

Il ne lui restait, pour satisfaire sa curiosité, que de

rencontrer le fameux major anonyme dont le professeur Goudsmith a conté quelques aventures dans son livre *Alsos*. Ce mystérieux officier, doué d'humour noir, avait camouflé ses services en une organisation pour la recherche des tombes des soldats américains. Il était très agité et paraissait talonné par Washington. Il voulut d'abord savoir tout ce que Bergier avait pu apprendre ou deviner sur les projets nucléaires allemands. Mais surtout il était indispensable au salut du monde, à la cause alliée et à l'avancement du major, que l'on retrouvât d'urgence Eric Edward Dutt et l'alchimiste connu sous le nom de Fulcanelli.

Dutt, sur lequel Helbronner avait été appelé à enquêter, était un Hindou qui prétendait avoir eu accès à de très anciens manuscrits. Il affirmait y avoir puisé certaines méthodes de transmutation des métaux et, par une décharge condensée à travers un conducteur de borure de tungstène, obtenait des traces d'or dans les produits recueillis. Des résultats analogues devaient être obtenus beaucoup plus tard par les Russes, mais en utilisant de puissants accélérateurs de particules.

Bergier ne put être d'un grand secours au monde libre, à la cause alliée et à l'avancement du major. Eric Edward Dutt, collaborateur, avait été fusillé par le contre-espionnage français en Afrique du Nord. Quant à Fulcanelli, il s'était définitivement évanoui.

Cependant, le major, en remerciement, fit porter à Bergier, avant parution, les épreuves du rapport : *Sur l'Utilisation Militaire de l'Énergie Atomique*, par le professeur H. D. Smyth. C'était le premier document réel sur la question. Or, dans ce texte, il y avait d'étranges confirmations des propos tenus par l'alchimiste en juin 1937.

La pile atomique, outil essentiel pour la fabrication de la bombe, était en effet uniquement « un arrangement géométrique de substances extrêmement pures ». Dans son principe, cet outil, comme l'avait dit Fulcanelli, n'utilisait ni l'électricité, ni la technique du vide. Le rapport Smyth faisait également allusion à des poisons radiants, à des gaz, à des poussières radio-actives d'une extrême toxicité, qu'il était relativement facile de préparer en grande quantité. L'alchimiste avait parlé d'un empoisonnement possible de la planète tout entière.

Comment un chercheur obscur, isolé, mystique, avait-il pu prévoir, ou connaître tout cela ? « D'où te vient ceci, âme de l'homme, d'où te vient ceci ? »

En feuilletant les épreuves du rapport, mon ami se souvenait aussi de ce passage du *De Alchima*, d'Albert le Grand :

« Si tu as le malheur de t'introduire auprès des princes et des rois, ils ne cesseront de te demander : " Eh bien, maître, comment va l'Œuvre ? Quand verrons-nous enfin quelque chose de bon ? " Et dans leur impatience, ils t'appelleront filou et vaurien et te causeront toutes sortes de désagréments. Et si tu n'arrives pas à bonne fin, tu ressentiras tout l'effet de leur colère. Si tu réussis, au contraire, ils te garderont chez eux dans une captivité perpétuelle dans l'intention de te faire travailler à leur profit. »

Était-ce pour cela que Fulcanelli avait disparu et que les alchimistes de tous les temps avaient gardé jalousement le secret ?

Le premier et le dernier conseil donné par le papyrus Harris était : « Fermez les bouches ! Clôturez les bouches ! »

Des années après Hiroshima, le 17 janvier 1955, Oppenheimer devait déclarer : « Dans un sens profond, qu'aucun ridicule à bon marché ne saurait effacer, nous autres savants avons connu le péché. »

Et mille années avant, un alchimiste chinois écrivait :

« Ce serait un terrible péché que de dévoiler aux soldats le secret de ton art. Fais attention ! Qu'il n'y ait pas même un insecte dans la pièce où tu travailles ! »

IV

L'alchimiste moderne est un homme qui lit les traités de physique nucléaire. Il tient pour certain que des transmutations et des phénomènes encore plus extraordinaires peuvent être obtenus par des manipulations et avec un matériel relativement simples. C'est chez les alchimistes contemporains que l'on retrouve l'esprit du chercheur isolé. La conservation d'un tel esprit est précieuse à notre époque. En effet, nous avons fini par croire que le progrès des connaissances n'est plus possible sans équipes nombreuses, sans appareillage énorme, sans financement considérable. Or, les découvertes fondamentales, comme, par exemple, la radio-activité ou la mécanique ondulatoire, ont été faites par des hommes isolés. L'Amérique, qui est le pays des grandes équipes et des grands moyens, délègue aujourd'hui des agents dans le monde à la recherche d'esprits originaux. Le directeur de la recherche scientifique américaine, le docteur James Killian, a déclaré en 1958 qu'il était nuisible d'accorder uniquement confiance au travail collectif et qu'il fallait faire appel aux hommes solitaires porteurs d'idées originales. Rutherford a effectué ses travaux capitaux sur la structure de la matière avec des boîtes de conserve et des bouts de ficelle. Jean Perrin et Mme Curie, avant guerre, envoyaient leurs collaborateurs au Marché aux Puces, le dimanche, chercher un peu de matériel. Bien entendu, les laboratoires à puissant outillage sont nécessaires, mais il serait important d'organiser une coopération entre ces laboratoires, ces équipes, et les originaux solitaires. Cependant les alchimistes se déroberont à l'invitation. Leur règle est le secret. Leur ambition est d'ordre spirituel. « Il est hors de doute, écrit René Alleau, que les manipulations alchimiques servent de support à une ascèse intérieure. » Si l'alchimie contient une science, cette science n'est qu'un moyen d'accéder à la conscience. Il importe, dès lors, qu'elle ne se répande pas au-dehors, où elle deviendrait une fin.

Quel est le matériel de l'alchimiste ? Celui du chercheur en chimie minérale de hautes températures : fours, creusets, balances, instruments de mesure, à quoi sont venus s'ajouter les appareils modernes accessibles de détection des radiations nucléaires : compteur Geiger, scintillomètre, etc.

Ce matériel peut paraître dérisoire. Un physicien orthodoxe ne saurait admettre qu'il est possible de fabriquer une cathode émettant des neutrons avec des moyens simples et peu coûteux. Si nos renseignements sont exacts, des alchimistes y parviennent. Au temps où l'élection était considéré comme le quatrième état de la matière, on a inventé des dispositifs extrêmement onéreux et compliqués pour produire des courants électroniques. Après quoi, en 1910, Elster et Gaitel ont montré qu'il suffisait de chauffer dans le vide de la chaux au rouge sombre. Nous ne connaissons pas tout des lois de la matière. Si l'alchimie est une connaissance en avance sur la nôtre, elle use de moyens plus simples que les nôtres.

Nous connaissons plusieurs alchimistes en France et deux aux États-Unis. Il y en a en Angleterre, en Allemagne et en Italie. E. J. Holmyard dit en avoir rencontré un au Maroc. Trois nous ont écrit de Prague. La presse soviétique scientifique semble faire grand cas, aujourd'hui, de l'alchimie et entreprend des recherches historiques.

Nous allons maintenant, pour la première fois, pensons-nous, essayer de décrire avec précision *ce que fait* un alchimiste dans son laboratoire. Nous ne prétendons pas révéler la totalité de la méthode alchimique, mais nous croyons avoir, sur cette méthode, quelques aperçus d'un certain intérêt. Nous n'oublions pas que le but ultime de l'alchimie est la transmutation de l'alchimiste lui-même, et que les manipulations ne sont qu'un lent cheminement vers la « délivrance de l'esprit ». C'est sur ces manipulations que nous tentons d'apporter des renseignements nouveaux.

L'alchimiste a d'abord, pendant des années, décrypté de vieux textes où « le lecteur doit s'engager privé du fil d'Ariane, plongé dans un labyrinthe où tout a été préparé consciemment et systématiquement afin de jeter le profane dans une inextricable confusion mentale ». Patience, humilité et foi l'ont amené à un certain niveau de compréhension de ces textes. A ce niveau, il va pouvoir commencer réellement l'expérience alchimique. Cette expérience, nous allons la décrire, mais il nous manque un élément. Nous savons ce qui se passe dans le laboratoire de l'alchimiste. Nous ignorons ce qui se passe dans l'alchimiste lui-même, dans son âme. Il se peut que tout soit lié. Il se peut que l'énergie spirituelle joue un rôle dans les manipulations physiques et chimiques de l'alchimie. Il se peut qu'une certaine manière d'acquérir, de concentrer et d'orienter l'énergie spirituelle soit indispensable à la réussite du « travail » alchimique. Cela n'est pas sûr, mais nous ne pouvons pas, en un sujet aussi délicat, ne pas réserver sa part à la parole de Dante : « Je vois que tu crois ces choses parce que je te les dis, mais tu n'en sais pas le pourquoi, en sorte que pour être crues elles n'en sont pas moins cachées. »

Notre alchimiste commence par préparer, dans un mortier d'agate, un mélange intime de trois constituants. Le premier, qui entre pour 95 %, est un minerai : une pyrite arsénieuse, par exemple, un minerai de fer contenant notamment comme impuretés de l'arsenic et de l'antimoine. Le second est un métal : fer, plomb, argent ou mercure. Le troisième est un acide d'origine organique : acide tartrique ou citrique. Il va broyer à la main et mélanger ces constituants durant cinq ou six mois. Ensuite, il chauffe le tout dans un creuset. Il augmente progressivement la température et fait durer l'opération une dizaine de jours. Il doit prendre des précautions. Des gaz toxiques se dégagent : la vapeur de mercure, et surtout l'hydrogène arsénieux qui a tué plus d'un alchimiste dès le début des travaux.

Il dissout enfin le contenu du creuset grâce à un acide. C'est en cherchant un dissolvant que les alchimistes du temps passé ont découvert l'acide acétique, l'acide nitrique et l'acide sulfurique. Cette dissolution doit s'effectuer sous une lumière polarisée : soit une faible lumière solaire réfléchie sur un miroir, soit la lumière de la lune.. On sait aujourd'hui que la lumière polarisée vibre dans une seule direction, tandis que la lumière normale vibre dans toutes les directions autour d'un axe.

Il évapore ensuite le liquide et recalcine le solide. Il va recommencer cette opération des milliers de fois, pendant plusieurs années. Pourquoi ? Nous ne le savons pas. Peut-être dans l'attente du moment où seront réunies les meilleures conditions : rayons cosmiques, magnétisme terrestre, etc. Peut-être afin d'obtenir une « fatigue » de la matière dans des structures profondes que nous ignorons encore. L'alchimiste parle de « patience sacrée », de lente condensation de « l'esprit universel ». Il y a sûrement autre chose, derrière ce langage parareligieux.

Cette façon d'opérer en répétant indéfiniment la même manipulation peut paraître démentielle à un chimiste moderne. On a enseigné à ce dernier qu'une seule méthode expérimentale est valable : celle de Claude Bernard. Cette méthode procède par variations concomitantes. On reproduit des milliers de fois la même expérience, mais en faisant chaque fois varier l'un des facteurs : proportions de l'un des constituants, température, pression, catalyseur, etc. On note les résultats obtenus et l'on dégage quelques-unes des lois qui gouvernent le phénomène. C'est une méthode qui a fait ses preuves, mais ce n'est pas la seule. L'alchimiste répète sa manipulation sans rien faire varier, jusqu'à ce que quelque chose d'extraordinaire se produise. Il croit, au fond, en une loi naturelle assez comparable au « principe d'exclusion » formulé par le physicien Pauli, l'ami de Jung. Pour Pauli, dans un système donné (l'atome et ses molécules) il ne peut y avoir deux particules (électrons, protons, mésons) dans le même état. Tout est unique dans la nature : « Votre âme à nulle autre pareille... » C'est pour cela qu'on passe brusquement, sans intermédiaire, de l'hydrogène à l'hélium, de l'hélium au lithium, et ainsi de suite, comme l'indique, pour le physicien nucléaire, la *Table Périodique des Éléments*. Quand on ajoute à un système une particule, cette particule ne peut prendre aucun des états existant à l'intérieur de ce système. Elle prend un état nouveau et la combinaison avec les particules déjà existantes crée un système nouveau et unique.

Pour l'alchimiste, de même qu'il n'y a pas deux âmes semblables, deux êtres semblables, deux plantes semblables (Pauli dirait : deux électrons semblables), il n'y a pas deux expériences semblables. Si l'on répète des milliers de fois une expérience, quelque chose d'extraordinaire finira par se produire. Nous ne sommes pas assez compétents pour lui donner tort ou raison. Nous nous contentons de remarquer qu'une science moderne : la science des rayons cosmiques, a adopté une méthode comparable à celle de l'alchimiste. Cette science étudie les phénomènes causés par l'arrivée, dans un appareil de détection ou sur une plaque, de particules d'une formidable énergie venant d'étoiles. Ces phénomènes ne peuvent être obtenus à volonté. Il faut attendre. Parfois, on enregistre un phénomène extraordinaire. C'est ainsi que dans l'été 1957, au cours des recherches poursuivies aux États-Unis par le professeur Bruno Rossi, une particule animée d'une énergie formidable, jamais enregistrée jusqu'ici, et venant peut-être d'une autre galaxie que notre Voie lactée, impressionna 1 500 compteurs à la fois dans un rayon de huit kilomètres carrés, créant sur son passage une énorme gerbe de débris atomiques. On ne conçoit aucune machine capable de produire une telle énergie. Jamais un tel événement n'avait eu lieu, de mémoire de savant, et l'on ne sait s'il aura lieu de nouveau. C'est un événement exceptionnel, d'origine terrestre ou cosmique, influençant son creuset, que semble attendre notre alchimiste. Peut-être pourrait-il abréger son attente en utilisant des moyens plus actifs que le feu, par exemple en chauffant son creuset dans un four à induction par la méthode de lévitation[1], ou encore en ajoutant des isotopes radio-actifs à son mélange. Il pourrait alors faire et refaire sa manipulation, non pas plusieurs fois par semaine, mais plusieurs milliards de fois par seconde, multipliant ainsi les chances de capter « l'événement » nécessaire à la réussite de l'expérience. Mais l'alchimiste d'aujourd'hui, comme celui d'hier, travaille en secret, pauvrement, et tient l'attente pour vertu.

Poursuivons notre description : au bout de plusieurs années d'un travail toujours le même, de jour et de nuit, notre alchimiste finit par estimer que la première phase est terminée. Il ajoute alors à son mélange un oxydant : le nitrate de potasse, par exemple. Il y a dans son creuset du soufre provenant de la pyrite et du charbon provenant de l'acide organique. Soufre, charbon et nitrate : c'est au cours de cette manipulation que les anciens alchimistes ont découvert la poudre à canon.

Il va recommencer à dissoudre, puis à calciner, sans relâche, durant des mois et des années, dans l'attente d'un signe. Sur la nature de ce signe, les ouvrages alchimiques diffèrent, mais c'est peut-être qu'il y a plusieurs phénomènes possibles. Ce signe se produit au moment d'une dissolution. Pour certains alchimistes, il s'agit de la formation de cristaux en forme d'étoiles à la surface du bain. Pour d'autres, une couche d'oxyde apparaît à la surface de ce bain, puis se déchire, découvrant le métal lumineux dans lequel semblent se

---

1. Cette méthode consiste à suspendre le mélange à fondre dans le vide, hors de tout contact avec une paroi matérielle, au moyen d'un champ magnétique.
On fond alors par un courant à haute fréquence.
L'hebdomadaire américain *Life*, en janvier 1958, a publié de très belles photos d'un four de ce genre, en action.

refléter, en image réduite, tantôt la Voie lactée, tantôt les constellations[1].

Ce signe reçu, l'alchimiste retire son mélange du creuset et le « laisse mûrir », à l'abri de l'air et de l'humidité, jusqu'au premier jour du prochain printemps. Quand il reprendra les opérations, celles-ci viseront à ce que l'on nomme, dans les vieux textes, « la préparation des ténèbres ». Des recherches récentes sur l'histoire de la chimie ont montré que le moine allemand Berthold le Noir (Berthold Schwarz) à qui l'on attribue communément l'invention de la poudre à canon en Occident, n'a jamais existé. Il est une figure symbolique de cette « préparation des ténèbres ».

Le mélange est placé dans un récipient transparent, en cristal de roche, fermé de manière spéciale. On a peu d'indications sur cette fermeture, dite fermeture d'Hermès, ou hermétique. Le travail consiste désormais à chauffer le récipient en dosant, avec une infinie délicatesse, les températures. Le mélange, dans le récipient fermé, contient toujours du soufre, du charbon et du nitrate. Il s'agit de porter ce mélange à un certain degré d'incandescence en évitant l'explosion. Les cas d'alchimistes gravement brûlés ou tués sont nombreux. Les explosions qui se produisent ainsi sont d'une violence particulière et dégagent des températures auxquelles, logiquement, on ne saurait s'attendre.

Le but poursuivi est l'obtention, dans le récipient, d'une « essence », d'un « fluide », que les alchimistes nomment parfois « l'aile de corbeau ».

Expliquons-nous là-dessus. Cette opération n'a pas d'équivalent dans la physique et la chimie modernes. Cependant, elle n'est pas sans analogies. Lorsque l'on dissout dans le gaz ammoniac liquide un métal tel que

---

1. Jacques Bergier déclare avoir assisté à ce phénomène.

le cuivre, on obtient une coloration bleu foncé qui vire au noir pour les grandes concentrations. Le même phénomène se produit si l'on dissout dans le gaz ammoniac liquéfié de l'hydrogène sous pression ou des amines organiques, de manière à obtenir le composé instable NH_4 qui a toutes les propriétés d'un métal alcalin et que, pour cette raison, on a appelé « ammonium ». Il y a lieu de croire que cette coloration bleu-noir, qui fait songer à « l'aile de corbeau » du fluide obtenu par les alchimistes, est la couleur même du gaz électronique. Qu'est-ce que le « gaz électronique » ? C'est, pour les savants modernes, l'ensemble d'électrons libres qui constituent un métal et lui assurent ses propriétés mécaniques, électriques et thermiques. Il correspond, dans la terminologie d'aujourd'hui, à ce que l'alchimiste appelle « l'âme » ou encore « l'essence » des métaux. C'est cette « âme » ou cette « essence » qui se dégage dans le récipient hermétiquement clos et patiemment chauffé de l'alchimiste.

Il chauffe, laisse refroidir, chauffe à nouveau, et ceci pendant des mois ou des années, observant à travers le cristal de roche la formation de ce qui est aussi nommé « l'œuf alchimique » : le mélange changé en un fluide bleu-noir. Il ouvre finalement son récipient dans l'obscurité, à la lumière seule de cette sorte de liquide fluorescent. Au contact de l'air, ce liquide fluorescent se solidifie et se sépare.

Il obtiendrait ainsi des substances tout à fait nouvelles, inconnues dans la nature et ayant toutes les propriétés d'éléments chimiques purs, c'est-à-dire inséparables par les moyens de la chimie.

Des alchimistes modernes prétendent avoir ainsi obtenu des éléments chimiques nouveaux, et ceci en quantités pondérables. Fulcanelli aurait extrait d'un kilo de fer, vingt grammes d'un corps tout à fait nouveau dont les propriétés chimiques et physiques ne correspondent à aucun élément chimique connu. La même opération serait applicable à tous les éléments, dont la plupart donneraient deux éléments nouveaux par élément traité.

Une telle affirmation est de nature à choquer l'homme de laboratoire. Actuellement, la théorie ne permet pas de prévoir d'autres séparations d'un élément chimique que celles-ci :

— La molécule d'un élément peut prendre plusieurs états : orthohydrogène et parahydrogène, par exemple.

— Le noyau d'un élément peut prendre un certain nombre d'états isotopiques caractérisés par un nombre de neutrons différent. Dans le lithium 6, le noyau contient trois neutrons et dans le lithium 7, le noyau en contient quatre.

Nos techniques, pour séparer les divers états allotropiques de la molécule et les divers états isotopiques du noyau, exigent la mise en œuvre d'un énorme matériel.

Les moyens de l'alchimiste sont, en regard, dérisoires, et il parviendrait, non pas à un changement d'état de la matière, mais à la création d'une matière nouvelle, ou tout au moins à une décomposition et recomposition différente de la matière. Toute notre connaissance de l'atome et du noyau est basée sur le modèle « saturnien » de Nagasaka et Rutherford : le noyau et son anneau d'électrons. Il n'est pas évident que, dans l'avenir, une autre théorie ne nous amène pas à réaliser des changements d'états et des séparations d'éléments chimiques inconcevables en ce moment.

Donc, notre alchimiste a ouvert son récipient de cristal de roche et obtenu, par refroidissement du liquide fluorescent au contact de l'air, un ou plusieurs éléments nouveaux. Il reste des scories. Ces scories, il va les laver, pendant des mois, à l'eau tridistillée. Puis il conservera cette eau à l'abri de la lumière et des variations de température.

Cette eau aurait des propriétés chimiques et médicales extraordinaires. C'est le dissolvant universel et l'élixir de longue vie de la tradition, l'élixir de Faust[1].

Ici, la tradition alchimique paraît en harmonie avec la science d'avant-garde. Pour la science ultramoderne, en effet, l'eau est un mélange extrêmement complexe et réactif. Les chercheurs penchés sur la question des oligo-éléments, et notamment le docteur Jacques Ménétrier, ont constaté que, pratiquement, tous les métaux étaient solubles dans l'eau en présence de certains catalyseurs comme le glucose et sous certaines variations de température. L'eau formerait en outre de véritables composés chimiques, des hydrates, avec des gaz inertes tels que l'hélium et l'argon. Si l'on savait quel est le constituant de l'eau responsable de la formation des hydrates au contact d'un gaz inerte, il serait possible de stimuler le pouvoir solvant de l'eau et ainsi d'obtenir un véritable dissolvant universel. La très sérieuse revue russe *Savoir et Force* écrivait dans son numéro 11 de 1957 que l'on arriverait peut-être un jour à ce résultat en bombardant l'eau avec des radiations nucléaires et que le dissolvant universel des alchimistes serait une réalité avant la fin du siècle. Et cette revue prévoyait un certain nombre d'applications, imaginait des percées de tunnels au moyen d'un jet d'eau activée.

Notre alchimiste se trouve donc maintenant en

1. Le professeur Ralph Milne Farley, sénateur des États-Unis, et professeur de physique moderne à l'École militaire de West Point, a attiré l'attention sur le fait que certains biologistes pensent que le vieillissement est dû à l'accumulation de l'eau lourde dans l'organisme. L'élixir de longue vie des alchimistes serait une substance éliminant sélectivement l'eau lourde. De telles substances existent dans la vapeur d'eau. Pourquoi n'en existerait-il pas dans l'eau liquide traitée d'une certaine façon ? Mais une découverte de cette importance pourrait-elle être propagée sans danger ? Mr. Farley imagine une société secrète d'immortels, ou quasi-immortels, existant depuis des siècles et se reproduisant par cooptation. Une telle société, qui ne se mêlerait pas de politique et n'interviendrait nullement dans les affaires des hommes, aurait toutes chances de passer inaperçue...

possession d'un certain nombre de corps simples inconnus dans la nature et de quelques flacons d'une eau alchimique susceptible de prolonger sa vie considérablement par le rajeunissement des tissus.

Il va maintenant essayer de recombiner les éléments simples qu'il a obtenus. Il les mélange dans son mortier et les fait fondre à de basses températures, en présence de catalyseurs sur lesquels les textes sont très vagues. Plus on avance dans l'étude des manipulations alchimiques, plus les textes sont malaisés à décrypter. Ce travail va lui prendre encore plusieurs années.

Il obtiendrait ainsi, assure-t-on, des substances ressemblant absolument aux métaux connus, et en particulier aux métaux bon conducteurs de la chaleur et de l'électricité. Ce seraient le cuivre alchimique, l'argent alchimique, l'or alchimique. Les tests classiques et la spectroscopie ne permettraient pas de déceler la nouveauté de ces substances, et cependant elles auraient des propriétés nouvelles, différentes de celles des métaux connus, et surprenantes.

Si nos informations sont exactes, le cuivre alchimique, apparemment semblable au cuivre connu et pourtant très différent, aurait une résistance électrique infiniment faible, comparable à celle des superconducteurs que le physicien obtient au voisinage du zéro absolu. Un tel cuivre, s'il pouvait être utilisé, bouleverserait l'électrochimie.

D'autres substances, nées de la manipulation alchimique, seraient plus surprenantes encore. L'une d'elles serait soluble dans le verre, à basse température et avant le moment de fusion de celui-ci. Cette substance, en touchant le verre légèrement amolli, se disperserait à l'intérieur, lui donnant une coloration rouge rubis, avec fluorescence mauve dans l'obscurité. C'est la poudre obtenue en broyant ce verre modifié dans le mortier d'agate, que les textes alchimiques nomment la « poudre de projection » ou « pierre philosophale ». « En quoi, écrit Bernard, comte de la Marche Trévisane, dans son traité philosophique, est accomplie cette précieuse Pierre surmontant toute pierre précieuse, laquelle est un trésor infini à la gloire de Dieu qui vit et règne éternellement. »

On connaît les légendes merveilleuses qui s'attachent à cette pierre ou « poudre de projection » qui serait capable d'assurer des transmutations de métaux en quantités pondérables. Elle transformerait notamment certains métaux vils en or, argent ou platine, mais il ne s'agirait là que d'un des aspects de son pouvoir. Elle serait une sorte de réservoir d'énergie nucléaire en suspension, maniable à volonté.

Nous allons revenir tout à l'heure sur les questions que posent à l'homme moderne éclairé les manipulations de l'alchimiste, mais arrêtons-nous là où s'arrêtent les textes alchimiques eux-mêmes. Voici le « grand œuvre » accompli. Il se produit dans l'alchimiste lui-même une transformation que ces textes évoquent, mais que nous sommes incapables de décrire, n'ayant là-dessus que de faibles aperçus analogiques. Cette transformation serait comme la promesse, à travers un être privilégié, de ce qui attend l'humanité entière au terme de son contact intelligent avec la terre et ses éléments : sa fusion en Esprit, sa concentration en un point spirituel fixe et sa liaison avec d'autres foyers de conscience à travers les espaces cosmiques. Progressivement, ou en un soudain éclair, l'alchimiste, dit la tradition, découvre le sens de son long travail. Les secrets de l'énergie de la matière lui sont dévoilés, et en même temps lui deviennent visibles les infinies perspectives de la Vie. Il possède la clé de la mécanique de l'univers. Lui-même établit de nouveaux rapports entre son propre esprit désormais *animé* et l'esprit universel en éternel progrès de concentration. Certaines radiations de la poudre de projection sont-elles la cause de la transmutation de l'être physique ?

La manipulation du feu et de certaines substances permet donc, non seulement de transmuter les éléments, mais encore de transformer l'expérimentateur lui-même. Celui-ci, sous l'influence des forces émises par le creuset (c'est-à-dire des radiations émises par des noyaux subissant des changements de structure), entre dans un autre état. Des mutations s'opèrent en lui. Sa vie se trouve prolongée, son intelligence et ses perceptions atteignent un niveau supérieur. L'existence de tels « mutants » est un des fondements de la tradition Rose-Croix. L'alchimiste passe à un autre état de l'être. Il se trouve hissé à un autre étage de la conscience. Lui seul se découvre éveillé, et tous les autres hommes, lui semble-t-il, dorment encore. Il échappe à l'humain ordinaire, comme Mallory, sur l'Everest, disparaît, ayant eu sa minute de vérité.

« La Pierre philosophale représente ainsi le premier échelon qui peut aider l'homme à s'élever vers l'Absolu[1]. Au-delà, le mystère commence. En deçà, il n'y a pas de mystère, pas d'ésotérisme, pas d'autres ombres que celles que projettent nos désirs et surtout notre orgueil. Mais, comme il est plus facile de se satisfaire d'idées et de mots que de faire quelque chose avec ses mains, sa douleur, sa fatigue, dans le silence et dans la solitude, il est aussi plus commode de chercher dans la pensée dite " pure " un refuge, que de se battre corps à corps contre la pesanteur et les ténèbres de la matière. L'alchimie interdit toute évasion de ce genre à ses disciples. Elle les laisse face à face avec la grande

---

1. René Alleau : Préface à l'ouvrage de M. Le Breton : *Les clefs de la Philosophie spagyrique*. Éd. Caractères, Paris.

énigme... Elle nous assure seulement que si nous luttons jusqu'au bout pour nous dégager de l'ignorance, la vérité elle-même luttera pour nous et vaincra finalement toutes choses. Alors commencera peut-être la VRAIE métaphysique. »

V

Il y a temps pour tout. — Et il y a même un temps pour que les temps se rejoignent.

Les vieux textes alchimiques assurent que dans Saturne se trouvent les clés de la matière. Par une singulière coïncidence, tout ce que l'on sait aujourd'hui en physique nucléaire repose sur une définition de l'atome « saturnien ». L'atome serait, selon la définition de Nagasoka et Rutherford, « une masse centrale exerçant une attraction, entourée par des anneaux d'électrons tournants ».

C'est cette conception « saturnienne » de l'atome qui est admise par tous les savants du monde, non comme une vérité absolue, mais comme la plus efficace hypothèse de travail. Il est possible qu'elle apparaisse, aux physiciens de l'avenir, comme une naïveté. La théorie des quanta et la mécanique ondulatoire s'appliquent au comportement des électrons. Aucune théorie et aucune mécanique ne rendent compte avec exactitude des lois qui régissent le noyau. On imagine que celui-ci est composé de protons et de neutrons, et c'est tout. On ne connaît rien de précis sur les forces nucléaires. Elles ne sont ni électriques, ni magnétiques, ni de nature gravitationnelle. La dernière hypothèse retenue relie ces forces à des particules intermédiaires entre le neutron et le proton, que l'on appelle des mésons. Cela ne satisfait que l'attente d'autre chose. Dans deux ans ou dans dix ans, les hypothèses auront sans doute pris d'autres directions. Toutefois, il faut remarquer que nous sommes dans une époque où les savants n'ont ni tout à fait le temps, ni tout à fait le droit de faire de la physique nucléaire. Tous les efforts et tout le matériel disponible sont concentrés sur la fabrication d'explosifs et la production d'énergie. La recherche fondamentale est remisée à l'arrière-plan. L'urgent est de tirer le maximum de ce que l'on sait déjà. Pouvoir importe plus que savoir. C'est à cet appétit du pouvoir que semblent s'être toujours dérobés avec soin les alchimistes.

Où en sommes-nous ? Le contact avec des neutrons rend radio-actifs tous les éléments. Les explosions nucléaires expérimentales empoisonnent l'atmosphère de la planète. Cet empoisonnement qui progresse de façon géométrique, augmentera follement le nombre des enfants mort-nés, des cancers, des leucémies, gâtera les plantes, bouleversera les climats, produira des monstres, brisera nos nerfs, nous étouffera. Les gouvernements, qu'ils soient totalitaires ou démocrates, ne renonceront pas. Ils ne renonceront pas pour deux raisons. La première est que l'opinion populaire ne peut être saisie de la question. L'opinion populaire n'est pas au niveau de conscience planétaire qu'il faudrait pour réagir. La seconde est qu'il n'y a pas de gouvernement, mais des sociétés anonymes à capital humain, chargées, non de faire l'histoire, mais d'exprimer les aspects divers de la fatalité historique.

Or, si nous croyons à la fatalité historique, nous croyons qu'elle n'est elle-même qu'une des formes du destin spirituel de l'humanité, et que ce destin est beau. Nous ne pensons donc pas que l'humanité périra, quand bien même elle devrait souffrir mille morts, mais qu'à travers ses douleurs immenses et effroyables, elle naîtra — ou renaîtra — à la joie de se sentir « en marche ».

La physique nucléaire, orientée vers le pouvoir, va-t-elle, comme le dit M. Jean Rostand, « gaspiller le capital génétique de l'humanité » ? Oui, peut-être, durant quelques années. Mais nous ne pouvons pas ne pas imaginer la science devenant capable de dénouer le nœud gordien qu'elle vient de faire.

Les méthodes de transmutation actuellement connues ne permettent pas de juguler l'énergie et la radioactivité. Ce sont des transmutations étroitement limitées, dont les effets nocifs sont, eux, illimités. Si les alchimistes ont raison, il existe des moyens simples, économiques et sans danger, de produire des transmutations massives. De tels moyens doivent passer par une « dissolution » de la matière et par sa reconstruction dans un état différent de l'état initial. Aucun acquis de la physique actuelle ne permet d'y croire. C'est pourtant ce qu'affirment les alchimistes depuis des millénaires. Or, notre ignorance de la nature des forces nucléaires et de la structure du noyau nous oblige à ne pas parler d'impossibilités radicales. Si la transmutation alchimique existe, c'est que le noyau a des propriétés que nous ne connaissons pas. L'enjeu est assez important pour que soit tentée une étude vraiment sérieuse de la littérature alchimique. Si cette étude ne conduit pas à l'observation de faits irréfutables, il y a tout au moins quelque chance qu'elle suggère les idées neuves. Et ce sont les idées qui manquent le plus dans l'état présent de la physique nucléaire, soumise à l'appétit de pouvoir et assoupie sous l'énormité du matériel.

On commence à entrevoir des structures infiniment compliquées à l'intérieur du proton et du neutron, et que les lois dites « fondamentales », comme, par exemple, le principe de parité, ne s'appliquent pas au noyau.

On commence à parler d'une « antimatière », de la coexistence possible de plusieurs univers au sein de notre univers visible, de sorte que tout est possible dans l'avenir et notamment la revanche de l'alchimie. Il serait beau et conforme au noble maintien du langage alchimique, que notre salut s'opérât par le truchement de la philosophie spagyrique. Il y a temps pour tout, et il y a même un temps pour que les temps se rejoignent.

LES CIVILISATIONS
DISPARUES

I

Où les auteurs font le portrait de l'extravagant et merveilleux M. Fort. — L'incendie du sanatorium des coïncidences exagérées. — M. Fort en proie à la connaissance universelle. — Quarante mille notes sur les tempêtes de pervenches, les pluies de grenouilles et les averses de sang. — Le Livre des Damnés. — Un certain professeur Kreyssler. — Éloge et illustration de l'intermédiarisme. — L'ermite du Bronx ou le Rabelais cosmique. — Où les auteurs visitent la cathédrale Saint-Ailleurs. — Bon appétit, monsieur Fort !

Il y avait à New York, l'an 1910, dans un petit appartement bourgeois du Bronx, un bonhomme ni jeune ni vieux, qui ressemblait à un phoque timide. Son nom était Charles Hoy Fort. Il avait les pattes rondes et grasses, du ventre et des reins, pas de cou, un gros crâne à demi déplumé, le large nez asiate, des lunettes de fer et les moustaches de Gurdjieff. On eût dit aussi un professeur menchevik. Il ne sortait guère, sinon pour se rendre à la Bibliothèque municipale où il compulsait quantité de journaux, revues et annales de tous les États et toutes époques. Autour de son bureau à cylindre s'entassent des boîtes à chaussures vides et des piles de périodiques : l'*American Almanach* de 1883, le *London Times* des années 1880-1893, l'*Annual Record of Science*, vingt ans de *Philosophical Magazine*,

Les Annales de la Société Entomologique de France, la *Monthly Weather Review*, l'*Observatory*, le *Meteorological Journal*, etc. Il portait une visière verte, et quand sa femme allumait le réchaud pour le déjeuner, il allait voir dans la cuisine si elle ne risquait pas de mettre le feu. C'était cela seulement qui agaçait Mme Fort, née Anna Filan, qu'il avait choisie pour sa parfaite absence de curiosité intellectuelle, qu'il aimait bien et qui l'aimait tendrement.

Jusqu'à trente-quatre ans, Charles Fort, enfant d'épiciers d'Albany, avait vivoté grâce à un médiocre talent de journaliste et une certaine habileté dans l'embaumement des papillons. Ses parents morts et l'épicerie vendue, il venait de se constituer des rentes minuscules qui lui permettaient enfin de se livrer exclusivement à sa passion : accumuler des notes sur des événements invraisemblables et pourtant établis.

Pluie rouge sur Blankenberghe, le 2 novembre 1819, pluie de boue en Tasmanie, le 14 novembre 1902. Des flocons de neige gros comme des soucoupes à Nashville, le 24 janvier 1891. Pluie de grenouilles à Birmingham le 30 juin 1892. Des aérolithes. Des boules de feu. Des traces de pas d'un animal fabuleux dans le Devonshire. Des disques volants. Des marques de ventouses sur des montagnes. Des engins dans le ciel. Des caprices de comètes. D'étranges disparitions. Des cataclysmes inexplicables. Des inscriptions sur des météorites. De la neige noire. Des lunes bleues. Des soleils verts. Des averses de sang.

Il réunit ainsi vingt-cinq mille notes, rangées dans des boîtes de carton. Des faits, sitôt mentionnés, sitôt retombés dans la trappe de l'indifférence. Des faits, pourtant. Il appelait cela son « sanatorium des coïncidences exagérées ». Des faits dont on se refusait à parler. Il entendait monter de ses fichiers « une véritable clameur de silence ». Il s'était pris d'une sorte de tendresse pour ces réalités incongrues, chassées du domaine de la connaissance, auxquelles il donnait asile dans son pauvre bureau du Bronx et qu'il cajolait en les fichant. « Petites putains, nabots, bossus, bouffons, et pourtant leur défilé chez moi aura l'impressionnante solidité des choses qui passent, et passent, et ne cessent de passer. »

Quand il était fatigué de tenir procession des données que la Science a jugé bon d'exclure (un iceberg volant s'abat en débris sur Rouen le 5 juillet 1853. Des caraques de voyageurs célestes. Des êtres ailés à 8 000 mètres dans le ciel de Palerme le 30 novembre 1880. Des roues lumineuses dans la mer. Des pluies de soufre, de chair. Des restes de géants en Écosse. Des cercueils de petits êtres venus d'ailleurs, dans les rochers d'Édimbourg)... quand il était fatigué, il se délassait l'esprit en jouant tout seul d'interminables parties de super-échecs, sur un échiquier de son invention qui comportait 1 600 cases.

Puis, un jour, Charles Hoy Fort s'aperçut que ce formidable labeur n'était rien du tout. Inutilisable. Douteux. Une simple occupation de maniaque. Il entrevit qu'il n'avait fait que piétiner sur le seuil de ce qu'il cherchait obscurément, qu'il n'avait rien fait de ce qu'il y avait réellement à faire. Ce n'était pas une recherche, mais sa caricature. Et lui qui redoutait tant les risques d'incendie, jeta boîtes et fiches au feu.

Il venait de découvrir sa vraie nature. Ce maniaque des réalités singulières était un fanatique des idées générales. Qu'avait-il commencé inconsciemment à faire, au cours de ces années à demi perdues ? Pelotonné au fond de sa grotte à papillons et à vieux papiers, il s'était en vérité attaqué à une des grandes puissances du siècle : la certitude qu'ont les hommes civilisés de savoir tout de l'Univers dans lequel ils vivent. Et pourquoi s'était-il caché, comme honteusement, M. Charles Hoy Fort ? C'est que la moindre allusion au fait qu'il puisse exister dans l'Univers d'immenses domaines de l'Inconnu trouble désagréablement les hommes. M. Charles Hoy Fort s'était, somme toute, conduit comme un érotomane : gardons secrets nos vices, afin que la société n'entre pas en fureur, apprenant qu'elle laisse en friche la plupart des terres de la sexualité. Il s'agissait, maintenant, de passer de la maniaquerie à la prophétie, de la délectation solitaire à la déclaration de principe. Il s'agissait de faire désormais œuvre véritable, c'est-à-dire révolutionnaire.

La connaissance scientifique n'est pas objective. Elle est, comme la civilisation, une conjuration. On rejette quantité de faits parce qu'ils dérangeraient les raisonnements établis. Nous vivons sous un régime d'inquisition où l'arme la plus fréquemment employée contre la réalité non conforme est le mépris accompagné de rires. Qu'est-ce que la connaissance, dans de telles conditions ? « Dans la topographie de l'intelligence, on pourrait, dit Fort, définir la connaissance comme l'ignorance enveloppée de rires. » Il va donc falloir réclamer une addition aux libertés que garantit la Constitution : la liberté de douter de la science. Liberté de douter de l'évolution (et si l'œuvre de Darwin était une fiction ?), de la rotation de la Terre, de l'existence d'une vitesse de la lumière, de la gravitation, etc. De tout, sauf des faits. Des faits non triés, tels qu'ils se présentent, nobles ou non, bâtards ou purs, avec leurs cortèges de bizarreries et leurs concomitances incongrues. Ne rien rejeter du réel : une science future découvrira des relations inconnues entre les faits qui nous paraissent sans rapport. La science a besoin d'être secouée par un esprit boulimique quoique non crédule, neuf, sauvage. Le monde a besoin d'une encyclopédie des faits exclus, des réalités damnées. « J'ai bien peur qu'il faille livrer à notre civilisation des mondes nouveaux où les grenouilles blanches auront le droit de vivre. »

188

En huit années, le phoque timide du Bronx se mit en devoir d'apprendre tous les arts et toutes les sciences — et d'en inventer une demi-douzaine pour son propre compte. Saisi par le délire encyclopédique, il s'acharne à ce travail gigantesque qui consiste moins à apprendre qu'à prendre conscience de la totalité du vivant. « Je m'émerveillais que quiconque puisse se satisfaire d'être romancier, tailleur, industriel ou balayeur des rues. » Principes, formules, lois, phénomènes furent digérés à la Bibliothèque municipale de New York, au British Museum et par la grâce d'une énorme correspondance avec les plus grandes bibliothèques et librairies du monde. Quarante mille notes, réparties en treize cents sections, écrites au crayon sur des cartons minuscules, en un langage sténographique de son invention. Au-dessus de cette entreprise folle rayonne le don de considérer chaque sujet du point de vue d'une intelligence supérieure qui vient seulement d'en apprendre l'existence :

« L'astronomie.

« Un veilleur de nuit surveille une demi-douzaine de lanternes rouges dans une rue barrée. Il y a des becs de gaz, des lampadaires et des fenêtres éclairées dans le quartier. On gratte des allumettes, on allume des feux, un incendie s'est déclaré, il y a des enseignes au néon et des phares d'automobiles. Mais le veilleur de nuit s'en tient à son petit système... »

En même temps, il reprend ses recherches sur les faits rejetés, mais systématiquement et en s'efforçant de vérifier chacun par recoupement. Il soumet son entreprise à un plan couvrant l'astronomie, la sociologie, la psychologie, la morphologie, la chimie, le magnétisme. Il ne fait plus une collection : il tente d'obtenir le dessin de la rose des vents extérieurs, de fabriquer la boussole pour la navigation sur les océans de l'autre côté, de reconstituer le puzzle des mondes cachés derrière ce monde. Il lui faut chaque feuille qui frémit dans l'arbre immense du fantastique : des hurlements traversent le ciel de Naples le 22 novembre 1821 ; des poissons tombent des nuages sur Singapour en 1861 ; en Indre-et-Loire, un 10 avril, une cataracte de feuilles mortes ; avec la foudre, des haches de pierre s'abattent sur Sumatra ; des chutes de matière vivante ; des Tamerlan de l'espace commettent des rapts ; des épaves de mondes vagabonds circulent au-dessus de nous... « Je suis intelligent et contraste ainsi fortement avec les orthodoxes. Comme je n'ai pas le dédain aristocratique d'un conservateur new-yorkais ou d'un sorcier esquimau, je dois bien me forcer à concevoir d'autres mondes... »

Mme Fort ne s'intéresse absolument pas à tout cela. Elle est même si indifférente que l'extravagance ne lui apparaît pas. Il ne parle pas de ses travaux, ou bien à de rares amis éberlués. Il ne tient pas à les voir. Il leur écrit de temps en temps. « J'ai l'impression de me livrer à un nouveau vice recommandé aux amateurs de péchés inédits. Au début, certaines de mes données étaient si effrayantes ou si ridicules qu'on les détestait ou méprisait à la lecture. Maintenant, cela va mieux ; il y a un peu de place pour la pitié. »

Ses yeux se fatiguent. Il va devenir aveugle. Il s'arrête et médite plusieurs mois, ne se nourrissant plus que de pain bis et de fromage. L'œil redevenu clair, il entreprend d'exposer sa vision personnelle de l'univers, antidogmatique, et d'ouvrir la compréhension d'autrui à grands coups d'humour. « Parfois, je me surprenais moi-même à ne pas penser ce que je préférais croire. » A mesure qu'il avait progressé dans l'étude des diverses sciences, il avait progressé dans la découverte de leurs insuffisances. Il faut les démolir à la base : c'est l'esprit qui n'est pas le bon. Il faut tout recommencer en réintroduisant les faits exclus sur lesquels il a réuni une documentation cyclopéenne. D'abord les réintroduire. Les expliquer ensuite, si possible. « Je ne crois pas faire une idole de l'absurde. Je pense que dans les premiers tâtonnements, il n'y a pas moyen de savoir ce qui sera par la suite acceptable. Si l'un des pionniers de la zoologie (qui est à refaire) entendait parler d'oiseaux qui poussent sur les arbres, il devrait signaler avoir entendu parler d'oiseaux qui poussent sur les arbres. Puis il devrait s'occuper, mais seulement alors, de passer les données de ceci au crible. »

Signalons, signalons, nous finirons un jour par découvrir que quelque chose nous fait signe.

Ce sont les structures mêmes de la connaissance qu'il faut revoir. Charles Hoy Fort sent frémir en lui de nombreuses théories qui ont toutes les ailes de l'Ange du Bizarre. Il voit la Science comme une voiture très civilisée lancée sur une autostrade. Mais de chaque côté de cette merveilleuse piste bitume et néon s'étend un pays sauvage, plein de prodiges et de mystères. Stop ! Prospectez aussi le pays en largeur ! Déroutez-vous ! Zigzaguez ! Il faut donc faire de grands gestes désordonnés, clownesques, comme on fait pour tenter d'arrêter une voiture. Peu importe de passer pour un grotesque : c'est urgent. M. Charles Hoy Fort, ermite du Bronx, estime avoir à accomplir le plus vite et le plus fort possible un certain nombre de « singeries » tout à fait nécessaires.

Persuadé de l'importance de sa mission et libéré de sa documentation, il entreprend de ramasser en trois cents pages les meilleurs de ses explosifs. « Consumez-moi le tronc d'un séquoia, feuilletez-moi des pages de falaises crayeuses, multipliez-moi par mille et rempla-cez mon immodestie futile par une mégalomanie de Titan, alors seulement pourrai-je écrire avec l'ampleur que me réclame mon sujet. »

Il compose son premier ouvrage, *Le Livre des Damnés* où, dit-il, se trouvent proposées un « certain nombre d'expériences en matière de structure de la connaissance ». Cet ouvrage parut à New York en 1919. Il produisit une révolution dans les milieux intellectuels. Avant les premières manifestations du dadaïsme et du surréalisme, Charles Fort introduisait dans la Science ce que Tzara, Breton et leurs disciples allaient introduire dans les arts et la littérature : le refus flamboyant de jouer à un jeu où tout le monde triche, la furieuse affirmation « qu'il y a autre chose ». Un énorme effort, non peut-être pour penser le réel dans sa totalité, mais pour empêcher que le réel soit pensé de façon faussement cohérente. Une rupture essentielle. « Je suis un taon qui harcèle le cuir de la connaissance pour l'empêcher de dormir. »

Le Livre des Damnés ? « Un rameau d'or pour les cinglés », déclara John Winterich. « Une des monstruosités de la littérature », écrivit Edmund Pearson. Pour Ben Hecht, « Charles Fort est l'apôtre de l'exception et le prêtre mystificateur de l'improbable ». Martin Gardner, cependant, reconnaît que « ses sarcasmes sont en harmonie avec les critiques les plus valables d'Einstein et de Russell ». John W. Campbell assure « qu'il y a dans cette œuvre les germes d'au moins six sciences nouvelles ». « Lire Charles Fort, c'est chevaucher une comète », avoue Maynard Shipley, et Théodore Dreiser voit en lui « la plus grande figure littéraire depuis Edgar Poe ».

Ce n'est qu'en 1955 que *Le Livre des Damnés* fut publié en France[1] par mes soins qui ne furent sans doute pas

---

1. Éd. des Deux-Rives, Paris, Coll. « Lumière interdite », dirigée par Louis Pauwels.
Après *Le Livre des Damnés*, Fort publia, en 1923, *Terres Nouvelles.* Parus après sa mort : *Lo!* en 1931 et *Talents sauvages*, en 1932. Ces œuvres jouissent d'une certaine célébrité en Amérique, en Angleterre et en Australie.
J'emprunte de nombreuses données à l'étude de Robert Benayoun.

assez diligents. En dépit d'une excellente traduction et présentation de Robert Benayoun et d'un message de Tiffany Thayer, qui préside aux États-Unis la Société des Amis de Charles Fort[1], cet ouvrage extraordinaire passa quasiment inaperçu. Nous nous consolâmes, Bergier et moi, de cette mésaventure d'un de nos plus chers maîtres en imaginant celui-ci goûter, du fond de la super-mer des Sargasses célestes où il réside sans doute, cette clameur du silence qui monte vers lui du pays de Descartes.

Notre ancien embaumeur de papillons avait horreur du fixé, du classé, du défini. La Science isole les phénomènes et les choses pour les observer. La

1. M. Tiffany Thayer déclarait notamment :
« Les qualités de Charles Fort séduisirent un groupe d'écrivains américains qui résolurent de poursuivre, en son honneur, l'attaque qu'il avait lancée contre les prêtres tout-puissants du nouveau Dieu : la Science, et contre toutes les formes de dogmes. C'est dans ce but que fut fondée la Société Charles Fort, le 26 janvier 1931.
« Parmi ses fondateurs se trouvaient Théodore Dreiser, Booth Tarkington, Ben Hecht, Harry Leon Wilson, John Cowper Powys, Alexander Woollcott, Burton Rascoe, Aaron Sussman, et le secrétaire soussigné Tiffany Thayer.
« Charles Fort mourut en 1932, à la veille de la publication de son quatrième ouvrage. *Talents sauvages*. Les innombrables notes qu'il avait recueillies dans les bibliothèques du monde entier, par le truchement d'une correspondance internationale, furent léguées à la Société Charles Fort : elles constituent aujourd'hui le noyau des archives de cette société, lesquelles s'accroissent chaque jour grâce à la contribution des membres de quarante-neuf pays, sans compter les États-Unis, l'Alaska et les îles Hawaï.
« La société publie une revue trimestrielle, *Doubt* (Le Doute). Cette revue est en outre une sorte de chambre de compensation pour tous les faits " maudits ", c'est-à-dire ceux que la science orthodoxe ne peut ou ne veut assimiler : par exemple, les soucoupes volantes. En effet, les renseignements et les statistiques que possède la société sur ce sujet constituent l'ensemble le plus ancien, le plus vaste et le plus complet qui soit.
« La revue *Doubt* publie également les notes de Fort. »

grande idée de Charles Fort est que rien n'est isolable. Toute chose isolée cesse d'exister.

Un machaon pompe une giroflée : c'est un papillon plus du suc de giroflée ; c'est une giroflée moins un appétit de papillon. Toute définition d'une chose en soi est un attentat contre la réalité. « Parmi les tribus dites sauvages, on entoure de soins respectueux les simples d'esprit. On reconnaît généralement la définition d'une chose en termes d'elle-même comme un signe de faiblesse d'esprit. Tous les savants commencent leurs travaux par ce genre de définition, et parmi nos tribus, on entoure de soins respectueux les savants. »

Voilà Charles Hoy Fort, amateur d'insolite, scribe des miracles, engagé dans une formidable réflexion sur la réflexion. Car c'est à la structure mentale de l'homme civilisé qu'il s'en prend. Il n'est plus du tout d'accord avec le moteur à deux temps qui alimente le raisonnement moderne. Deux temps : le oui et le non, le positif et le négatif. La connaissance et l'intelligence modernes reposent sur ce fonctionnement binaire : juste, faux, ouvert, fermé ; vivant, mort, liquide, solide, etc. Ce que réclame Fort contre Descartes, c'est un point de vue sur le général à partir de quoi le particulier pourrait être défini dans ses rapports avec lui ; à partir de quoi chaque chose serait perçue comme intermédiaire d'autre chose. Ce qu'il réclame, c'est une nouvelle structure mentale, capable de percevoir comme réels les états intermédiaires entre le oui et le non, le positif et le négatif. C'est-à-dire un raisonnement au-dessus du binaire. Un troisième œil de l'intelligence, en quelque sorte. Pour exprimer la vision de ce troisième œil, le langage, qui est un produit du binaire (une conjuration, une limitation organisé), n'est pas suffisant. Il faut donc à Fort utiliser des adjectifs à double face en épithètes-Janus « réel-irréel », « immatériel-matériel », « soluble-insoluble ».

Un de nos amis avait, un jour que nous déjeunions

avec lui, Bergier et moi, inventé de toutes pièces un grave professeur autrichien, fils d'un hôtelier de Magdebourg à l'enseigne *Les Deux Hémisphères*, nommé Kreyssler. Herr Professor Kreyssler, dont il nous entretint longuement, avait consacré une œuvre gigantesque à la refonte du langage occidental. Notre ami songeait à faire paraître dans une revue sérieuse une étude sur le « verbalisme de Kreyssler » et c'eût été une mystification très utile. Donc, Kreyssler avait tenté de dénouer le corset du langage, afin que celui-ci se gonflât enfin des états intermédiaires négligés dans notre actuelle structure mentale. Prenons un exemple. Le retard et l'avance. Comment définirai-je le retard sur l'avance que je souhaitais prendre ? Il n'y a pas de mot. Kreyssler proposait : l'*atard*. Et l'avance sur le retard que j'avais ? La *revance*. Il ne s'agit ici que des intermédiarités du temps. Plongeons dans les états psychologiques. L'amour et la haine. Si j'aime lâchement, n'aimant que moi à travers l'autre, ainsi entraîné vers la haine, est-ce l'amour ? Ce n'est que l'*amaine*. Si je hais mon ennemi, ne perdant point cependant le fil de l'unité de tous les êtres, faisant mon devoir d'ennemi mais conciliant haine et amour, ce n'est pas la haine, c'est la *hour*. Passons aux intermédiarités fondamentales. Qu'est-ce que mourir et qu'est-ce que vivre ? Tant d'états intermédiaires que nous refusons de voir ! Il y a *mouvre*, qui n'est pas vivre, qui est seulement s'empêcher de mourir. Et il y a vivre vraiment, en dépit de devoir mourir, qui est *virir*. Voyez enfin les états de conscience. Comme notre conscience flotte entre dormir et veiller. Combien de fois ma conscience ne fait que *vemir* : croire qu'elle veille quand elle se laisse dormir ! Dieu veuille que, se sachant si prompte à dormir, elle essaye de veiller, et c'est *doriller*.

Notre ami venait de lire Fort quand il nous présenta cette farce géniale. « En termes de métaphysique, dit

Fort, j'estime que tout ce que l'on nomme communément " existence " et que je nomme intermédiarité, est une quasi-existence, ni réelle, ni irréelle, mais expression d'une tentative, visant au réel ou à la pénétration d'une existence réelle. » Cette entreprise est sans précédent dans les temps modernes. Elle annonce le grand changement de structure de l'esprit qu'exigent maintenant les découvertes de certaines réalités physico-mathématiques. Au niveau de la particule, par exemple, le temps circule dans les deux sens à la fois. Des équations sont à la fois vraies et fausses. La lumière est à la fois continue et brisée.

« Ce que l'on nomme Être est le mouvement : tout mouvement n'est pas l'expression d'un équilibre, mais d'un essai de mise en équilibre ou de l'équilibre non atteint. Et le simple fait d'être se manifeste dans l'intermédiarité entre équilibre et déséquilibre. » Ceci date de 1919 et rejoint les réflexions contemporaines d'un physicien biologiste comme Jacques Ménétrier sur l'inversion de l'entropie. « Tous les phénomènes, dans notre état intermédiaire ou quasi-état, représentent une tentative vers l'organisation, l'harmonisation, l'individualisation, c'est-à-dire une tentative d'atteindre la réalité. Mais toute tentative est mise en échec par la continuité, ou par les forces extérieures, par les faits exclus, contigus des inclus. » Ceci anticipe sur une des opérations les plus abstraites de la physique quantique : la normalisation des fonctions, opération qui consiste à établir la fonction décrivant un objet physique de telle façon qu'il y ait une possibilité de retrouver cet objet dans l'univers tout entier.

« Je conçois toutes choses comme occupant des gradations, des étapes sérielles entre la réalité et l'irréalité. » C'est pourquoi peu importe à Fort de s'emparer de tel fait ou de tel autre pour commencer à décrire la totalité. Et pourquoi choisir un fait rassurant pour la raison, plutôt qu'un fait inquiétant ?

Pourquoi exclure ? Pour calculer un cercle, on peut commencer n'importe où. Il signale, par exemple, l'existence d'objets volants. Voilà un groupe de faits à partir desquels on peut commencer à saisir la totalité. Mais, dit-il aussitôt, « une tempête de pervenches ferait aussi bien l'affaire ».

« Je ne suis pas un réaliste. Je ne suis pas un idéaliste. Je suis un intermédiariste. » Comment, si l'on s'attaque à la racine de la compréhension, à la base même de l'esprit, se faire entendre ? Par une apparente excentricité qui est le langage-choc du génie réellement centraliste : il va d'autant plus loin chercher ses images qu'il est sûr de les ramener au point fixe et profond de sa méditation. Dans une certaine mesure, notre compère Charles Hoy Fort procède à la manière de Rabelais. Il fait un tintamarre d'humour et d'images à réveiller les morts.

« Je collectionne des notes sur tous sujets doués de quelque diversité, comme les déviations de la concentricité dans le cratère lunaire Copernic, l'apparition soudaine de Britanniques pourpres, les météores stationnaires, ou la poussée soudaine de cheveux sur la tête chauve d'une momie. Toutefois, mon plus grand intérêt ne se porte pas sur les faits, mais sur les rapports entre les faits. J'ai longtemps médité sur les soi-disant rapports que l'on nomme coïncidences. Et s'il n'y avait pas de coïncidences ? »

« Aux jours d'antan, lorsque j'étais un garnement spécialement pervers, on me condamnait à travailler le samedi dans la boutique paternelle, où je devais gratter les étiquettes des boîtes de conserve concurrentes, pour y coller celles de mes parents. Un jour que je disposais d'une véritable pyramide de conserves de fruits et de légumes, il ne me restait plus que des étiquettes de pêches. Je les collai sur les boîtes de pêches, lorsque j'en vins aux abricots. Et je pensai : les abricots ne sont-ils pas des pêches ? Et certaines prunes ne sont-elles pas des abricots ? Là-dessus, je me mis facétieusement ou scientifiquement à coller mes étiquettes de pêches sur les boîtes de prunes, de cerises, de haricots et de petits pois. Quel était mon motif ? Je l'ignore à ce jour, n'ayant pas encore décidé si j'étais un savant ou un humoriste. »

« Une nouvelle étoile apparaît : jusqu'à quel point diffère-t-elle de certaines gouttes d'origine inconnue qu'on vient de relever sur un cotonnier de l'Oklahoma ? »

« J'ai en ce moment un spécimen de papillon particulièrement brillant : un sphinx tête-de-mort. Il couine comme une souris et le son me paraît vocal. On dit du papillon Kalima, lequel ressemble à une feuille morte, qu'il imite la feuille morte. Mais le sphinx tête-de-mort imite-t-il les ossements ? »

« S'il n'y a pas de différences positives, il n'est pas possible de définir quoi que ce soit comme positivement différent d'autre chose. Qu'est-ce qu'une maison ? Une grange est une maison, à condition qu'on y vive. Mais si la résidence constitue l'essence d'une maison, plutôt que le style d'architecture, alors un nid d'oiseau est une maison. L'occupation humaine ne constitue pas le critère, puisque les chiens ont leur maison ; ni la matière, puisque les Esquimaux ont des maisons de neige. Et deux choses aussi positivement différentes que la Maison-Blanche de Washington et la coquille d'un bernard-l'ermite se révèlent contiguës. »

« Des îles de corail blanc sur une mer bleu sombre.

« Leur apparence de distinction, leur apparence d'individualité ou la différence positive qui les sépare, ne sont que projection du même fond océanique. La différence entre terre et mer n'est pas positive. Dans toute eau il y a un peu de terre, dans toute terre il y a de l'eau. En sorte que toutes les apparences sont fallacieuses puisqu'elles font partie d'un même spectre. Un pied de table n'a rien de positif, il n'est qu'une projection de quelque chose. Et aucun de nous n'est une personne puisque physiquement nous sommes contigus de ce qui nous entoure, puisque psychiquement il ne nous parvient rien d'autre que l'expression de nos rapports avec tout ce qui nous entoure.

« Ma position est la suivante : toutes les choses qui semblent posséder une identité individuelle ne sont que des îles, projections d'un continent sous-marin, et n'ont pas de contours réels. »

« Par beauté, je désignerai ce qui semble complet. L'incomplet ou le mutilé est totalement laid. La Vénus de Milo. Un enfant la trouverait laide. Si un esprit pur l'imagine complète, elle deviendra belle. Une main conçue en tant que main peut sembler belle. Abandonnée sur un champ de bataille, elle ne l'est plus. Mais tout ce qui nous entoure est une partie de quelque chose, elle-même partie d'une autre : en ce monde, il n'est rien de beau, seules les apparences sont intermédiaires entre la beauté et la laideur. Seule est complète l'universalité, seul est beau le complet. »

La profonde pensée de notre maître Fort, c'est donc l'unité sous-jacente de toutes choses et de tous phénomènes. Or, la pensée civilisée du XIXᵉ siècle finissant place partout des parenthèses, et notre mode de raisonnement, binaire, n'envisage que la dualité. Voilà le folsage du Bronx en révolte contre la Science exclusionniste de son temps, et aussi contre la structure même de notre intelligence. Une autre forme d'intelligence lui paraît nécessaire : une intelligence en quelque sorte mystique, éveillée à la présence de la Totalité. A partir de quoi, il va suggérer d'autres méthodes de connaissance. Pour nous y préparer, il procède par déchirements, éclatements de nos habitudes de pensée. « Je vous enverrai dinguer contre les portes qui ouvrent sur autre chose. »

Cependant, M. Fort n'est pas un idéaliste. Il milite contre notre peu de réalisme : nous refusons le réel quand il est fantastique. M. Fort ne prêche pas une nouvelle religion. Tout au contraire, il s'empresse de dresser une barrière autour de sa doctrine pour empêcher les esprits faibles d'y entrer. Que « tout soit dans tout », que l'univers soit contenu dans un grain de sable, il en est persuadé. Mais cette certitude métaphysique ne peut briller qu'au plus haut niveau de la réflexion. Elle ne saurait descendre au niveau de l'occultisme primaire sans devenir ridicule. Elle ne saurait permettre les délires de la pensée analogique, si chère aux douteux ésotéristes qui vous expliquent sans cesse une chose par une autre chose : la Bible par les nombres, la dernière guerre par la Grande Pyramide, la Révolution par les tarots, mon avenir par les astres — et qui voient partout des signes de tout. « Il y a probablement un rapport entre une rose et un hippopotame, cependant il ne viendra jamais à un jeune homme l'idée d'offrir à sa fiancée un bouquet d'hippopotames. » Mark Twain, dénonçant le même vice de pensée, déclarait plaisamment qu'on peut expliquer *La Chanson de Printemps* par les Tables de la Loi puisque Moïse et Mendelssohn sont le même nom : il suffit de remplacer oïsᵉ par endelssohn. Et Charles Fort revient à la charge avec cette caricature : « On peut identifier un éléphant à un tournesol : tous deux ont une longue tige. On ne peut distinguer un chameau d'une cacahuète, si l'on ne considère que les bosses. »

Tel est le bonhomme, solide et de gay savoir. Voyons maintenant sa pensée prendre une ampleur cosmique.

Et si la terre elle-même n'était pas réelle en tant que telle ? Si elle n'était que quelque chose d'intermédiaire dans le cosmos ? La terre n'est peut-être nullement indépendante, et la vie sur terre n'est peut-être nullement indépendante d'autres vies, d'autres existences dans les espaces...

Quarante mille notes sur les pluies de toutes sortes qui se sont abattues ici-bas ont depuis longtemps invité Charles Fort à admettre l'hypothèse que la plupart de celles-ci ne sont pas d'origine terrestre. « Je propose qu'on envisage l'idée qu'il y a, au-delà de notre monde, d'autres continents d'où tombent des objets, tout comme les épaves de l'Amérique dérivent sur l'Europe. »

Disons-le immédiatement : Fort n'est pas un naïf. Il ne croit pas tout. Il s'insurge seulement contre l'habitude de nier *a priori*. Il ne désigne pas du doigt des vérités : il donne des coups de poing pour démolir l'édifice scientifique de son temps, constitué par des vérités si partielles qu'elles ressemblent à des erreurs. Il rit ? C'est qu'on ne voit pas pourquoi l'effort humain vers la connaissance ne serait pas parfois traversé par le rire, qui est humain aussi. Il invente ? Il rêve ? Il extrapole ? Rabelais cosmique ? Il en convient. « Ce livre est une fiction, comme *les Voyages de Gulliver*, *l'Origine des Espèces* et d'ailleurs la Bible. »

« Des pluies et des neiges noires, des flocons de neige, noire comme le jais. Du mâchefer à fonderie tombe du ciel dans la mer d'Écosse. On le retrouve en si grande quantité que le produit eût pu représenter le rendement global de toutes les fonderies du monde. Je pense à une île avoisinant un trajet commercial trans-océanique. Elle pourrait recevoir plusieurs fois par an des détritus provenant des navires de passage. » Pourquoi pas des débris ou des déchets de navires interstellaires ?

Des pluies de substance animale, de matière gélatineuse, accompagnées d'une forte odeur de pourriture. « Admettra-t-on que dans les espaces infinis flottent de vastes régions visqueuses et gélatineuses ? » S'agirait-il de cargaisons alimentaires déposées dans le ciel par les Grands Voyageurs d'autres mondes ? « J'ai le sentiment qu'au-dessus de nos têtes une région stationnaire, dans laquelle les forces gravitationnelle et météorologique terrestres sont relativement inertes, reçoit extérieurement des produits analogues aux nôtres. »

Des pluies d'animaux vivants : des poissons, des grenouilles, des tortues. Venus d'ailleurs ? dans ce cas, les êtres humains aussi sont peut-être venus ancestralement d'ailleurs... A moins qu'il ne s'agisse d'animaux arrachés à la terre par des ouragans, des trombes, et déposés dans une région de l'espace où ne joue pas la gravitation, sorte de chambre froide où se conservent indéfiniment les produits de ces rapts. Enlevés à la terre et ayant passé la porte qui donne sur ailleurs, rassemblés dans une super-mer des Sargasses du ciel. « Les objets soulevés par les ouragans peuvent être entrés dans une zone de suspension située au-dessus de la terre, flotter l'un près de l'autre longuement, tomber enfin... » « Vous avez les données, faites-en ce qu'il vous plaira... » « Où vont les trombes, de quoi sont-elles faites ?... » « Une super-mer des Sargasses : épaves, détritus, vieilles cargaisons des naufrages interplanétaires, objets rejetés dans ce que l'on nomme espace par les convulsions des planètes voisines, reliques du temps des Alexandres, des Césars et des Napoléons de Mars, de Jupiter et de Neptune. Objets soulevés par nos cyclones : granges et chevaux, éléphants, mouches, ptérodactyles et moas, feuilles d'arbres récentes ou de l'âge carbonifère, le tout tendant à se désintégrer en boues ou en poussières homogènes, rouges, noires ou jaunes, trésors pour paléontologues ou archéologues, accumulations de siècles, ouragans de l'Égypte, de la Grèce, de l'Assyrie... »

« Des pierres tombent avec la foudre. Les paysans ont cru aux météorites, la Science a exclu les météorites. Les paysans croient aux pierres de foudre, la Science exclut les pierres de foudre. Il est inutile de souligner que les paysans arpentent la campagne pendant que les savants se cloîtrent dans leurs laboratoires et leurs salles de conférences. »

Des pierres de foudre taillées. Des pierres chargées de marques, de signes. Et si d'autres mondes tentaient ainsi, et autrement, de communiquer avec nous, ou tout au moins avec certains de nous ? « Avec une secte, peut-être une société secrète, ou certains habitants très ésotériques de cette terre ? » Il y a des milliers et des milliers de témoignages sur ces tentatives de communication. « Mon expérience prolongée de la suppression et de l'indifférence me donne à penser, avant même d'entrer dans le sujet, que les astronomes ont vu ces mondes, que les météorologues, que les savants, que les observateurs spécialisés les ont aperçus à maintes reprises. Mais que le Système en a exclu toutes les données. »

Rappelons encore une fois que ceci est écrit aux

environs de 1910. Aujourd'hui, Russes et Américains construisent des laboratoires pour l'étude des signaux qui pourraient nous être faits par d'autres mondes.

Et peut-être avons-nous été visités dans un lointain passé ? Et si la paléontologie était fausse ? Et si les grands ossements découverts par les savants exclusionnistes du XIXe siècle avaient été rassemblés arbitrairement ? Restes d'êtres gigantesques, visiteurs occasionnels de notre planète ? Au fond, qui nous oblige à croire à la faune préhumaine dont nous entretiennent les paléontologues qui n'en savent pas plus que nous ? « Quelle que soit ma nature optimiste et crédule, chaque fois que je visite le Musée Américain d'Histoire Naturelle, mon cynisme reprend le dessus dans la section " Fossiles ". Ossements gigantesques, reconstruits de manière à faire des Dinosaures " vraisemblables ". A l'étage au-dessous, il y a une reconstitution du " Dodo ". C'est une vraie fiction, présentée comme telle. Mais édifiée avec un tel amour, une telle ardeur à convaincre... »

« Pourquoi, si nous avons été visités, ne le sommes nous plus ?

« J'entrevois une réponse simple et immédiatement acceptable :

« Éduquerions-nous, civiliserions-nous, si nous le pouvions, des cochons, des oies et des vaches ? Serions-nous avisés d'établir des relations diplomatiques avec la poule qui fonctionne pour nous satisfaire de son sens absolu de l'achèvement ?

« Je crois que nous sommes des biens immobiliers, des accessoires, du bétail.

« Je pense que nous appartenons à quelque chose. Qu'autrefois, la Terre était une sorte de *no man's land* que d'autres mondes ont exploré, colonisé et se sont disputé entre eux.

« A présent, quelque chose possède la Terre et en a éloigné tous les colons. Rien ne nous est apparu venant d'ailleurs, aussi ouvertement qu'un Christophe Colomb débarquant sur San Salvador ou Hudson remontant le fleuve qui porte son nom. Mais, quant aux visites subreptices rendues à la planète, tout récemment encore, quant aux voyageurs émissaires venus peut-être d'un autre monde et tenant beaucoup à nous éviter, nous en aurons des preuves convaincantes.

« En entreprenant cette tâche, il me faudra négliger à mon tour certains aspects de la réalité. Je vois mal par exemple comment couvrir dans un seul livre tous les usages possibles de l'humanité pour un mode différent d'existence ou même justifier l'illusion flatteuse qui veut que nous soyons utiles à quelque chose. Des cochons, des oies et des vaches doivent tout d'abord découvrir qu'on les possède, puis se préoccuper de savoir pourquoi on les possède. Peut-être sommes-nous utilisables, peut-être un arrangement s'est-il opéré entre plusieurs parties : quelque chose a sur nous droit légal par la force, après avoir payé pour l'obtenir l'équivalent des verroteries que lui réclamait notre propriétaire précédent, plus primitif. Et cette transaction est connue depuis plusieurs siècles par certains d'entre nous, moutons de tête d'un culte ou d'un ordre secret, dont les membres en esclaves de première classe nous dirigent au gré des instructions reçues, et nous aiguillent vers notre mystérieuse fonction.

« Autrefois, bien avant que la possession légale ait été établie, des habitants d'une foule d'Univers ont atterri sur terre, y ont sauté, volé, mis à la voile ou dérivé, poussés, tirés vers nos rivages, isolément ou bien par groupes, nous visitant à l'occasion ou périodiquement, pour raisons de chasse, de troc ou de prospection, peut-être aussi pour remplir leurs harems. Ils ont chez nous planté leurs colonies, se sont perdus ou ont dû repartir. Peuples civilisés ou primitifs, êtres ou choses, formes blanches, noires ou jaunes. »

Nous ne sommes pas seuls, la Terre n'est pas seule, « nous sommes tous des insectes et des souris, et seulement différentes expressions d'un grand fromage universel » dont nous percevons très vaguement les fermentations et l'odeur. Il y a d'autres mondes derrière le nôtre, d'autres vies derrière ce que nous appelons la vie. Abolir les parenthèses de l'exclusionnisme pour ouvrir les hypothèses de l'Unité fantastique. Et tant pis si nous nous trompons, si nous dessinons, par exemple, une carte de l'Amérique sur laquelle l'Hudson conduirait directement à la Sibérie, l'essentiel, dans ce moment de renaissance de l'esprit et des méthodes de connaissance, est que nous sachions fermement que les cartes sont à redessiner, que le monde n'est pas ce que nous pensions qu'il était, et que nous devons nous-mêmes devenir, au sein de notre propre conscience, autre chose que ce que nous étions.

D'autres mondes communiquent avec la terre. Il y a des preuves. Celles que nous croyons voir ne sont peut-être pas les bonnes. Mais il y en a. Les marques de ventouses sur les montagnes : des preuves ? On ne sait. Mais elles nous mettront l'esprit en éveil pour en trouver de meilleures :

« Ces marques me paraissent symboliser la communication.

« Mais pas des moyens de communication entre habitants de la terre. J'ai l'impression qu'une force extérieure a marqué de symboles les rochers de la terre, et ceci de très loin. Je ne pense pas que les marques de ventouses soient des communications inscrites entre divers habitants de la terre, parce qu'il paraît inacceptable que les habitants de la Chine, de l'Écosse et de l'Amérique aient tous conçu le même système. Les marques de ventouses sont des séries d'impressions à même le roc et faisant penser irrésistiblement à des ventouses. Parfois, elles sont entourées d'un cercle, parfois d'un simple demi-cercle. On en trouve virtuellement partout, en Angleterre, en France, en Amérique, en Algérie, en Caucasie et en Palestine, partout sauf peut-être dans le Grand Nord. En Chine, les falaises en sont parsemées. Sur une falaise proche du lac de Côme, il y a un labyrinthe de ces marques. En Italie, en Espagne et aux Indes, on les trouve en quantités incroyables. Supposons qu'une force disons analogue à la force électrique puisse de loin marquer les rochers, comme le sélénium peut à des centaines de kilomètres être marqué par les téléphotographes, mais je suis l'homme de deux esprits.

« Des explorateurs perdus venus de quelque part. On tente, de quelque part, de communiquer avec eux, et une frénésie de messages pleut en averse sur la terre, dans l'espoir que certains d'entre eux marqueront les rochers, près des explorateurs égarés. Ou encore, quelque part sur terre, il y a une surface rocheuse d'un genre très spécial, un récepteur, une construction polaire, ou une colline abrupte et conique, sur laquelle depuis des siècles viennent s'inscrire les messages d'un autre monde. Mais parfois, ces messages se perdent et marquent des parois situées à des milliers de kilomètres du récepteur. Peut-être les forces dissimulées derrière l'histoire de la terre ont-elles laissé sur les rochers de Palestine, d'Angleterre, de Chine et des Indes, des archives qui seront un jour déchiffrées, ou des instructions mal dirigées à l'adresse des ordres ésotériques, des francs-maçons, et des jésuites de l'espace. »

Aucune image ne sera trop folle, aucune hypothèse trop ouverte : béliers pour enfoncer la forteresse. Il y a des engins volants, il y a des explorateurs dans l'espace. Et s'ils prélevaient au passage, pour examen, quelques organismes vivants d'ici-bas ? « Je crois qu'on nous pêche. Peut-être sommes-nous hautement estimés par les super-gourmets des sphères supérieures ? Je suis ravi de penser qu'après tout je puisse être utile à quelque chose. Je suis sûr que bien des filets ont traîné dans notre atmosphère, et ont été identifiés à des trombes ou à des ouragans. Je crois qu'on nous pêche, mais je ne le mentionne qu'en passant... »

Voici atteintes les profondeurs de l'inadmissible, murmure avec une tranquille satisfaction notre petit père Charles Hoy Fort. Il retire sa visière verte, frotte ses gros yeux usés, lisse sa moustache de phoque, et il va voir dans la cuisine si sa bonne épouse, Anna, en faisant cuire les haricots rouges du dîner, ne risque pas de mettre le feu à la baraque, aux cartons, aux fiches, au musée de la coïncidence, au conservatoire de l'improbable, au salon des artistes célestes, au bureau des objets tombés, à cette bibliothèque des autres mondes, à cette cathédrale Saint-Ailleurs, au scintillant, au fabuleux costume de Folie que porte la Sagesse.

Anna, ma chère, éteignez donc votre réchaud.

Bon appétit, monsieur Fort.

II

Une hypothèse pour le bûcher. — Où le clergyman et le biologiste sont des comiques. — On demande un Copernic de l'anthropologie. — Beaucoup de blancs sur toutes les cartes. — Le docteur Fortune n'est pas curieux. — Le mystère du platine fondu. — Des cordes qui sont des livres. — L'arbre et le téléphone. — Un relativisme culturel. — Et maintenant, une bonne petite histoire !

Action militante pour la plus grande ouverture d'esprit possible, initiation à la conscience cosmique, l'œuvre de Charles Fort va directement inspirer le plus grand poète des univers parallèles, H. P. Lovecraft, père de ce qu'il est convenu d'appeler la Science-Fiction et qui nous apparaît, en réalité, au niveau des dix ou quinze chefs-d'œuvre du genre, comme l'Iliade et l'Odyssée de la civilisation en marche. Dans une certaine mesure, l'esprit de Charles Fort inspire aussi notre travail. Nous ne croyons pas tout. Mais nous croyons que tout doit être examiné. C'est parfois l'examen des faits douteux qui amène les faits vrais à leur plus large expression. Ce n'est pas par la pratique de l'omission que l'on atteint au complet. Comme Fort, nous nous efforçons de réparer un certain nombre d'omissions, et nous prenons notre part du risque de passer pour aberrants. A d'autres reviendra le soin de découvrir de bonnes pistes dans notre forêt sauvage.

Fort étudiait tout ce qui, apparemment, était tombé du ciel. Nous étudions toutes les traces, probables ou moins probables, que des civilisations disparues ont pu laisser sur terre. Sans exclure aucune hypothèse : civilisation atomique de bien avant ce que nous nommons la préhistoire, enseignement venu d'habitants du Dehors, etc. L'étude scientifique du lointain passé de l'humanité étant à peine commencée, la confusion la plus grande y régnant, ces hypothèses ne sont pas plus folles et pas moins fondées que les hypothèses couramment admises. L'important, pour nous, est de donner à la question son maximum d'ouverture.

Nous n'allons pas vous proposer une thèse sur les civilisations disparues. Nous allons seulement vous proposer d'envisager le problème selon une méthode nouvelle : non inquisitoriale.

Selon la méthode classique, il y a deux sortes de faits : les damnés et les autres. Par exemple, les descriptions d'engins volants dans des textes sacrés très anciens, l'usage de pouvoirs parapsychologiques chez les « primitifs », ou la présence de nickel dans des monnaies datant de 235 avant J.-C.[1], sont des faits damnés. Exclus. Refus d'examiner. Et il y a deux sortes d'hypothèses : les gênantes et les autres. Les fresques découvertes dans la grotte de Tassili, au Sahara, représentent notamment des personnages coiffés de casques à longues cornes d'où partent des fuseaux dessinés par des myriades de petits points. Il s'agirait de grains de blé, témoignages d'une civilisation pastorale. Bien, mais rien ne le prouve. Et s'il s'agissait de la représentation de champs magnétiques ? Horreur ! Hypothèse affreuse ! Sorcière ! La chemise de soufre ! Au bûcher !

---

1. Les monnaies bactriennes, frappées par le roi Euthydémus II, 235 ans avant J.-C. (*Scientific American*, janvier 1960).

A la limite, la méthode classique, que nous disons inquisitoriale, donne des résultats comme celui-ci :

Un clergyman indien, le révérend Pravanananvanda, et un biologiste américain, le docteur Strauss, de la John Hopkins University, viennent d'identifier l'abominable homme des neiges. Ce serait purement et simplement l'ours brun de l'Himalaya. Aucun des deux estimables savants n'a vu l'animal. Mais, déclarent-ils, « notre hypothèse, étant la seule qui ne soit pas fantastique, doit être la bonne ». On manquerait donc à l'esprit scientifique en poursuivant d'oiseuses recherches. Gloire au révérend et au docteur ! Il ne reste plus qu'à faire savoir au Yéti qu'il est l'ours brun des Himalayas.

Notre méthode, accordée à notre époque (comparable sur plus d'un point à la Renaissance), repose sur le principe de tolérance. Fin de l'inquisition. Nous nous refusons à exclure des faits et à rejeter des hypothèses. Trier des lentilles est une action utile : les cailloux sont impropres à la consommation. Mais rien ne prouve que certaines hypothèses exclues et certains faits damnés ne soient pas nourrissants. Nous ne travaillons pas pour les fragiles, les allergiques, mais pour ceux qui ont, comme on dit, de l'estomac.

Nous sommes persuadés qu'il y a, dans l'étude des civilisations passées, de très nombreuses négations d'évidence, exclusions *a priori*, exécutions inquisitoriales. Les sciences humaines ont moins progressé que les sciences physiques et chimiques, et l'esprit positiviste du XIXᵉ siècle y règne encore en maître d'autant plus exigeant qu'il sent venir la mort.

L'anthropologie attend son Copernic. Avant Copernic, la Terre était le centre de l'Univers. Pour l'anthropologue classique, notre civilisation est le centre de toute pensée humaine, dans l'espace et le temps. Plaignons le pauvre primitif, enfoui dans les ténèbres de la mentalité prélogique. Cinq cents ans nous séparent du Moyen Âge et nous commençons tout juste à dégager cette époque de l'accusation d'obscurantisme. Le siècle de Louis XV prépare l'Europe moderne, et il faut les récents travaux de Pierre Gaxotte pour que l'on cesse de considérer ce siècle comme un barrage d'égoïsme dressé contre le mouvement de l'histoire. Notre civilisation, comme toute autre, est une conjuration.

Le Rameau d'or, de sir James Frazer, est un volumineux ouvrage qui fit autorité. On y trouve rassemblés les « folklores » de tous les pays. Pas un instant, sir Frazer n'est effleuré par l'idée qu'il pourrait s'agir d'autre chose que de touchantes superstitions ou de coutumes pittoresques. Les sauvages atteints de maladies infectieuses mangent le champignon penicillium notatum : ils cherchent par magie imitative à augmenter leur puissance en ingérant ce symbole phallique. Superstition encore, l'usage de la digitaline. La science des antibiotiques, les opérations sous hypnose, l'obtension de la pluie artificielle par dispersion de sels d'argent, par exemple, devraient commencer à faire sortir certaines pratiques « primitives » de la rubrique « naïvetés ».

Sir Frazer, absolument certain d'appartenir à la seule civilisation digne de ce nom, se refuse à envisager qu'il puisse exister chez les « inférieurs » des techniques réelles, mais d'un autre ordre que les nôtres, et son Rameau d'or ressemble à ces cartes du monde dressées par des enlumineurs ne connaissant que la Méditerranée : ils couvraient les blancs de dessins et inscriptions, « Ici Pays des Dragons », « Ici Ile des Centaures »... D'ailleurs, le XIXe siècle ne se hâte-t-il pas, en tous domaines, de camoufler tous les blancs sur toutes les cartes ? Et même sur les cartes géographiques ? Il y a au Brésil, entre le Rio Tapagos et le Rio Xingu, une terre inconnue, vaste comme la Belgique. Aucun explorateur ne s'est approché de El Yafri, la cité interdite de l'Arabie. Une division japonaise en armes a disparu sans laisser de traces en Nouvelle-Guinée, un jour de 1943. Et si les deux puissances qui se partagent le monde parviennent à s'entendre, la vraie carte de la planète nous réservera quelques surprises. Depuis la bombe H, les militaires procèdent en secret au recensement des cavernes : labyrinthe souterrain extraordinaire en Suède, sous-sol de Virginie et de Tchécoslovaquie, lac caché sous les Baléares... Blancs sur le monde physique, blancs sur le monde humain. Nous ne savons pas tout des pouvoirs de l'homme, des ressources de son intelligence et de son psychisme, et nous avons inventé des îles des Centaures et des pays des Dragons : mentalité prélogique, superstition, folklore, magie imitative.

Hypothèse : des civilisations ont pu aller infiniment plus loin que nous dans l'exploitation des pouvoirs parapsychologiques.

Réponse : il n'y a pas de pouvoirs parapsychologiques.

Lavoisier avait prouvé qu'il n'y avait pas de météorites en déclarant : « Il ne peut tomber de pierres du ciel, parce qu'il n'y a pas de pierres dans le ciel. » Simon Newcomb avait prouvé que les avions ne sauraient voler, puisqu'un aéronef plus lourd que l'air est impossible.

Le docteur Fortune se rend en Nouvelle-Guinée pour étudier les Dobu. C'est un peuple de magiciens, mais ils ont cette particularité de croire que leurs techniques magiques sont valables partout et pour tous. Quand le docteur Fortune repart, un indigène lui fait cadeau d'un charme qui permet de se rendre invisible aux yeux d'autrui. « Je m'en suis souvent servi pour voler le cochon cuit en plein jour. Suivez bien mes recommandations, et vous pourrez chiper tout ce que vous voudrez dans les boutiques de Sidney. » — « Naturellement, dit le docteur Fortune, je n'ai jamais essayé. » Souvenez-vous de notre ami Charles Fort : « Dans la topographie de l'intelligence, on pourrait définir la connaissance comme l'ignorance enveloppée de rires. »

Cependant, une nouvelle école d'anthropologie est en train de naître et M. Lévi-Strauss n'hésite pas à soulever l'indignation en déclarant que les Négritos sont probablement plus forts que nous en matière de psychothérapie. Pionnier de cette nouvelle école, l'Américain William Seabrook, au lendemain de la première grande guerre, partit pour Haïti étudier le culte du Vaudou. Non voir de l'extérieur, mais vivre cette magie, entrer sans prévention dans cet autre monde. Paul Morand dit de lui magnifiquement[1] :

« Seabrook est peut-être le seul Blanc de notre époque qui ait reçu le baptême du sang. Il l'a reçu sans scepticisme ni fanatisme. Son attitude envers le mystère est celle d'un homme d'aujourd'hui. La science des dix dernières années nous a menés au bord de l'infini : là, tout peut survenir désormais, voyages interplanétaires, découvertes de la quatrième dimension, T.S.F. avec Dieu. Il faut nous reconnaître cette supériorité sur nos pères que désormais nous sommes prêts à tout, moins crédules et plus croyants. Plus nous remontons à l'origine du monde, plus nous nous enfonçons chez les primitifs et plus nous découvrons que leurs secrets traditionnels coïncident avec nos recherches actuelles. Ce n'est que depuis peu que la Voie lactée est considérée comme génératrice des mondes stellaires : or les Aztèques l'ont expressément affirmé et on ne les croyait pas. Les sauvages ont conservé ce que la

1. Préface à *l'Ile magique* de William Seabrook. (Firmin Didot Édit. Paris, 1932.)

science retrouve. Ils ont cru à l'unité de la matière bien avant que l'atome d'hydrogène ait été isolé. Ils ont cru à l'arbre-homme, au fer-homme bien avant que sir J. C. Bose ait mesuré la sensibilité des végétaux et empoisonné du métal avec du venin de cobra. " La foi humaine, dit Huxley dans *Les Essais d'un Biologiste*, s'est développée de l'Esprit aux esprits, puis des esprits aux dieux et des dieux à Dieu. " On pourrait ajouter que, de Dieu, nous revenons à l'Esprit. »

Mais pour découvrir que les secrets traditionnels des « primitifs » coïncident avec nos recherches actuelles, il faudrait que la circulation s'établît entre l'anthropologie et les sciences physiques, chimiques, mathématiques récentes. Le simple voyageur curieux, intelligent et de formation historico-littéraire risque de passer à côté des observations les plus importantes. L'exploration n'a été jusqu'ici qu'une branche de la littérature, qu'un luxe de l'activité subjective. Quand elle sera autre chose, nous nous apercevrons peut-être de l'existence, au fond des âges, de civilisations dotées d'équipements techniques aussi considérables que les nôtres, quoique différents.

J. Alden Mason, anthropologue éminent et très officiel, affirme, avec références dûment contrôlées, qu'on a trouvé sur l'Altiplano péruvien des ornements en platine fondu. Or, le platine fond à 1 730 degrés et, pour le travailler, il faut une technologie comparable à la nôtre[1]. Le professeur Mason voit la difficulté : il

1. Autres mystères de l'histoire des techniques :
La méthode d'analyse spectrale a été récemment utilisée par l'Institut de physique appliquée de l'Académie des sciences chinoise pour examiner une ceinture avec ornements ajourés, vieille de 1 600 ans, trouvée enterrée au milieu de maints autres objets dans la tombe du fameux général des Tsin de l'Ouest, Chou Chu, contemporain de la fin de l'empire romain (265-316 après J.-C.). Il apparut que le métal de cette ceinture était composé de 85 pour 100 d'aluminium, 10 pour 100 de cuivre et 5 pour 100 de manganèse.
Or, bien que l'aluminium soit largement répandu sur la terre, il est difficile à extraire. Le procédé d'électrolyse, qui est jusqu'à mainte-

suppose donc que ces ornements ont été fabriqués à partir de poudre par frittage et non pas fondus. Cette supposition témoigne d'une véritable ignorance de la métallurgie. Dix minutes de recherches dans le *Traité des Poudres Frittées* de Schwartzkopf lui eussent démontré que l'hypothèse était irrecevable. Pourquoi ne pas consulter les spécialistes des autres disciplines ? Tout le procès de l'anthropologie est là. Avec la même innocence, le professeur Mason assure que l'on trouve dans la plus lointaine civilisation du Pérou la soudure des métaux à base de résine et de sels métalliques fondus. Le fait que cette technique est à base de l'électronique et accompagne des technologies excessivement développées, semble lui échapper. Nous nous excusons de faire étalage de connaissances, mais nous retrouvons là cette nécessité de « l'information concomitante », si vivement pressentie par Charles Fort.

En dépit de son attitude très prudente, le professeur John Alden Mason, Curator Emeritus du musée des Antiquités américaines de l'Université de Pennsylvanie, dans son ouvrage *The Ancient Civilization of Peru*, ouvre une porte sur le réalisme fantastique lorsqu'il parle des Quipu. Les Quipu sont des cordes présentant des nœuds compliqués. On les retrouve chez les Incas et pré-Incas. Il s'agirait d'une écriture. Ils auraient servi à exprimer des idées, ou des groupes d'idées abstraites. L'un des meilleurs spécialistes des Quipu, Nordenskiöld, voit dans ceux-ci des calculs mathématiques, des horoscopes, diverses méthodes de prévision de l'avenir. Le problème est capital : il peut

---

nant le seul connu pour extraire l'aluminium de la bauxite, ne s'est développé que depuis 1808. Que des artisans chinois aient été capables d'extraire de l'aluminium d'une telle bauxite, il y a 1 600 ans, est donc une importante découverte dans l'histoire mondiale de la métallurgie. (*Horizons*, n° 89, octobre 1958.)

exister d'autres modes d'enregistrement de la pensée que l'écriture.

Allons plus loin : le nœud, base des Quipu, est considéré par les mathématiciens modernes comme un des plus grands mystères. Il n'est possible que dans un nombre impair de dimensions, impossible dans le plan et dans les espaces supérieurs pairs : 4, 6, 2 dimensions, et les topologistes n'ont réussi qu'à étudier les nœuds les plus simples. Il n'est donc pas improbable que se trouvent inscrites dans les Quipu des connaissances que nous ne possédons pas encore.

Autre exemple : la réflexion moderne sur la nature de la connaissance et les structures de l'esprit pourrait s'enrichir par l'étude du langage des Indiens Hop' de l'Amérique centrale. Ce langage se prête mieux que le nôtre aux sciences exactes. Il ne comprend pas de mots-verbes et de mots-noms, mais des mots-événements, s'appliquant ainsi plus étroitement au continu espace-temps dans lequel nous savons maintenant que nous vivons. Plus encore, le mot-événement possède trois modes : certitude, probabilité, imagination. Au lieu de dire · un homme traversait la rivière en canot, le Hopi emploiera le groupe homme-rivière-canot selon trois combinaisons différentes selon qu'il s'agira d'un fait observé par le narrateur, rapporté par autrui, ou rêvé.

L'homme réellement moderne, au sens où l'entend Paul Morand et où nous l'entendons nous-mêmes, découvre que l'intelligence est une, à travers des structures différentes, comme le besoin de vivre sous abri est un, à travers mille architectures. Et il découvre que la nature de la connaissance est multiple, comme la Nature elle-même.

Il se peut que notre civilisation soit le résultat d'un long effort pour obtenir de la machine des pouvoirs que l'homme ancien possédait : communiquer à distance, s'élever dans les airs, libérer l'énergie de la matière, annuler la pesanteur, etc. Il se peut aussi qu'à l'extrémité de nos découvertes, nous nous apercevions que ces pouvoirs sont maniables avec un équipement si réduit que le mot « machine » changera de sens. Nous aurons été, dans ce cas, de l'esprit à la machine, et de la machine à l'esprit, et certaines civilisations lointaines nous le paraîtront beaucoup moins.

Dans son discours de réception à l'Université d'Oxford, en 1946, Jean Cocteau rapporte cette anecdote :

« Mon ami Pobers, professeur d'une chaire de parapsychologie à Utrecht, fut envoyé en mission aux Antilles afin d'étudier le rôle de la télépathie, d'un usage courant parmi les simples. Veulent-elles correspondre avec mari ou fils, en ville, les femmes s'adressent à un arbre, et père ou fils rapporte ce qu'on lui demande. Un jour que Pobers assistait à ce phénomène et demandait à la paysanne pourquoi elle employait un arbre, sa réponse fut surprenante et apte à résoudre tout le problème moderne de nos instincts atrophiés par les machines, sur quoi l'homme se repose. Voici donc la question : " Pourquoi vous adressez-vous à un arbre ? " Et voici la réponse : " Parce que je suis pauvre. Si j'étais riche, j'aurais le téléphone. "

Des électro-encéphalogrammes de Yogis en extase montrent des courbes qui ne correspondent à aucune des activités cérébrales connues de nous à l'état de veille ou de sommeil. Il y a beaucoup de blancs enluminés sur la carte de l'esprit civilisé : précognition, intuition, télépathie, génie, etc. Le jour où l'exploration de ces régions sera réellement développée, où l'on aura frayé des pistes à travers divers états de conscience inconnus de notre psychologie classique, l'étude des civilisations anciennes et des peuples dits primitifs révélera peut-être des technologies véritables et des aspects essentiels de la connaissance. A un centralisme culturel succédera un relativisme qui nous fera apparaître l'histoire de l'humanité sous une lumière nouvelle et fantastique. Le progrès n'est pas de renforcer les parenthèses, mais de multiplier les traits d'union.

Avant de poursuivre, et pour vous distraire un peu, nous aimerions vous faire lire une petite histoire que nous goûtons très fort. Elle est d'Arthur Clarke, bon philosophe à nos yeux. Nous l'avons traduite à votre intention. Repos donc, et place aux explosifs enfantillages !

LES NEUF MILLIARDS
DE NOMS DE DIEU

par Arthur C. Clarke.

Le docteur Wagner parvint à se contenir. C'était méritoire. Puis il dit :

« Votre requête est un peu déconcertante. A ma connaissance, c'est la première fois qu'un monastère tibétain passe commande d'un calculateur électronique. Je ne veux pas être curieux, mais j'étais loin de penser qu'un tel établissement puisse avoir besoin de cette machine. Puis-je vous demander ce que vous voulez en faire ? »

Le lama réajusta les pans de sa robe de soie et posa sur le bureau la règle à calcul avec laquelle il venait d'effectuer des conversions livre-dollar.

« Volontiers, votre calculateur électronique type 5 peut faire, si j'en crois votre catalogue, toutes les opérations mathématiques jusqu'à 10 décimales. Cependant ce qui m'intéresse, ce sont des lettres, non pas des chiffres. Je vous demanderai de modifier le circuit de sortie de façon à imprimer des lettres plutôt que des colonnes de chiffres.

— Je ne saisis pas bien...

— Depuis que notre lamaserie a été fondée, voici plus de trois siècles, nous nous consacrons à un certain travail. C'est un travail qui peut vous paraître étrange et je vous demanderai de m'écouter avec une grande ouverture d'esprit.

— D'accord.

— C'est simple. Nous sommes en train d'établir la liste de tous les noms possibles de Dieu.

— Pardon ? »

Le lama continua imperturbablement :

« Nous avons d'excellentes raisons de croire que tous ces noms comportent au plus neuf lettres de notre alphabet.

— Et vous avez fait cela pendant trois siècles ?

— Oui. Nous avions estimé qu'il nous faudrait quinze mille ans pour achever notre tâche. »

Le docteur émit un sifflement accablé, de manière un peu étourdie :

« O.K., je vois maintenant pourquoi vous voulez louer une de nos machines. Mais quel est le but de l'opération ? »

Pendant une fraction de seconde, le lama hésita et Wagner craignit d'avoir offensé ce singulier client qui venait de faire le voyage Lhassa-New York, une règle à calculer et le catalogue de la Compagnie des Compteurs Électroniques dans la poche de sa robe safran.

« Appelez cela un rituel si vous voulez, dit le lama, mais c'est une partie fondamentale de notre foi. Les noms de l'Être Suprême, Dieu, Jupiter, Jéhovah, Allah, etc., ne sont que des étiquettes dessinées par les hommes. Des considérations philosophiques trop complexes pour que je les expose ici nous ont amenés à la certitude que, parmi toutes les permutations et combinaisons possibles des lettres, se trouvent les *véritables* noms de Dieu. Or, notre but est de les retrouver et de les écrire tous.

— Je vois. Vous avez commencé par A.A.A.A.A.A. A.A.A., et vous allez arriver à Z.Z.Z.Z.Z.Z.Z.Z.Z.

— Sauf que nous utilisons notre alphabet à nous. Il vous sera bien entendu facile de modifier la machine à écrire électrique, de façon qu'elle utilise notre alphabet. Mais un problème qui vous intéressera davantage sera la mise au point des circuits spéciaux éliminant d'avance les combinaisons inutiles. Par exemple, aucune des lettres ne doit apparaître plus de trois fois successivement.

— Trois ? Vous voulez dire deux.

— Non. Trois. Mais l'explication complète exigerait trop de temps, même si vous compreniez notre langue. »

Wagner dit précipitamment :

« Sûrement, sûrement, continuez.

— Il vous sera facile d'adapter votre calculateur automatique en fonction de ce but. Avec un programme convenable, une machine de ce genre peut permuter les lettres les unes après les autres et imprimer un résultat. Ainsi, conclut avec tranquillité le lama, ce qui nous aurait pris encore quinze mille ans sera achevé en cent jours. »

Le docteur Wagner se sentait perdre le sens des réalités. A travers les baies du building, les bruits et les lumières de New York s'estompaient. Il était transporté dans un monde différent. Là-bas, dans leur lointain asile montagneux, génération après génération, des moines tibétains composaient depuis trois cents ans leur liste de noms dépourvus de sens... Il n'y avait donc pas de limite à la folie des hommes ? Mais le docteur Wagner ne devait pas manifester ses pensées. Le client a toujours raison...

Il répondit :

« Je ne doute pas que nous puissions modifier la machine type 5, de façon à imprimer des listes de cette sorte. L'installation et l'entretien m'inquiètent davantage. En outre, il ne sera pas facile de la livrer au Tibet.

— Nous pouvons arranger cela. Les pièces détachées sont de dimensions suffisamment faibles pour être transportées par avion. C'est d'ailleurs pourquoi nous avons choisi votre machine. Envoyez les pièces aux Indes, nous nous chargerons du reste.

— Désirez-vous engager deux de nos ingénieurs ?

— Oui, pour mettre en place et surveiller la machine durant les cents jours.

— Je vais faire une note à la direction du personnel, dit Wagner en écrivant sur son bloc-notes. Mais deux questions restent à résoudre... »

Avant qu'il ait pu terminer sa phrase, le lama avait sorti de sa poche une mince feuille de papier :

« Ceci est l'état certifié de mon compte à la Banque Asiatique.

— Je vous remercie. C'est parfait... Mais, si vous permettez, la seconde question est tellement élémentaire que j'hésite à la mentionner. Il arrive souvent que l'on oublie quelque chose d'évident... Avez-vous une source d'énergie électrique ?

— Nous avons un générateur Diesel électrique de 50 kW de puissance, 110 volts. Il a été installé voici cinq ans et fonctionne bien. Il nous facilite la vie à la lamaserie. Nous l'avons acquis surtout pour faire tourner les moulins à prières.

— Ah ! oui, bien entendu, j'aurais dû y penser... »

Du parapet la vue était vertigineuse, mais on s'habitue à tout.

Trois mois s'étaient écoulés et Georges Hanley n'était plus impressionné par les six cents mètres à la verticale qui séparaient le monastère du quadrillage des champs dans la plaine. Appuyé sur des pierres arrondies par le vent, l'ingénieur contemplait d'un œil morose les montagnes lointaines dont il ignorait le nom. « L'Opération nom de Dieu », comme l'avait baptisée un humoriste de la Compagnie, était sûrement le pire boulot de cinglé auquel il eût jamais participé.

Semaine après semaine, la machine type 5 modifiée avait couvert des milliers de feuillets d'un incroyable volapük. Patient et inexorable, le calculateur avait rassemblé les lettres de l'alphabet tibétain dans toutes les combinaisons possibles, épuisant série après série. Les moines découpaient certains mots à la sortie de la machine à écrire électrique et les collaient avec dévotion dans des registres énormes. Dans une semaine, ils auraient fini.

Hanley ignorait par quels calculs obscurs ils étaient arrivés à la conclusion qu'il ne fallait pas étudier des assemblages de dix, vingt, cent, mille lettres, et il ne tenait pas du tout à le savoir. Dans ses cauchemars, il rêvait parfois que le grand lama avait brusquement décidé que l'on compliquerait un peu plus l'opération et que l'on poursuivrait le travail jusqu'à l'an 2060. Ce drôle de bonhomme en paraissait d'ailleurs parfaitement capable.

La lourde porte de bois claqua. Chuk venait le rejoindre sur la terrasse. Chuk fumait, comme d'habitude, un cigare : il s'était rendu populaire parmi les lamas en leur distribuant des havanes. Ces types-là pouvaient être complètement tordus — pensa Hanley — mais ils n'étaient pas des puritains. Les fréquentes expéditions au village n'avaient pas été sans intérêt...

« Écoute, Georges, dit Chuk, on a des ennuis.

— La machine est détraquée ?

— Non. »

Chuk s'assit sur le parapet. C'était étonnant, car, de coutume, il craignait le vertige :

« Je viens de découvrir le but de l'opération.

— Mais nous le connaissions !

— Nous savions ce que les moines voulaient faire, mais nous ne savions pas pourquoi.

— Bah ! ils sont cinglés...

— Écoute, Georges, le vieux vient de m'expliquer. Ils pensent que lorsqu'ils auront écrit tous ces noms (et d'après eux il y en a environ neuf milliards), le but divin sera atteint. La race humaine aura accompli ce pour quoi elle avait été créée.

— Alors quoi ? Ils s'attendent à ce que nous nous suicidions ?

— Inutile. Quand la liste sera terminée, Dieu interviendra et ce sera fini.

— Quand nous aurons fini, ce sera la fin du monde ? »

Chuk eut un petit rire nerveux :

« C'est ce que j'ai dit au vieux. Alors il m'a regardé d'une façon étrange, comme un professeur regarde un élève particulièrement stupide, et il m'a dit : " Oh ! ce ne sera pas aussi insignifiant !... " »

Georges réfléchit un instant.

« C'est un type qui a visiblement les idées larges, dit-il, mais ceci dit, qu'est-ce que ça change ? Nous savions déjà qu'ils étaient cinglés.

— Oui. Mais tu ne vois pas ce qui peut arriver ? Si la liste se termine et si les trompettes de l'ange Gabriel, version tibétaine, ne sonnent pas, ils peuvent décider que c'est de notre faute. Après tout, c'est notre machine qu'ils utilisaient. Je n'aime pas ça...

— Je te suis..., dit lentement Georges, mais j'en ai vu d'autres. Quand j'étais môme, en Louisiane, on a eu un prêcheur qui a annoncé la fin du monde pour le dimanche suivant. Des centaines de types l'ont cru. Certains même ont vendu leurs maisons. Mais personne n'a piqué une colère le dimanche d'après. Les gens ont pensé qu'il s'était juste un peu trompé dans ses calculs, et des tas d'entre eux ont encore la foi.

— Dans le cas où tu ne l'aurais pas remarqué, je te signale que nous ne sommes pas en Louisiane. Nous sommes seuls, tous les deux, parmi des centaines de moines. Je les adore, mais je préférerais être ailleurs quand le vieux lama s'apercevra que l'opération est ratée.

— Il y a une solution. Un petit sabotage inoffensif. L'avion arrive dans une semaine et la machine finira son travail dans quatre jours, à raison de 24 heures par jour. Il n'y a qu'à se mettre à réparer quelque chose pendant deux ou trois jours. Si c'est bien réglé, nous pouvons être en bas, sur l'aéroport, quand le dernier nom sortira de la machine. »

Sept jours plus tard, alors que les petits poneys de montagne descendaient la route en spirale, Hanley dit :

« J'ai un peu de remords. Je ne prends pas la fuite parce que j'ai peur, mais parce que j'ai du chagrin. Je n'aimerais pas voir la tête de ces braves gens quand la machine s'arrêtera.

— A mon avis, dit Chuk, ils ont très bien deviné que nous nous sauvions, et ça leur était égal. Ils savent maintenant à quel point cette machine est automatique, et qu'elle n'a pas besoin de surveillance. Et ils pensent qu'il n'y aura pas d'après. »

Georges se retourna sur sa selle et regarda.

Les bâtiments du monastère apparaissaient en silhouette brune dans le soleil couchant. Des petites lumières brillaient de temps en temps sous la masse sombre des murailles comme les hublots d'un navire en route. Des lampes électriques branchées sur le circuit de la machine n° 5.

Qu'allait-il arriver au calculateur électrique ? se demanda Georges. Les moines le détruiraient-ils dans leur rage et leur désappointement ? Ou bien recommenceraient-ils tout ?

Comme s'il y était encore, il voyait ce qui se passait en ce moment sur la montagne derrière les murailles.

Le grand lama et ses assistants examinaient les feuilles, tandis que des novices découpaient des noms baroques et les collaient dans l'énorme cahier. Et tout cela se faisait dans un religieux silence. On n'entendait que les touches de la machine, frappant comme une pluie douce le papier. Le calculateur lui-même, qui combinait des milliers de lettres par seconde, était tout à fait silencieux...

La voix de Chuk interrompit sa rêverie.

« Le voilà ! Ça fait rudement plaisir ! »

Pareil à une minuscule croix d'argent, le vieil avion de transport D.C. 3 venait de se poser là-bas sur le petit aérodrome de fortune. Cette vision donnait envie de boire un grand coup de scotch glacé. Chuk commença à chanter, mais s'arrêta vite. Les montagnes ne l'encourageaient pas.

Georges consulta sa montre.

« Nous serons au terrain dans une heure », dit-il. Et il ajouta : « Crois-tu que le calcul soit fini ? »

Chuk ne répondit pas et Georges redressa la tête. Il vit le visage de Chuk très blanc, tendu vers le ciel.

« Regarde », murmura Chuk.

Georges, à son tour, leva les yeux.

Pour la dernière fois, au-dessus d'eux, dans la paix des hauteurs, une à une, les étoiles s'éteignaient...

IV

Où les auteurs, qui ne sont ni trop crédules ni trop incrédules, s'interrogent sur la Grande Pyramide. — Et s'il y avait d'autres techniques ? — L'exemple hitlérien. — L'empire d'Almanzar. — Beaucoup de fins du monde. — L'impossible île de Pâques. — La légende de l'Homme Blanc. — Les civilisations d'Amérique. — Le mystère Maya. — Du « pont de lumière » à l'étrange plaine de Nazca. — Où les auteurs ne sont que des pauvres casseurs de cailloux.

D'Aristarque de Samos aux astronomes de 1900, l'humanité a mis vingt-deux siècles pour calculer avec une approximation satisfaisante la distance de la Terre au Soleil : 149 400 000 kilomètres. Il eût suffi de multiplier par un milliard la hauteur de la pyramide de Chéops, construite 2 900 ans avant Jésus-Christ.

Nous savons aujourd'hui que les Pharaons ont consigné dans les pyramides les résultats d'une science dont nous ignorons l'origine et les méthodes. On y retrouve le nombre π, le calcul exact de la durée d'une année solaire, du rayon et du poids de la terre, la loi de précession des équinoxes, la valeur du degré de longitude, la direction réelle du Nord, et peut-être beaucoup d'autres données non encore déchiffrées. D'où viennent ces renseignements ? Comment ont-ils été obtenus ? Ou transmis ? Et dans ce cas, par qui ?

Pour l'abbé Moreux, Dieu donna aux anciens hommes des connaissances scientifiques. Nous voilà dans l'imagerie. « Écoute-moi, ô mon fils, le nombre 3,1416 te permettra de calculer la surface d'une circonférence ! » Pour Piazzi Smyth, Dieu dicta ces renseignements à des Égyptiens trop impies et trop ignorants pour comprendre ce qu'ils inscrivaient dans la pierre. Et pourquoi Dieu, qui sait tout, se serait-il lourdement trompé sur la qualité de ses élèves ? Pour les égyptologues positivistes, les mensurations effectuées à Gizeh ont été faussées par des chercheurs abusés par leur désir de merveilleux : nulle science n'est inscrite. Mais la discussion flotte parmi les décimales, et il n'en reste pas moins que la construction des pyramides témoigne d'une technique qui nous demeure totalement incompréhensible. Gizeh est une montagne artificielle de 6 500 000 tonnes. Des blocs de douze tonnes sont ajustés au demi-millimètre. L'idée la plus plate est la plus fréquemment retenue : le Pharaon aurait disposé d'une main-d'œuvre colossale. Resterait à expliquer comment a été résolu le problème de l'encombrement de ces foules immenses. Et les raisons d'une aussi folle entreprise. Comment les blocs ont-ils été extraits des carrières. L'égyptologie classique n'admet comme technique que l'emploi de coins de bois mouillé introduits dans les fissures de la roche. Les constructeurs n'auraient disposé que de marteaux de pierre, et de scies de cuivre, métal mou. Voilà qui épaissit le mystère. Comment des pierres taillées de dix mille kilos et plus furent-elles hissées et jointes ? Au XIXe siècle, nous eûmes toutes les peines du monde à acheminer deux obélisques que les Pharaons faisaient transporter par douzaines. Comment les Égyptiens s'éclairaient-ils à l'intérieur des pyramides ? Jusqu'en 1890, nous ne connaissons que les lampes qui filent et charbonnent au plafond. Or, on ne décèle pas une trace de fumée sur les parois. En captant la lumière solaire et en la faisant pénétrer, par un système optique ? Nul débris de lentille n'a été découvert.

On n'a retrouvé aucun instrument de calcul scientifique, aucun vestige témoignant d'une grande technologie. Ou bien il faut admettre la thèse mystico-primaire : Dieu dicte des renseignements astronomiques à des maçons obtus mais appliqués et leur donne un coup de main. Il n'y a pas de renseignements inscrits dans les pyramides ? Les positivistes à court de chicanes mathématiques déclarent qu'il s'agit de coïncidences. Quand les coïncidences sont aussi nettement exagérées, comme eût dit Fort, comment faut-il les appeler ? Ou bien il faut admettre que des architectes et décorateurs surréalistes, pour satisfaire la mégalomanie de leur roi, ont, selon des mesures qui leur étaient passées par la tête au hasard de l'inspiration, fait extraire, transporter, décorer, élever et ajuster au demi-millimètre les 2 600 000 blocs de la grande pyramide par des tâcherons qui travaillaient avec des morceaux de bois et des scies à couper le carton en se marchant sur les pieds.

Les choses datent de cinq mille ans, et nous ignorons presque tout. Mais ce que nous savons, c'est que les recherches ont été faites par des gens pour qui la civilisation moderne est la seule civilisation technique possible. Partant de ce critère, il leur faut donc imaginer, ou l'aide de Dieu, ou un colossal et bizarre travail de fourmis. Or, il se peut qu'une pensée toute différente de la nôtre ait pu concevoir des techniques aussi perfectionnées que les nôtres, mais elles aussi différentes, des instruments de mesure et des méthodes de manipulation de la matière sans rapport avec ce que nous connaissons, ne laissant aucun vestige apparent à nos yeux. Il se peut qu'une science et une technologie puissantes, ayant apporté d'autres solutions que les nôtres aux problèmes posés, aient disparu totalement avec le monde des Pharaons. Il est difficile de croire qu'une civilisation puisse mourir, s'effacer. Il est encore plus difficile de croire qu'elle ait pu diverger de la nôtre au point que nous avons du mal à la reconnaître comme civilisation. Et pourtant !...

Lorsque la dernière guerre mondiale s'est terminée, le 8 mai 1945, des missions d'investigations ont immédiatement commencé de parcourir l'Allemagne vaincue. Les rapports de ces missions ont été publiés. Le catalogue seul comporte 300 pages. L'Allemagne ne s'est séparée du reste du monde qu'à partir de 1933. En douze ans, l'évolution technique du Reich prit des chemins singulièrement divergents. Si les Allemands étaient en retard dans le domaine de la bombe atomique, ils avaient mis au point des fusées géantes sans équivalent en Amérique et en Russie. S'ils ignoraient le radar, ils avaient réalisé des détecteurs à rayons infrarouges, tout aussi efficaces. S'ils n'avaient pas inventé les silicones, ils avaient développé une chimie organique toute nouvelle[1]. Derrière ces radicales différences en matière de technique, des différences philosophiques encore plus stupéfiantes... Ils avaient rejeté la relativité et en partie négligé la théorie des quanta. Leur cosmogonie eût ahuri les astrophysiciens alliés : c'était la thèse de la glace éternelle, selon laquelle planètes et étoiles étaient des blocs de glace flottant dans l'espace[2]. Si de tels abîmes ont pu se creuser en douze années, dans notre monde moderne, en dépit des échanges et communications, que penser des civilisations telles qu'elles ont pu se développer dans le passé ? Dans quelle mesure nos archéologues sont-ils qualifiés pour juger de l'état des sciences, des techniques, de la philosophie, de la connaissance chez les Mayas ou chez les Khmers ?

Nous ne tomberons pas dans le piège des légendes :

1. Celle des anneaux à huit atomes de carbone.
2. Voir la seconde partie de cet ouvrage.

Lémurie ou Atlantide. Platon, dans le *Critias*, chantant les merveilles de la cité disparue, Homère, avant lui, dans *l'Odyssée*, évoquant la fabuleuse Scheria, décrivent peut-être Tartessos, la Tarshih biblique de Jonas et but de son voyage. A l'embouchure du Guadalquivir, Tartessos est la plus riche ville minière du monde et exprime la quintessence d'une civilisation. Elle fleurit depuis un nombre ignoré de siècles, dépositaire d'une sagesse et de secrets. Vers 500 avant Jésus-Christ, elle s'évanouit complètement, on ne sait comment ni pourquoi [1]. Il se peut que Numinor, mystérieux centre celte du cinquième siècle avant J.-C., ne soit pas une légende [2] mais nous n'en savons rien. Les civilisations dont on est sûr de l'existence passée, et qui sont mortes, sont bien aussi étranges que la Lémurie. La civilisation arabe de Cordoue et de Grenade invente la science moderne, découvre la recherche expérimentale et ses applications pratiques, étudie la chimie et même la propulsion à réaction. Des manuscrits arabes du XIIe siècle présentent des schémas pour fusées de bombardement. Si l'empire d'Almanzar avait été aussi avancé en biologie que dans les autres techniques, si la peste n'avait pu s'allier aux Espagnols pour le détruire, la révolution industrielle aurait peut-être eu lieu au XVe ou XVIe siècle en Andalousie, et le XXe eût été alors une ère d'aventuriers interplanétaires arabes colonisant la Lune, Mars et Vénus.

L'empire d'Hitler, celui d'Almanzar s'écroulent dans le feu et le sang. Un beau matin de juin 1940, le ciel de Paris s'obscurcit, l'air se charge de vapeur d'essence, et sous ce nuage immense qui noircit les visages décomposés par la stupeur, l'effroi, la honte, une civilisation chancelle, des millions d'êtres s'enfuient au hasard, sur les routes mitraillées. Quiconque a vécu cela, et connu

1. Sprague de Camp et Willy Ley : *De l'Atlantide à l'Eldorado*, Plon, Édit., Paris.
2. Travaux du professeur Tolkien, de l'Université d'Oxford.

aussi le crépuscule des dieux du IIIe Reich, peut imaginer la fin de Cordoue et de Grenade, et mille autres fins du monde, au cours des millénaires. Fin du monde pour les Incas, fin du monde pour les Toltèques, fin du monde pour les Mayas. Toute l'histoire de l'humanité : une fin sans fin...

L'île de Pâques, à 3 000 kilomètres au large des côtes du Chili, est grande comme Jersey. Quand le premier navigateur européen, un Hollandais, y aborda, en 1722, il la crut habitée par des géants. Sur cette petite terre volcanique de Polynésie, 593 statues immenses se dressent. Certaines ont plus de vingt mètres de haut et pèsent cinquante tonnes. Quand furent-elles érigées ? Comment ? Pourquoi ? On croit pouvoir distinguer, par l'étude de ces mystérieux monuments, trois niveaux de civilisation dont la plus accomplie serait la plus ancienne. Comme en Égypte, les énormes blocs de tuf, de basalte, de lave, sont ajustés avec une prodigieuse habileté. Mais l'île a un relief accidenté, et quelques arbres rabougris ne peuvent fournir des rouleaux : comment les pierres furent-elles transportées ? Et peut-on invoquer une main-d'œuvre colossale ? Au XIXe siècle, les Pascuans étaient deux cents : trois fois moins nombreux que leurs statues. Ils ne purent jamais être plus de trois ou quatre mille sur cette île au sol stérile et sans animaux. Alors ?

Comme en Afrique, comme en Amérique du Sud, les premiers missionnaires débarquant sur Pâques eurent pour soin de faire disparaître toutes traces de la civilisation morte. Au pied des statues, il y avait des tablettes de bois flotté, couvertes d'hiéroglyphes : elles furent brûlées ou expédiées à la bibliothèque du Vatican où reposent bien des secrets. S'agissait-il de détruire les vestiges d'anciennes superstitions, ou d'effacer les témoignages d'un *autre savoir* ? Le souvenir du passage sur la terre d'autres êtres ? De visiteurs venus d'ailleurs ?

Les premiers Européens explorant Pâques découvrirent parmi les Pascuans des hommes blancs et barbus. D'où venaient-ils ? Descendants de quelle race plusieurs fois millénaire, dégénérée, aujourd'hui totalement engloutie ? Des bribes de légendes parlaient d'une race de maîtres, d'enseignants, surgie du fond des âges, tombée du ciel.

Notre ami, l'explorateur et philosophe péruvien Daniel Ruzo, part étudier en 1952 le plateau désertique de Marcahuasi, à 3 800 mètres d'altitude, à l'ouest de la Cordillère des Andes[1]. Ce plateau sans vie, que l'on ne peut atteindre qu'à dos de mule, mesure trois kilomètres carrés. Ruzo y découvre des animaux et des visages humains taillés dans le roc, et visibles seulement au solstice d'été, par le jeu des lumières et des ombres. Il y retrouve des statues d'animaux de l'ère secondaire comme le stégosaure ; de lions, de tortues, de chameaux, inconnus en Amérique du Sud. Une colline taillée représente une tête de vieillard. Le négatif de la photographie révèle un jeune homme radiant. Visible au cours de quel rite d'initiation ? Le datage au carbone 14 n'a pas encore été possible : aucun vestige organique sur Marcahuasi. Les indices géologiques font remonter vers la nuit des temps. Ruzo pense que ce plateau serait le berceau de la civilisation Masma, peut-être la plus ancienne du monde.

On retrouve le souvenir de l'homme blanc sur un autre plateau fabuleux, Tiahuanaco, à 4 000 mètres. Quand les Incas firent la conquête de cette région du lac Titicaca, Tiahuanaco était déjà ce champ de ruines gigantesques, inexplicables, que nous connaissons.

---

1. Daniel Ruzo : *La culture Masma*. Revue de la Société d'Ethnographie de Paris, 1956 et 1959.

Quand Pizarre y atteint, en 1532, les Indiens donnent aux conquistadores le nom de Viracochas : maîtres blancs. Leur tradition, déjà plus ou moins perdue, parle d'une race de maîtres disparue, géante et blanche, venue d'ailleurs, surgie des espaces, d'une race de Fils du Soleil. Elle régnait et enseignait, voici des millénaires. Elle disparut d'un seul coup. Elle reviendra. Partout, en Amérique du Sud, les Européens qui se ruaient vers l'or rencontrèrent cette tradition de l'homme blanc et en bénéficièrent. Leur plus bas désir de conquête et de profit fut aidé par le plus mystérieux et le plus grand souvenir.

L'exploration moderne révèle, sur le continent américain, une formidable profondeur de civilisation. Cortez s'aperçoit avec stupeur que les Aztèques sont aussi civilisés que les Espagnols. Nous savons aujourd'hui qu'ils vivaient des restes d'une plus haute culture, celle des Toltèques. Les Toltèques construisirent les plus gigantesques monuments de l'Amérique. Les pyramides du soleil de Teotihuacán et de Cholula sont deux fois plus importantes que le tombeau du roi Chéops. Mais les Toltèques étaient eux-mêmes les descendants d'une civilisation plus parfaite, celle des Mayas, dont les restes ont été découverts dans les jungles du Honduras, du Guatemala, du Yucatan. Engloutie sous le désordre de la nature, se révèle une civilisation très antérieure à la grecque, mais supérieure à celle-ci. Morte quand et comment ? Morte deux fois, en tout cas, car les missionnaires, là aussi, se sont empressés de détruire les manuscrits, de briser les statues, de faire disparaître les autels. Résumant les recherches les plus récentes sur les civilisations disparues, Raymond Cartier écrit :

« Dans maints domaines, la science des Mayas dépassa celle des Grecs et des Romains. Forts de profondes connaissances mathématiques et astronomiques, ils poussèrent jusqu'à une perfection minutieuse la chronologie et la science du calendrier. Ils construisaient des observatoires à coupoles mieux orientés que celui de Paris au XVIIe siècle, comme le Caracol élevé sur trois terrasses dans leur capitale de Chichen Itza. Ils utilisaient l'année sacrée de 260 jours, l'année solaire de 365 jours et l'année vénusienne de 584 jours. La durée exacte de l'année solaire a été fixée à 365,2422 jours. Les Mayas avaient trouvé 365,2420 jours, soit, à une décimale près, le nombre auquel nous sommes arrivés après de longs calculs. Il est possible que les Égyptiens aient atteint la même approximation, mais, pour l'admettre, il faut croire aux concordances discutées des Pyramides, alors que nous possédons le calendrier maya.

« D'autres analogies avec l'Égypte sont visibles dans l'art admirable de ceux-ci. Leurs peintures murales, leurs fresques, les flancs de leurs vases, montrent des hommes au violent profil sémite dans toutes les activités de l'agriculture, de la pêche, de la construction, de la politique, de la religion. L'Égypte seule a peint ce labeur avec cette vérité cruelle, mais les poteries des Mayas font songer aux Étrusques, leurs bas-reliefs font songer à l'Inde et les grands escaliers raides de leurs temples pyramidaux font songer à Angkor. S'ils n'ont pas reçu ces modèles de l'extérieur, alors leur cerveau était construit de telle manière qu'il a repassé par les mêmes formes d'expression artistique que tous les grands peuples anciens d'Europe et d'Asie. La civilisation a-t-elle pris naissance dans une région géographique déterminée et s'est-elle propagée de proche en proche comme un incendie de forêt ? Ou bien est-elle apparue spontanément et séparément dans différentes régions du globe ? Y eut-il un peuple instituteur et des peuples d'élèves, ou bien plusieurs peuples autodidactes ? Des graines isolées, ou bien une souche unique et des boutures un peu partout ? »

On ne sait pas, et nous ne possédons aucune explication satisfaisante des origines de telles civilisations, — ni de leurs fins. Des légendes boliviennes recueillies par Mme Cynthia Fain[1], et qui remonteraient à plus de cinq mille ans, racontent que les civilisations de cette époque se seraient écroulées après un conflit avec une race non humaine dont le sang n'était pas rouge.

L'Altiplano de Bolivie et du Pérou évoque une autre planète. Ce n'est pas la Terre, c'est Mars. La pression de l'oxygène y est inférieure à la moitié de ce qu'elle est au niveau de la mer, et pourtant on y trouve des hommes jusqu'à 3 500 mètres d'altitude. Ils ont deux litres de sang de plus que nous, huit millions de globules rouges au lieu de cinq, et leur cœur bat plus lentement. La méthode de datage au radio-carbone révèle une présence humaine voici 9 000 ans. Certaines déterminations récentes mènent à penser que les hommes vivaient là il y a 30 000 ans. Il n'est nullement exclu que des humains sachant travailler des métaux, possédant des observatoires et une science, aient bâti voici 30 000 ans des cités géantes. Guidés par qui ?

Certains des travaux d'irrigation effectués par les pré-Incas seraient à peine réalisables avec nos turbo-foreuses électriques. Pourquoi des hommes qui ne se servaient pas de la roue ont-ils construit d'énormes routes pavées ?

L'archéologue américain Hyatt Verrill consacra trente ans à la recherche des civilisations disparues d'Amérique centrale et d'Amérique du Sud. Pour lui, les grands travaux des anciens hommes n'ont pas été faits avec des outils à tailler la pierre, mais avec une pâte radio-active rongeant le granit : une sorte de gravure à l'échelle des grandes pyramides. Cette pâte radio-active, léguée par des civilisations plus anciennes encore, Verrill prétendait en avoir vu entre les mains des derniers sorciers. Dans un très beau

1. Cynthia Fain : *Bolivie.* Éd. Arthaud, Paris.

roman, *The bridge of Light*, il décrit une cité pré-Inca que l'on atteint au moyen d'un « pont de lumière », un pont de matière ionisée, apparaissant et disparaissant à volonté et qui permet de franchir un défilé rocheux inaccessible autrement. Jusqu'à ses derniers jours (il est mort à quatre-vingts ans), Verrill assura que son livre était beaucoup plus qu'une légende, et sa femme, qui lui survécut, l'assure encore.

Que signifient les figures de Nazca ? Il s'agit de lignes géométriques immenses tracées dans la plaine de Nazca, visibles seulement d'un avion ou d'un ballon, et que l'exploration aéronautique vient de permettre de découvrir. Le professeur Mason, qui ne saurait, comme Verrill, être suspecté de fantaisie, se perd en conjectures. Il eût fallu que les constructeurs fussent guidés d'un engin flottant dans le ciel. Mason rejette l'hypothèse et imagine que ces figures ont été placées à partir d'un modèle réduit ou d'une grille. Étant donné le niveau de technique des pré-Incas admis par l'archéologie classique, c'est encore plus improbable. Et quelle serait la signification de ce tracé ? Religieuse ? C'est ce que l'on dit toujours, à tout hasard. L'explication par la religion inconnue, méthode courante. On préfère supposer toutes sortes de folies de l'esprit, plutôt que d'autres états de la connaissance et de la technique. C'est une question de préséance : les lumières d'aujourd'hui sont les seules lumières. Les photographies que nous avons de la plaine de Nazca, font irrésistiblement songer au balisage d'un terrain d'atterrissage. Fils du Soleil, venus du ciel... Le professeur Mason se garde de faire le rapprochement avec ces légendes et suppose, de toutes pièces, une sorte de religion de la trigonométrie dont l'histoire des croyances ne nous donne d'ailleurs aucun exemple. Et cependant, un peu plus loin, il mentionne la mythologie préinca selon laquelle les étoiles sont habitées et les dieux sont descendus de la constellation des Pléiades.

Nous ne nous refusons pas à supposer des visites d'habitants de l'extérieur, des civilisations atomiques disparues sans presque laisser de traces, des étapes de la connaissance et de la technique comparables à l'étape présente, des vestiges de sciences englouties dans diverses formes de ce que nous appelons l'ésotérisme, et des réalités opératives dans ce que nous mettons au rang des pratiques magiques. Nous ne disons pas que nous croyons à tout, mais nous montrerons dans le prochain chapitre que le champ des sciences humaines est probablement beaucoup plus vaste qu'on ne l'a fait. En intégrant tous les faits, sans exclusion aucune, et en acceptant de considérer toutes les hypothèses suggérées par ces faits, sans aucune sorte d'apriorisme, un Darwin, un Copernic de l'anthropologie créeront une science complètement nouvelle, pour peu qu'ils établissent en outre une circulation constante entre l'observation objective du passé et les fines pointes de la connaissance moderne en matière de parapsychologie, de physique, de chimie, de mathématique. Il leur apparaîtra peut-être que l'idée d'une toujours lente évolution de l'intelligence, d'un toujours long cheminement du savoir, n'est pas une idée sûre, mais un tabou que nous avons érigé pour nous croire bénéficiaires, aujourd'hui, de toute l'histoire humaine. Pourquoi les civilisations passées n'auraient-elles pas connu des éclairs brusques pendant lesquels la quasi-totalité de la connaissance leur aurait été dévoilée ? Pourquoi ce qui se produit parfois dans une vie d'homme, l'illumination, l'intuition fulgurante, l'explosion du génie, ne se serait-il pas produit plusieurs fois dans la vie de l'humanité ? N'interprétons-nous pas les quelques souvenirs de ces instants d'une manière très fausse en parlant de mythologie, de légendes, de magie ? Si l'on me montre une photographie non truquée d'un homme flottant dans l'air, je ne dis pas : c'est la représentation du mythe d'Icare, je dis : c'est un instantané d'un saut ou d'un plongeon. Pourquoi n'y aurait-il pas des états instantanés dans les civilisations ?

Nous allons citer d'autres faits, effectuer d'autres rapprochements, formuler d'autres hypothèses encore. Il y aura sans doute beaucoup de bêtises dans notre livre, répétons-le, mais il importe assez peu, si ce livre suscite quelques vocations et, dans une certaine mesure, prépare des voies plus larges à la recherche. Nous ne sommes que deux pauvres casseurs de cailloux : d'autres feront la route.

V

Mémoire plus vieille que nous... — Où les auteurs retrouvent des oiseaux métalliques. — Histoire d'une bien curieuse carte du monde. — Des bombardements atomiques et des vaisseaux interplanétaires dans des « textes sacrés ». — Une autre idée sur les machines. — Le culte du « cargo ». — Une autre vision de l'ésotérisme. — Le sacre de l'intelligence. — Encore une histoire, s'il vous plaît.

Depuis dix ans, l'exploration du passé s'est trouvée facilitée par les nouvelles méthodes basées sur la radio-activité et par les progrès de la cosmologie. Il s'en dégage deux faits extraordinaires[1].

1° La terre serait contemporaine de l'Univers. Elle serait donc vieille d'environ 4 500 millions d'années. Elle se serait formée en même temps et peut-être avant le Soleil, par condensation des particules à froid.

2° L'homme tel que nous le connaissons, l'*homo sapiens*, n'existerait que depuis 75 000 ans. Cette période très courte aurait suffi pour passer du préhominien à l'homme. Ici, nous nous permettons de poser deux questions :

a) Au cours de ces 75 000 années, l'humanité a-t-elle connu d'autres civilisations techniques que la nôtre ?

1. Docteur Bowen : *The exploration of time*, Londres, 1958.

Les spécialistes, en chœur, nous répondent non. Mais il n'est pas évident qu'ils sachent distinguer un instrument d'un objet dit de culte. Dans ce domaine, la recherche n'est pas même commencée. Cependant, il y a des problèmes troublants. La plupart des paléontologues considèrent les éolithes (pierres découvertes près d'Orléans en 1867) comme des objets naturels. Mais certains y voient l'œuvre de l'homme. De quel « homme » ? Autre que l'*homo sapiens*. On a trouvé d'autres objets à Ipswich, dans le Suffolk : ils démontreraient l'existence d' « hommes » tertiaires dans l'Europe occidentale.

b) Les expériences de Washburn et de Dice prouvent que l'évolution de l'homme a pu être causée par des modifications très triviales. Par exemple, un léger changement des os du crâne[1]. Une seule mutation, et non pas, comme on l'avait cru, une conjonction complexe de mutations, aurait suffi pour passer du préhominien à l'homme.

Ainsi, en 4 500 millions d'années, une seule mutation ? C'est possible. Pourquoi serait-ce certain ? Pourquoi n'y aurait-il pas eu plusieurs cycles d'évolution avant cette soixante-quinze millième année ? D'autres formes d'humanité, ou plutôt d'autres êtres pensants ont pu apparaître et disparaître. Ils n'auraient pas laissé de traces visibles à nos yeux, mais leur souvenir persisterait dans les légendes. « Le buste survit à la cité » : leur souvenir pourrait avoir survécu aux centrales d'énergie, aux machines, aux monuments de leurs civilisations englouties. Notre mémoire remonte peut-être beaucoup plus loin que notre propre existence, que l'existence même de notre espèce. Quels enregistrements infiniment lointains se dissimulent dans nos chromosomes et nos

1. Pour prouver le bien-fondé de sa thèse, Washburn a modifié le crâne des rats en le faisant passer d'une forme « néandertaloïde » à la forme « moderne ».

gènes ? « D'où te vient ceci, âme de l'homme, d'où te vient ceci ?... »

Déjà, en archéologie, tout change. Notre civilisation accélère les communications, et les observations faites sur l'ensemble de la surface du globe, rassemblées, confrontées, débouchent sur de grands mystères. En juin 1958, l'institut Smithson publie les résultats obtenus par des Américains, des Indiens, des Russes[1]. Dans les fouilles effectuées en Mongolie, Scandinavie, à Ceylan, près du lac Baïkal et sur le cours supérieur de la rivière Lena, en Sibérie, on découvre exactement les mêmes objets d'os et de pierre. Or, la technique de fabrication de ces objets ne se trouve plus que chez les Esquimaux. L'institut Smithson s'estime donc en mesure de conclure qu'il y a dix mille ans les Esquimaux habitaient l'Asie centrale, Ceylan et la Mongolie. Ils auraient ensuite émigré brusquement vers le Groenland. Mais pourquoi ? Comment des primitifs ont-ils pu décider brusquement, et en même temps, de quitter ces terres pour le même point inhospitalier du globe ? Comment ont-ils d'ailleurs pu le gagner ? Ils ignorent encore maintenant que la terre est ronde et n'ont aucune idée de la géographie. Et quitter Ceylan, paradis terrestre ? L'institut ne répond pas à ces questions. Nous ne prétendons pas imposer notre hypothèse et ne formulons celle-ci que comme exercice d'ouverture d'esprit : une civilisation supérieure, il y a dix mille ans, contrôle le globe. Elle crée dans le Grand Nord une zone de déportation. Or, que dit le folklore esquimau ? Il parle de tribus transportées dans le Grand Nord, à l'origine des temps, par des oiseaux

1. *New York Herald Tribune*, 11 juin 1958.

métalliques géants. Les archéologues du XIXe siècle ont beaucoup insisté sur l'absurdité de ces « oiseaux métalliques ». Et nous ?

Nul travail comparable à celui de l'institut Smithson n'a encore été fait sur des objets mieux définis. Par exemple, sur les lentilles. Des lentilles optiques ont été trouvées en Irak et en Australie centrale. Proviennent-elles de la même source, de la même civilisation ? Aucun opticien moderne n'a été appelé à se prononcer. Tous les verres d'optique, depuis une vingtaine d'années, dans notre civilisation, sont polis à l'oxyde de cérium. Dans mille ans, l'analyse spectroscopique prouvera, par l'analyse de ces verres, l'existence d'une civilisation unique sur le globe. Et ce sera vrai.

Une nouvelle vision du monde passé pourrait naître d'études de ce genre. Dieu veuille que notre bouquin léger et mal documenté suscite chez quelque jeune homme encore naïf l'idée d'un travail fou qui lui donnera un jour la clef des anciennes raisons.

Il y a d'autres faits :

Sur de vastes régions du désert de Gobi, on observe des vitrifications du sol semblables à celles que produisent les explosions atomiques.

On a trouvé dans des cavernes du Bohistan des inscriptions accompagnées de cartes astronomiques représentant les étoiles dans la position qu'elles occupaient voici treize mille ans. Des lignes relient Vénus à la Terre.

Au milieu du XIXe siècle, un officier de marine turc, Piri Reis, fait cadeau à la *Library of Congress* d'un paquet de cartes qu'il a découvert en Orient. Les plus récentes datent de Christophe Colomb, les plus anciennes du premier siècle après Jésus-Christ, les unes copiées sur les autres. En 1952, Arlington H. Mallery, grand spécialiste de la cartographie, examine ces documents[1]. Il s'aperçoit que, par exemple, tout ce qui existe en Méditerranée a été consigné, mais n'est pas en place. Ces gens pensaient-ils que la Terre est plate ? L'explication n'est pas suffisante. Ont-ils établi leur carte par projection, en tenant compte de la rotondité de la Terre ? Impossible, la géométrie projective date de Monge. Mallery confie ensuite l'étude à Walters, cartographe officiel, qui reporte ces cartes sur un globe moderne du monde : celles-ci sont exactes, non seulement pour la Méditerranée, mais pour toute la terre, y compris les Amériques et l'Antarctique. En 1955, Mallery et Walters soumettent leur travail au comité de l'année géophysique. Le comité confie le dossier au père jésuite Daniel Linehan, directeur de l'Observatoire de Weston et responsable de la cartographie de la marine américaine. Le père constate que le relief de l'Amérique du Nord, le report des lacs et des montagnes du Canada, le tracé des côtes à l'extrémité nord du continent et le relief de l'Antarctique (couvert par les glaces et décelé à grand-peine par nos instruments de mesure) sont corrects. Copies de cartes plus anciennes encore ? Tracées à partir d'observations faites à bord d'un engin volant ou spatial ? Notes prises par des visiteurs venus du Dehors ?

Nous reprochera-t-on de poser ces questions ? Le *Popol Vuh*, livre sacré des Quichés d'Amérique, parle d'une civilisation infiniment ancienne qui connaissait les nébuleuses et tout le système solaire. « Ceux de la première race, lit-on, étaient capables de tout savoir. Ils examinaient les quatre coins de l'horizon, les quatre points de l'arche du ciel et *la face ronde* de la Terre. »

---

1. Toute cette affaire a été examinée au cours d'un débat organisé à la Georgetown University en décembre 1958. Voir l'étude de Ivan T. Sanderson, dans *Fantastic Universe*, janvier 1959.

« Quelques-unes de ces croyances et légendes que l'Antiquité nous a léguées sont si universellement et si profondément enracinées, que nous avons pris l'habitude de les considérer comme presque aussi vieilles que l'humanité elle-même. Or, on est porté à rechercher jusqu'où la conformité de plusieurs de ces croyances et légendes est un effet du hasard, ou bien jusqu'où elle pourrait être le reflet de l'existence d'une ancienne civilisation, totalement inconnue et insoupçonnée, et dont tout autre vestige aurait disparu. »

L'homme qui, en 1910, écrivait ces lignes, n'était ni un écrivain de science-fiction, ni un vague occultiste. C'était un des pionniers de la science, le professeur Frédéric Soddy, prix Nobel, découvreur des isotopes et des lois de transformation de radio-activité naturelle[1].

L'Université d'Oklahoma a publié en 1954 les annales de tribus indiennes du Guatemala, datant du XVIe siècle. Récits fantastiques, apparitions d'êtres légendaires, mœurs imaginaires de dieux. Or, en y regardant de plus près, on s'est aperçu que les Indiens cackchiquels ne racontaient pas d'histoires folles : ils mentionnaient à leur manière leurs premiers contacts avec les envahisseurs espagnols. Ces derniers prenaient place, dans l'esprit des « historiens » cackchiquels, aux côtés des êtres appartenant à leur mythologie et à leur tradition. Ainsi le réel se trouvait-il dépeint sous l'aspect fabuleux, et il est hautement probable que des textes considérés comme purement folkloriques ou mythologiques reposent sur des faits réels mal interprétés et intégrés à d'autres faits, ceux-ci imaginaires. Le partage n'a pas été fait et toute une littérature plusieurs fois millénaire repose dans nos bibliothèques spécialisées sur les rayons « légendes »

1. Professeur à Oxford, membre à la Société Royale de Londres. Ces lignes sont extraites de son ouvrage, *Le Radium*, traduit par Adolphe Lepage, chef de laboratoire de Chimie-physique de l'Institut d'Hydrologie et de Climatologie de Paris.

sans que personne veuille un instant songer qu'il s'y cache peut-être des chroniques enluminées d'événements véritables.

Ce que nous savons de la science et de la technique modernes devrait pourtant nous faire lire d'un autre œil cette littérature. Le livre de Dzyan parle de « maîtres à la face éblouissante » qui abandonnent la Terre, retirant leurs connaissances aux hommes impurs, effaçant par désintégration les traces de leur passage. Ils s'en vont en chars volants, mus par la lumière, rejoindre leurs pays « de fer et de métal ».

Dans une récente étude de la *Literatournaya Gazeta* [1], le professeur Agrest, qui admet l'hypothèse d'une visite ancienne de voyageurs interplanétaires, retrouve parmi les premiers textes introduits dans la Bible par les prêtres juifs, les souvenirs d'Êtres venus d'ailleurs qui, tel Enoch, disparaissaient pour remonter au ciel dans des arches mystérieuses. Les ouvrages sacrés hindous, le *Ramayana* et le *Maha Bhratra*, décrivent les aéronefs qui circulèrent dans le ciel, à l'origine des temps, et qui ressemblaient « à des nuages azurés en forme d'œuf ou de globe lumineux ». Ils pouvaient faire plusieurs fois le tour de la Terre. Ils étaient actionnés « par une force éthérée qui frappe le sol au départ », ou « par une vibration émanant d'une force invisible ». Ils émettaient des « sons doux et mélodieux », irradiaient en « brillant comme du feu » et leur trajectoire n'était pas droite, mais apparaissait comme « une longue ondulation les rapprochant ou les éloignant de la Terre ». La matière de ces engins est définie, dans ces ouvrages vieux de plus de trois mille ans et sans doute écrits sur des souvenirs infiniment plus lointains, comme étant composée de plusieurs métaux, les uns blancs et légers, les autres rouges.

Dans le *Mausola Purva*, cette singulière description,

1. 1959.

incompréhensible pour des ethnologues du XIXᵉ siècle, certes, mais non plus pour nous :

« C'est une arme inconnue, une foudre de fer, gigantesque messager de la mort, qui réduisit en cendres tous les membres de la race des Vrishnis et des Andhakas. Les cadavres brûlés n'étaient même pas reconnaissables. Les cheveux et les ongles tombaient, les poteries cassaient sans cause apparente, les oiseaux devenaient blancs. Au bout de quelques heures, toute nourriture était malsaine. La foudre se réduisit en fine poudre. »

Et ceci :

« Cukra, volant à bord d'un *vimana* à haute puissance, lança sur la triple cité un projectile unique chargé de la puissance de l'Univers. Une fumée incandescente, semblable à dix mille soleils, s'éleva dans sa splendeur. Lorsque le *vimana* eut atterri, il apparut comme un splendide bloc d'antimoine posé sur le sol... »

Objection : si vous admettez l'existence de civilisations aussi fabuleusement avancées, comment expliquez-vous que les innombrables fouilles, sur le globe tout entier, n'ont jamais amené au jour un seul reste d'objets susceptibles de nous faire croire à cette existence ?

Réponses :

1° Il n'y a guère plus d'un siècle que l'on fouille systématiquement, et notre civilisation atomique n'a pas vingt ans. Aucune exploration archéologique sérieuse de la Russie du Sud, de la Chine, de l'Afrique centrale et de l'Afrique du Sud n'a encore été faite. D'immenses terres gardent leur passé secret.

2° Il a fallu qu'un ingénieur allemand, Wilhelm König, visite par hasard le musée de Bagdad pour s'apercevoir que des pierres plates trouvées en Irak, et classées comme telles, étaient en réalité des piles électriques, utilisées deux mille ans avant Galvani. Les

musées d'archéologie regorgent d'objets classés
« objets de culte » ou « divers » sur lesquels nul ne sait
rien. Les Russes ont récemment découvert dans des
cavernes du Gobi et du Turkestan des demi-sphères en
céramique ou en verre, terminées par un cône contenant une goutte de mercure. De quoi s'agit-il ? Enfin,
peu d'archéologues ont des connaissances scientifiques
et techniques. Moins encore sont à même de se rendre
compte qu'un problème technique peut être résolu de
plusieurs façons différentes et qu'il y a des machines
qui ne ressemblent pas à ce que nous appelons des
machines : sans bielle, manivelles, ni rouages. Quelques lignes tracées avec une encre spéciale sur du
papier préparé constituent un récepteur d'ondes électromagnétiques. Un simple tube de cuivre sert de
résonateur lors de la production d'ondes radar. Un
diamant est un détecteur sensible à la radiation
nucléaire et cosmique. Des enregistrements complexes
peuvent être contenus dans des cristaux. Des bibliothèques entières sont-elles enfermées dans des petites
pierres taillées ? Si, dans mille ans, notre civilisation
s'étant effacée, des archéologues retrouvaient des
bandes magnétiques, par exemple, qu'en feraient-ils ?
Et comment verraient-ils une différence entre une
bande vierge et une bande enregistrée ?

Aujourd'hui, nous sommes sur le point de découvrir
les secrets de l'antimatière et de l'antigravitation.
Demain, le maniement de ces secrets exigera-t-il un
appareillage lourd, ou tout au contraire d'une confon-
dante légèreté ? En se développant, la technique ne
complique pas, elle simplifie, réduit l'équipement
jusqu'à rendre celui-ci presque invisible. Dans son
livre, *Magie chaldéenne*, Lenormand, reprenant une
légende qui rappelle le mythe d'Orphée, écrivait :
« Dans les temps anciens, les prêtres d'On, grâce à des
sons, suscitaient des tempêtes et soulevaient dans les
airs, pour construire leurs temples, des pierres que

mille hommes n'eussent pu déplacer. » Et Walter Owen : « Les vibrations sonores sont des forces... La création cosmique est soutenue par des vibrations qui pourraient également la suspendre. » Cette théorie n'est pas éloignée des conceptions modernes. Demain sera fantastique : tout le monde le sait. Mais il le sera peut-être doublement, nous arrachant à l'idée qu'hier était banal.

Nous avons de la Tradition, c'est-à-dire de l'ensemble des textes les plus anciens de l'humanité, une conception toute littéraire, religieuse, philosophique. Et s'il s'agissait d'immémoriaux souvenirs, consignés par des gens fort éloignés du temps où se déroulaient les événements, transposant, enluminant ? D'immémoriaux souvenirs de civilisations techniquement, scientifiquement aussi avancées, sinon infiniment, plus que la nôtre ? Que dit la Tradition, vue sous cet aspect ?

Tout d'abord, que la science est dangereuse. Cette idée pouvait surprendre un homme du XIXe siècle. Nous savons maintenant qu'il a suffi de deux bombes sur Nagasaki et Hiroshima pour tuer 300 000 personnes, que ces bombes sont d'ailleurs fort périmées, et qu'un projectile au cobalt de cinq cents tonnes pourrait effacer la vie sur la plus grande partie du monde.

Ensuite, qu'il peut y avoir des contacts avec des êtres non terrestres. Absurdité pour le XIXe siècle, non plus pour nous. Il n'est plus impensable qu'il existe des univers parallèles au nôtre, avec lesquels la communication pourrait s'établir[1]. Les radiotélescopes reçoivent des ondes émises à dix milliards d'années-

1. Cette idée de l'existence d'Univers parallèles à l'Univers visible se retrouve partout dans la recherche contemporaine. Voir, par exemple, la revue *Industries Atomiques*, n° 1, 1958, p. 17, article de E. C. G. de Stuckuelberg.

lumière, modulées de telle façon qu'elles ressemblent à des messages. L'astronome John Krauss, de l'Université d'Ohio, assure avoir capté, le 2 juin 1956, des signaux en provenance de Vénus. D'autres signaux, en provenance de Jupiter, auraient été reçus à l'Institut de Princeton.

Enfin, la Tradition assure que tout ce qui s'est passé, depuis le début des temps, a été enregistré dans la matière, dans l'espace, dans les énergies, et peut être révélé. C'est exactement ce que dit un grand savant comme Bowen dans son ouvrage *L'exploration du Temps*, et c'est une pensée aujourd'hui partagée par la plupart des chercheurs.

Nouvelle objection : une haute civilisation technique et scientifique ne disparaît pas entièrement, ne s'anéantit pas complètement.

Réponse : « Nous autres, civilisations, savons maintenant que nous sommes mortelles. » Ce sont justement les techniques les plus évoluées qui risquent d'entraîner la disparition totale de la civilisation dont elles sont nées. Imaginons notre propre civilisation dans un proche futur. Toutes les centrales d'énergie, toutes les armes, tous les émetteurs et récepteurs de télécommunications, tous les appareils d'électricité et de nucléonique, bref, tous les instruments technologiques se trouvent basés sur le même principe de production d'énergie. A la suite de quelque réaction en chaîne, tous ces instruments, gigantesques ou de poche, explosent. Tout le potentiel matériel et la plus grande partie du potentiel humain d'une civilisation disparaît. Ne restent que les choses qui ne témoignent pas de cette civilisation, que les hommes qui vivaient plus ou moins à l'écart de celle-ci. Les survivants retombent à la simplicité. Ne demeurent que des souvenirs, consignés après la catastrophe de façon maladroite : des récits d'apparence légendaire, mythique, où passe le thème de l'expulsion d'un paradis terrestre et le sentiment qu'il y a de grands dangers, de grands secrets cachés au sein de la matière. Tout recommence, à partir de l'Apocalypse : « La lune devint comme du sang et les cieux se refermèrent comme un rouleau de parchemin... »

Des patrouilles du gouvernement australien, s'aventurant en 1946 dans les hautes terres incontrôlées de la Nouvelle-Guinée, trouvèrent là des peuplades remuées par un grand vent d'excitation religieuse : le culte du « cargo » venait de naître. Le « cargo » est un terme anglais qui désigne les marchandises commerciales à destination des indigènes : boîtes de conserve, bouteilles d'alcool, lampes à paraffine, etc. Pour ces hommes encore à l'âge de pierre, le soudain contact avec de telles richesses ne pouvait être que bouleversant. Mais les hommes blancs pouvaient-ils avoir fabriqué eux-mêmes de telles richesses ? Impossible. Les Blancs que l'on voit sont de toute évidence incapables de faire naître de leurs doigts un objet merveilleux. Soyons positifs, se disaient à peu près les indigènes de Nouvelle-Guinée : avez-vous jamais vu un homme blanc fabriquer quelque chose ? Non, mais les Blancs se livrent à de très mystérieuses activités : ils s'habillent tous de la même façon. Parfois, ils s'assoient devant une boîte de métal sur laquelle il y a des cadrans et écoutent des bruits bizarres qui en sortent. Ils font des signes sur des feuilles blanches. Ce sont là des rites magiques, grâce auxquels ils obtiennent des dieux que ceux-ci leur envoient le « cargo ». Les indigènes se mirent donc à tenter de copier ces « rites » : ils essayèrent de se vêtir à l'européenne, parlèrent dans des boîtes de conserve, dressèrent des tiges de bambous au-dessus de leurs cases, à l'imitation des antennes. Et ils construisirent de fausses pistes d'atterrissage, dans l'attente du « cargo ».

Bien. Et si nos ancêtres avaient interprété de cette manière leurs contacts avec des civilisations supérieures ? Il nous resterait la Tradition, c'est-à-dire l'enseignement de « rites » qui étaient en réalité des manières très légitimes d'agir en fonction de connaissances *autres*. Nous aurions imité enfantinement des attitudes, des gestes, des manipulations, sans les comprendre, sans les relier à une réalité complexe qui nous échappait, dans l'attente que ces gestes, ces attitudes, ces manipulations, nous apportent quelque chose. Quelque chose qui ne vient pas : une manne « céleste », en vérité acheminée par des voies que notre imagination ne pouvait concevoir. Il est plus facile de tomber dans le rituel que d'accéder à la connaissance, plus facile d'inventer des dieux que de comprendre des techniques. Ceci dit, j'ajoute que ni Bergier ni moi-même n'entendons ramener tout élan spirituel à une ignorance matérielle. Bien au contraire. Pour nous, la vie spirituelle existe. Si Dieu dépasse toute réalité, nous trouverons Dieu quand nous aurons connu toute réalité. Et s'il y a dans l'homme des pouvoirs qui lui permettent de comprendre tout l'Univers, Dieu est peut-être tout l'Univers, plus autre chose.

Mais poursuivons notre exercice d'ouverture de l'esprit : si ce que nous appelons l'ésotérisme n'était en fait qu'un exotérisme ? Si les plus vieux textes de l'humanité, sacrés à nos yeux, n'étaient que des traductions abâtardies, des vulgarisations hasardeuses, des rapports de troisième main, des souvenirs quelque peu faussés de réalités techniques ? Nous interprétons ces vieux textes sacrés comme s'ils étaient de toute évidence l'expression de « vérités » spirituelles, de symboles philosophiques, d'images religieuses. C'est que, les lisant, nous ne nous référons qu'à nous-mêmes, hommes occupés par notre petit mystère intérieur :

j'aime le bien et fais le mal, je vis et vais mourir, etc. Ils s'adressent à nous : ces engins, ces foudres, ces mannes, ces apocalypses sont des représentations du monde de notre esprit et de notre âme. C'est à moi que l'on parle, à moi, pour moi... Et s'il s'agissait de lointains souvenirs déformés d'autres mondes qui ont existé, du passage sur cette terre d'autres êtres qui cherchaient, qui savaient, qui faisaient ?

Imaginez un temps très ancien où les messages en provenance d'autres intelligences dans l'Univers étaient captés et interprétés, où des visiteurs interplanétaires avaient installé un réseau sur la Terre, où un trafic cosmique avait été établi. Imaginez qu'il existe encore, dans quelque sanctuaire, des notes, des diagrammes, des rapports, déchiffrés avec peine, au cours des millénaires, par des moines détenteurs des secrets anciens, mais nullement qualifiés pour comprendre ces secrets dans leur totalité, n'ayant cessé d'interpréter, d'extrapoler. Exactement comme pourraient faire des sorciers de Nouvelle-Guinée essayant de comprendre une feuille de papier sur laquelle sont inscrit les horaires des avions entre New York et San Francisco. A la limite, vous avez le livre de Gurdjieff : *Récits de Belzébuth à son petit Fils*, plein de références à des concepts inconnus, à un langage invraisemblable. Gurdjieff dit qu'il a eu accès à des « sources ». Des sources qui ne sont elles-mêmes que des déviations. Il fait une traduction de millième main, y ajoutant ses idées personnelles ; construisant une symbolique du psychisme humain : voilà l'ésotérisme.

Un prospectus-guide des lignes d'aviation intérieures des U.S.A. : « Vous pouvez retenir votre place n'importe où. Cette demande de réservation est enregistrée par un robot électronique. Un autre robot vous retient la place sur l'avion que vous désirez. Le billet qui vous sera remis sera perforé selon, etc. » Songez à ce que cela donnerait à la millième traduction en dialecte amazonien, faite par des gens qui n'ont jamais vu un avion, ignorent ce qu'est un robot et ne connaissent pas les noms des villes citées dans ce guide. Et, maintenant, imaginez l'ésotérisme devant ce texte, remontant aux sources de la sagesse ancienne et cherchant un enseignement pour la conduite de l'âme humaine...

S'il y a eu, dans la nuit des temps, des civilisations bâties sur un système de connaissances, il y a eu des manuels. Les cathédrales seraient des manuels de la connaissance alchimique. Il n'est pas exclu que certains de ces manuels, ou des fragments, aient été retrouvés, pieusement conservés et indéfiniment recopiés par des moines dont la tâche était moins de comprendre que de sauvegarder. Indéfiniment recopiés, enluminés, transposés, interprétés, non en fonction de ces connaissances anciennes, hautes et complexes, mais en fonction du peu de savoir de l'âge suivant. Mais en fin de compte, toute réelle connaissance technique, scientifique, poussée à son extrémité, entraîne une connaissance profonde de la nature de l'esprit, des ressources du psychisme, introduit à un état supérieur de conscience. Si, à partir des textes « ésotériques », — même s'ils ne sont que ce que nous en disons ici — des hommes ont pu remonter vers cet état supérieur de conscience, ils ont, d'une certaine manière, renoué avec la splendeur des civilisations englouties. Il n'est pas exclu non plus qu'il y ait deux sortes de « textes sacrés » : fragments de témoignages d'une ancienne connaissance technique, et fragments de livres purement religieux, inspirés par Dieu. Les deux seraient confondus, faute de références permettant de les distinguer. Et il s'agit bien, dans les deux cas, de textes également sacrés.

Sacrée est l'aventure indéfiniment recommencée et pourtant indéfiniment progressive de l'intelligence sur Terre. Et sacré est le regard de Dieu sur cette aventure, le regard sous lequel se trouve *tenue* cette aventure.

Voulez-vous nous permettre de terminer cette étude, ou plutôt cet exercice, sur une histoire ? C'est le récit d'un jeune écrivain américain, Walter M. Miller. Quand nous le découvrîmes, Bergier et moi, nous éprouvâmes une profonde jubilation. Puisse-t-il en être ainsi pour vous !

VI

UN CANTIQUE
POUR SAINT LEIBOWITZ
par Walter M. Miller.

N'eût été ce pèlerin qui lui apparut tout à coup au beau milieu du désert où il poursuivait son jeûne rituel de Carême, Frère Francis Gérard de l'Utah n'aurait certainement jamais découvert le document sacré. C'était d'ailleurs la première fois qu'il avait l'occasion de voir un pèlerin ceint d'un pagne, suivant la meilleure tradition, mais un coup d'œil suffit néanmoins au jeune moine pour se convaincre que le personnage était authentique. Le pèlerin était un vieil homme dégingandé qui boitillait en s'étayant du bâton classique ; sa barbe en broussaille était tachée de jaune autour du menton et il transportait une petite outre sur l'épaule. Coiffé d'un vaste chapeau et chaussé de sandales, il avait les reins sanglés d'un lambeau de toile à sac, passablement sale et dépenaillé. C'était là tout son costume et il sifflotait (faux) tout en dévalant la piste rocailleuse du nord. Il paraissait se diriger vers l'abbaye des Frères de Leibowitz, sise à une dizaine de kilomètres vers le sud.

Dès qu'il aperçut le jeune moine dans son désert de pierrailles, le pèlerin cessa de siffler et se mit à l'examiner curieusement. Frère Francis, lui, se garda bien de contrevenir à la règle de silence établie par son Ordre pour les jours de jeûne ; détournant bien vite son regard, il continua donc son travail, qui consistait à élever un rempart de grosses pierres pour protéger des loups son habitation provisoire.

Quelque peu affaibli après dix jours d'un régime exclusivement composé de baies de cactus, le jeune religieux sentait la tête lui tourner tandis qu'il continuait son labeur. Depuis quelque temps déjà, le paysage semblait danser devant ses yeux et il voyait flotter autour de lui des taches noires ; aussi se demanda-t-il tout d'abord si cette apparition barbue n'était pas un simple mirage engendré par la faim... Mais le pèlerin lui-même ne tarda pas à dissiper ses doutes :

« Ola allay ! » fit-il en le hélant joyeusement, d'une voix agréable et mélodieuse.

Puisque la règle du silence l'empêchait de répondre, le jeune moine se contenta de dédier au sol un timide sourire.

« Cette route mène bien à l'abbaye ? » reprit alors l'errant.

Fixant toujours la terre le novice hocha la tête affirmativement, puis il se baissa pour ramasser un petit morceau d'une pierre blanche, pareille à de la craie.

« Et que faites-vous ici, avec tous ces rochers ? » poursuivit le pèlerin en se rapprochant de lui.

En grande hâte, Frère Francis s'agenouilla pour tracer sur une large pierre plate les mots « Solitude et Silence ». S'il savait lire — ce qui était d'ailleurs improbable, à considérer les statistiques — le pèlerin pourrait ainsi comprendre que sa seule présence constituait pour le pénitent une occasion de péché, et il lui ferait sans doute la grâce de se retirer sans plus insister.

« Ah, bon ! » fit le barbu.

Un instant, il demeura immobile, promenant ses regards autour de lui, puis il frappa une grosse roche de son bâton :

« Tenez, dit-il, en voilà une qui ferait bien votre affaire... Allons, bonne chance, et puissiez-vous trouver la Voix que vous cherchez ! »

Sur le moment, Frère Francis ne comprit pas que l'étranger avait voulu dire « Voix » avec un V majuscule ; il imagina simplement que le vieil homme l'avait pris pour un sourd-muet. Après avoir jeté un rapide coup d'œil au pèlerin qui s'éloignait en sifflotant derechef, il s'empressa de lui dédier une bénédiction silencieuse pour lui assurer un bon voyage, puis il se remit à son travail de maçon, pressé de se construire un petit enclos en forme de cercueil dans lequel il pourrait s'étendre pour dormir sans que sa chair offrît un appât aux loups dévorants.

Un céleste troupeau de cumulus passa au-dessus de sa tête : après avoir cruellement induit le désert en tentation, ces nuages allaient maintenant dispenser aux montagnes leur humide bénédiction... Leur passage rafraîchit un instant le jeune moine en le protégeant des rayons brûlants du soleil et il en profita pour activer son travail, non sans ponctuer ses moindres gestes d'oraisons chuchotées pour s'assurer la véritable vocation — car c'était là, aussi bien, le but même qu'il cherchait à atteindre pendant sa période de jeûne dans le désert.

Finalement, Frère Francis saisit la grosse pierre que le pèlerin lui avait indiquée... mais les bonnes couleurs que lui avaient données ses travaux de force désertèrent soudain son visage et il laissa précipitamment retomber le quartier de roc, comme s'il eût tout à coup touché un serpent.

Une boîte de métal rouillé gisait là, à ses pieds, partiellement enfouie dans la pierraille...

Poussé par la curiosité, le jeune moine voulut aussitôt la saisir, mais il fit d'abord un pas en arrière et se signa bien vite, en marmottant du latin. Après quoi, rassuré, il ne craignit plus de s'adresser à la boîte elle-même.

« *Vade retro, Satanas !* » lui enjoignit-il en la menaçant du pesant crucifix de son rosaire. « Disparais, Vil Séducteur ! »

Tirant subrepticement de sous sa robe un minuscule goupillon, il aspergea la boîte d'eau bénite, à toutes fins utiles. « Si tu es créature diabolique, va-t'en ! »

Mais la boîte n'eut pas l'air de vouloir disparaître, ni d'exploser, ni même de se racornir dans une odeur de soufre... Elle se contenta de rester tranquillement à sa place, laissant au vent du désert le soin de faire évaporer les gouttelettes sanctificatrices qui la recouvraient

« Ainsi soit-il ! » fit alors le religieux en s'agenouillant pour saisir l'objet.

Assis parmi les cailloux, il passa plus d'une heure à marteler la boîte avec une grosse pierre pour l'ouvrir. Tandis qu'il travaillait de la sorte, l'idée lui vint que cette relique archéologique — car c'était bien de cela, visiblement, qu'il s'agissait — était peut-être un signe envoyé par le Ciel pour lui marquer que la Vocation lui était accordée. Aussitôt, pourtant, il chassa de son esprit cette pensée, se souvenant à temps que le Père Abbé l'avait très sérieusement mis en garde contre toute révélation personnelle directe à caractère spectaculaire. S'il avait quitté l'abbaye pour accomplir dans le désert ce jeûne de quarante jours, réfléchit-il, c'était justement pour que sa pénitence lui valût une inspiration d'en haut qui l'appellerait aux Saints Ordres. Il ne devait pas s'attendre à être le témoin de visions ou à s'entendre appeler par des voix célestes : de tels phénomènes, chez lui, n'eussent trahi qu'une vaine et stérile présomption. Trop de novices avaient ramené de leur retraite dans le désert d'abondantes histoires de présages, de prémonitions et de visions célestes, aussi l'excellent Père Abbé avait-il adopté une politique énergique en face de ces prétendus miracles. « Le Vatican est seul qualifié pour se prononcer là-dessus, avait-il grogné, et il faut bien se garder de prendre pour révélation divine ce qui n'est autre chose que l'effet d'un coup de soleil. »

Malgré qu'il en eût, cependant, Frère Francis ne pouvait s'empêcher de manipuler la vieille boîte de métal avec un infini respect, tout en la martelant de son mieux pour l'ouvrir...

Elle céda soudain, répandant son contenu sur le sol, et le jeune religieux sentit un frisson glacé lui parcourir l'échine. L'Antiquité elle-même allait se révéler à lui ! Passionné d'archéologie, il avait peine à en croire le témoignage de ses yeux, et il songea tout à coup que Frère Jeris allait en être malade de jalousie — mais il se reprocha vite cette pensée peu charitable et il se mit à remercier le Ciel qui le gratifiait d'un pareil trésor.

Tremblant d'émoi, il toucha d'une main précautionneuse les objets contenus dans la boîte en s'efforçant de les trier. Ses études antérieures lui permirent ainsi de reconnaître dans le lot un tournevis, sorte d'instrument utilisé autrefois pour introduire dans du bois des tiges de métal fileté — et une espèce de petite cisaille à lames coupantes. Il découvrit aussi un outil bizarre, composé d'un manche de bois pourri et d'une forte tige de cuivre à laquelle adhéraient encore quelques parcelles de plomb fondu, mais il ne parvint pas à l'identifier. La boîte contenait encore un petit rouleau d'une bande noire et collante, trop détériorée par les siècles pour qu'on pût savoir ce que c'était, et de nombreux fragments de verre et de métal, ainsi que plusieurs de ces petits objets tubulaires à moustaches de fil de fer que les païens des montagnes considéraient comme des amulettes, mais que certains archéologues croyaient être des restes de la légendaire *machina analyca*, antérieure au Déluge de Flammes.

Frère Francis examina soigneusement tous ces objets

avant de les ranger à côté de lui sur la grande pierre plate ; quant aux documents, il se réserva de les examiner en dernier lieu. Comme toujours, d'ailleurs, c'étaient eux qui constituaient la plus importante découverte, étant donné le très petit nombre de papiers qui avaient échappé aux terribles autodafés allumés pendant l'Âge de la Simplification par une populace ignorante et vengeresse ne craignant pas de détruire ainsi jusqu'aux textes sacrés eux-mêmes.

La précieuse boîte contenait deux de ces inestimables papiers, ainsi que trois petites feuilles de notes manuscrites. Tous ces vénérables documents étaient très fragiles, la vétusté les ayant desséchés et rendus cassants, aussi le jeune moine les mania-t-il avec les plus grandes précautions, en ayant bien soin de les protéger du vent avec un pan de sa robe. Ils étaient d'ailleurs à peine lisibles et rédigés en anglais antédiluvien, cette langue ancienne qui, comme le latin, n'était plus employée, à l'heure actuelle, que par les moines et le Rituel de la liturgie. Frère Francis se mit à les déchiffrer lentement, reconnaissant les mots au passage sans bien pénétrer leur signification exacte. On lisait sur l'une des petites feuilles : « 1 livre saucisse, 1 boîte choucroute pour Emma. » La seconde feuille disait : « Penser à prendre formule 1040 pour déclaration impôts. » La troisième, enfin, ne comportait que des chiffres et une longue addition, puis un chiffre représentant manifestement un pourcentage soustrait du total précédent et suivi du mot « Zut ! ». Incapable de comprendre quoi que ce fût à ces documents, le moine se contenta de vérifier les calculs et les trouva justes.

Des deux autres papiers contenus dans la boîte, l'un, étroitement serré en un petit rouleau, menaçait de tomber en morceaux si l'on s'avisait de le dérouler. Frère Francis ne réussit à y déchiffrer que deux mots : « Pari Mutuel », et il le remit dans la boîte pour l'examiner plus tard, une fois soumis à un traitement conservateur approprié.

Le second document se composait d'un grand papier plusieurs fois replié sur lui-même et si cassant à l'endroit des pliures que le religieux dut se contenter d'en écarter précautionneusement les feuillets pour y jeter un coup d'œil.

C'était un plan, un réseau compliqué de lignes blanches, tracées sur fond bleu !

Un nouveau frisson parcourut l'échine de Frère Francis : c'était un bleu qu'il tenait là — un de ces documents anciens de toute rareté que les archéologues appréciaient tant et que les savants et interprètes spécialisés avaient généralement tant de mal à déchiffrer !

Mais l'incroyable bénédiction que constituait une pareille trouvaille ne se bornait pas là : parmi les mots tracés dans l'un des angles inférieurs du document, voilà, en effet, que Frère Francis découvrit tout à coup le nom même du fondateur de son ordre : le Bienheureux Leibowitz en personne !

Les mains du jeune moine se mirent à trembler si fort, dans son allégresse, qu'il faillit en déchirer l'inestimable papier. Les derniers mots que lui avait adressés le pèlerin lui revinrent alors en mémoire : « Puisses-tu trouver la Voix que tu cherches ! » Et c'était bien une Voix qu'il venait de découvrir, une Voix avec un grand V, pareil à celui que forment les deux ailes d'une colombe plongeant vers la terre du haut du firmament, un V majuscule, comme dans *Vere dignum*, ou *Vidi aquam*, un V majestueux et solennel, comme ceux qui décorent les grandes pages du Missel — un V, en bref, comme dans Vocation !

Après un dernier coup d'œil au bleu pour s'assurer qu'il ne rêvait point, le religieux entonna ses actions de grâces : « *Beate Leibowitz, ora pro me... Sancte Leibowitz, exaudi me...* » — et cette dernière formule ne manquait pas d'une certaine audace, puisque le fondateur de son Ordre attendait encore sa canonisation !

Oublieux des injonctions de l'Abbé, Frère Francis se dressa d'un bond et se mit à scruter l'horizon vers le sud, dans la direction qu'avait prise le vieil errant au pagne de jute. Mais le pèlerin avait depuis longtemps disparu... C'était sûrement un ange du Seigneur, se dit Frère Francis, et — qui sait ? — peut-être même le Bienheureux Leibowitz en personne... Ne lui avait-il pas indiqué l'endroit même où découvrir ce miraculeux trésor, en lui conseillant de déplacer certain roc au moment où il lui adressait de prophétiques adieux ?...

Le jeune religieux demeura plongé dans ses exaltantes réflexions jusqu'à l'heure où le soleil couchant vint ensanglanter les montagnes, tandis que les ombres crépusculaires s'amassaient autour de lui. A ce moment-là seulement, la nuit approchante vint le tirer de sa méditation. Il se dit que l'inestimable don qu'il venait de recevoir ne le mettait probablement pas à l'abri des loups et il se hâta de terminer sa muraille protectrice. Puis, comme les étoiles se levaient, il ranima son feu et recueillit les petites baies violettes des cactus qui constituaient son repas. C'était là sa seule nourriture, à l'exception de la poignée de grains de blé desséchés qu'un prêtre lui apportait chaque dimanche. Aussi lui arrivait-il de promener un regard avide sur les lézards qui traversaient les rocs d'alentour — et ses rêves étaient-ils fréquemment peuplés de cauchemars gourmands.

Cette nuit-là, pourtant, la faim était passée au second plan de ses préoccupations. Ce qu'il aurait voulu, avant tout, c'était courir en toute hâte vers l'abbaye pour faire part à ses frères de sa merveilleuse rencontre et de sa miraculeuse découverte. Mais la chose, bien entendu, était absolument hors de question. Vocation ou non, il lui faudrait rester là jusqu'à la fin du Carême et continuer à se comporter comme si rien d'extraordinaire ne lui fût arrivé.

« On bâtira une cathédrale sur cet emplacement », songea-t-il tandis qu'il rêvassait auprès de son feu. Et déjà, son imagination lui montrait le majestueux édifice qui surgirait des ruines de l'ancien village avec ses clochers altiers qu'on pourrait découvrir de plusieurs kilomètres à la ronde.

Il finit par s'assoupir et, lorsqu'il se réveilla en sursaut, quelques vagues tisons rougeoyaient à peine dans son feu mourant. Il eut soudain l'impression qu'il n'était plus seul dans ce désert... Écarquillant les yeux, il s'efforça de percer les ténèbres qui l'enveloppaient, et c'est alors qu'il aperçut, derrière les dernières braises de son maigre foyer, les prunelles d'un loup qui luisaient dans l'obscurité. Poussant un cri d'effroi, le jeune moine courut aussitôt se blottir dans son cercueil de pierres sèches.

Ce cri qu'il venait de pousser, se dit-il tandis qu'il se terrait, tout tremblant, dans son refuge, ce cri ne constituait pas, à proprement parler, une infraction à la règle du silence... Et il se mit à caresser la boîte de métal qu'il serrait sur son cœur, tout en priant pour que le Carême s'achevât promptement. Autour de lui, des pattes griffues égratignaient les pierres de son enclos...

Toutes les nuits, les loups rôdaient ainsi autour du misérable campement du religieux, emplissant les ténèbres de leurs hurlements de mort et, toute la journée, il se débattait, aux prises avec de véritables cauchemars provoqués par la faim, la chaleur et les impitoyables morsures du soleil. Ses journées, Frère Francis les employait à ramasser du bois pour son feu et aussi à prier, s'évertuant à maîtriser son impatience de voir enfin arriver le Samedi Saint qui marquerait la fin du Carême et celle de son jeûne.

Pourtant, quand ce jour béni se leva enfin, le jeune moine était trop affaibli par les privations pour trouver la force de s'en réjouir. Accablé d'une immense lassitude, il fit sa besace, ramena son capuchon sur sa tête pour se garantir du soleil et mit sa précieuse boîte sous son bras. Puis plus léger d'une quinzaine de kilos par rapport au mercredi des Cendres, il entreprit de couvrir d'une démarche chancelante les dix kilomètres qui le séparaient de l'abbaye... Épuisé, il s'écroula au moment où il en atteignait la porte ; les Frères qui le recueillirent et prodiguèrent leurs soins à sa pauvre carcasse déshydratée racontèrent qu'il n'avait cessé, pendant son délire, de parler d'un ange en pagne de jute et d'invoquer le nom du Bienheureux Leibowitz, le remerciant avec ferveur de lui avoir révélé de saintes reliques, ainsi que le Pari Mutuel.

Le bruit de ces vaticinations se répandit dans la communauté et parvint très rapidement aux oreilles du Père Abbé, responsable de toute discipline, qui serra aussitôt les mâchoires. « Qu'on aille me le chercher ! » ordonna-t-il d'un ton bien propre à donner des ailes aux plus nonchalants.

En attendant le jeune moine, l'Abbé se mit à faire les cent pas, tandis que la colère s'amassait en lui. Non pas, bien sûr, qu'il fût contre les miracles, loin de là. Encore qu'ils fussent difficilement compatibles avec les nécessités de l'administration intérieure, le bon Père croyait dur comme fer aux miracles, puisqu'ils constituaient la base même de sa foi. Mais il entendait au moins que ces miracles fussent dûment contrôlés, vérifiés et authentifiés dans les formes prescrites, selon les règles établies. Depuis la récente béatification du vénéré Leibowitz, en effet, ces jeunes fous de moines s'avisaient de dénicher des miracles partout.

Pour compréhensible que fût assurément cette propension au merveilleux, elle n'en était pas moins intolérable. Certes, tout ordre monastique digne de ce nom est vivement soucieux de contribuer à la canonisation de son fondateur, en réunissant avec le plus grand zèle tous les éléments susceptibles d'y contribuer, mais il y avait des limites ! Or, depuis quelque temps, l'Abbé avait pu constater que son troupeau de moinillons avait tendance à échapper à son autorité, et le zèle passionné que mettaient les jeunes frères à découvrir et à recenser les miracles avait si bien ridiculisé l'Ordre Albertien de Leibowitz qu'on en faisait des gorges chaudes jusqu'au Nouveau Vatican...

Aussi le Père Abbé était-il bien décidé à sévir. dorénavant, tout propagateur de nouvelles miraculeuses se verrait infliger une punition. Dans le cas d'un faux miracle, le responsable paierait ainsi le prix de son indiscipline et de sa crédulité ; dans le cas d'un miracle authentique, au contraire, révélé par des vérifications ultérieures, le châtiment subi constituerait la pénitence obligée que doivent accomplir tous ceux qui bénéficient du don de la grâce.

Au moment où le jeune novice frappa timidement à sa porte, le bon Père, parvenu au terme de ses reflexions, se trouvait ainsi dans l'humeur qui convenait à la circonstance, un état d'esprit proprement féroce, dissimulé sous la plus benoîte apparence.

« Entrez, mon fils, fit-il d'une voix suave.

— Vous m'avez fait demander, mon Révérend Père ? s'enquit le novice — et il eut un sourire ravi en apercevant sa boîte de métal sur la table de l'Abbé.

— Oui », répondit le Père, qui parut hésiter un instant.

« Mais sans doute aimeriez-vous mieux, poursuivit-il, que ce soit *moi*, dorénavant, qui vienne vous trouver, puisque vous voici maintenant devenu un si célèbre personnage ?

— Oh! non, mon Père! s'écria Frère Francis, cramoisi et s'étranglant à demi.

— Vous avez dix-sept ans, et vous n'êtes visiblement qu'un imbécile.

— Sans aucun doute, mon Révérend.

— Voulez-vous me dire, dans ces conditions, quelle raison déraisonnable vous pouvez avoir de vous croire digne d'entrer dans les Ordres?

— Je n'en ai absolument aucune, ô mon vénérable maître. Je ne suis qu'un misérable pécheur dont l'orgueil est impardonnable.

— Et tu ajoutes encore à tes fautes, rugit l'Abbé, en prétendant ton orgueil si grand qu'il est impardonnable!

— C'est vrai, mon Père. Je ne suis qu'un vermisseau. »

L'Abbé eut un sourire glacé et recouvra son calme vigilant.

« Vous êtes donc prêt à vous rétracter, reprit-il, et à renier toutes les divagations que vous avez proférées sous l'influence de la fièvre, à propos d'un ange qui vous serait apparu et vous aurait remis ce... (il désigna d'un geste méprisant la boîte de métal)... cette méprisable pacotille? »

Frère Francis eut un sursaut et ferma peureusement les yeux.

« Je... j'ai bien peur de ne le pouvoir, ô mon maître, souffla-t-il.

— Quoi?

— Je ne puis nier ce que mes yeux ont vu, mon Révérend Père.

— Savez-vous quel est le châtiment qui vous attend?

— Oui, mon Père.

— Très bien. Préparez-vous donc à le recevoir. »

Avec un soupir résigné, le novice releva sa longue robe jusqu'à la taille et s'inclina sur la table. Prenant alors dans son tiroir une solide verge de noyer, le bon Père lui en cingla dix fois de suite le postérieur. (Après chaque coup, le novice prononçait avec soumission le *Deo gratias!* que méritait la leçon d'humilité dont il profitait ainsi.)

« Et maintenant, interrogea l'Abbé, en baissant ses manches, êtes-vous disposé à vous rétracter ?

— Mon Père, je ne le peux pas. »

Lui tournant le dos brusquement, le prêtre demeura un instant silencieux.

« Très bien, reprit-il enfin d'une voix mordante. Vous pouvez disposer. Mais ne comptez surtout pas prononcer des vœux solennels cette année, en même temps que les autres. »

Frère Francis, en larmes, regagna sa cellule. Les autres novices allaient recevoir l'habit monastique, et lui, au contraire, devait attendre encore une année et passer un nouveau Carême dans le désert, parmi les loups, en quête d'une vocation dont il savait pourtant bien qu'elle lui avait été amplement accordée...

Au cours des semaines qui suivirent, l'infortuné eut au moins la consolation de constater que l'Abbé n'avait pas eu entièrement raison en traitant de « méprisable pacotille » le contenu de la boîte en métal. Ces reliques archéologiques avaient visiblement éveillé un très vif succès parmi les Frères et l'on consacrait beaucoup de temps au nettoyage et au classement des outils ; on s'efforçait également de restaurer les documents écrits et d'en pénétrer le sens. Le bruit courait même, dans la communauté, que Frère Francis avait bien découvert d'authentiques reliques du Bienheureux Leibowitz — notamment sous la forme du plan, ou bleu, qui portait son nom et sur lequel se voyaient encore quelques éclaboussures brunâtres. (Du sang de Leibowitz, peut-être ? Le Père Abbé, lui, opinait qu'il s'agissait de jus de pommes.) En tout cas, le plan était daté de l'An de Grâce 1956, c'est-à-dire qu'il semblait contemporain du vénérable fondateur de l'Ordre.

On savait d'ailleurs assez peu de choses du Bienheureux Leibowitz ; son histoire se perdait dans les brumes du passé, que venait encore obscurcir la légende. On affirmait seulement que Dieu, pour mettre à l'épreuve le genre humain, avait ordonné aux savants d'autrefois — parmi lesquels figurait le Bienheureux Leibowitz — de perfectionner certaines armes diaboliques, grâce auxquelles l'Homme, en l'espace de quelques semaines, était parvenu à détruire l'essentiel de la civilisation, supprimant du même coup un très grand nombre de ses semblables. Ç'avait été le Déluge de Flammes qu'avaient suivi les pestes et fléaux divers, et enfin la folie collective qui devait conduire à l'Âge de la Simplification. Au cours de cette dernière époque, les ultimes représentants de l'humanité, saisis d'une fureur vengeresse, avaient taillé en pièces tous les politiciens, techniciens et hommes de science ; en outre, ils avaient brûlé tous les ouvrages et documents d'archives qui auraient pu permettre au genre humain de s'engager à nouveau dans les voies de la destruction scientifique. En ce temps-là, on avait poursuivi d'une haine sans précédent tous les écrits, tous les hommes instruits — à tel point que le mot « benêt » avait fini par devenir synonyme de citoyen honnête, intègre, et vertueux.

Pour échapper au légitime courroux des benêts survivants, beaucoup de savants et d'érudits cherchèrent à se réfugier dans le giron de Notre Mère l'Église. Elle les accueillit en effet, les revêtit de robes monacales et s'efforça de les soustraire aux poursuites de la populace. Ce procédé ne réussit d'ailleurs pas toujours, car certains monastères furent envahis, leurs archives et leurs textes sacrés jetés au feu, tandis qu'on pendait haut et court ceux qui s'y étaient réfugiés. En ce qui concerne Leibowitz, il avait trouvé asile chez les Cisterciens. Ayant prononcé ses vœux, il devint prêtre et, au bout d'une douzaine d'années, la permission lui fut accordée de fonder un nouvel ordre monastique, celui des « Albertiens », ainsi nommé en souvenir d'Albert le Grand, professeur du grand saint Thomas d'Aquin, et patron de tous les gens de science. La congrégation nouvellement créée devait se consacrer à la préservation de la culture, tant sacrée que profane, et ses membres auraient pour tâche principale de transmettre aux générations à venir les rares livres et documents ayant échappé à la destruction et qu'on leur faisait tenir en cachette, de tous les coins du monde. Finalement, certains benêts reconnurent en Leibowitz un ancien savant et il subit le martyre par pendaison. L'ordre fondé par lui, pourtant, n'en continua pas moins à fonctionner et ses membres, lorsqu'il fut de nouveau permis de posséder des documents écrits, purent même s'attacher à transcrire de mémoire de nombreux ouvrages du temps passé. Mais la mémoire de ces annalistes étant forcément limitée (et peu d'entre eux, au reste, possédant une culture assez étendue pour comprendre les sciences physiques) les frères copistes consacrèrent le plus clair de leurs efforts aux textes sacrés ainsi qu'aux ouvrages traitant de belles-lettres ou de questions sociales. Ainsi donc ne survécut, de l'immense répertoire des connaissances humaines, qu'une assez chétive collection de petits traités manuscrits.

Après six siècles d'obscurantisme, les moines continuaient à étudier et à recopier leur maigre récolte. Ils attendaient... Certes, la plupart des textes sauvés par eux ne leur étaient d'aucune utilité — certains, même, leur demeurant rigoureusement incompréhensibles. Mais il suffisait aux bons religieux de savoir qu'ils détenaient la Connaissance : ils sauraient la sauver et la transmettre, ainsi que l'exigeait leur devoir — et ce, même si l'obscurantisme universel devait durer dix mille ans...

Frère Francis Gérard de l'Utah retourna dans le désert l'année suivante et s'y remit à jeûner dans la solitude. Une fois de plus, il s'en revint au monastère, faible et amaigri, et fut de nouveau traduit devant le Père Abbé, qui lui demanda s'il était enfin décidé à renier ses extravagantes déclarations.

« Je ne le peux pas, mon Père, répéta-t-il, je ne peux pas nier ce que j'ai vu de mes yeux. »

Et l'Abbé, une fois de plus, le châtia selon le Christ ; une fois de plus aussi, il repoussa la prononciation de ses vœux à une date ultérieure...

Les documents contenus dans la boîte de métal avaient cependant été confiés à un séminaire, pour étude, après qu'on en eut pris copie. Mais Frère Francis restait un simple novice, un novice qui continuait de rêver au magnifique sanctuaire que l'on édifierait quelque jour à l'emplacement de sa découverte...

« Diabolique entêtement ! fulminait l'Abbé. Si le pèlerin dont s'obstine à parler cet idiot se dirigeait, comme il le prétend, vers notre abbaye, comment se fait-il qu'on ne l'ait jamais vu ?... Un pèlerin en pagne de jute, vraiment ! »

Pourtant, cette histoire de pagne de jute n'était pas sans tracasser le bon Père. La tradition rapportait en effet que le Bienheureux Leibowitz, lors de sa pendaison, avait été coiffé d'un sac de jute, en guise de capuchon.

Frère Francis resta sept ans novice et vécut dans le désert sept Carêmes successifs. A ce régime, il passa maître dans l'art d'imiter le hurlement des loups et il lui arrivait par la suite, histoire de s'amuser, d'attirer ainsi la meute des fauves jusque sous les murs de l'abbaye, par les nuits sans lune... Dans la journée, il se contentait de travailler aux cuisines et de frotter les dalles du monastère, tout en continuant à étudier les auteurs anciens.

Un beau jour, un envoyé du séminaire arriva sur son âne à l'abbaye, porteur d'une nouvelle génératrice de grand-liesse :

« Il est maintenant certain, annonça-t-il, que les documents trouvés près d'ici remontent bien à la date indiquée et que le plan, notamment, se rapporte en quelque façon à la carrière de votre bienheureux fondateur. On l'a envoyé au Nouveau Vatican, qui en fera l'objet d'une étude plus poussée.

— Ainsi, interrogea l'Abbé, il pourrait donc s'agir, après tout, d'une véritable relique de Leibowitz ? »

Mais le messager, peu soucieux d'engager sa responsabilité, se contenta de hausser le sourcil.

« On rapporte que Leibowitz était veuf, lors de son ordination, biaisa-t-il. Naturellement, si l'on parvenait à découvrir le nom de sa défunte épouse... »

C'est alors que l'Abbé, se rappelant la petite note où figurait un nom de femme, haussa le sourcil à son tour...

Peu après, il fit mander Frère Francis.

« Mon enfant, lui déclara-t-il d'un air positivement rayonnant, je crois le moment venu, pour vous, de prononcer enfin vos vœux solennels. Qu'il me soit permis, à cette occasion, de vous féliciter pour la patience et la fermeté de propos dont vous n'avez cessé de nous donner les preuves. Bien entendu, nous ne parlerons plus jamais de votre... heu... rencontre avec un... — hum ! — ... coureur de désert. Vous êtes un bon benêt, et vous pouvez vous mettre à genoux si vous désirez ma bénédiction. »

Frère Francis poussa un profond soupir et s'évanouit, terrassé par l'émotion. Le Père le bénit, puis le ranima et lui permit de prononcer ses vœux perpétuels : pauvreté, chasteté, obéissance — et observance de la règle.

A quelque temps de là, le nouveau profès de l'ordre albertien des Frères de Leibowitz fut affecté à la salle des copistes, sous la surveillance d'un vieux moine appelé Horner, et il se mit à décorer consciencieusement les pages d'un traité d'algèbre de belles enluminures représentant des rameaux d'olivier et des chérubins joufflus.

« Si vous le désirez, lui annonça le vieil Horner de sa voix cassée, vous pouvez consacrer cinq heures de votre temps, chaque semaine, à une occupation de votre choix — sous réserve d'approbation, naturellement. Dans le cas contraire, vous utiliserez ces heures de labeur facultatif à copier la *Summa Theologica*[1], ainsi que les fragments de l'*Encyclopedia Britannica* qui sont parvenus jusqu'à nous. »

Après avoir réfléchi là-dessus, le jeune moine demanda :

« Pourrais-je consacrer ces heures à faire une belle copie du plan de Leibowitz ?

— Je n'en sais rien, mon enfant, répliqua le Frère Horner en fronçant le sourcil. C'est là un sujet sur lequel notre excellent Père s'avère quelque peu chatouilleux, voyez-vous... Enfin, conclut-il devant les supplications du jeune copiste, je consens tout de même à vous le permettre, puisque c'est là un travail qui ne vous prendra pas longtemps. »

Frère Francis se procura donc le plus beau parchemin qu'il put trouver et passa de longues semaines à en gratter et polir la peau avec une pierre plate, jusqu'à ce qu'il eût réussi à lui donner une éclatante et neigeuse blancheur. Puis il consacra d'autres semaines à étudier les copies du précieux document, jusqu'à ce qu'il en connût par cœur tout le tracé, tout le mystérieux

1. *La Somme*, de saint Thomas d'Aquin, de toute évidence.

enchevêtrement de lignes géométriques et de symboles incompréhensibles. A la fin, il se sentit capable de reproduire les yeux fermés l'étonnante complexité du document. Alors, il passa bien des semaines encore à fouiller dans la bibliothèque du monastère pour y découvrir des documents qui lui permissent de se faire une idée, même vague, de la signification du plan.

Frère Jeris, un jeune moine qui travaillait également dans la salle des copistes et s'était maintes fois moqué de lui et de ses miraculeuses apparitions dans le désert, le surprit tandis qu'il se livrait à cette besogne.

« Puis-je vous demander, lui dit-il, penché sur son épaule, ce que signifie la mention " Mécanisme de Contrôle Transitoriel pour Élément 6-B " ?

— C'est évidemment le nom de l'objet que représente le schéma, répliqua le Frère Francis, d'un ton un peu sec, car Frère Jeris n'avait fait que lire à haute voix le titre du document.

— Sans doute... Mais que représente donc ce schéma ?

— Mais... le mécanisme de contrôle transitoriel d'un élément 6-B, naturellement ! »

Frère Jeris éclata de rire, et le jeune copiste se sentit rougir.

« Je suppose, reprit-il, que le schéma représente en réalité quelque concept abstrait. D'après moi, ce Mécanisme de Contrôle Transitoriel devait être une abstraction transcendantale.

— Et vous la classeriez dans quel ordre de connaissance, votre abstraction ? s'enquit Jeris, toujours sarcastique.

— Eh bien, voyons... Frère Francis hésita un instant puis reprit : Étant donné les travaux que poursuivait le Bienheureux Leibowitz avant d'entrer en religion, je dirais que le concept dont il s'agit ici concerne cet art aujourd'hui perdu que l'on nommait autrefois l'*électronique*.

— Ce nom figure en effet parmi les textes écrits qui nous ont été transmis. Mais que désigne-t-il au juste ?

— Les textes nous le disent également : l'objet de l'électronique était l'utilisation de l'Électron, que l'un des manuscrits en notre possession, malheureusement fragmentaire, nous définit comme une Torsion du Néant Négativement Chargée[1].

— Votre subtilité m'impressionne, s'extasia Jeris. Puis-je vous demander encore ce que c'est que la négation du néant ? »

Frère Francis, rougissant de plus belle, se mit à patauger.

« La torsion négative du néant, poursuivit l'impitoyable Jeris, doit tout de même aboutir à quelque chose de positif. Je suppose donc, Frère Francis, que vous parviendrez à nous fabriquer ce quelque chose, si vous voulez bien y consacrer tous vos efforts. Grâce à vous, nul doute que nous ne finissions par posséder ce fameux Électron. Mais qu'en ferons-nous alors ? Où le mettrons-nous ? Sur le maître-autel, peut-être ?

— Je n'en sais rien, répliqua Francis, qui s'énervait, et je ne sais pas davantage ce qu'était un Électron, ni même à quoi cela pouvait bien servir. J'ai seulement la conviction profonde que la chose a dû exister, à une certaine époque, voilà tout. »

Éclatant d'un rire moqueur, Jeris l'iconoclaste le quitta pour retourner à son travail. Cet incident avait attristé Frère Francis sans le détourner pour autant du projet qu'il caressait. Dès qu'il eut assimilé les quelques renseignements que pouvait lui fournir la bibliothèque du monastère sur l'art perdu dans lequel s'était illustré Leibowitz, il esquissa quelques avant-projets du plan qu'il entendait reproduire sur son parchemin.

1. **Définition exacte** (donnée par le Pr Léon Brillouin, puis reprise par Robert Andrews Mullikan, prix Nobel). Elle est en effet incompréhensible si l'on n'a pas le contexte, c'est-à-dire toute la complexe structure de notre physique.

Le schéma lui-même, puisqu'il n'arrivait pas à en pénétrer la signification, serait reproduit par ses soins tel qu'il se présentait sur le document original. Pour ce faire, il emploierait l'encre noire ; par contre, il adopterait des encres de couleur et des caractères de fantaisie hautement décoratifs pour reproduire les chiffres et légendes du plan. Il décida également de rompre l'austère et géométrique monotonie de sa reproduction en l'agrémentant de colombes et de chérubins, de pampres verdoyants, de fruits dorés et d'oiseaux multicolores — voire d'un artificieux serpent. En haut de son œuvre, il tracerait une représentation symbolique de la Sainte-Trinité, et en bas, pour faire pendant, un dessin de la cotte de mailles servant d'emblème à son Ordre. Le Mécanisme de Contrôle Transitoriel du Bienheureux Leibowitz se trouverait ainsi magnifié comme il convenait et son message parlerait à l'œil en même temps qu'à l'esprit.

Lorsqu'il eut achevé son croquis préliminaire, il le soumit timidement au Frère Horner.

« Je m'aperçois, fit le vieux moine d'un ton nuancé de remords, que ce travail vous prendra beaucoup plus de temps que je ne l'aurais cru... Mais qu'importe : continuez. Le dessin en est beau, vraiment très beau.

— Merci, mon frère. »

Frère Horner eut un clin d'œil à l'adresse du jeune religieux :

« J'ai appris, lui glissa-t-il en confidence, que l'on avait décidé d'activer les formalités nécessaires pour la canonisation du Bienheureux Leibowitz. Aussi est-il probable que notre excellent Père se sente à l'heure actuelle beaucoup moins inquiet à propos de ce que vous savez. »

Bien entendu, tout le monde était au courant de cette importante nouvelle. La béatification de Leibowitz était depuis longtemps un fait accompli, mais les dernières formalités qui feraient de lui un saint pouvaient exiger encore bon nombre d'années. En outre, il y avait toujours lieu de craindre que l'Avocat du Diable découvrît quelque motif rendant impossible la canonisation projetée.

Au bout de longs mois, Frère Francis se mit enfin au travail sur son beau parchemin, traçant avec amour les fines arabesques, les volutes compliquées et les élégantes enluminures rehaussées de feuilles d'or. C'était un travail de longue haleine qu'il avait entrepris là, un travail qui exigeait plusieurs années pour être mené à bonne fin. Les yeux du copiste, naturellement, furent mis à rude épreuve et il fut parfois obligé d'interrompre son labeur pendant de longues semaines, de peur qu'une bévue causée par la fatigue ne vînt gâcher tout l'ensemble. Peu à peu, cependant, l'œuvre prenait forme, et elle affectait une si grandiose beauté que tous les moines de l'abbaye se pressaient pour la contempler avec admiration. Seul le sceptique Frère Jeris continuait à critiquer.

« Je me demande, disait-il, pourquoi vous ne consacrez pas votre temps à un travail *utile*. »

C'était ce qu'il faisait, quant à lui, puisqu'il fabriquait des abat-jour de parchemin décoré pour les lampes à huile de la chapelle.

Sur ces entrefaites, le vieux Frère Horner tomba malade et se mit à décliner rapidement. Dans les premiers jours de l'Avent, ses frères chantèrent pour lui la Messe des Morts et confièrent sa dépouille à la terre originelle. L'Abbé choisit Frère Jeris pour succéder au défunt dans la surveillance des copistes et le jaloux en profita aussitôt pour ordonner à Frère Francis d'abandonner son chef-d'œuvre. Il était grand temps, lui dit-il, de renoncer à ces enfantillages ; il s'agissait maintenant de fabriquer des abat-jour. Frère Francis mit en lieu sûr le fruit de ses veilles et obéit sans récriminer. Tout en peignant ses abat-jour, il se consolait en songeant que nous sommes tous mortels...

Un jour, sans doute, l'âme de Frère Jeris irait rejoindre en Paradis celle du Frère Horner, la salle des copistes, après tout, n'étant jamais que l'antichambre de la Vie éternelle. Alors, s'il plaisait à Dieu, il lui serait permis de reprendre son chef-d'œuvre interrompu...

La divine Providence, toutefois, prit les choses en main bien avant le trépas de Frère Jeris. Dès l'été qui suivit, un évêque qui cavalcadait à dos de mule, accompagné d'une nombreuse suite de dignitaires ecclésiastiques, se présentait à la porte du monastère. Le Nouveau Vatican, annonça-t-il, l'avait chargé d'être l'avocat de la canonisation de Leibowitz et il venait recueillir auprès du Père Abbé tous les renseignements susceptibles de l'aider dans sa mission ; en particulier, il souhaitait obtenir des éclaircissements sur une apparition terrestre du Bienheureux dont aurait été gratifié un certain Frère Francis Gérard de l'Utah.

L'envoyé du Nouveau Vatican fut chaleureusement accueilli, comme il se doit. On le logea dans l'appartement réservé aux prélats de passage et on le pourvut de six jeunes moines attentifs à satisfaire ses moindres désirs. On déboucha pour lui les meilleures bouteilles, on embrocha les plus délicates volailles et on alla même jusqu'à se préoccuper de ses distractions, embauchant pour lui, chaque soir, plusieurs violonistes et toute une troupe de clowns.

Il y avait trois jours que l'évêque était là quand le bon Père Abbé fit comparaître devant lui Frère Francis.

« Mgr Di Simone désire vous voir, lui dit-il. Si vous avez le malheur de donner libre cours à votre imagination, nous ferons de vos boyaux des cordes de violon, nous jetterons votre carcasse aux loups et vos ossements seront inhumés en terre non consacrée... Maintenant, mon fils, allez en paix : Monseigneur vous attend. »

Frère Francis n'avait nul besoin de l'avertissement du bon Père pour tenir sa langue. Depuis le jour lointain où la fièvre l'avait rendu loquace, après son premier Carême dans le désert, il s'était bien gardé de souffler mot à âme qui vive de sa rencontre avec le pèlerin. Mais il s'inquiétait de voir que les plus grandes autorités ecclésiastiques s'intéressaient brusquement à ce même pèlerin, aussi le cœur lui battait-il à grands coups lorsqu'il se présenta devant l'évêque.

Son effroi se révéla d'ailleurs sans fondement aucun. Le prélat était un vieil homme fort paterne, qui semblait s'intéresser avant tout à la carrière du moinillon.

« Et maintenant », lui dit-il au bout de quelques instants d'aimable entretien, « parlez-moi donc de votre rencontre avec votre Bienheureux fondateur.

— Oh! Monseigneur! Je n'ai jamais dit qu'il s'agissait du Bienheureux Leibo...

— Bien sûr, mon fils, bien sûr... Voici d'ailleurs un procès-verbal de cette apparition que je vous ai apporté. Il a été dressé d'après des renseignements recueillis aux meilleures sources. Je vous demande seulement de le lire. Après quoi, vous m'en confirmerez l'exactitude, ou bien vous le corrigerez, si besoin est. Ce document, bien entendu, s'appuie uniquement sur des on-dit. En réalité, *vous seul* pouvez nous dire ce qui s'est passé au juste. Je vous prie donc de le lire *très* attentivement. »

Frère Francis prit l'épaisse liasse de papiers que lui tendait le prélat et se mit à parcourir ce compte rendu officiel avec une appréhension grandissante, qui ne tarda pas à dégénérer en une véritable terreur.

« Vous changez de visage, mon fils, remarqua l'évêque. Auriez-vous donc constaté quelque erreur?

— Mais... mais... ce n'est pas comme cela... ce n'est pas *du tout* comme cela que les choses se sont passées! s'écria le malheureux moine, atterré. Je ne l'ai vu qu'une seule fois et il s'est borné à me demander le chemin de l'abbaye. Puis il a frappé de son bâton la pierre sous laquelle j'ai découvert les reliques...

— Pas de chœur céleste, si je comprends bien ?

— Oh, non.

— Pas de nimbe autour de sa tête non plus, ni de tapis de roses se déroulant sous ses pas au fur et à mesure qu'il avançait ?

— Devant Dieu qui me voit, Monseigneur, j'affirme que rien de tout cela ne s'est produit !

— Bon, bon, fit l'évêque en soupirant. Les histoires que content les voyageurs, je le sais bien, comportent toujours une part d'exagération... »

Comme il semblait déçu, Frère Francis s'empressa de s'excuser, mais l'avocat du futur saint le calma d'un geste :

« Cela ne fait rien, mon fils, lui assura-t-il. Nous ne manquons pas de miracles, dûment contrôlés, Dieu merci !... En tout état de cause, d'ailleurs, les papiers découverts par vous auront eu au moins une utilité, puisqu'ils nous ont permis de découvrir le nom que portait l'épouse de votre vénéré fondateur, laquelle mourut, comme vous le savez, avant qu'il entrât en religion.

— Vraiment, Monseigneur ?

— Oui. Elle s'appelait Emily. »

Manifestement fort désappointé par le récit que lui avait fait le jeune moine de sa rencontre avec le pèlerin, Mgr Di Simone n'en passa pas moins cinq jours pleins sur le lieu où Francis avait découvert la boîte de métal. Une cohorte de jeunes novices l'accompagnait, brandissant des pelles et des pioches... Après qu'on eut beaucoup creusé, l'évêque regagna l'abbaye, au soir du cinquième jour, avec un riche butin de reliques diverses, parmi lesquelles une vieille boîte d'aluminium contenant encore quelques traces d'un magma desséché qui avait peut-être été, jadis, de la choucroute.

Avant de quitter l'abbaye, il visita la salle des copistes et voulut voir la reproduction que Frère Francis avait faite du célèbre bleu de Leibowitz. Le moine, tout en protestant que c'était une bien pauvre chose, la lui exhiba d'une main tremblante.

« Boufre ! s'écria l'évêque (c'est du moins ce que l'on crut comprendre). Il faut finir ce travail, mon fils, il le faut ! »

Souriant, le moine chercha le regard du Frère Jeris. Mais l'autre s'empressa de détourner la tête... Le lendemain, Frère Francis se remettait à l'ouvrage, à grand renfort de plumes d'oie, de feuilles d'or et de pinceaux divers.

... Il y travaillait toujours lorsqu'une nouvelle députation venue du Vatican se présenta au monastère. Cette fois, il s'agissait d'une troupe nombreuse, comportant même des gardes en armes pour repousser les attaques des bandits de grand chemin. A sa tête, fièrement campé sur une mule noire, paradait un prélat dont le chef s'ornait de petites cornes et la bouche de longs crocs acérés (c'est en tout cas ce qu'affirmèrent par la suite plusieurs novices). Il se présenta comme l'*Advocatus Diaboli*, chargé de s'opposer par tous les moyens à la canonisation de Leibowitz, et expliqua qu'il venait à l'abbaye pour enquêter sur certains bruits absurdes, propagés par des moinillons hystériques, et dont la rumeur s'était répandue jusqu'aux autorités suprêmes du Nouveau Vatican. Rien qu'à voir cet émissaire, on comprenait tout de suite qu'il n'était pas de ceux à qui on peut en conter.

L'Abbé l'accueillit poliment et lui offrit une petite couchette tout métal, dans une cellule exposée au sud, en s'excusant de ne pouvoir le loger dans l'appartement d'honneur, provisoirement inhabitable pour raisons d'hygiène. Ce nouvel hôte se contenta pour le service de personnages de sa suite et il partagea, au réfectoire, l'ordinaire des moines : herbes cuites et brouet de racines.

« J'ai appris que vous étiez sujet à des crises nerveuses, avec perte de sentiment », dit-il à Frère Francis quand le moine comparut devant lui. « Combien de fous et d'épileptiques comptez-vous parmi vos ascendants ou vos proches ?

— Aucun, Excellence.

— Ne m'appelez pas Excellence ! rugit le dignitaire. Et dites-vous bien que je n'aurai aucun mal à extraire de vous la vérité. »

Il parlait de cette formalité comme d'une intervention chirurgicale des plus banales et pensait visiblement qu'elle aurait dû être pratiquée depuis de longues années.

« Vous n'ignorez pas, reprit-il, qu'il existe des procédés permettant de vieillir artificiellement les documents, n'est-ce pas ? »

Frère Francis l'ignorait.

« Vous savez également que la femme de Leibowitz s'appelait Emily, et qu'Emma n'est *absolument pas* le diminutif de ce prénom ? »

Francis n'était pas très renseigné là-dessus non plus. Il se rappelait seulement que ses parents, dans son enfance, employaient parfois certains diminutifs un peu à la légère... « Et puis, se dit-il, si le Bienheureux Leibowitz — béni soit-il ! — avait décidé d'appeler sa femme Emma, je suis sûr qu'il savait ce qu'il faisait... »

L'envoyé du Nouveau Vatican se mit alors à lui faire un cours de sémantique si furieux et si véhément que l'infortuné moinillon crut en perdre la raison. A l'issue de cette orageuse séance, il ne savait même plus s'il avait jamais, oui ou non, rencontré un pèlerin.

Avant son départ, l'Avocat du Diable voulut voir, lui aussi, la copie enluminée qu'avait faite Francis, et le malheureux la lui apporta la mort dans l'âme. Le prélat, tout d'abord, parut interloqué; puis il déglutit et sembla se forcer pour dire quelque chose.

« Vous ne manquez certes pas d'imagination, reconnut-il. Mais cela, je crois que tout le monde ici le savait déjà. »

Les cornes de l'émissaire avaient diminué de plusieurs centimètres et il repartit le soir même pour le Nouveau Vatican.

... Et les années passèrent, ajoutant quelques rides aux visages juvéniles, quelques cheveux blancs aux tempes des moines. Au monastère, la vie allait son train, et les moines continuaient à s'absorber dans leurs copies comme par le passé. Frère Jeris, un beau jour, s'avisa de vouloir construire une presse à imprimer. Quand l'Abbé lui demanda pourquoi, il ne sut que répondre :

« Pour augmenter la production.

— Ah, oui? fit le Père. Et à quoi pensez-vous donc que serviraient vos paperasses, dans un monde où l'on est si heureux de ne pas savoir lire? Peut-être pourriez-vous les vendre aux paysans pour allumer leur feu, hein? »

Mortifié, Frère Jeris haussa tristement les épaules — et les copistes du monastère continuèrent à travailler à la plume d'oie...

Un matin de printemps, enfin, peu avant le Carême, un nouveau messager se présenta au monastère apportant une bonne, une excellente nouvelle : le dossier réuni pour la canonisation de Leibowitz était maintenant complet, le Sacré Collège n'allait pas tarder à se réunir et le fondateur de l'Ordre Albertien figurerait bientôt parmi les saints du calendrier.

Tandis que toute la confrérie se réjouissait, le Père Abbé — très vieux, maintenant, et passablement gâteux — fit appeler Frère Francis.

« Sa Sainteté exige votre présence lors des fêtes qui vont se dérouler pour la canonisation d'Isaac Edward Leibowitz, crachota-t-il. Préparez-vous à partir. »

Et il ajouta d'un ton grognon : « Si vous voulez vous évanouir, allez faire cela ailleurs ! »

Le voyage du jeune moine jusqu'au Nouveau Vatican lui demanderait au moins trois mois — davantage peut-être : tout dépendait de la distance qu'il pourrait couvrir avant que les inévitables voleurs de grand chemin le privent de son âne.

Il partit seul et sans armes, muni seulement d'une sébile de mendiant. Il serrait sur son cœur la copie enluminée du plan de Leibowitz et priait Dieu, chemin faisant, pour qu'on ne la lui volât point. Il est vrai que les voleurs étaient gens ignorants, et n'en auraient su que faire... Par précaution, tout de même, le moine arborait un morceau de tissu noir sur l'œil droit. Les paysans étaient superstitieux, en effet, et la menace du « mauvais œil » suffisait parfois à les mettre en fuite.

Après deux mois et quelques jours de voyage, Frère Francis rencontra son voleur, sur un sentier de montagne bordé de bois épais, loin de toute habitation. C'était un homme de petite taille, mais visiblement solide comme un bœuf. Les jambes écartées, ses bras puissants croisés sur la poitrine, il était campé en travers du sentier, attendant le moine qui s'en venait doucement vers lui, au pas lent de sa monture... Il semblait être seul et n'avait pour arme qu'un couteau qu'il ne tira même pas de sa ceinture. La rencontre

285

causa au moine un profond désappointement : dans le secret de son cœur, en effet, il n'avait cessé d'espérer, tout le long du chemin, qu'il rencontrerait un jour le pèlerin de jadis.

« Halte ! » ordonna le voleur.

L'âne s'arrêta de lui-même. Frère Francis releva son capuchon pour montrer son bandeau noir et il y porta lentement la main, comme s'il se fût apprêté à dévoiler quelque spectacle affreux, dissimulé sous le tissu. Mais l'homme, rejetant la tête en arrière, éclata d'un rire sinistre et proprement satanique. Le moine s'empressa de murmurer un exorcisme, ce dont le voleur ne parut pas autrement impressionné.

« Ça ne prend plus depuis des années, lui dit-il. Allons, pied à terre, et plus vite que ça ! »

Frère Francis haussa les épaules, sourit et descendit de sa monture sans protester.

« Je vous souhaite le bonjour, monsieur, fit-il d'un ton aimable. Vous pouvez prendre l'âne, la marche me fera du bien. »

Et il s'éloignait déjà, quand le voleur lui barra le chemin.

« Attends ! Déshabille-toi complètement, et fais-moi voir un peu ce qu'il y a dans ce paquet ! »

Le moine lui montra sa sébile, avec un petit geste d'excuse, mais l'autre se mit à rire de plus belle.

« Le coup de la pauvreté, on me l'a fait déjà aussi ! » assura-t-il à sa victime d'un ton sarcastique, « mais le dernier mendigot que j'ai arrêté avait un demi-*heklo* d'or dans sa botte... Allons, vite, déshabille-toi ! »

Quand le moine se fut exécuté, l'homme fouilla ses vêtements, il n'y trouva rien, et les lui rendit.

« Maintenant, reprit-il, voyons donc dans ce paquet.

— Ce n'est qu'un document, monsieur, protesta le religieux, un document sans valeur pour tout autre que son propriétaire.

— Ouvre le paquet, te dis-je ! »

Frère Francis s'exécuta sans mot dire et les enluminures du parchemin brillèrent bientôt sous le soleil. Le voleur eut alors un sifflement admiratif.

« Joli ! C'est ma femme qui va être contente d'accrocher ça au mur de la cabane ! »

Le pauvre moine, à ces mots, sentit le cœur lui manquer et il se mit à marmotter une prière silencieuse : « Si Tu l'as envoyé pour m'éprouver, ô Seigneur, supplia-t-il du fond de l'âme, donne-moi au moins le courage de mourir comme un homme, car s'il est écrit qu'il doit me le prendre, il ne le prendra que sur le cadavre de Ton indigne serviteur ! »

« Enveloppe-moi l'objet ! ordonna soudain le voleur, dont l'opinion était faite.

— Je vous en prie, monsieur, gémit Frère Francis, vous ne voudriez pas priver un pauvre homme d'un ouvrage qu'il a mis toute une vie à faire ?... J'ai passé quinze ans à enluminer ce manuscrit et...

— Quoi ? interrompit le voleur. Tu as fait ça toi-même ? »

Et il se mit à hurler de rire.

« Je ne vois pas, monsieur, répliqua le moine en rougissant légèrement, ce qu'il peut y avoir là de plaisant...

— Quinze ans ! lui dit l'homme entre deux accès d'hilarité, quinze ans ! Et pourquoi, je te le demande ? Pour un bout de papier ! Quinze ans !... Ha ! »

Saisissant à deux mains la feuille enluminée, il entreprit de la déchirer. Alors Frère Francis se laissa tomber à genoux, au milieu du sentier.

« Jésus, Marie, Joseph ! s'écria-t-il. Je vous en supplie, monsieur, au nom du ciel ! »

Le voleur parut s'amadouer un peu ; jetant le parchemin sur le sol, il demanda en ricanant :

« Serais-tu prêt à te battre pour défendre ton morceau de papier ?

— Si vous voulez, monsieur ! Je ferai tout ce que vous voudrez. »

Tous deux tombèrent en garde. Le moine se signa précipitamment et invoqua le Ciel, se rappelant que la lutte avait été jadis un sport autorisé par la divinité — puis il marcha au combat...

Trois secondes plus tard, il gisait sur les rocs pointus qui lui meurtrissaient l'échine, à demi étouffé sous une petite montagne de muscles durs.

« Et voilà ! » fit modestement le voleur qui se releva et saisit le parchemin.

Mais le moine se traînait à genoux, les mains jointes, l'assourdissant de ses supplications désespérées.

« Ma parole, railla le voleur, tu baiserais mes bottes, si je te le demandais, pour que je te rende ton image ! »

Pour toute réponse, Frère Francis le rattrapa d'un bond et se mit à baiser avec ferveur les bottes du vainqueur.

C'en était trop, même pour un gredin chevronné. Avec un juron, le voleur jeta le manuscrit sur le sol, sauta sur l'âne et s'en fut... Aussitôt Francis fondit sur le précieux document et le ramassa. Puis il se mit à trottiner derrière l'homme en appelant sur lui toutes les bénédictions du Ciel et en remerciant le Seigneur d'avoir créé des malandrins aussi désintéressés...

Pourtant, quand le voleur et son âne eurent disparu derrière les arbres, le moine se prit à se demander, avec un brin de tristesse, pour quelle raison, en effet, il avait consacré quinze années de sa vie à ce morceau de parchemin... Les paroles du voleur résonnaient encore à ses oreilles : « Et pourquoi, je te le demande ?... » Oui, pourquoi, au fait, pour quelle raison ?

Frère Francis reprit sa route à pied, tout songeur, la tête inclinée sous son capuchon... Un moment, même, l'idée lui vint de jeter le document parmi les broussailles et de le laisser là, sous la pluie... Mais le Père Abbé avait approuvé sa décision de le remettre aux autorités du Nouveau Vatican, en guise de présent. Le moine réfléchit qu'il ne pourrait pas arriver là-bas les mains vides, et il poursuivit son chemin, rasséréné.

L'heure était venue. Perdu dans l'immense et majestueuse basilique, Frère Francis s'abîmait dans la prestigieuse magie des couleurs et des sons. Lorsqu'on eut invoqué l'Esprit infaillible, symbole de toute perfection, un évêque se leva — c'était Mgr Di Simone, remarqua le moine, l'avocat du saint — et il adjura saint Pierre de se prononcer, par le truchement de S.S. Léon XXII, ordonnant du même coup, à toute l'assistance de prêter une oreille attentive aux paroles solennelles qui allaient être prononcées.

A ce moment, le Pape se leva calmement et proclama qu'Isaac Edward Leibowitz était désormais un saint. C'était fini. Dorénavant l'obscur technicien de jadis faisait partie de la céleste phalange. Frère Francis adressa aussitôt une dévotieuse prière à son nouveau patron, tandis que le chœur entonnait le *Te Deum*.

Marchant d'un pas vif, le Souverain Pontife, un moment plus tard, surgit si brusquement dans la salle d'audience où le moinillon attendait, que la surprise coupa le souffle à Frère Francis, le privant un instant de la parole. Il s'agenouilla en hâte pour baiser l'anneau du Pêcheur et recevoir la bénédiction, puis il se redressa maladroitement, embarrassé par le beau parchemin enluminé qu'il tenait derrière son dos. Comprenant la raison de son trouble, le Pape eut un sourire.

« Notre fils nous a apporté un présent ? » demanda-t-il.

Le moine eut un bruit de gorge ; il hocha stupidement la tête et tendit enfin son manuscrit, que le vicaire du Christ fixa très longuement sans rien dire, le visage parfaitement impassible.

« Ce n'est rien », bredouilla Frère Francis, qui sentait grandir son trouble à mesure que le silence du Pontife se prolongeait, « ce n'est qu'une pauvre chose, un misérable présent. J'ai honte, même, d'avoir passé tant de temps à... »

Il s'arrêta court, étranglé par l'émotion.

Mais le Pape semblait ne pas l'avoir entendu.

« Comprenez-vous la signification du symbolisme employé par saint Isaac ? » demanda-t-il au moine, tout en examinant curieusement le mystérieux tracé du plan.

Frère Francis, pour toute réponse, ne put que secouer négativement la tête.

« Quelle qu'en soit la signification... », commença le Pape — mais il s'interrompit tout à coup et se mit brusquement à parler d'autre chose. Si l'on avait fait au moine l'honneur de le recevoir ainsi, lui expliquat-il, ce n'était certes pas que les autorités ecclésiastiques, officiellement, eussent une opinion quelconque sur le pèlerin qu'un moine avait vu... Frère Francis avait été traité de la sorte parce qu'on entendait le récompenser d'avoir retrouvé d'importants documents et de saintes reliques. Ainsi avait-on en effet jugé sa trouvaille, sans qu'on tînt d'ailleurs le moindre compte des circonstances qui l'avaient accompagnée...

Et le moine se mit à balbutier ses remerciements, tandis que le Souverain Pontife se perdait à nouveau dans la contemplation des schémas si joliment enluminés.

« Quelle qu'en soit la signification, répéta-t-il enfin, ce fragment de savoir, mort pour l'instant, reprendra vie quelque jour. »

Souriant, il eut un léger clin d'œil à l'adresse du moine.

« Et nous le conserverons avec vigilance jusqu'à ce jour-là », conclut-il.

Alors seulement, Frère Francis s'aperçut que la

soutane blanche du Pape avait un trou et que tous ses vêtements étaient assez élimés. Le tapis de la salle d'audience se montrait lui-même fort usé par endroits, et le plâtre du plafond s'en allait en morceaux.

Mais il y avait des livres, sur les rayonnages qui couraient le long des murs, des livres enrichis d'admirables enluminures, des livres qui traitaient de choses incompréhensibles, des livres patiemment recopiés par des hommes dont la tâche ne consistait pas à comprendre, mais à sauvegarder. Et ces livres attendaient que l'heure fût venue.

« Au revoir, fils bien-aimé. »

L'humble gardien de la flamme du savoir repartit à pied vers sa lointaine abbaye... Lorsqu'il approcha de la région hantée par le voleur, il se sentit tout frémissant d'allégresse. Si le voleur était par hasard de congé, ce jour-là, le petit moine entendait bien s'asseoir pour attendre son retour. Car il savait, cette fois, ce qu'il avait à répondre à sa question.

DEUXIÈME PARTIE

Quelques années
dans l'ailleurs absolu

I

Toutes les billes dans le même sac. — Les désespoirs de l'historien. — Deux amateurs d'insolite. — On demande intelligence plus subtile. — Au fond du Lac du Diable. — Un antifascisme qui fait du vent. — Bergier et moi devant l'immensité de l'étrange. — Troie aussi était une légende. — L'histoire en retard. — Du visible banal à l'invisible fantastique. — Apologue du scarabée d'or. — On peut entendre le ressac du futur. — Il n'y a pas que les froides mécaniques.

Pendant l'occupation vivait à Paris, dans le quartier des Écoles, un vieil original qui s'habillait en bourgeois du XVIIe siècle, ne lisait que Saint-Simon, dînait aux flambeaux et jouait de l'épinette. Il ne sortait que pour aller chez l'épicier et le boulanger, un capuchon sur sa perruque poudrée, la houppelande laissant voir les bas noirs et les souliers à boucles. Le tumulte de la Libération, les coups de feu, les mouvements populaires le troublèrent. Sans rien comprendre, mais agité par la crainte et la fureur, il sortit un matin sur son balcon, la plume d'oie à la main, le jabot dans le vent, et il cria, d'une forte et étrange voix de solitaire :

« Vive Coblenz ! »

On ne saisit pas, on vit la singularité, les voisins excités sentirent d'instinct qu'un bonhomme vivant dans un autre monde avait partie liée avec le mal, le cri

295

parut allemand, on monta, on défonça la porte, on l'assomma, il mourut.

Ce même matin, un tout jeune capitaine résistant qui venait de conquérir la Préfecture, faisait jeter de la paille sur les tapis du grand bureau et disposer des fusils en faisceaux, afin de se sentir vivre dans une image de son premier livre d'histoire.

A cette heure, on découvrait aux Invalides la table, les treize fauteuils, les étendards, les robes et les croix de la dernière assemblée des Chevaliers de l'Ordre Teutonique, brusquement interrompue.

Et le premier char de l'armée Leclerc franchissait la porte d'Orléans, signe écrasant de la défaite allemande. Il était conduit par Henri Rathenau, dont l'oncle Walther avait été la première victime du nazisme.

Ainsi une civilisation, en un moment historique, voit-elle, comme un homme en proie à la plus grande émotion, revivre mille instants de son passé, selon un choix et dans une succession apparemment incompréhensibles.

Giraudoux racontait qu'endormi une seconde au créneau d'une tranchée, attendant l'heure d'aller relever un camarade tué en reconnaissance, il fut réveillé par des picotements sur le visage : le vent venait de déshabiller le mort, d'ouvrir son portefeuille et de projeter ses cartes de visite, dont les coins frappaient la joue du poète. Dans cette matinée de la libération de Paris, les cartes de visite des émigrés de Coblenz, des étudiants révolutionnaires de 1830, des grands penseurs juifs allemands et des Frères Chevaliers des Croisades, volaient avec beaucoup d'autres, sans doute, dans le vent qui portait loin les gémissements et les *Marseillaise*.

Si l'on secoue le panier, toutes les billes viennent à la surface en désordre, ou plutôt selon un ordre et des frottements dont le contrôle serait d'une infinie complication, mais où nous pourrions découvrir une infinité de ces rencontres bizarrement éclairantes que Jung appelle des coïncidences significatives. L'admirable parole de Jacques Rivière s'applique aux civilisations et à leurs moments historiques : « Il arrive à un homme, non pas ce qu'il mérite, mais ce qui lui ressemble. » Un cahier d'écolier de Napoléon s'achève sur ces mots : « Sainte-Hélène, petite île. »

C'est grand dommage que l'historien juge indigne de sa science le recensement et l'examen de ces coïncidences significatives, de ces rencontres qui ont un sens et entrebâillent brusquement une porte sur une autre face de l'Univers où le temps n'est plus linéaire. Sa science retarde sur la science en général qui, dans l'étude de l'homme comme dans celle de la matière, nous montre de plus en plus réduites les distances entre le passé, le présent et l'avenir. Des haies de plus en plus minces nous séparent, dans le jardin du destin, d'un hier tout entier conservé et d'un demain entièrement formé. Notre vie, comme dit Alain, « est ouverte sur de grands espaces ».

Il existe une petite fleur extrêmement frêle et belle qui se nomme la saxifrage ombreuse. On l'appelle aussi « le désespoir du peintre ». Elle ne désespère plus aucun artiste, depuis que la photographie et bien d'autres découvertes ont libéré la peinture du souci de la ressemblance extérieure. Le peintre le moins jeune d'esprit ne s'assied pas aujourd'hui devant un bouquet comme il l'eût fait naguère. Son œil voit autre chose que le bouquet, ou plutôt son modèle lui est prétexte à exprimer par la surface colorée une réalité cachée à l'œil profane. Il tente d'arracher un secret à la création. Naguère, il se fût contenté de reproduire ce que voit le profane quand il promène sur les choses un œil négligent, un regard d'absent. Il se fût contenté de reproduire les apparences rassurantes et, en quelque sorte, de participer à la tromperie générale sur les signes extérieurs de la réalité. « Ah ! cela est craché ! » Mais qui crache est malade. Il ne semble pas que l'historien ait évolué comme le peintre, au cours de ce demi-siècle, et notre histoire est fausse comme l'étaient un sein de femme, un petit chat ou un bouquet sous le pinceau pétrifiant d'un peintre conformiste de 1890.

« Si notre génération, dit un jeune historien, entend lucidement examiner le passé, il lui faudra d'abord arracher les masques sous lesquels les artisans de notre Histoire demeurent méconnus... L'effort désintéressé accompli par une phalange d'historiens en faveur de la simple vérité est relativement récent. »

Le peintre de 1890 avait ses « désespoirs ». Que dire de l'historien du temps présent ! La plupart des faits contemporains sont devenus pareils à la saxifrage ombreuse : des désespoirs de l'historien.

Un autodidacte délirant, entouré de quelques mégalomanes, refuse Descartes, balaie la culture humaniste, écrase la raison, invoque Lucifer et conquiert l'Europe, ratant de peu la conquête du monde. Le marxisme s'enracine dans le seul pays que Marx jugeait infertile. Londres manque périr sous une pluie de fusées destinées à atteindre la Lune. Des réflexions sur l'espace et le temps aboutissent à la fabrication d'une bombe qui efface deux cent mille hommes en trois secondes et menace d'effacer l'histoire elle-même. Saxifrages ombreuses !

L'historien commence à s'inquiéter et à douter que son art soit praticable. Il consacre son talent à déplorer de ne plus pouvoir l'exercer. C'est ce que l'on voit dans les arts et les sciences dans leurs moments de suffocation : un écrivain traite en dix volumes de l'impossibilité du langage, un médecin fait cinq ans de cours pour expliquer que les maladies se guérissent d'elles-mêmes. L'histoire traverse un de ces moments.

M. Raymond Aron, rejetant avec lassitude Thucydide et Marx, constate que ni les passions humaines, ni l'économie des choses ne suffisent à expliquer l'aventure des sociétés. « La totalité des causes déterminant la totalité des effets dépasse, dit-il navré, l'entendement humain. »

M. Baudin, de l'Institut, avoue : « L'histoire est une page blanche que les hommes sont libres de remplir à leur guise. »

Et M. René Grousset fait monter vers le ciel vide ce chant presque désespéré qui est beau :

« Ce que nous appelons l'histoire, je veux dire ce déroulement d'empires, de batailles, de révolutions politiques, de dates, sanglantes pour la plupart, est-ce vraiment l'histoire ? Je vous avouerai que je ne le crois pas, et qu'il m'arrive, en voyant les manuels scolaires, d'en biffer par la pensée un bon quart...

« L'histoire vraie n'est pas celle du va-et-vient des frontières. C'est celle de la civilisation. Et la civilisation, c'est d'une part le progrès des techniques et d'autre part le progrès de la spiritualité. On peut se demander si l'histoire politique, pour une bonne part, n'est pas une histoire parasite.

« L'histoire vraie est, du point de vue matériel, celle des techniques, masquée par l'histoire politique qui l'opprime, qui usurpe sa place et jusqu'à son nom.

« Mais, plus encore, l'histoire vraie est celle du progrès de l'homme dans la spiritualité. La fonction de l'humanité, c'est d'aider l'homme spirituel à se dégager, à se réaliser, d'aider l'homme, comme disent les Indiens dans une formule admirable, à devenir ce qu'il est. Certes, l'histoire apparente, l'histoire visible, l'histoire de la surface n'est qu'un charnier. Si l'histoire n'était que cela, il n'y aurait qu'à fermer le livre et à souhaiter l'extinction dans le nirvâna... Mais je veux croire que le bouddhisme a menti et que l'histoire n'est pas cela. »

Le physicien, le chimiste, le biologiste, le psychologue, ont, en ces cinquante dernières années, reçu de grands chocs, buté sur des saxifrages ombreuses, eux aussi. Mais ils ne manifestent pas aujourd'hui la même inquiétude. Ils travaillent, ils avancent. Il y a tout au contraire, dans ces sciences, une extraordinaire vitalité. Comparez les constructions arachnéennes de Spengler ou de Toynbee au mouvement torrentiel de la physique nucléaire. L'histoire est dans l'impasse.

Les raisons sont sans doute multiples, mais celle-ci nous a été sensible :

Alors que le physicien ou le psychanalyste a résolument abandonné l'idée que la réalité était nécessairement satisfaisante pour la santé et a opté pour la réalité du fantastique, l'historien est demeuré enfermé dans le cartésianisme. Une certaine pusillanimité toute politique n'y est pas toujours étrangère.

On dit que les peuples heureux n'ont pas d'histoire. Mais les peuples qui n'ont pas d'historiens francs-tireurs et poètes sont plus que malheureux : asphyxiés, trahis.

A tourner le dos au fantastique, l'historien se trouve parfois conduit à de fantastiques erreurs. Marxiste, il prévoit l'effondrement de l'économie américaine au moment où les États-Unis atteignent au plus haut degré de stabilité et de puissance. Capitaliste, il détermine à l'Ouest l'expansion du communisme au moment où la Hongrie se soulève. Cependant, dans d'autres sciences, la prédiction de l'avenir, à partir des données du présent, réussit de mieux en mieux.

A partir d'un millionième de gramme de plutonium, le physicien nucléaire fait le projet d'une usine géante qui fonctionnera comme prévu. A partir de quelques rêves, Freud éclaire l'âme humaine comme elle ne le fut jamais. C'est que Freud et Einstein ont accompli, au départ, un colossal effort d'imagination. Ils ont pensé un réel entièrement différent des données rationnelles admises. A partir de cette projection imaginative, ils ont établi des ensembles de faits que l'expérience a vérifiés.

« Dans le domaine de la science, nous apprenons combien vaste est l'étrangeté du monde », dit Oppenheimer.

Que cet admis de l'étrangeté puisse enrichir l'histoire, c'est ce dont nous sommes persuadés.

Nous ne prétendons pas du tout apporter à la méthode historique les transformations que nous lui souhaitons. Mais nous pensons que la petite esquisse que vous allez lire peut rendre un léger service aux historiens à venir. Soit impulsion, soit répulsion. Nous avons voulu, en prenant pour objet d'étude un aspect de l'Allemagne hitlérienne, indiquer vaguement une direction de recherches valable pour d'autres objets. Nous avons tracé des flèches sur les arbres à notre portée. Nous ne prétendons pas avoir rendu praticable toute la forêt.

Nous avons cherché à rassembler des faits qu'un historien « normal » repousserait avec colère ou horreur. Nous sommes devenus pour un temps, selon le joli mot de Maurice Renard, « amateurs d'insolite et scribes de miracles ». Ce genre de travail n'est pas toujours confortable pour l'esprit. Parfois, nous nous rassurions en songeant que la tératologie, ou étude des monstres, où s'est illustré le professeur Wolff en dépit de la suspicion des savants « raisonnables », a éclairé plus d'un aspect de la biologie. Un autre exemple nous a soutenus : celui de Charles Fort, cet Américain malicieux dont nous vous avons parlé.

C'est dans cet esprit fortéen que nous avons mené nos recherches sur des événements de l'histoire récente. Ainsi, il ne nous a pas paru indigne d'attention que le fondateur du national-socialisme ait cru réellement à la venue du surhomme.

Le 23 février 1957, un homme-grenouille recherchait le corps d'un étudiant noyé dans le lac du Diable, en Bohême. Il remonta à la surface, pâle d'épouvante, incapable d'articuler un son. Quand il eut retrouvé l'usage de la parole, il révéla qu'il venait de voir, sous les eaux froides et lourdes du lac, un alignement fantomatique de soldats allemands en uniforme, une caravane de chariots attelés, avec les chevaux debout.

« Ô Nuit, qu'est-ce que c'est que ces guerriers livides ?... »

D'une certaine façon, nous avons, nous aussi, plongé dans le lac du Diable. Dans les annales du procès de Nuremberg, dans des milliers de livres et de revues et dans des témoignages personnels, nous avons constitué une collection d'étrangetés. Nous avons organisé notre matériel en fonction d'une hypothèse de travail que l'on ne saurait peut-être élever à la dignité d'une théorie, mais qu'un grand écrivain anglais méconnu, Arthur Machen, a puissamment exprimée :

« Il existe autour de nous des sacrements du mal, comme il existe des sacrements du bien, et notre vie et nos actes se déroulent, je crois, dans un monde insoupçonné, plein de cavernes, d'ombres et d'habitants crépusculaires. »

L'âme humaine aime le jour. Il lui arrive aussi d'aimer la nuit, avec une égale ardeur, et cet amour peut conduire les hommes, comme les sociétés, à des actions criminelles et désastreuses qui défient apparemment la raison, mais qui se révèlent pourtant explicables si l'on se place dans une certaine optique. Nous préciserons cela tout à l'heure en redonnant la parole à Arthur Machen.

Dans cette partie de notre ouvrage, nous avons voulu fournir la matière première d'une histoire invisible. Nous ne sommes pas les premiers. John Buchan avait déjà signalé de singuliers courants souterrains sous les événements historiques. Une entomologiste allemande, Margaret Boveri, traitant des hommes avec la froideur objective qu'elle applique à l'obervation des insectes, a écrit une *Histoire de la Trahison au Vingtième siècle* dont le premier volume a pour titre *Histoire Visible* et le second *Histoire Invisible*.

Mais de quelle histoire invisible s'agit-il ? Le terme est garni de pièges. Le visible est si riche et, somme toute, encore si peu exploré, que l'on peut toujours y trouver des faits justifiant n'importe quelle théorie, et l'on connaît d'innombrables explications de l'histoire par l'action occulte des Juifs, des Francs-Maçons, des Jésuites ou de la Banque Internationale. Ces explications nous paraissent primaires. D'ailleurs, nous nous sommes sans cesse gardés de confondre ce que nous nommons le réalisme fantastique avec l'occultisme, et les ressorts secrets de la réalité avec le roman-feuilleton. (Nous avons cependant plusieurs fois remarqué que la réalité manquait de dignité : elle n'échappe pas au romanesque, et que l'on ne pouvait éliminer des faits sous prétexte qu'ils semblent ressortir, juste-ment, du roman-feuilleton.)

Nous avons donc accueilli les faits les plus bizarres, sous réserve de les pouvoir authentifier. Parfois, nous avons préféré paraître rechercher la sensation ou nous laisser entraîner par le goût de l'étrange, plutôt que de négliger tel aspect apparemment démentiel. Le résultat ne ressemble en rien aux portraits de l'Allemagne nazie généralement admis. Ce n'est pas notre faute. Nous avions pour objet d'étude une série d'événements fantastiques. Il n'est pas coutumier, mais il est logique de penser que, derrière ces événements, peuvent se cacher des réalités extraordinaires. Pourquoi l'histoire aurait-elle le privilège sur les autres sciences modernes de pouvoir expliquer tous les phénomènes de manière satisfaisante pour la raison ?

Notre portrait, assurément, n'est pas conforme aux idées reçues, et il est fragmentaire. Nous n'avons rien voulu sacrifier à la cohérence. Ce refus de sacrifier à la cohérence est d'ailleurs une tendance toute récente en histoire, de même que la tendance à la vérité :

« Ici ou là apparaîtront des lacunes : le lecteur devra penser que l'historien d'aujourd'hui a abandonné l'antique conception d'après laquelle la vérité était atteinte lorsque se trouvaient employées, sans trous ni excédents, toutes les pièces d'un puzzle à recomposer. L'idéal de l'œuvre historique a cessé d'être pour lui une belle mosaïque bien complète et bien lisse : c'est comme un champ de fouilles qu'il la conçoit, avec son chaos apparent où se juxtaposent les excavations incertaines, les collections de menus objets évocateurs et, ici ou là, les belles résurrections d'ensemble et les œuvres d'art. »

Le physicien sait que ce sont des pulsations d'énergie anormales, exceptionnelles, qui ont révélé la fission de l'uranium et ainsi ouvert des espaces infinis à l'étude de la radio-activité. Ce sont des pulsations de l'extraordinaire que nous avons recherchées.

Un livre de Lord Russel of Liverpool : *Courte Histoire des Crimes de Guerre Nazis*, paru onze ans après la victoire des Alliés, a surpris les lecteurs français par son ton d'extrême sobriété. L'indignation, d'habitude en cette matière, tient lieu d'explication. Dans ce livre, d'horribles faits parlaient seuls, et les lecteurs se sont aperçus qu'ils continuaient de ne rien comprendre à tant de noirceur. Exprimant ce sentiment, un éminent spécialiste écrivait dans *Le Monde* :

« La question qui se pose est celle de savoir comment tout cela a été possible en plein XXe siècle, et dans des contrées qui passent pour les plus civilisées de l'univers. »

Il est singulier qu'une telle question, essentielle, primordiale, se pose aux historiens douze ans après l'ouverture de toutes les archives possibles. Mais se pose-t-elle à eux ? Cela n'est pas sûr. Du moins tout se passe-t-il comme s'ils tenaient à l'oublier, sitôt évoquée, obéissant ainsi au mouvement de l'opinion établie qu'une telle question embarrasse. Il arrive, de la sorte, que l'historien témoigne pour son temps en refusant de faire de l'histoire. A peine a-t-il écrit : « La question qui se pose est celle de savoir... », qu'il s'empresse de faire du vent afin qu'elle ne puisse se poser.

« Voilà, ajoute-t-il aussitôt, ce que fait l'homme quand il est abandonné à la libre poussée de ses instincts à la fois déchaînés et systématiquement pervertis. »

Étrange explication historique que cette évocation du mystère nazi par les gros tuyaux de la morale courante ! C'est pourtant la seule explication qui nous ait été donnée, comme s'il y avait une vaste conspiration des intelligences pour faire des pages les plus fantastiques de l'histoire contemporaine quelque chose de réductible à une leçon d'histoire primaire sur les mauvais instincts. On dirait qu'une pression considérable joue sur l'histoire, afin que celle-ci soit ramenée aux minuscules proportions de la pensée rationaliste conventionnelle.

Entre les deux guerres, remarque un jeune philosophe, « faute d'avoir dénoncé quelle fureur païenne gonflait les drapeaux ennemis, les antifascistes ne surent pas prédire les lendemains odieux de la victoire hitlérienne ».

Rares et peu écoutées étaient les voix qui annonçaient dans le ciel allemand « la substitution de la Croix gammée à la Croix du Christ, la négation pure et simple des Évangiles ».

Nous ne faisons pas entièrement nôtre cette vision d'Hitler antéchrist. Nous ne pensons pas qu'elle suffise à éclairer totalement les faits. Mais du moins se situe-t-elle au niveau convenable pour juger ce moment extraordinaire de l'histoire.

Le problème est là. Nous ne serons à l'abri du nazisme, ou plutôt de certaines formes de l'esprit luciférien dont le nazisme avait projeté l'ombre sur le monde, que lorsque nous aurons perçu et affronté dans notre conscience les aspects les plus fantastiques de son aventure.

Entre l'ambition luciférienne dont l'hitlérisme fut une tragique caricature, et l'angélisme chrétien qui a aussi sa caricature dans des formes sociales ; entre la tentation d'atteindre au surhumain, de prendre le ciel d'assaut, et la tentation de s'en remettre à une idée ou à un Dieu pour que la condition humaine soit transcendée ; entre le refus et l'acceptation d'une transcendance, entre la vocation du mal et celle du bien, l'un et l'autre aussi grands, profonds et secrets ; — entre d'immenses mouvements contradictoires de l'âme humaine et sans doute de l'inconscient collectif, se jouent des tragédies dont l'histoire conventionnelle ne rend pas entièrement compte, dont il semble qu'elle se refuse à rendre entièrement compte, comme par crainte d'introduire, avec certains documents et certaines interprétations, de trop graves empêchements de dormir au sein des sociétés.

L'historien qui traite de l'Allemagne nazie, paraît ainsi vouloir ignorer ce qu'était l'ennemi qui fut abattu. Il est soutenu dans cette volonté par l'opinion générale. C'est qu'avoir abattu un tel ennemi en connaissance de cause, exigerait une conception du monde et du destin humain à la mesure de la victoire. Mieux vaut penser que l'on a fini par empêcher de nuire des méchants et des fous et qu'en fin de compte les braves gens ont toujours raison. C'étaient des méchants et des fous, certes. Mais non pas au sens, mais non pas au degré où l'entendent les braves gens. L'antifascisme conventionnel semble avoir été inventé par des vainqueurs qui avaient besoin de cacher leur vide. Mais le vide aspire.

Le docteur Antony Laughton, de l'Institut Océanographique de Londres, a fait descendre une caméra par 4 500 mètres de fond, au large des côtes d'Irlande. Sur les photographies, on distingue très nettement des empreintes de pieds appartenant à une créature inconnue. Après l'abominable homme des neiges, voici que s'introduit dans l'imagination et la curiosité des hommes, ce frère de la créature des cimes, l'abominable homme des mers, l'inconnu des abîmes. En un certain sens, l'histoire, pour des observateurs de notre genre, est pareille au « vieillard océan qu'effarouche la sonde ».

Fouiller l'histoire invisible est un exercice fort sain pour l'esprit. On se débarrasse de la répugnance à l'invraisemblable qui est naturelle, mais qui a si souvent paralysé la connaissance.

En tous domaines nous nous sommes efforcés de résister à cette répugnance à l'invraisemblable, qu'il s'agisse des ressorts de l'action des hommes, de leurs croyances, ou de leurs réalisations. Ainsi, nous avons étudié certains travaux de la section occulte des services de renseignements allemands. Cette section a établi, par exemple, un long rapport sur les propriétés magiques des clochetons d'Oxford, qui, selon ses estimations, empêchaient les bombes de tomber sur cette ville. Qu'il y ait là aberration n'est pas discutable, mais que cette aberration ait sévi parmi des hommes intelligents et responsables, et que ce fait éclaire sur plusieurs points l'histoire visible comme l'histoire invisible, cela n'est pas discutable non plus.

Pour nous, les événements ont souvent des raisons d'être que la raison ne connaît pas, et les lignes de force de l'histoire peuvent être aussi invisibles et pourtant aussi réelles que les lignes de force d'un champ magnétique.

Il est possible d'aller plus loin. Nous nous sommes aventurés là où nous espérons que des historiens de l'avenir s'aventurent avec des moyens supérieurs aux nôtres. Il nous est arrivé de tenter d'appliquer à l'histoire le principe des « liaisons non causales » que le physicien Wolfgang Pauli et le psychologue Jung ont récemment proposé. C'est à ce principe que je faisais tout à l'heure allusion en parlant des coïncidences. Pour Pauli et Jung, des événements indépendants entre eux pourraient avoir des rapports sans cause, mais cependant significatifs à l'échelle humaine. Ce sont les

« coïncidences significatives », les « signes », où les deux savants voient un phénomène de « synchronicité » qui révèle des liaisons insolites entre l'homme, le temps, l'espace, et que Claudel nommait magnifiquement « la jubilation des hasards ».

Une malade est étendue sur le divan du psychanalyste Jung. Des désordres nerveux très graves l'accablent, mais l'analyse ne progresse pas. La patiente, murée dans un esprit réaliste à l'extrême, cramponnée à une sorte d'ultralogique, se fait impénétrable aux arguments du médecin.

Encore une fois, Jung ordonne, propose, supplie :

« Laissez-vous aller, ne cherchez pas à comprendre, et racontez-moi simplement vos rêves.

— J'ai rêvé d'un scarabée », répond enfin la dame, du bout des dents.

A cet instant, des petits coups sont frappés contre la vitre. Jung ouvre la fenêtre et un beau scarabée doré entre dans la pièce en faisant ronfler ses élytres. Bouleversée, la patiente s'abandonne enfin et l'analyse peut vraiment commencer ; elle se poursuivra jusqu'à la guérison.

Jung cite souvent cet incident véridique qui a la forme d'un conte arabe. Dans l'histoire d'un homme, comme dans l'histoire tout court, pensons-nous, il y a beaucoup de scarabées d'or.

La complexe doctrine de la « synchronicité », en partie bâtie sur l'observation de telles coïncidences, serait peut-être de nature à changer totalement la conception de l'histoire. Notre ambition ne va pas si loin et si haut. Ce que nous voulons, c'est attirer l'attention sur les aspects fantastiques de la réalité. Dans cette partie de notre ouvrage, nous nous sommes livrés à la recherche et à l'interprétation de certaines coïncidences, à nos yeux significatives. Elles peuvent ne pas l'être à d'autres yeux.

En appliquant notre conception « réaliste fantastique » à l'histoire, nous nous sommes livrés à un travail de sélection. Nous avons choisi parfois des faits de faible importance, mais aberrants, parce que, dans une certaine mesure, c'est à l'aberration que nous demandions de la lumière. Une irrégularité de quelques secondes dans le mouvement de la planète Mercure suffit pour ébranler l'édifice de Newton et justifier Einstein. De même, il nous semble que certains des faits que nous avons relevés peuvent rendre nécessaire la révision des structures de l'histoire cartésienne.

Peut-on user de cette méthode pour prévoir l'avenir ? Il nous arrive aussi d'y rêver. Dans *Le Nommé Jeudi*, Chesterton décrit une brigade de police politique spécialisée dans la poésie. Un attentat est évité, parce qu'un policier a compris le sens d'un sonnet. Il y a de grandes vérités derrière les boutades de Chesterton. Des courants d'idées qui passent inaperçus de l'observateur patenté, des écrits, des œuvres auxquels le sociologue n'est pas attentif, faits sociaux trop minuscules et trop aberrants à ses yeux, annoncent peut-être plus sûrement les événements à venir que les gros faits visibles et les grands mouvements apparents de pensée desquels il s'inquiète.

Le climat d'épouvante du nazisme, que nul ne put prévoir, était annoncé dans les horribles récits de l'écrivain allemand Hans Heinz Ewers : *La Mandragore* et *Dans l'Épouvante*, qui devait devenir le poète officiel du régime et écrire le *Horst Wessel Lied*. Il n'est pas impossible que certains romans, certains poèmes, des tableaux, des statues, négligés même par la critique spécialisée, nous livrent les figures exactes du monde de demain.

Dante, dans *La Divine Comédie*, décrit avec précision la Croix du Sud, constellation invisible dans l'hémisphère Nord et qu'aucun voyageur de son temps ne peut avoir décelée, Swift, dans *Le Voyage à Laputa*, donne les distances et les périodes de rotation des deux satellites de Mars, inconnues à l'époque. Quand l'astronome américain Asaph Hall les découvre en 1877 et s'aperçoit que ses mesures correspondent aux indications de Swift, saisi d'une sorte de panique, il les nomme *Phobos* et *Deimos* : peur et terreur[1]. En 1896, un écrivain anglais, M. P. Shiel, publie une nouvelle où l'on voit une bande de monstrueux criminels ravageant l'Europe, tuant des familles qu'ils jugent nuisibles au progrès de l'humanité et brûlant les cadavres. Il intitule sa nouvelle : *Les S.S.*

Goethe disait : « Les événements à venir projettent leur ombre en avant », et il se pourrait que l'on trouve, à l'écart de ce qui mobilise l'attention générale, dans des œuvres et des activités humaines étrangères à ce que nous appelons « le mouvement de l'histoire », la véritable détection et l'expression de ces ressacs du futur.

Il y a un fantastique évident que l'historien recouvre avec pudeur d'explications froides et mécaniques. L'Allemagne, au moment où naît le nazisme, est la patrie des sciences exactes. La méthode allemande, la logique allemande, la rigueur et la probité scientifiques allemandes sont universellement estimées. Le Herr Professor invite parfois à la caricature, mais il est

---

1. Terrifié aussi par le fait que ces satellites apparaissent brusquement. Des télescopes plus importants que le sien ne les avaient pas perçus la veille. Il semble simplement qu'il ait été le premier à examiner Mars cette nuit-là. Depuis le lancement du Spoutnik, des astronomes, aujourd'hui, commencent à écrire qu'il s'agirait peut-être de satellites artificiels lancés le jour de l'observation de Hall.
(Robert S. Richardson, de l'observatoire du mont Palomar. Communication à propos de la position de Mars, 1954.)

entouré de considération. Or, c'est dans ce milieu, d'un cartésianisme de plomb, qu'une doctrine incohérente et en partie démentielle se propage à toute vitesse, irrésistiblement, à partir d'un foyer minuscule. Au pays d'Einstein et de Planck, on se met à professer une « physique aryenne ». Au pays de Humboldt et de Haeckel, on se met à parler de races. Nous pensons que l'on ne saurait expliquer de tels phénomènes par l'inflation économique. Ce n'est vraiment pas tendre la bonne toile de fond pour un pareil ballet. Il nous a paru beaucoup plus efficace d'aller chercher du côté de certains cultes étranges et de certaines cosmogonies aberrantes, négligés jusqu'ici par les historiens. Cette négligence est bien singulière. Les cosmogonies et les cultes dont nous allons parler ont joui en Allemagne de protections et d'encouragements officiels. Ils ont joué un rôle spirituel, scientifique, social et politique relativement important. Sur cette toile de fond-là, on comprend mieux la danse.

Nous nous sommes limités à un instant de l'histoire allemande. Nous aurions pu tout aussi bien, pour cerner le fantastique dans l'histoire contemporaine, montrer, par exemple, l'invasion des idées asiatiques en Europe au moment où les idées européennes provoquent le réveil des peuples d'Asie. Voilà un phénomène aussi déroutant que l'espace non euclidien ou les paradoxes du noyau atomique. L'historien conventionnel, le sociologue « engagé » ne voient pas, ou refusent de voir, ces mouvements profonds qui ne sont pas conformes à ce qu'ils nomment le « mouvement de l'histoire ». Ils poursuivent imperturbablement l'analyse et la prédiction d'une aventure des hommes qui ne ressemble ni aux hommes eux-mêmes, ni aux signes mystérieux mais visibles que ceux-ci échangent avec le temps, l'espace et le destin.

« L'amour, dit Jacques Chardonne, c'est beaucoup plus que l'amour. » Au cours de nos recherches, nous avons acquis la certitude que l'histoire, c'est beaucoup plus que l'histoire. Cette certitude est tonique. En dépit de la croissante lourdeur des faits sociaux et des menaces grandissantes dirigées contre la personne humaine, nous voyons l'esprit et l'âme de l'humanité continuer d'allumer de place en place leurs feux, qui ne sont pas de plus en plus petits. Bien que les couloirs de l'histoire, apparemment, deviennent très étroits, nous avons la certitude que l'homme n'y perd pas le fil qui le relie à l'immensité. Ces images sont hugoliennes, mais elles expriment bien notre vision. Nous avons acquis cette certitude en nous enfonçant dans le réel : c'est au tréfonds que le réel est fantastique et, en un certain sens, miséricordieux.

> *Bien que les mornes machines soient en marche*
> *Ne soyez pas trop effrayé, mon ami...*
> *......*
> *Lorsque les pédants nous convièrent à noter*
> *De quelle froide mécanique les événements*
> *Devaient découler, nos âmes dirent dans l'ombre :*
> *Peut-être, mais il y a d'autres choses...* [1]

---

1. Préface au *Napoléon de Notting Hill*, de Chesterton, 1898.

II

A la **Tribune des Nations,** *on refuse le Diable et la folie.* — *Il y a pourtant une lutte des dieux.* — *Les Allemands et l'Atlantide.* — *Un socialisme magique.* — *Une religion et un ordre secrets.* — *Une expédition vers les régions cachées.* — *Le premier guide sera un poète.*

Dans un article de la *Tribune des Nations,* un historien français exprime nettement l'ensemble des insuffisances intellectuelles en usage dès qu'il s'agit de l'hitlérisme. Analysant l'ouvrage *Hitler démasqué,* publié par le docteur Otto Dietrich qui fut pendant douze ans chef du service de presse du Führer, M. Pierre Cazenave écrit :

« Toutefois, le docteur Dietrich se contente trop facilement d'un mot qu'il répète souvent et qui, dans un siècle positiviste, ne permet pas d'expliquer Hitler. " Hitler, dit-il, était un homme démoniaque, en proie à des idées nationalistes délirantes. " Que veut dire démoniaque ? Et que veut dire délirant ? Au Moyen Âge, on aurait dit de Hitler qu'il était " possédé ". Mais aujourd'hui ? Ou le mot " démoniaque " ne signifie rien ou il signifie possédé du démon. Mais qu'est-ce que le démon ? Le docteur Dietrich croit-il à l'existence du Diable ? Il faut s'entendre. Pour moi, le mot " démoniaque " ne me satisfait pas.

« Et le mot " délirant " pas davantage. Qui dit délire dit maladie mentale. Délire maniaque. Délire mélancolique. Délire de persécution. Et que Hitler ait été un psychopathe et même un paranoïaque, nul n'en doute, mais les psychopathes et même les paranoïaques courent les rues. De là à un délire plus ou moins systématisé et dont l'observation et le diagnostic auraient dû déterminer l'internement de leur porteur, il y a une nuance. En d'autres termes : Hitler est-il responsable ? A mon sens, oui. Et c'est pourquoi j'écarte le mot de délire comme j'écarte le mot démoniaque, la démonologie n'ayant plus à nos yeux qu'une valeur historique. »

Nous ne nous contentons pas de l'explication du docteur Dietrich. Le destin d'Hitler et l'aventure d'un grand peuple moderne sous sa conduite ne sauraient être entièrement décrits à partir du délire et de la possession démoniaque. Mais nous ne pouvons nous contenter non plus des critiques de l'historien de la *Tribune des Nations*. Hitler, assure-t-il, n'était pas cliniquement fou. Et le Démon n'existe pas. Il ne faut donc pas évacuer la notion de responsabilité. Cela est vrai. Mais notre historien semble attribuer à cette notion de responsabilité des vertus magiques. A peine l'a-t-il évoquée que l'histoire fantastique de l'hitlérisme lui semble claire et ramenée aux proportions du siècle positiviste dans lequel il prétend que nous vivons. Cette opération échappe à la raison tout autant que l'opération d'Otto Dietrich. C'est, en effet, que le terme « responsabilité » est, dans notre langage, une transposition de ce qu'était la « possession démoniaque » pour les tribunaux du Moyen Âge, comme le montrent les grands procès politiques modernes.

Si Hitler n'était ni fou, ni possédé, ce qui est possible, l'histoire du nazisme demeurerait néanmoins inexplicable à la lumière d'un « siècle positiviste ». La psychologie des profondeurs nous révèle que des actions apparemment rationnelles de l'homme sont gouvernées en réalité par des forces qu'il ignore lui-même ou qui ont partie liée avec un symbolisme tout à fait étranger à la logique courante. Nous savons d'autre part, non pas que le Démon n'existe pas, mais qu'il est autre chose que la vision dite moyenâgeuse. Dans l'histoire de l'hitlérisme, ou plutôt dans certains aspects de cette histoire, tout se passe comme si les idées-forces échappaient à la critique historique habituelle, et comme s'il nous fallait, pour comprendre, abandonner notre vision positive des choses et faire l'effort d'entrer dans un univers où ont cessé de se conjuguer la raison cartésienne et la réalité.

Nous nous attachons à décrire ces aspects de l'hitlérisme parce que, comme l'avait bien vu M. Marcel Ray en 1939, la guerre qu'Hitler imposa au monde fut « une guerre manichéenne, ou, comme l'a dit l'Écriture, une lutte des dieux ». Il ne s'agit pas, bien entendu, d'une lutte entre fascisme et démocratie, entre une conception libérale et une conception autoritaire des sociétés. Ceci est l'exotérisme de la bataille. Il y a un ésotérisme[1]. Cette lutte des dieux, qui s'est déroulée derrière les événements apparents, n'est pas terminée sur la planète, mais les progrès formidables du savoir humain, en quelques années, sont en train de lui donner d'autres formes. Alors que les portes de la connaissance commencent à s'ouvrir sur l'infini, il importe de saisir le sens de cette lutte. Si nous voulons être consciemment des hommes d'aujourd'hui, c'est-à-

1. C. S. Lewis, professeur de théologie à Oxford, avait, en 1937, annoncé dans un de ses romans symboliques : *Le Silence de la Terre*, le début d'une guerre pour la possession de l'âme humaine, dont une terrible guerre matérielle ne devait être que la forme extérieure. Il est revenu depuis sur cette idée dans deux autres ouvrages : *Perelandra* et *Cette Force Hideuse* (non traduits).

Le dernier livre de Lewis s'intitule : *Jusqu'à ce que nous ayons des visages*. C'est dans ce grand récit poétique et prophétique que l'on trouve la phrase admirable : « Les dieux ne nous parleront face à face que lorsque nous aurons nous-mêmes un visage. »

dire des contemporains de l'avenir, il nous faut avoir une vision exacte et profonde du moment où le fantastique s'est mis à déferler dans la réalité. C'est ce moment que nous allons étudier.

« Au fond, disait Rauschning, tout Allemand a un pied dans l'Atlantide où il cherche une meilleure patrie et un meilleur patrimoine. Cette double nature des Allemands, cette faculté de dédoublement qui leur permet à la fois de vivre dans le monde réel et de se projeter dans un monde imaginaire, se révèle tout spécialement dans Hitler et donne la clé de son socialisme magique. »

Et Rauschning, cherchant à s'expliquer la montée au pouvoir de ce « grand prêtre de la religion secrète », tentait de se persuader que, plusieurs fois dans l'histoire, « des nations entières sont tombées dans une inexplicable agitation. Elles entreprennent des marches de flagellants. Une danse de Saint-Guy les secoue ».

« Le national-socialisme, concluait-il, est la danse de Saint-Guy du XXe siècle. »

Mais d'où vient cette étrange maladie ? Il ne trouvait nulle part une réponse satisfaisante. « Ses racines les plus profondes restent dans des régions cachées. »

Ce sont ces régions cachées qu'il nous semble utile d'explorer. Et ce n'est pas un historien, mais un poète qui va nous servir de guide.

III

Où il sera question de P.-J. Toulet, écrivain mineur. — Mais c'est d'Arthur Machen qu'il s'agit. — Un grand génie inconnu. — Un Robinson Crusoé de l'âme. — Histoire des anges de Mons. — Vie, aventures et malheurs de Machen. — Comment nous avons découvert une société secrète anglaise. — Un Prix Nobel masqué de noir. — La Golden Dawn, *ses filiations, ses membres et ses chefs. — Pourquoi nous allons citer un texte de Machen. — Les hasards font du zèle.*

« Deux hommes qui ont lu Jean-Paul Toulet et qui se rencontrent (d'ordinaire au bar) s'imaginent que cela constitue un aristocratisme », écrivait Toulet lui-même. Il arrive que de grandes choses reposent sur des têtes d'épingles. C'est par cet écrivain mineur et charmant, ignoré en dépit de l'effort de quelques fervents, qu'est parvenu jusqu'à nous le nom d'Arthur Machen, lequel n'est pas familier à deux cents personnes en France.

En fouillant, nous nous sommes aperçus que l'œuvre de Machen, qui comprend plus de trente volumes [1], est

1. *The Anatomy of Tobacco* (1884), *The Great God Pan* (1895), *The House of Souls* (1906), *The Hill of Dreams* (907), *The Great Return* (1915), *The Bowmen* (1915), *The Terror* (1917), *The Secret Glory* (1922), *Strange Roads* (1923), *The London Adventure* (1924), *The Carning Wonder* (1926), *The Green Round* (1933), *Holy Terrors* (1946).
Posthume : *Tales of Horror and the supernatural* (1948).

d'un intérêt spirituel sans doute supérieur à l'œuvre de H. G. Wells[1].

Poursuivant nos recherches sur Machen, nous avons découvert une société initiatique anglaise composée d'esprits de qualité. Cette société, à laquelle Machen doit une expérience intérieure déterminante et le meilleur de son inspiration, est inconnue des spécialistes eux-mêmes. Enfin, certains textes de Machen, et notamment celui que nous allons vous faire lire, éclairent de façon définitive une notion peu courante du Mal, tout à fait indispensable à la compréhension des aspects de l'histoire contemporaine que nous étudions dans cette partie de notre livre.

Donc, si vous permettez, avant d'entrer dans le vif de notre sujet, nous allons vous parler de ce curieux homme. Cela commencera comme de la petite histoire littéraire autour d'un tout petit écrivain parisien : Toulet. Cela s'achèvera sur l'ouverture d'une grande porte souterraine derrière laquelle fument encore les restes des martyrs et les ruines de la tragédie nazie, qui a bouleversé le monde entier.

Les chemins du réalisme fantastique, comme on le voit encore une fois, ne ressemblent pas aux chemins ordinaires de la connaissance.

En novembre 1897, un ami, « assez incliné aux sciences occultes », fit lire à Jean-Paul Toulet le roman d'un écrivain de trente-quatre ans tout à fait inconnu : *The Great God Pan*. Ce livre, qui évoque le monde païen des origines, non pas définitivement englouti, mais survivant avec prudence et, parfois, lâchant parmi

---

1. Machen en avait lui-même conscience : « Le M. Wells dont vous parlez est certainement un très habile homme. J'ai même cru un moment qu'il était quelque chose de plus. » (Lettre à P.-J. Toulet, 1899.)

nous son Dieu du Mal et ses anges fourchus, bouleversa Toulet et le décida à faire son entrée dans la littérature. Il se mit à traduire *The Great God Pan*, et, empruntant à Machen son décor de cauchemar, ses fourrés où le Grand Pan se cache, écrivit son premier roman : *Monsieur du Paur, homme public*.

Monsieur du Paur fut publié à la fin de l'année 1898, aux Éditions Simonis Empis, et n'eut aucun succès. Ce n'est d'ailleurs pas une œuvre importante. Et nous n'en saurions rien si M. Henri Martineau, grand stendhalien et ami de Toulet ne s'était avisé, vingt ans plus tard, de republier ce roman à ses frais, aux Éditions du Divan. Historien minutieux et ami dévoué, M. Henri Martineau tenait à démontrer que *Monsieur du Paur* était un livre inspiré par la lecture de Machen, mais néanmoins original. C'est donc lui qui attira l'attention de quelques rares lettrés sur Arthur Machen et son *Great God Pan*, exhumant la mince correspondance entre Toulet et Machen[1]. Pour Machen et son immense génie, les choses en restèrent là : une des camaraderies littéraires des débuts de Toulet.

En février 1899, Jean-Paul Toulet, qui cherchait depuis un an à faire publier sa traduction de *The Great God Pan*, reçut de l'auteur la lettre suivante, en français :

« Cher confrère,

« Il n'y a rien à faire donc avec *The Great God Pan* à Paris ? Si c'est ainsi, je suis vraiment marry, pour le cas de ce livre assurément, mais surtout parce que j'avais des espérances à l'égard des lecteurs français ; je croyais que si on goûtait *The Great God Pan* dans ses vêtements français et trouvait ça bon, il y aurait peut-

1. Henri Martineau : *Arthur Machen et Toulet*, correspondance inédite. *Le Mercure de France*, nº 4, janvier 1938.
Henri Martineau : *P.-J. Toulet et Arthur Machen, Monsieur du Paur et le Grand Dieu Pan*. Le Divan, Paris.

être là mon public trouvé! Ici, je ne puis rien faire. J'écris, j'écris toujours, mais c'est absolument comme si j'écrivais dans un scriptorium monastique du Moyen Âge; c'est-à-dire que mes œuvres restent toujours dans l'enfer des choses inédites. J'ai dans mon tiroir un petit volume de très petits contes, que j'appelle *Ornaments in Jade*. " C'est charmant que votre petit livre-là, dit l'éditeur, mais c'est tout à fait impossible. " Il y a aussi un roman, *The Garden of Avallonius*, quelque chose de 65 000 mots. " C'est un art *sine peccato*, dit le bon éditeur, mais ça choquerait notre public anglais. " Et à ce moment, je travaille sur un livre qui restera, j'en suis sûr au même île du Diable! Enfin, mon cher confrère, vous trouverez quelque chose de bien tragique (ou plutôt tragi-comique) dans ces aventures d'un écrivain anglais; mais, comme j'ai dit, j'avais des espérances de votre traduction de mon premier livre. »

Le Grand Dieu Pan parut enfin dans la revue *La Plume*, en 1901, puis fut édité par les soins de cette revue[1]. Il passa inaperçu.

Seul, Maeterlinck fut frappé : « Tous mes remerciements pour la révolution de cette œuvre belle et singulière. C'est, je crois, la première fois qu'on ait tenté ou réuni le mélange du fantastique traditionnel ou diabolique avec le fantastique nouveau et scientifique et que soit née de ce mélange l'œuvre la plus troublante que je sache, car elle atteint en même temps nos souvenirs et nos espérances. »

Arthur Machen est né en 1863, dans le pays de Galles, à Caerlson-on-Usk, minuscule village, qui fut le

1. Réédité en 1938 pour Émile Paul avec une préface d'Henri Martineau, c'est le seul livre de Machen paru en France.

siège de la cour du roi Arthur et d'où les Chevaliers de la Table Ronde partirent à la recherche du Graal. Quand on sait que Himmler, en pleine guerre, organisa une expédition en vue de la recherche du vase sacré (nous en parlerons tout à l'heure) et quand, pour éclairer l'histoire nazie secrète, on tombe sur un texte de Machen, découvrant ensuite que cet écrivain vit le jour dans ce village, berceau des thèmes wagnériens, on se dit une fois de plus que, pour qui sait voir, les coïncidences portent des habits de lumière.

Machen s'installa jeune à Londres et y vécut effrayé, comme Lovecraft à New York. Quelques mois commis de librairie, puis instituteur, il s'aperçut qu'il était incapable de gagner sa vie en société. Il se mit à écrire, dans une gêne matérielle extrême et une totale lassitude. Pendant une longue période, il vécut de traductions : les *Mémoires de Casanova*, en douze volumes, pour trente shillings par semaine pendant deux ans.

Il fit un petit héritage à la mort de son père, clergyman, et, ayant le pain et le feu pour un peu de temps, poursuivit son œuvre avec le sentiment croissant « qu'un immense golfe spirituel le séparait des autres hommes », et qu'il fallait accepter de plus en plus profondément cette vie de « Robinson Crusoé de l'âme ».

Ses premiers récits fantastiques furent publiés en 1895. Ce sont *The Great Gof Pan* et *The Inmost Light*. Il y affirme que le Grand Pan n'est pas mort et que les forces du mal, au sens magique du terme, ne cessent d'attendre certains d'entre nous pour les faire passer de l'autre côté du monde. Dans ce même registre, il publia l'année suivante *La Poudre Blanche* qui est son œuvre la plus puissante avec *The Secret Glory*, son chef-d'œuvre, écrit à soixante ans.

A trente-six ans, après douze ans d'amour, il perdit sa femme : « Nous n'avons pas été séparés douze heures pendant ces douze années ; vous pouvez donc imaginer ce que j'ai enduré et endure encore chaque jour. Si j'ai quelque désir de voir mes manuscrits imprimés, c'est pour pouvoir lui dédier chacun en ces termes : *Auctoris Anima ad Dominam*. » Il est ignoré, il vit dans la misère, et son cœur est broyé. Après trois années, à trente-neuf ans, il renonce à la littérature et se fait facteur ambulant.

« Vous dites que vous n'avez pas beaucoup de courage, écrit-il à Toulet. Je n'en ai pas du tout. Tellement peu que je n'écris plus une ligne, et n'en écrirai jamais plus, je pense. Je suis devenu cabotin ; je suis monté sur les planches, et en ce moment, je joue dans *Coriolan.* »

Il erre à travers l'Angleterre, avec la compagnie shakespearienne de sir Franck Benson, puis se joint à la troupe du Théâtre Saint-James. Peu avant la guerre de 14, ayant dû abandonner le théâtre, il fait un peu de journalisme, afin de subsister. Il n'écrit aucun livre. Dans la cohue de Fleet Street, parmi ses compagnons de travail affairés, sa figure étrange d'homme méditatif, ses manières lentes et affables d'érudit, font sourire.

Pour Machen, comme on le verra dans toute son œuvre, « l'homme est fait de mystère pour les mystères et les visions ». La réalité, c'est le surnaturel. Le monde extérieur est de peu d'enseignement, à moins qu'il ne soit vu comme un réservoir de symboles et de significations cachées. Seules les œuvres d'imagination produites par un esprit qui cherche les vérités éternelles ont quelque chance d'être des œuvres réelles et réellement utiles. Comme le dit le critique Philip van Doren Stern, « il se pourrait qu'il y ait plus de vérités essentielles dans les récits fantastiques d'Arthur Machen, que dans tous les graphiques et toutes les statistiques du monde ».

C'est une très singulière aventure qui ramena Machen à la vie littéraire. Elle rendit son nom célèbre quelques semaines et le choc qu'il en reçut le décida à finir sa vie en écrivain.

Le journalisme lui pesait, et il n'avait plus envie d'écrire pour lui-même. La guerre venait d'éclater. On avait besoin de littérature héroïque. Ce n'était guère son genre. *The Evening News* lui demanda un récit. Il l'écrivit du bout de la plume, mais tout de même dans sa manière. Ce fut *The Bowmen* (Les Archers). Le journal publia ce récit le 29 septembre 1914, au lendemain de la retraite de Mons. Machen avait imaginé un épisode de cette bataille : saint Georges, dans son armure flamboyante, à la tête d'anges qui sont les anciens archers d'Azincourt, vient porter secours à l'armée britannique.

Or, des dizaines de soldats écrivirent au journal : ce M. Machen n'avait rien inventé. Ils avaient vu, de leurs yeux, devant Mons, les anges de saint Georges se glisser dans leurs rangs. Ils pouvaient en témoigner sur l'honneur. Quantité de ces lettres furent publiées. L'Angleterre, avide de miracle en un moment aussi périlleux, s'émut. Machen avait souffert d'être ignoré quand il avait tenté de révéler les réalités secrètes. Cette fois, avec un fantastique de pacotille, il remuait tout le pays. Ou bien, est-ce que les forces cachées se levaient et prenaient telle ou telle forme, à l'appel de son imagination si souvent branchée sur les vérités essentielles et qui venait là de travailler peut-être à son insu, en profondeur ? Plus de douze fois, Machen tint à répéter dans les journaux que son récit était de pure fiction. Personne ne l'admit jamais. A la veille de sa mort, plus de trente ans après, grand vieillard, il revenait sans cesse, dans la conversation, sur cette extravagante histoire des anges de Mons.

En dépit de cette célébrité, le livre qu'il écrivit en

1915 n'eut aucun succès. C'est *Le Grand Retour*, méditation sur le Graal. Puis vint, en 1922, *The Secret Glory*
qui est une critique du monde moderne à la lumière de
l'expérience religieuse. A soixante ans, il commença
une autobiographie originale en trois volumes. Il avait
quelques fervents en Angleterre et en Amérique[1], mais
il mourait de faim. En 1943 (il avait quatre-vingts ans),
Bernard Shaw, Max Beerbohm, T. S. Eliot, formèrent
un comité pour tenter de réunir des fonds qui lui
permettraient de ne pas finir dans un asile d'indigents.
Il put achever ses jours en paix, dans une petite maison
de Buckinghamshire, et mourut en 1947. Un mot de
Murger l'avait toujours enchanté. Dans *La vie de
Bohème*, Marcel le peintre, ne possède pas même un lit.
« Sur quoi vous reposez-vous donc ? lui demanda son
propriétaire. — Monsieur, répondit Marcel, je me
repose sur la Providence. »

Aux alentours de 1880, en France, en Angleterre et en
Allemagne, des sociétés initiatiques, des ordres hermétiques se fondent et groupent de puissantes personna-
lités. L'histoire de cette crise mystique post-romanti-
que n'a pas encore été décrite. Elle mériterait de l'être.
On y trouverait l'origine de plusieurs courants de
pensée importants, et qui ont déterminé des courants
politiques.

Dans les lettres d'Arthur Machen à J.-P. Toulet, on
trouve ces deux passages singuliers :

En 1899 :

1. En Angleterre, M. Paul Jordan Smith le loue dans un chapitre de
son livre : *On Strange Altars* (Londres, 1923). Henri Martineau signale
qu'en Amérique une petite chapelle se forma autour de son nom aux
environs de 1925 et que d'assez nombreux articles lui furent consacrés.
Dès 1918, M. Vincent Starett lui avait consacré un livre : *Arthur
Machen, a novelist of ecstasy and sin* (Chicago). Après sa mort a paru un
ouvrage de W. F. Gekle : *Arthur Machen, weaver of fantasy* (New York).

« Quand j'écrivis *Pan* et la *Poudre Blanche*, je ne croyais pas que d'aussi étranges événements fussent jamais arrivés dans la vie réelle, ou même aient jamais été susceptibles de se produire. Mais, depuis, et tout récemment, il s'est produit dans ma propre existence des *expériences* qui ont tout à fait changé mon point de vue à ce sujet... Je suis désormais convaincu qu'il n'y a rien d'impossible sur terre. J'ai à peine besoin d'ajouter, je suppose, qu'aucune des *expériences* que j'ai faites n'a de rapport avec des impostures comme le spiritualisme ou la théosophie. Mais je crois que nous vivons dans un monde de grand mystère, de choses insoupçonnées et tout à fait stupéfiantes. »

En 1900 :

« Une chose peut vous amuser : j'ai envoyé *Le Grand Dieu Pan* à un adepte, un " occultiste " avancé, que j'ai rencontré *sub rosa* ! et il écrit : " Le livre prouve grandement que, par la pensée et la méditation, plutôt que par la lecture, vous avez atteint à un certain degré d'initiation indépendant des ordres et des organisations. " »

Quel est cet « adepte » ? Et quelles sont ces « expériences » ?

Dans une autre lettre, après le passage de Toulet à Londres, Machen écrit :

« M. Waite à qui vous avez beaucoup plu, veut que je vous adresse ses amitiés. »

Nous avons eu l'attention attirée par le nom de ce familier de Machen qui fréquentait si peu de gens. Waite fut l'un des meilleurs historiens de l'alchimie et un spécialiste de l'ordre de la Rose-Croix.

Nous en étions là de nos recherches, qui nous donnaient un renseignement sur les curiosités intellectuelles de Machen, quand un de nos amis nous apporta une série de révélations sur l'existence, en Angleterre, à la fin du XIXᵉ siècle et au début du XXᵉ, d'une société secrète initiatique s'inspirant de la Rose-Croix[1].

Cette société se nommait la *Golden Dawn*. Elle était composée de quelques-uns des esprits les plus brillants d'Angleterre. Arthur Machen fut un des adeptes.

La *Golden Dawn*, fondée en 1887, était issue de la Société Rosicrucienne anglaise, créée vingt ans avant par Robert Wentworth Little, et qui recrutait parmi les maîtres maçons. Cette dernière société comprenait 144 membres, dont Bulwer-Lytton, l'auteur des *Derniers Jours de Pompéi*.

La *Golden Dawn*, plus réduite encore, s'était donné pour but la pratique de la magie cérémonielle et l'obtention des pouvoirs et connaissances initiatiques. Ses chefs étaient Woodman, Mathers et Wynn Westcott (« l'initié » dont Machen parlait à Toulet dans sa lettre de 1900). Elle était en contact avec des sociétés similaires allemandes dont on retrouvera plus tard certains membres dans le fameux mouvement anthroposophe de Rudolph Steiner, puis dans d'autres mouvements influents de la période prénazie. Elle devait ensuite avoir pour maître Aleister Crowley, un homme tout à fait extraordinaire et certainement l'un des plus grands esprits du néo-paganisme dont nous suivrons la trace en Allemagne.

S. L. Mathers, après la mort de Woodman et le retrait de Wescott, fut le grand maître de la *Golden Dawn* qu'il dirigea pendant un certain temps de Paris où il venait d'épouser la sœur d'Henri Bergson.

Mathers fut remplacé à la tête de la *Golden Dawn* par le célèbre poète Yeats, qui devait recevoir plus tard le Prix Nobel.

Yeats prit le nom de *Frère Démon est Deus Inversus*. Il présidait les séances en kilt écossais, masqué de noir, un poignard d'or à la ceinture.

1. Il devait publier ces révélations dans les numéros 2 et 3 de la revue *La Tour Saint-Jacques*, en 1956, sous le nom de Pierre Victor : « L'Ordre hermétique de la Golden Dawn. »

Arthur Machen avait pris le nom de *Filus Aquarti*. Une femme était affiliée à la *Golden Dawn* : Florence Farr, directrice de théâtre et amie intime de Bernard Shaw. On y trouvait aussi les écrivains Blackwood, Stoker, l'auteur de *Dracula*, et Sax Rohmer, ainsi que Peck, l'astronome royal d'Écosse, le célèbre ingénieur Allan Bennett et Sir Gerald Kelly, président de la Royal Academy. Il semble que ces esprits de qualité furent marqués de manière ineffaçable par la *Golden Dawn*. De leur aveu même, leur vue du monde fut changée et les pratiques auxquelles ils se livrèrent ne cessèrent de leur paraître efficaces et exaltantes.

Certains textes d'Arthur Machen ressuscitent un savoir oublié par la plupart des hommes, et cependant indispensable à une juste compréhension du monde. Même pour le lecteur non prévenu une inquiétante vérité souffle entre les lignes de cet écrivain.

Lorsque nous décidâmes de vous faire lire certaines pages de Machen, nous ne savions rien de la *Golden Dawn*. Toutes proportions gardées et notre humilité sauve, il s'est passé ici pour nous ce qui se passe pour les plus grands jongleurs : ce qui les distingue de leurs égaux en dextérité, c'est qu'au cours de leurs meilleurs exercices, les objets se mettent à vivre d'une vie propre, leur échappent, se livrent à des prouesses imprévues. Nous avons été dépassés par le magique. Nous demandions à un texte de Machen qui nous avait frappés un éclaircissement général sur les aspects du nazisme qui nous semblent plus significatifs que tout ce qui a été dit par l'histoire officielle. On s'apercevra qu'une logique implacable sous-tend notre système apparemment aberrant. D'une certaine manière, il n'est pas étonnant que cet éclaircissement général nous vienne d'un membre d'un société initiatique fortement teintée de néo-paganisme.

Voici ce texte, c'est l'introduction à une nouvelle intitulée *The White People*. Cette nouvelle, écrite après *Le Grand Dieu Pan*, figure dans un recueil publié après la mort de Machen : *Tales of Horror and the Supernatural* (Richards' Press, Londres).

IV

Le texte d'Arthur Machen. — Les vrais pécheurs, comme les vrais saints, sont des ascètes. — Le vrai Mal, comme le vrai Bien, n'a rien à voir avec le monde ordinaire. — Le péché, c'est prendre le ciel d'assaut. — Le vrai Mal devient de plus en plus rare. — Le matérialisme, ennemi du Bien et plus encore du Mal. — Il y a tout de même quelque chose aujourd'hui. — Si vous êtes réellement intéressés...

Ambrose dit : « La sorcellerie et la sainteté, voilà les seules ralités. »

Il poursuivit : « La magie se justifie à travers ses enfants : ils mangent des croûtes de pain et boivent de l'eau avec une joie beaucoup plus intense que celle de l'épicurien.

— Vous voulez parler des saints ?

— Oui. Et aussi des pécheurs. Je crois que vous tombez dans l'erreur fréquente de ceux qui limitent le monde spirituel aux régions du bien suprême. Les êtres suprêmement pervers font aussi partie du monde spirituel. L'homme ordinaire, charnel et sensuel, ne sera jamais un grand saint. Ni un grand pécheur. Nous sommes, pour la plupart, simplement des créatures contradictoires et, somme toute, négligeables. Nous suivons notre chemin de boue quotidienne, sans comprendre la signification profonde des choses, et c'est

330

pourquoi le bien et le mal, en nous, sont identiques : d'occasion, sans importance.

— Vous pensez donc qu'un grand pécheur est un ascète, tout comme le grand saint ?

— Ceux qui sont grands, dans le bien comme dans le mal, sont ceux qui abandonnent les copies imparfaites et vont vers les originaux parfaits. Pour moi, je n'ai aucun doute : les plus hauts d'entre les saints n'ont jamais fait une " bonne action ", au sens courant du terme. Et d'un autre côté, il existe des hommes qui sont descendus au fond des abîmes du mal, et qui, dans toute leur vie, n'ont jamais commis ce que vous appelez une " mauvaise action ". »

Il quitta la pièce pendant un instant ; Cotgrave se tourna vers son ami et le remercia de l'avoir présenté à Ambrose.

« Il est formidable, dit-il. Je n'ai jamais vu ce genre de cinglé. »

Ambrose revint avec une nouvelle provision de whisky et servit les deux hommes avec générosité. Il critiqua avec férocité la secte des abstinents, mais se versa un verre d'eau. Il allait reprendre son monologue, lorsque Cotgrave l'interrompit :

« Vos paradoxes sont monstrueux. Un homme peut être un grand pécheur et cependant ne jamais rien faire de coupable ? Allons donc !

— Vous vous trompez totalement, dit Ambrose, je ne fais jamais de paradoxes ; je voudrais bien pouvoir en faire. J'ai simplement dit qu'un homme peut être grand connaisseur en vins de Bourgogne et cependant n'avoir jamais goûté à la piquette des bistrots. Voilà tout, et c'est plutôt un truisme qu'un paradoxe, n'est-ce pas ? Votre réaction tient à ce que vous n'avez pas la moindre idée de ce que peut être le péché. Oh, bien sûr, il y a un rapport entre le péché majuscule et les actes considérés comme coupables : meurtre, vol, adultère, etc. Exactement le même rapport qu'entre l'alphabet

et la plus géniale poésie. Votre erreur est quasi universelle : vous avez pris, comme tout le monde, l'habitude
de regarder les choses à travers des lunettes sociales.
Nous pensons tous qu'un homme qui nous fait du mal,
à nous, ou à nos voisins, est un homme mauvais. Et il
l'est, du point de vue social. Mais ne pouvez-vous
comprendre que le Mal, dans son essence, est une chose
solitaire, une passion de l'âme ? L'assassin moyen, en
tant qu'assassin, n'est absolument pas un pécheur au
sens vrai du mot. C'est simplement une bête dangereuse dont nous devons nous débarrasser pour sauver
notre peau. Je le classerais plutôt parmi les fauves que
parmi les pécheurs.

— Tout cela me semble assez étrange.

— Ce ne l'est pas. L'assassin ne tue pas pour des
raisons positives, mais négatives ; il lui manque quelque chose que les non-meurtriers possèdent. Le Mal,
par contre, est totalement positif. Mais positif dans le
mauvais sens. Et il est rare. Il y a sûrement moins de
vrais pécheurs que de saints. Quant à ceux que vous
appelez des criminels, ce sont des êtres gênants, bien
entendu, et dont la société a raison de se garder, mais
entre leurs actes antisociaux et le Mal, il y a une sacrée
marge, croyez-moi ! »

Il se faisait tard. L'ami qui avait conduit Cotgrave
chez Ambrose avait sans doute déjà entendu tout cela.
Il écoutait avec un sourire las et un peu narquois, mais
Cotgrave commençait à penser que son « aliéné » était
peut-être un sage.

« Savez-vous que vous m'intéressez immensément ?
dit-il. Vous croyez donc que nous ne comprenons pas la
vraie nature du mal ?

— Nous le surestimons. Ou bien nous le sous-
estimons. D'une part, nous appelons péché les infrac-
tions aux règlements de la société, aux tabous sociaux.
C'est une absurde exagération. D'autre part, nous
attachons une importance si énorme au « péché » qui

consiste à mettre la main sur nos biens ou nos femmes, que nous avons tout à fait perdu de vue ce qu'il y a d'horrible dans les vrais péchés.

— Mais qu'est-ce donc, alors, que le péché ? demanda Cotgrave.

— Je suis obligé de répondre à votre question par d'autres questions. Que ressentiriez-vous si votre chat ou votre chien se mettait à vous parler avec une voix humaine ? Si les roses de votre jardin se mettaient à chanter ? Si les pierres de la route se mettaient à grossir sous vos yeux ? Eh bien, ces exemples peuvent vous donner une vague idée de ce qu'est réellement le péché.

— Écoutez, dit le troisième homme qui était demeuré jusque-là fort placide, vous semblez tous deux bien partis. Je rentre chez moi. J'ai manqué mon tram et serai obligé de marcher. »

Ambrose et Cotgrave s'installèrent plus profondément dans leurs fauteuils après son départ. Dans la brume qui gelait les vitres du petit matin, la lumière des lampes devenait pâle.

« Vous m'étonnez, dit Cotgrave. Je n'avais jamais pensé à tout cela. S'il en est vraiment ainsi, il faut tout retourner. Alors, selon vous, l'essence du péché serait...

— Vouloir prendre le ciel d'assaut, dit Ambrose. Le péché réside pour moi dans la volonté de pénétrer de manière interdite dans une sphère autre et plus haute. Vous devez donc comprendre pourquoi il est si rare. Peu d'hommes, en vérité, désirent pénétrer dans d'autres sphères, qu'elles soient hautes ou basses, de façon permise ou défendue. Il y a peu de saints. Et les pécheurs, au sens où je l'entends, sont encore plus rares. Et les hommes de génie (qui participent parfois des deux) sont rares, eux aussi... Mais il est peut-être plus difficile de devenir un grand pécheur qu'un grand saint.

— Parce que le péché est profondément contre nature ?

— Exactement. La sainteté exige un aussi grand

effort, ou presque, mais c'est un effort qui s'exerce dans des voies qui étaient autrefois naturelles. Il s'agit de retrouver l'extase que connut l'homme avant la chute. Mais le péché est une tentative pour obtenir une extase et un savoir qui ne sont pas, et qui n'ont jamais été donnés à l'homme, et celui qui tente cela devient démon. Je vous ai dit que le simple meurtrier n'est pas nécessairement un pécheur. C'est vrai, mais le pécheur est parfois un meurtrier. Je songe à Gilles de Rais, par exemple. Voyez-vous, si le bien et le mal sont également hors de portée de l'homme d'aujourd'hui, de l'homme ordinaire, social et civilisé, le mal l'est dans un sens bien plus profond encore. Le saint s'efforce de retrouver un don qu'il a perdu ; le pécheur s'efforce vers quelque chose qu'il n'a jamais possédé. Somme toute, il recommence la Chute.

— Êtes-vous catholique ? dit Cotgrave.

— Oui, je suis un membre de l'Église anglicane persécutée.

— Alors, que pensez-vous de ces textes où l'on nomme péché ce que vous classez comme délit sans importance ?

— Notez, s'il vous plaît, que dans ces textes de ma religion, on voit chaque fois paraître le mot " sorcier " qui me paraît le mot clef. Les délits mineurs, qui sont nommés péchés, ne sont nommés ainsi que dans la mesure où c'est le sorcier qui est poursuivi par ma religion derrière l'auteur de ces petits délits. Car les sorciers se servent des défaillances humaines qui résultent de la vie matérielle et sociale, comme instruments pour atteindre leur but infiniment exécrable. Et laissez-moi vous dire ceci : nos sens supérieurs sont si émoussés, nous sommes à ce point saturés de matérialisme, que nous ne reconnaîtrions sûrement pas le vrai mal s'il nous arrivait de le rencontrer.

— Mais est-ce que nous ne ressentirions pas tout de même une certaine horreur ? Cette horreur que vous évoquiez tout à l'heure en m'invitant à imaginer des roses qui se mettraient à chanter ?

— Si nous étions des êtres naturels, oui. Les enfants, certaines femmes et les animaux ressentent cette horreur. Mais, chez la plupart d'entre nous, les conventions, la civilisation et l'éducation ont assourdi et obscurci la nature. Parfois nous pouvons reconnaître le mal à sa haine du bien, c'est tout, et c'est purement fortuit. En réalité, les Hiérarques de l'Enfer passent inaperçus parmi nous.

— Pensez-vous qu'ils soient eux-mêmes inconscients du mal qu'ils incarnent ?

— Je le pense. Le vrai mal, dans l'homme, est comme la sainteté et le génie. C'est une extase de l'âme, qui échappe à la conscience. Un homme peut être infiniment, horriblement mauvais et ne jamais le soupçonner. Mais je vous le répète, le mal, au sens véritable du mot, est rare. Je crois même qu'il devient de plus en plus rare.

— J'essaie de vous suivre dit Cotgrave. Vous voulez dire que le Mal véritable est d'une tout autre essence que ce que nous appelons d'habitude le mal ?

— Absolument. Un pauvre type chauffé par l'alcool rentre chez lui et tue à coups de pied sa femme et ses enfants. C'est un meurtrier. Et Gilles de Rais aussi est un meurtrier. Mais vous saisissez le gouffre qui les sépare ? Le mot est accidentellement le même dans chaque cas, mais le sens est totalement différent.

« Il est certain que la même faible ressemblance existe entre tous les péchés " sociaux " et les vrais péchés spirituels, mais il s'agit ici de l'ombre et là de la réalité. Si vous êtes un peu théologien, vous devez comprendre.

— Je vous avoue que je n'ai guère consacré de temps à la théologie, remarqua Cotgrave. Je le regrette, mais, pour revenir à notre sujet, vous pensez que le péché est une chose occulte, secrète ?

— Oui. C'est le miracle infernal, comme la sainteté est le miracle surnaturel. Le vrai péché s'élève à un tel degré que nous ne pouvons absolument pas soupçonner son existence. Il est comme la note la plus basse de l'orgue : si profonde que nul ne l'entend. Parfois il y a des ratages, des retombées, et ils conduisent à l'asile d'aliénés ou à des dénouements plus affreux encore. Mais en aucun cas vous ne devez le confondre avec les méfaits sociaux. Souvenez-vous de l'Apôtre : il parlait de l' " autre côté " et faisait une distinction entre les actions charitables et la charité. Comme on peut tout donner aux pauvres et pourtant manquer de charité, on peut éviter tous les péchés et cependant être une créature du mal.

— Voilà une singulière psychologie ! dit Cotgrave, mais je confesse qu'elle me plaît. Je suppose que, selon vous, le véritable pécheur pourrait fort bien passer pour un personnage inoffensif ?

— Certainement. Le Mal véritable n'a rien à voir avec la société. Le Bien non plus, d'ailleurs. Croyez-vous que vous auriez eu " du plaisir " en la compagnie de saint Paul ? Croyez-vous que vous vous seriez " bien entendu " avec Sir Galahad ? Il en va des pécheurs comme des saints. Si vous rencontriez un vrai pécheur, et que vous reconnaissiez le péché en lui, il est certain que vous seriez frappé d'horreur. Mais il n'y aurait peut-être aucune raison pour que cet homme vous " déplaise ". Au contraire, il est fort possible que si vous parveniez à oublier son péché, vous trouveriez son commerce agréable. Et pourtant !... Non, personne ne peut deviner combien le vrai mal est terrifiant !... Si les roses et les lis de ce jardin chantaient soudain dans ce matin naissant, si les meubles de cette maison se mettaient à marcher en procession, comme dans le conte de Maupassant !

— Je suis content que vous reveniez à cette comparaison, dit Cotgrave, car je voulais vous demander à quoi correspondent, dans l'humanité, ces prouesses imaginaires des choses dont vous parlez. Encore une fois, qu'est-ce donc alors que le péché? J'aimerais enfin un exemple concret. »

Pour la première fois, Ambrose hésita :

« Je vous l'ai dit, le vrai mal est rare. Le matérialisme de notre époque, qui a beaucoup fait pour supprimer la sainteté, a peut-être fait plus encore pour supprimer le mal. Nous trouvons la terre si confortable que nous n'avons envie ni de monter ni de descendre. Tout se passe comme si le spécialiste de l'Enfer en était réduit à des travaux purement archéologiques.

— Pourtant, il paraît que vos recherches se sont étendues jusqu'à l'époque présente?

— Je vois que vous êtes réellement intéressé. Eh bien, je confesse que j'ai en effet réuni quelques documents... »

V

*La terre creuse, le monde glacé, l'homme nouveau. — Nous
sommes des ennemis de l'esprit. — Contre la nature et contre
Dieu. — La société du Vril. — La race qui nous supplantera.
— Haushoffer et le Vril. — L'idée de mutation de l'homme. —
Le Supérieur Inconnu, — Mathers, chef de la Golden Dawn,
rencontre les Grands Terrifiants. — Hitler dit qu'il les a vus
aussi. — Une hallucination ou une présence réelle ? — La
porte ouverte sur autre chose. — Une prophétie de René
Guénon. — Le premier ennemi des nazis : Steiner.*

La terre est creuse. Nous habitons à l'intérieur.

Les astres sont des blocs de glace. Plusieurs lunes
sont déjà tombées sur la terre. La nôtre tombera. Toute
l'histoire de l'humanité s'explique par la bataille entre
la glace et le feu.

L'homme n'est pas fini. Il est au bord d'une formidable mutation qui lui donnera les pouvoirs que les
anciens attribuaient aux dieux. Quelques exemplaires
de l'homme nouveau existent dans le monde, venus
peut-être d'au-delà des frontières du temps et de
l'espace.

Il y a des alliances possibles avec le Maître du
Monde, avec le « Roi de la Peur », qui règne sur une
cité cachée quelque part en Orient. Ceux qui auront un
pacte changeront pour des millénaires la surface de la
terre et donneront un sens à l'aventure humaine.

Telles sont les théories « scientifiques » et les conceptions « religieuses » qui ont alimenté le nazisme originel, auxquelles croyaient Hitler et les membres du groupe dont il faisait partie, et qui ont, dans une notable mesure, orienté les faits sociaux et politiques de l'histoire récente. Ceci peut paraître extravagant. Une explication de l'histoire contemporaine, même partielle, à partir de telles idées et croyances, peut sembler répugnante. Mais nous pensons que rien n'est répugnant dans l'exercice de la vérité.

On sait que le parti nazi se montra anti-intellectuel d'une façon franche, et même bruyante, qu'il brûla les livres et rejeta les physiciens théoriques parmi les ennemis « judéo-marxistes ». On sait moins au profit de quelles explications du monde il repoussa les sciences occidentales officielles. On sait moins encore sur quelle conception de l'homme reposait le nazisme, tout au moins dans l'esprit de quelques-uns de ses chefs. Quand on le sait, on situe mieux la dernière guerre mondiale dans le cadre des grands conflits spirituels ; l'histoire retrouve le souffle de *la Légende des Siècles.*

« On nous jette l'anathème comme à des ennemis de l'esprit, disait Hitler. Eh bien, oui, c'est ce que nous sommes. Mais dans un sens bien plus profond que la science bourgeoise, dans son orgueil imbécile, ne l'a jamais rêvé. » C'est à peu près ce que déclarait Gurdjieff à son disciple Ouspensky après avoir fait le procès de la science : « Ma voie est celle du développement des possibilités cachées de l'homme. C'est une voie contre la nature et contre Dieu. »

Cette idée des possibilités cachées de l'homme est essentielle. Elle conduit souvent au rejet de la science et au mépris de l'humanité ordinaire. Au niveau de cette idée, très peu d'hommes existent réellement. Être, c'est être différent. L'homme ordinaire, l'homme à l'état naturel n'est qu'une larve et le Dieu des chrétiens n'est qu'un pasteur de larves.

Le docteur Willy Ley, l'un des plus grands experts du monde en matière de fusées, s'enfuit d'Allemagne en 1933. C'est par lui que nous avons appris l'existence à Berlin, peu avant le nazisme, d'une petite communauté spirituelle d'un réel intérêt pour nous.

Cette communauté secrète s'était fondée littéralement, sur un roman de l'écrivain anglais Bulwer Lytton : *La Race qui nous supplantera*. Ce roman décrit des hommes dont le psychisme est beaucoup plus évolué que le nôtre. Ils ont acquis des pouvoirs sur eux-mêmes et sur les choses, qui les font pareils à des dieux. Pour l'instant, ils se cachent encore. Ils habitent des cavernes au centre de la terre. Ils en sortiront bientôt, pour régner sur nous.

Voilà tout ce que paraissait en savoir le docteur Willy Ley. Il ajoutait en souriant que les disciples croyaient connaître certains secrets pour changer de race, pour devenir les égaux des hommes cachés au fond de la terre. Des méthodes de concentration, toute une gymnastique intérieure pour se transformer. Ils commençaient leurs exercices en contemplant fixement la structure d'une pomme coupée en deux... Nous avons poursuivi les recherches.

Cette société berlinoise se nommait : « La Loge Lumineuse » ou « Société du Vril ». Le vril, c'est l'énorme énergie dont nous n'utilisons qu'une infime partie dans la vie ordinaire, le nerf de notre divinité possible. Celui qui devient maître du vril, devient maître de lui-même, des autres et du monde[1]. Il n'y a de souhaitable que cela. C'est à cela que doivent tendre

1. L'idée du « vril » se trouve, à l'origine, dans l'œuvre de l'écrivain français Jacolliot, consul de France à Calcultta sous le second Empire.

nos efforts. Tout le reste appartient à la psychologie officielle, aux morales, aux religions, au vent. Le monde va changer. Les Seigneurs vont sortir de dessous la terre. Si nous n'avons pas fait alliance avec eux, si nous ne sommes pas des seigneurs, nous aussi, nous serons parmi les esclaves, dans le fumier qui servira à faire fleurir les cités nouvelles.

La « Loge Lumineuse » avait des amis dans la théosophie et dans les groupes Rose-Croix. Selon Jack Belding, auteur du curieux ouvrage *Les Sept Hommes de Spandau*[1], Karl Haushoffer aurait appartenu à cette Loge. Nous aurons à parler beaucoup de lui, et l'on verra que son passage dans cette « société du vril » éclaire certaines choses.

Le lecteur se souvient peut-être que nous avons découvert, derrière l'écrivain Arthur Machen, une société initiatique anglaise : la *Golden Dawn*. Cette société néo-païenne, à laquelle appartenaient de grands esprits, était née de la Société Rosicrucienne anglaise, fondée par Wentworth Little en 1867. Little était en relation avec des rosicruciens allemands. Il recruta ses adeptes, au nombre de 144, parmi les dignitaires maçons. L'un des adeptes était Bulwer Lytton.

Bulwer Lytton, érudit génial, célèbre dans le monde pour son récit *Les derniers jours de Pompéi*, ne s'attendait sans doute pas à ce que l'un de ses romans, des dizaines d'années plus tard, inspirât en Allemagne un groupe mystique prénazi. Cependant, dans des œuvres

1. Non traduit en français.
On trouve la même indication dans *Les Étoiles en temps de guerre et de paix*, de Louis de Wohl, écrivain hongrois qui dirigea pendant la guerre, le bureau d'investigation sur Hitler et les nazis du Service de renseignements anglais (non traduit).

comme *La Race qui nous supplantera* ou *Zanoni,* il entendait mettre l'accent sur des réalités du monde spirituel, et plus spécialement du monde infernal. Il se considérait comme un initié. A travers l'affabulation romanesque, il exprimait la certitude qu'il existe des êtres doués de pouvoirs surhumains. Ces êtres nous supplanteront et ils conduiront les élus de la race humaine vers une formidable mutation.

Il faut prendre garde à cette idée de mutation de la race. Nous la retrouverons chez Hitler[1], et elle n'est pas éteinte aujourd'hui. Il faut prendre garde aussi à l'idée des « Supérieurs Inconnus ». On la trouve dans toutes les mystiques noires d'Orient et d'Occident. Habitant sous la terre ou venus d'autres planètes, géants pareils à ceux qui dormiraient sous une carapace d'or dans des cryptes tibétaines, ou bien présences informes et terrifiantes telles que les décrivait Lovecraft, ces « Supérieurs Inconnus » évoqués dans les rites païens et lucifériens existent-ils ? Lorsque Machen parle du monde du Mal, « plein de cavernes et d'habitants crépusculaires », c'est à l'autre monde, celui où l'homme prend contact avec les « Supérieurs Inconnus », qu'il se réfère, en disciple de la *Golden Dawn.* Il nous semble certain qu'Hitler partageait cette croyance. Mieux : qu'il estimait avoir l'expérience du contact avec les « Supérieurs ».

Nous avons cité la *Golden Dawn* et la Société du Vril allemande. Nous parlerons tout à l'heure du groupe Thulé. Nous n'avons pas la folie de prétendre expliquer l'histoire par les sociétés iniatiques. Mais nous allons voir, curieusement, que tout se tient et qu'avec le

1. Le but d'Hitler n'est ni l'établissement de la race des seigneurs, ni la conquête du monde ; ce ne sont là que les moyens du grand œuvre rêvé par Hitler ; le but véritable, c'est de faire œuvre de création œuvre divine, le but de la mutation biologique ; le résultat en sera une ascension de l'humanité, non encore égalée, « l'apparition d'une humanité de héros, de demi-dieux, d'hommes-dieux ». Dr Achille Delmas.

nazisme, c'est « l'autre monde » qui a régné sur nous pendant quelques années. Il a été vaincu. Il n'est pas mort. Ni de l'autre côté du Rhin, ni ailleurs. Et ce n'est pas effrayant, c'est notre ignorance qui est effrayante.

Nous signalions que Samuel Mathers avait fondé la *Golden Dawn*. Mathers prétendait être en rapport avec ces « Supérieurs Inconnus » et avoir établi les contacts en compagnie de sa femme, la sœur du philosophe Henri Bergson. Voici un passage du manifeste aux « Membres du second ordre » qu'il écrivit en 1896 :

« Au sujet de ces Chefs Secrets, auxquels je me réfère et dont j'ai reçu la sagesse du Second Ordre que je vous ai communiquée, je ne peux rien vous dire. Je ne sais même pas leurs noms terrestres et je ne les ai vus que très rarement dans leur corps physique... Ils me rencontrèrent physiquement aux temps et lieux fixés à l'avance. Pour mon compte, je crois que ce sont des êtres humains vivant sur cette terre, mais qui possèdent des pouvoirs terribles et surhumains... Mes rapports physiques avec eux m'ont montré combien il est difficile à un mortel, si avancé soit-il, de supporter leur présence. Je ne veux pas dire que dans ces rares cas de rencontre avec eux l'effet produit sur moi était celui de la dépression physique intense qui suit la perte du magnétisme. Au contraire, je me sentais en contact avec une force si terrible que je ne puis que la comparer à l'effet ressenti par quelqu'un qui a été près d'un éclair pendant un violent orage, accompagné d'une grande difficulté de respiration... La prostration nerveuse dont j'ai parlé s'accompagnait de sueurs froides et de pertes de sang par le nez, la bouche et parfois les oreilles. »

Hitler entretenait un jour Rauschning, chef du gouvernement de Dantzig, du problème de la mutation de la race humaine. Rauschning, n'ayant pas les clefs d'une aussi étrange préoccupation, traduisait les propos d'Hitler en propos d'éleveur qui cherche à améliorer le sang allemand.

« Mais vous ne pouvez rien faire d'autre que d'aider la nature, disait-il, que d'abréger le chemin à parcourir ! Il faut que la nature vous donne elle-même une variété nouvelle. Jusqu'à présent, l'éleveur n'a réussi que très rarement, dans l'espèce animale, à développer des mutations, c'est-à-dire à créer lui-même des caractères nouveaux.

— L'homme nouveau vit au milieu de nous ! Il est là ! s'écria Hitler d'un ton triomphant. Cela vous suffit-il ? Je vais vous dire un secret. J'ai vu l'homme nouveau. Il est intrépide et cruel. J'ai eu peur devant lui. »

« En prononçant ces mots, ajoute Rauschning, Hitler tremblait d'une ardeur extatique. »

Et Rauschning rapporte aussi cette étrange scène, sur laquelle s'interroge en vain le docteur Achille Delmas, spécialiste de la psychologie appliquée. La psychologie, en effet, ne s'applique pas là :

« Une personne de son entourage m'a dit qu'Hitler s'éveille la nuit en poussant des cris convulsifs. Il appelle au secours, assis sur le bord de son lit, il est comme paralysé. Il est saisi d'une panique qui le fait trembler au point de secouer le lit. Il profère des vociférations confuses et incompréhensibles. Il halète comme s'il était sur le point d'étouffer. La même personne m'a raconté une de ces crises avec des détails que je me refuserais à croire, si ma source n'était aussi sûre. Hitler était debout dans sa chambre, chancelant, regardant autour de lui d'un air égaré. " C'est lui ! C'est lui ! Il est venu ici ! " gémissait-il. Ses lèvres étaient blêmes. La sueur ruisselait à grosses gouttes. Subitement, il prononça des chiffres sans aucun sens, puis des mots, des bribes de phrases. C'était effroyable. Il employait des termes bizarrement assemblés, tout à fait étranges. Puis, de nouveau, il était redevenu silencieux, mais en continuant à remuer les lèvres. On l'avait alors frictionné, on lui avait fait prendre une boisson. Puis, subitement, il avait rugi : " Là ! là ! dans le coin ! Il est là ! " Il frappait du pied le parquet et hurlait. On l'avait rassuré en lui disant qu'il ne se passait rien d'extraordinaire, et il s'était calmé peu à peu. Ensuite, il avait dormi pendant de longues heures et était redevenu à peu près normal et supportable[1]... »

Nous laissons au lecteur le soin de comparer les déclarations de Mathers, chef d'une petite société néopaïenne de la fin du XIXe siècle, et les propos d'un homme qui, au moment où Rauschning les recueillait, s'apprêtait à lancer le monde dans une aventure qui a fait vingt millions de morts. Nous le prions de ne pas négliger cette comparaison et son enseignement sous prétexte que la *Golden Dawn* et le nazisme sont, aux yeux de l'historien raisonnable, sans commune mesure. L'historien est raisonnable, mais l'histoire ne l'est pas. Ce sont les mêmes croyances qui animent les deux hommes, leurs expériences fondamentales sont identiques, la même force les guide. Ils appartiennent au même courant de pensée, à la même religion. Cette religion n'a jamais encore été vraiment étudiée. Ni l'Église, ni le rationalisme, autre Église, ne l'ont permis. Nous entrons dans une époque de la connaissance où de telles études deviendront possibles parce que la réalité découvrant sa face fantastique, des idées et des techniques qui nous semblaient aberrantes, méprisables ou odieuses, nous apparaîtront utiles à la compréhension d'un réel de moins en moins rassurant.

Nous ne proposons pas au lecteur d'étudier une filiation Rose-Croix-Bulwer Lytton-Little-Mathers-Crowley-Hitler, ou toute autre filiation du même genre, où l'on rencontrerait aussi Mme Blavatsky et Gurdjieff. Le jeu des filiations est comme celui des influences en littérature. Le jeu fini, le problème

1. Hermann Rauschning : *Hitler m'a dit.* Éd. Coopération. Paris, 1939. D'Achille Delmas : *Hitler, essai de biographie psycho-pathologique.* Librairie Marcel Rivière. Paris, 1946.

demeure. Celui du génie en littérature. Celui du pouvoir en histoire. La *Golden Dawn* ne suffit pas à expliquer le groupe Thulé, ou la Loge Lumineuse, l'Ahnenerbe. Naturellement, il y a de multiples interférences, des passages clandestins ou avoués d'un groupe à l'autre. Nous ne manquerons pas de les signaler. Cela est passionnant, comme toute la petite histoire. Mais notre objet est la grande histoire. Nous pensons que ces sociétés, petites ou grandes, ramifiées ou non, connexes ou pas, sont les manifestations plus ou moins claires, plus ou moins importantes, d'un autre monde que celui dans lequel nous vivons. Disons que c'est le monde du Mal au sens où l'entendait Machen. Mais nous ne connaissons pas davantage le monde du Bien. Nous vivons entre deux mondes, prenant ce *no man's land* pour la planète elle-même tout entière. Le nazisme a été un des rares moments, dans l'histoire de notre civilisation, où une porte s'est ouverte sur autre chose, de façon bruyante et visible. Il est bien singulier que les hommes feignent de n'avoir rien vu et rien entendu, hors les spectacles et les bruits ordinaires du désordre guerrier et politique.

Tous ces mouvements : Rose-Croix moderne, *Golden Dawn*, Société du Vril allemande (qui nous amèneront au groupe Thulé où nous trouverons Haushoffer, Hess, Hitler) avaient plus ou moins partie liée avec la Société Théosophique, puissante et bien organisée. La théosophie ajoutait à la magie néo-païenne un appareil oriental et une terminologie hindoue. Ou plutôt, elle ouvrait à un certain Orient luciférien les routes de l'Occident. C'est sous le nom de théosophisme que l'on a fini par décrire le vaste mouvement de renaissance du magique qui a bouleversé beaucoup d'intelligences au début du siècle.

Dans son étude *Le Théosophisme, histoire d'une pseudo-religion*, publiée en 1921, le philosophe René Guénon se montre prophète. Il voit monter les périls derrière la théosophie et les groupes initiatiques néo-païens plus ou moins en rapport avec la secte de Mme Blavatsky.

Il écrit :

« Les faux messies que nous avons vus jusqu'ici n'ont fait que des prodiges d'une qualité fort inférieure, et ceux qui les ont suivis n'étaient probablement pas bien difficiles à séduire. Mais qui sait ce que nous réserve l'avenir ? Si l'on réfléchit que ces faux messies n'ont jamais été que les instruments plus ou moins inconscients entre les mains de ceux qui les ont suscités, et si l'on se reporte en particulier à la série de tentatives faites successivement par les théosophistes, on est amené à penser que ce ne sont là que des essais, des expériences en quelque sorte, qui se renouvelleront sous des formes diverses jusqu'à ce que la réussite soit obtenue, et qui, en attendant, ont toujours pour résultat de jeter un certain trouble dans les esprits. Nous ne croyons pas, d'ailleurs, que les théosophistes, non plus que les occultistes et les spirites, soient de force à réussir pleinement par eux-mêmes une telle entreprise. Mais n'y aurait-il pas, derrière tous ces mouvements, quelque chose d'autrement redoutable, que leurs chefs ne connaissent peut-être pas, et dont ils ne sont pourtant à leur tour que les simples instruments ? »

C'est aussi l'époque où un extraordinaire personnage, Rudolph Steiner, développe en Suisse une société de recherches qui repose sur l'idée que l'univers tout entier est contenu dans l'esprit humain et que cet esprit est capable d'une activité sans commune mesure avec ce que nous en dit la psychologie officielle. De fait, certaines découvertes steineriennes, en biologie (les engrais qui ne détruisent pas le sol), en médecine (utilisation des métaux modifiant le métabolisme) et surtout en pédagogie (de nombreuses écoles steineriennes fonctionnent aujourd'hui en Europe) ont notablement enrichi l'humanité. Rudolph Steiner pensait qu'il y a une forme noire et une forme blanche de la recherche « magique ». Il estimait que le théosophisme et les diverses sociétés néo-païennes venaient du grand monde souterrain du Mal et annonçaient un âge démoniaque. Il se hâtait d'établir, au sein de son propre enseignement, une doctrine morale engageant les « initiés » à n'user que de forces bénéfiques. Il voulait créer une société de bienveillants.

Nous ne nous posons pas la question de savoir si Steiner avait tort ou raison, s'il possédait ou non la vérité. Ce qui nous frappe, c'est que les premières équipes nazies semblent avoir considéré Steiner comme l'ennemi numéro un. Les hommes de main du début dispersent par la violence les réunions des steineriens, menacent de mort les disciples, les obligent à fuir l'Allemagne et, en 1924, en Suisse, à Dornach, mettent le feu au centre édifié par Steiner. Les archives flambent, Steiner n'est plus en mesure de travailler, il meurt de chagrin un an plus tard.

Nous avons jusqu'ici décrit les approches du fantastique hitlérien. Maintenant, nous allons vraiment aborder notre sujet. Deux théories ont fleuri dans l'Allemagne nazie : la théorie du monde glacé et la théorie de la terre creuse. Ce sont deux explications du monde et de l'homme qui rejoignent des données traditionnelles, justifient des mythes, recoupent un certain nombre de « vérités » défendues par des groupes initiatiques, des théosophes à Gurdjieff. Mais ces théories ont été exprimées avec un important appareil politico-scientifique. Elles ont failli chasser d'Allemagne la science moderne telle que nous la considérons. Elles ont régné sur beaucoup d'esprits Elles ont, de plus, déterminé certaines décisions militaires d'Hitler, influencé parfois la marche de la guerre et sans doute contribué à la catastrophe finale. C'est emporté par ces théories et notamment par l'idée de déluge sacrificiel qu'Hitler a voulu entraîner le peuple allemand tout entier dans l'anéantissement.

Nous ne savons pourquoi ces théories, si puissamment affirmées, auxquelles ont adhéré des dizaines d'hommes et des grands esprits, pour lesquelles de grands sacrifices matériels et humains furent faits, n'ont pas encore été étudiées chez nous et nous demeurent même inconnues.

Les voici, avec leur genèse, leur histoire, leurs applications et leur postérité.

VI

Un ultimatum aux savants. — Le prophète Horbiger, Copernic du XXe siècle. — La théorie du monde glacé. — Histoire du système solaire. — La fin du Monde. — La Terre et ses quatre lunes. — Apparitions des géants. — Les lunes, les géants et les hommes. — La civilisation de l'Atlantide. — Les cinq cités d'il y a 300 000 ans. — De Tiahuanaco aux momies tibétaines. — La deuxième Atlantide. — Le Déluge. — Dégénérescence et chrétienté. — Nous approchons d'un autre âge. — La loi de la glace et du feu.

Un matin de l'été 1925, le facteur déposa une lettre chez tous les savants d'Allemagne et d'Autriche. Le temps de la décacheter : l'idée de la science sereine était morte, les rêves et les cris des réprouvés emplissaient soudain les laboratoires et les bibliothèques. La lettre était un ultimatum :

« Il faut maintenant choisir, être avec ou contre nous. En même temps qu'Hitler nettoiera la politique, Hans Horbiger balaiera les fausses sciences. La doctrine de la glace éternelle sera le signe de la régénération du peuple allemand. Prenez garde ! Rangez-vous à nos côtés avant qu'il ne soit trop tard ! »

L'homme qui osait ainsi menacer les savants, Hans Horbiger, avait soixante-cinq ans. C'était une sorte de prophète furieux. Il portait une immense barbe blanche et usait d'une écriture à décourager le meilleur graphologue. Sa doctrine commençait à être connue d'un large public sous le nom de la *Wel*[1]. C'était une explication du cosmos en contradiction avec l'astronomie et les mathématiques officielles, mais qui justifiait d'anciens mythes. Pourtant, Horbiger se considérait lui-même comme un savant. Mais la science devait changer de voie et de méthodes. « La science objective est une invention pernicieuse, un totem de décadence. » Il pensait comme Hitler que « la question préalable à toute activité scientifique est de savoir qui veut savoir ». Seul le prophète peut prétendre à la science, car il est, par la vertu de l'illumination, porté à un niveau supérieur de conscience. C'est ce qu'avait voulu dire l'initié Rabelais en écrivant : « Science sans conscience n'est que ruine de l'âme. » Il entendait : science sans conscience supérieure. On avait faussé son message, au profit d'une petite conscience humaniste primaire. Quand le prophète veut savoir, alors il peut être question de science, mais c'est autre chose que ce qu'on appelle ordinairement la science. C'est pourquoi Hans Horbiger ne pouvait souffrir le moindre doute, la moindre esquisse de contradiction. Une fureur sacrée l'agitait : « Vous avez confiance dans les équations et non en moi ! hurlait-il. Combien de temps vous faudra-t-il enfin pour comprendre que les mathématiques sont un mensonge sans valeur ? »

Dans l'Allemagne du Herr Doktor, scientiste et technicienne, Hans Horbiger, avec des cris et des coups, livrait passage au savoir illuminé, à la connaissance irrationnelle, aux visions. Il n'était pas le seul ; dans ce domaine, c'est lui qui prenait la vedette. Hitler et Himmler s'étaient attaché un astrologue, mais ne le publiaient pas. Cet astrologue se nommait Führer. Plus

1. Wel = *Welteislehre* : la doctrine de la glace éternelle.

tard, après la prise du pouvoir, et comme pour affirmer leur volonté, non seulement de régner, mais de « changer la vie », ils oseraient provoquer eux-mêmes les savants. Ils nommeraient Führer « plénipotentiaire des mathématiques, de l'astronomie et de la physique[1] ».

Pour l'heure, Hans Horbiger mettait en œuvre, dans les milieux de l'intelligence, un système comparable à celui des agitateurs politiques.

Il semblait disposer de moyens financiers considérables. Il opérait comme un chef de parti. Il créait un mouvement, avec un service d'informations, des bureaux de recrutement, des cotisations, des propagandistes et des hommes de main recrutés parmi les jeunesses hitlériennes. On couvrait les murs d'affiches, on inondait les journaux de placards, on distribuait massivement des tracts, on organisait des meetings. Les réunions et conférences d'astronomes étaient interrompues par les partisans qui criaient : « Dehors les savants orthodoxes ! Suivez Horbiger ! » Des professeurs étaient molestés dans les rues. Les directeurs des instituts scientifiques recevaient des cartons : « Quand nous aurons gagné, vous et vos semblables irez mendier sur le trottoir. » Des hommes d'affaires, des industriels, avant d'engager un employé, lui faisaient signer une déclaration : « Je jure avoir confiance dans la théorie de la glace éternelle. » Horbiger écrivait aux grands ingénieurs : « Ou bien vous apprendrez à croire en moi, ou bien vous serez traité comme un ennemi. »

En quelques années, le mouvement publia trois gros ouvrages de doctrine, quarante livres populaires, des centaines de brochures. Il éditait un magazine mensuel à fort tirage : *La Clef des Événements Mondiaux*. Il avait recruté des dizaines de milliers d'adhérents. Il

1. Il le fut.

allait jouer un rôle notable dans l'histoire des idées et dans l'histoire tout court.

Au début, les savants protestaient, publiaient lettres et articles démontrant les impossibilités du système d'Horbiger. Ils s'alarmèrent quand la *Wel* prit les proportions d'un vaste mouvement populaire. Après l'arrivée au pouvoir d'Hitler, la résistance se fit plus mince, quoique les Universités continuassent à enseigner l'astronomie orthodoxe. Des ingénieurs en renom, des savants se rallièrent à la doctrine de la glace éternelle, comme, par exemple, Lenard qui avec Rœntgen avait découvert les rayons X, le physicien Oberth, et Stark, dont les recherches sur la spectroscopie étaient mondialement connues. Hitler soutenait ouvertement Horbiger et croyait en lui.

« Nos ancêtres nordiques sont devenus forts dans la neige et la glace, déclarait un tract populaire de la *Wel*, c'est pourquoi la croyance en la glace mondiale est l'héritage naturel de l'homme nordique. Un Autrichien, Hitler, chassa les politiciens juifs ; un second Autrichien, Horbiger, chassera les savants juifs. Par sa propre vie, le Führer a montré qu'un amateur est supérieur à un professionnel. Il a fallu un autre amateur pour nous donner une compréhension complète de l'Univers. »

Hitler et Horbiger, les « deux plus grands Autrichiens », se rencontrèrent plusieurs fois. Le chef nazi écoutait ce savant visionnaire avec déférence. Horbiger n'admettait pas d'être interrompu dans son discours et répondait fermement à Hitler : La ferme ! « *Maul zu !* » Il porta à l'extrémité la conviction d'Hitler : le peuple allemand, dans son messianisme, était empoisonné par la science occidentale, étroite, affaiblissante, détachée de la chair et de l'âme. Des créations récentes, comme la psychanalyse, la sérologie et la relativité étaient des machines de guerre dirigées contre l'esprit de Parsifal. La doctrine de la glace mondiale fournirait le contrepoison nécessaire. Cette doctrine détruisait l'astronomie admise : le reste de l'édifice croulerait ensuite de lui-même, et il fallait qu'il croule pour que renaisse la magie, seule valeur dynamique. Des conférences réunirent les théoriciens du national-socialisme et ceux de la glace éternelle : Rosenberg et Horbiger, entourés de leurs meilleurs disciples.

L'histoire de l'humanité, telle que la décrivait Horbiger, avec les grands déluges et les migrations successives, avec ses géants et ses esclaves, ses sacrifices et ses épopées, répondait à la théorie de la race aryenne. Les affinités de la pensée d'Horbiger avec les thèmes orientaux des âges antédiluviens, des périodes de salut de l'espèce et des périodes de punition, passionnèrent Himmler. A mesure que la pensée d'Horbiger se précisait, des correspondances se révélaient avec les visions de Nietzsche et avec la mythologie wagnérienne. Les origines fabuleuses de la race aryenne, descendue des montagnes habitées par les surhommes d'un autre âge, destinée à commander à la planète et aux étoiles, étaient établies. La doctrine d'Horbiger s'associait étroitement à la pensée du socialisme magique, aux démarches mystiques du groupe nazi. Elle venait nourrir fortement ce que Jung devait appeler plus tard « la libido du déraisonnable ». Elle apportait quelques-unes de ces « vitamines de l'âme » contenues dans les mythes.

C'est en 1913 qu'un nommé Philipp Fauth[1], astronome amateur spécialisé dans l'observation de la

1. Philipp Fauth est né le 19 mars 1867 et mort le 4 janvier 1941. Ingénieur et constructeur de machines, ses recherches sur la Lune lui valurent une certaine notoriété : il avait tracé deux cartes de la Lune, et un cratère double, au sud du cratère de Copernic, porte le nom de Fauth, par décision de l'Union Internationale de 1935. Il fut nommé professeur en 1939 par mesure spéciale du Gouvernement national-socialiste.

Lune, publia avec quelques amis un énorme livre de plus de huit cents pages : *La Cosmologie Glaciale de Horbiger*. La plus grande partie de l'ouvrage était écrite par Horbiger lui-même.

Horbiger, à cette époque, administrait avec négligence son affaire personnelle. Né en 1860, dans une famille connue au Tyrol depuis des siècles, il avait fait ses études à l'École de technologie de Vienne et un stage d'études pratiques à Budapest. Dessinateur chez le constructeur de machines à vapeur Alfred Collman, il était entré ensuite comme spécialiste des compresseurs chez Land, à Budapest. C'est là qu'il avait inventé, en 1894, un nouveau système de robinet pour pompes et compresseurs. La licence avait été vendue à de puissantes sociétés allemandes et américaines, et Horbiger s'était trouvé soudain à la tête d'une grande fortune que la guerre allait bientôt disperser.

Horbiger se passionnait pour les applications astronomiques des changements d'état de l'eau : liquide, glace, vapeur qu'il avait eu l'occasion d'étudier dans sa profession. Il prétendait expliquer par là toute la cosmographie et toute l'astrophysique. De brusques illuminations, des intuitions fulgurantes lui avaient ouvert les portes, disait-il, d'une science nouvelle qui contenait toutes les autres sciences. Il allait devenir un des grands prophètes de l'Allemagne messianique, et, comme on devait l'écrire après sa mort : « Un découvreur de génie béni par Dieu. »

La doctrine d'Horbiger tire sa puissance d'une vision complète de l'histoire et de l'évolution du cosmos. Elle explique la formation du système solaire, la naissance de la terre, de la vie et de l'esprit. Elle décrit tout le passé de l'univers et annonce ses transformations futures. Elle répond aux trois interrogations essentielles : Qui sommes-nous ? D'où venons-nous ? Où allons-nous ? Et elle y répond de façon exaltante.

Tout repose sur l'idée de la lutte perpétuelle, dans les espaces infinis, entre la glace et le feu, et entre la force de répulsion et la force d'attraction. Cette lutte, cette tension changeante entre des principes opposés, cette éternelle guerre dans le ciel, qui est la loi des planètes, régit aussi la terre et la matière vivante et détermine l'histoire humaine. Horbiger prétend révéler le plus lointain passé de notre globe et son plus lointain avenir, et il introduit des notions fantastiques sur l'évolution des espèces vivantes. Il bouleverse ce que nous pensons généralement de l'histoire des civilisations, de l'apparition et du développement de l'homme et de ses sociétés. Il ne décrit pas, à ce propos, une montée continue mais une série d'ascensions et de chutes. Des hommes-dieux, des géants, des civilisations fabuleuses nous auraient précédés, voici des centaines de milliers d'années, et peut-être des millions d'années. Ce qu'étaient les ancêtres de notre race, nous le redeviendrons peut-être, à travers des cataclysmes et des mutations extraordinaires, au cours d'une histoire qui, sur terre comme dans le cosmos, se déroule par cycles. Car les lois du ciel sont les mêmes que les lois de la terre, et l'univers tout entier participe du même mouvement, est un organisme vivant où tout retentit sur tout. L'aventure des hommes est liée à l'aventure des astres, ce qui se passe dans le cosmos se passe sur terre, et réciproquement.

Comme on le voit, cette doctrine des cycles et des relations quasi magiques entre l'homme et l'univers donne de la force à la plus lointaine pensée traditionnelle. Elle réintroduit les très vieilles prophéties, les mythes et les légendes, les anciens thèmes de la Genèse, du Déluge, des Géants et des Dieux.

Cette doctrine, comme on le comprendra mieux tout à l'heure, est en contradiction avec toutes les données de la science admise. Mais, disait Hitler, « il y a une science nordique et nationale-socialiste qui s'oppose à la science judéo-libérale ». La science admise en Occident, comme d'ailleurs la religion judéo-chrétienne qui y trouve des complicités, est une conjuration qu'il faut briser. C'est une conjuration contre le sens de l'épopée et du magique qui réside au cœur de l'homme fort, une vaste conspiration qui ferme à l'humanité les portes du passé et celles de l'avenir au-delà du court espace des civilisations recensées, qui l'ampute de ses origines et de son destin fabuleux et qui la prive du dialogue avec ses dieux.

Les savants admettent généralement que notre univers a été créé par une explosion, voici trois ou quatre milliards d'années. Explosion de quoi ? Le cosmos tout entier était peut-être contenu dans un atome, point zéro de la création. Cet atome aurait explosé et serait depuis en constante expansion. En lui auraient été contenues toute la matière et toutes les forces aujourd'hui déployées. Mais dans cette hypothèse, on ne saurait pourtant dire qu'il s'agit du commencement absolu de l'Univers. Les théoriciens de l'expansion de l'univers à partir de cet atome réservent le problème de son origine. Somme toute, la science ne déclare là-dessus rien de plus précis que l'admirable poème indien : « Dans l'intervalle entre dissolution et création, Vishnou-Cesha reposait en sa propre substance, lumineux d'énergie dormante, parmi les germes des vies à venir. »

En ce qui concerne la naissance de notre système solaire, les hypothèses sont aussi floues. On a imaginé que les planètes seraient nées d'une explosion partielle du soleil. Un grand corps astral serait passé à proximité, arrachant une partie de la substance solaire qui se serait dispersée dans l'espace et comme figée en planètes. Puis, le grand corps, le super-astre inconnu, continuant sa course, se serait noyé dans l'infini. On a imaginé encore l'explosion d'un jumeau de notre soleil. Le professeur H.-N. Roussel, résumant la question, écrit avec humour : « Jusqu'à ce que nous sachions comment la chose est arrivée, la seule chose réellement sûre, c'est que le système solaire s'est produit d'une certaine façon. »

Horbiger, lui, prétend savoir comment la chose est arrivée. Il détient l'explication définitive. Dans une lettre à l'ingénieur Willy Ley, il confirme que cette explication lui a sauté aux yeux dans sa jeunesse. « J'ai eu la révélation, dit-il, lorsque, jeune ingénieur, j'ai observé un jour une coulée d'acier fondu sur de la terre mouillée et couverte de neige : la terre explosait avec un certain retard et une grande violence. » C'est tout. A partir de cela, la doctrine d'Horbiger va s'élever et foisonner. C'est la pomme de Newton.

Il y avait dans le ciel un énorme corps à haute température, des millions de fois plus grand que notre soleil actuel. Ce corps entra en collision avec une planète géante constituée par une accumulation de glace cosmique. Cette masse de glace pénétra profondément dans le super-soleil. Il ne se produisit rien pendant des centaines de milliers d'années. Puis, la vapeur d'eau fit tout exploser.

Des fragments furent projetés si loin qu'ils allèrent se perdre dans l'espace glacé.

D'autres retombèrent sur la masse centrale d'où était partie l'explosion.

D'autres enfin furent projetés dans une zone

moyenne : ce sont les planètes de notre système. Il y en avait trente. Ce sont des blocs qui se sont à peu près couverts de glace. La Lune, Jupiter, Saturne sont de glace, et les canaux de Mars sont des craquelures de la Glace. Seule la Terre n'est pas entièrement saisie par le froid : la lutte s'y perpétue entre la glace et le feu.

A une distance égale à trois fois celle de Neptune se trouvait, au moment de cette explosion, un énorme anneau de glace. Il s'y trouve toujours. C'est ce que les astronomes officiels s'entêtent à nommer la Voie lactée, parce que quelques étoiles semblables à notre soleil, dans l'espace infini, brillent à travers. Quant aux photographies d'étoiles individuelles dont l'ensemble donnerait une Voie lactée, ce sont des truquages.

Les taches que l'on observe sur le soleil, et qui changent de forme et de place tous les onze ans, demeurent inexplicables pour les savants orthodoxes. Elles sont produites par la chute de blocs de glace qui se détachent de Jupiter. Et Jupiter boucle son cercle autour du soleil tous les onze ans.

Dans la zone moyenne de l'explosion, les planètes du système auquel nous appartenons obéissent à deux forces :

— La force première de l'explosion, qui les éloigne ;

— La gravitation qui les attire vers la masse la plus forte située dans leur voisinage.

Ces deux forces ne sont pas égales. La force de l'explosion initiale va en diminuant, car l'espace n'est pas vide : il y a une matière ténue, faite d'hydrogène et de vapeur d'eau. En outre, l'eau qui atteint le soleil remplit l'espace de cristaux de glace. Ainsi, la force initiale, de répulsion, se trouve de plus en plus freinée. Par contre, la gravitation est constante. C'est pourquoi chaque planète se rapproche de la planète la plus proche qui l'attire. Elle s'en rapproche en circulant autour, ou plutôt en décrivant une spirale qui va se rétrécissant. Ainsi, tôt ou tard, toute planète tombera sur la plus proche, et tout le système finira par retomber en glace dans le soleil. Et il y aura une nouvelle explosion, et un recommencement.

Glace et feu, répulsion et attraction luttent éternellement dans l'Univers. Cette lutte détermine la vie, la mort et la renaissance perpétuelle du cosmos. Un écrivain allemand, Elmar Brugg, a écrit en 1952 un ouvrage à la gloire d'Horbiger, dans lequel il dit :

« Aucune des doctrines de représentation de l'Univers ne faisait entrer en jeu le principe de contradiction, de lutte de deux forces contraires, dont pourtant l'âme des hommes est nourrie depuis des millénaires. Le mérite impérissable d'Horbiger est d'avoir ressuscité puissamment la connaissance intuitive de nos ancêtres par le conflit éternel du feu et de la glace, chanté par Edda. Il a exposé ce conflit aux regards de ses contemporains. Il a fondé scientifiquement cette image grandiose du monde liée au dualisme de la matière et de la force, de la répulsion qui disperse et de l'attraction qui rassemble. »

C'est donc certain : la Lune finira par tomber sur la Terre. Il y a un moment, quelques dizaines de millénaires, où la distance d'une planète à l'autre semble fixe. Mais nous allons pouvoir nous rendre compte que la spirale se rétrécit. Peu à peu, dans le cours des âges, la Lune se rapprochera. La force de gravitation qu'elle exerce sur la Terre ira en augmentant. Alors les eaux de nos océans se rassembleront en une marée permanente, et elles monteront, couvrant les terres, noyant les tropiques et cernant les plus hautes montagnes. Les êtres vivants se trouveront progressivement soulagés de leur poids. Ils grandiront. Les rayons cosmiques deviendront plus puissants. Agissant sur les gènes et les chromosomes, ils créeront des mutations. On verra apparaître de nouvelles races, des animaux, des plantes et des hommes gigantesques.

Puis, s'approchant encore, la Lune éclatera, tournant à toute vitesse, et elle deviendra un immense anneau de rocs, de glace, d'eau et de gaz, tournant de plus en plus vite. Enfin cet anneau s'abattra sur la Terre, et ce sera la Chute, l'Apocalypse annoncée. Mais si les hommes subsistent, les plus forts, les meilleurs, les élus, d'étranges et formidables spectacles leur sont réservés. Et peut-être le spectacle final.

Après des millénaires sans satellite où la Terre aura connu d'extraordinaires imbrications de races anciennes et nouvelles, de civilisations venues des géants, de recommencements au-delà du Déluge et des immenses cataclysmes, Mars, plus petit que notre globe, finira par le rejoindre. Il rattrapera l'orbite de la Terre. Mais il est trop gros pour être capturé, pour devenir, comme la Lune, un satellite. Il passera tout près de la Terre, il la frôlera en s'en allant tomber sur le soleil, attiré par lui, aspiré par le feu. Alors notre atmosphère se trouvera d'un seul coup happée, entraînée par la gravitation de Mars, et nous quittera pour se perdre dans l'espace. Les océans tourbillonneront en bouillonnant à la surface de la Terre, lavant tout, et la croûte terrestre éclatera. Notre globe, mort, continuant à spiraler, sera rattrapé par des planétoïdes glacés qui voguent dans le ciel, et il deviendra une énorme boule de glace qui s'en ira se jeter à son tour dans le soleil. Après la collision, ce sera le grand silence, la grande immobilité, tandis que la vapeur d'eau s'accumulera, durant des millions d'années, à l'intérieur de la masse flamboyante. Enfin, il y aura une nouvelle explosion pour d'autres créations dans l'éternité des forces ardentes du cosmos.

Tel est le destin de notre système solaire dans la vision de l'ingénieur autrichien que les dignitaires

nationaux-socialistes appelaient : « Le Copernic du
XXᵉ siècle. » Nous allons maintenant décrire cette
vision appliquée à l'histoire passée, présente et à venir
de la Terre et des hommes. C'est une histoire qui, à
travers « les yeux d'orage et de bataille » du prophète
Horbiger, ressemble à une légende, pleine de révélations fabuleuses et de formidables étrangetés.

C'était en 1948, je croyais en Gurdjieff et l'une de ses
fidèles disciples m'avait aimablement invité à passer
quelques semaines chez elle, avec ma famille, en
montagne. Cette femme avait une réelle culture, une
formation de chimiste, l'intelligence aiguisée et le
caractère ferme. Elle venait en aide aux artistes et aux
intellectuels. Après Luc Dietrich et René Daumal, je
devais contracter envers elle une dette de reconnaissance. Elle n'avait rien de la disciple folle, et l'enseignement de Gurdjieff, qui séjournait parfois chez elle,
lui parvenait à travers le crible de la raison. Pourtant,
un jour, je la pris, ou je crus la prendre en flagrant délit
de déraison. Elle m'ouvrit soudain les abîmes de son
délire, et je demeurai muet et terrifié devant elle,
comme devant une agonie. Une nuit étincelante et
froide tombait sur la neige, et nous devisions tranquillement, accoudés au balcon du chalet. Nous regardions
les astres, comme on les regarde en montagne, éprou-
vant une solitude absolue qui est angoissante ailleurs
et ici purificatrice. Les reliefs de la lune apparaissaient
nettement.

« Il faudrait plutôt dire *une* lune, fit mon hôtesse,
une des lunes...

— Que voulez-vous dire ?

— Il y a eu d'autres lunes dans le ciel. Celle-ci est la
dernière, simplement...

— Quoi ? Il y aurait eu d'autres lunes que celle-ci ?

— C'est certain. M. Gurdjieff le sait, et d'autres le savent.

— Mais enfin, les astronomes...

— Oh! si vous vous fiez aux scientistes!... »

Son visage était paisible et elle souriait avec un rien de pitié. De ce jour, je cessai de me sentir de plain-pied avec certains amis de Gurdjieff que j'estimais. Ils devinrent à mes yeux des êtres fragiles et inquiétants et je sentis qu'un des fils qui me reliaient à cette famille venait de se rompre. Quelques années plus tard, en lisant le livre de Gurdjieff : *Les Récits de Belzébuth*, et en découvrant la cosmogonie de Horbiger, je devais comprendre que cette vision, ou plutôt cette croyance, n'était pas une simple cabriole dans le fantastique. Il y avait une certaine cohérence entre cette bizarre histoire de lunes et la philosophie du surhomme, la psychologie des « états supérieurs de conscience », la mécanique des mutations. On retrouvait enfin dans les traditions orientales cette histoire et l'idée que des hommes, voici des millénaires, avaient pu observer un autre ciel que le nôtre, d'autres constellations, un autre satellite.

Gurdjieff n'avait-il fait que s'inspirer de Horbiger qu'il connaissait sûrement ? Ou bien avait-il puisé à des sources anciennes de savoir, traditions ou légendes, que Horbiger avait recoupées comme par accident au cours de ses illuminations pseudo-scientifiques ?

J'ignorais, sur ce balcon du chalet de montagne, que mon hôtesse exprimait une croyance qui avait été celle de milliers d'hommes dans l'Allemagne hitlérienne encore ensevelie sous les ruines, à cette époque encore sanglante, encore fumante parmi les débris de ses grands mythes. Et mon hôtesse, dans cette belle nuit claire et calme, l'ignorait aussi.

Ainsi, selon Horbiger, la Lune, celle que nous voyons, ne serait que le dernier satellite capté par la terre, le quatrième. Notre globe, au cours de son histoire, en aurait déjà capté trois. Trois masses de glace cosmique errant dans l'espace auraient, tour à tour, rattrapé notre orbite. Elles se seraient mises à spiraler autour de la terre en s'en rapprochant, puis se seraient abattues sur nous. Notre Lune actuelle s'effondrera aussi sur la terre. Mais, cette fois, la catastrophe sera plus grande, car ce dernier satellite glacé est plus gros que les précédents. Toute l'histoire du globe, l'évolution des espèces et toute l'histoire humaine trouvent leur explication dans cette succession des lunes dans notre ciel.

Il y a eu quatre époques géologiques, car il y a eu quatre lunes. Nous sommes dans le quaternaire. Quand une lune s'abat, elle a d'abord éclaté, et, tournant de plus en plus vite, s'est transformée en un anneau de rocs, de glace et de gaz C'est cet anneau qui tombe sur la terre, recouvrant en cercle la croûte terrestre et fossilisant tout ce qui se trouve sous lui. Les organismes enterrés ne se fossilisent pas, en période normale : ils pourrissent. Ils ne se fossilisent qu'au moment où s'effondre une lune. Voici pourquoi nous avons pu recenser une époque primaire, une époque secondaire et une époque tertiaire. Cependant, comme il s'agit d'un anneau, nous n'avons que des témoignages très fragmentaires sur l'histoire de la vie sur la terre. D'autres espèces animales et végétales ont pu naître et disparaître, au long des âges, sans qu'il en reste trace dans les couches géologiques. Mais la théorie des lunes successives permet d'imaginer les modifications subies dans le passé par les formes vivantes. Elle permet aussi de prévoir les modifications à venir.

Durant la période où le satellite se rapproche, il y a

un moment de quelques centaines de milliers d'années où il tourne autour de la terre à une distance de quatre à six rayons terrestres. En comparaison avec la distance de notre lune actuelle, il est à portée de la main. La gravitation se trouve donc considérablement changée. Or, c'est la gravitation qui donne aux êtres leur taille. Ils ne grandissent qu'en fonction du poids qu'ils peuvent supporter.

Au moment où le satellite est proche, il y a donc une période de gigantisme.

A la fin du primaire : les immenses végétaux, les insectes gigantesques.

A la fin du secondaire : les diplodocus, les iguanodons, les animaux de trente mètres. Des mutations brusques se produisent, car les rayons cosmiques sont plus puissants. Les êtres, soulagés de leur poids, se dressent, les boîtes crâniennes s'élargissent, des bêtes se mettent à voler. Peut-être, à la fin du secondaire, des mammifères géants sont-ils apparus. Et peut-être les premiers hommes, créés par mutation. Il faudrait situer cette période à la fin du secondaire, au moment où la deuxième lune tourne à proximité du globe, à environ quinze millions d'années. C'est l'âge de notre ancêtre, le géant. Mme Blavatsky, qui prétendait avoir eu communication du *Livre des Dzyan*, texte qui serait le plus ancien de l'humanité et qui raconterait l'histoire des origines de l'homme, assurait aussi qu'une première race humaine, gigantesque, serait apparue au secondaire : « L'homme secondaire sera découvert un jour, et avec lui ses civilisations depuis longtemps englouties. »

Dans une nuit des temps infiniment plus épaisse que nous ne le pensions, voici donc, sous une lune différente, dans un monde de monstres, ce premier homme immense qui ne nous ressemble qu'à peine et dont l'intelligence est autre que la nôtre. Le premier homme, et peut-être le premier couple humain, des jumeaux expulsés d'une matrice animale, par un prodige des mutations qui se multiplient quand les rayons cosmiques sont gigantesques. La Genèse nous dit que les descendants de cet ancêtre vivaient de cinq cents à neuf cents ans : c'est que l'allégement du poids diminue l'usure de l'organisme. Elle ne nous parle pas de géants, mais les traditions juives et musulmanes réparent abondamment cette ommission. Enfin, des disciples d'Horbiger soutiennent que des fossiles de l'homme secondaire auraient été découverts récemment en Russie.

Quelles auraient été les formes de civilisations du géant, il y a quinze millions d'années ? On imagine des assemblées et des façons d'être calquées sur les insectes géants venus du primaire et dont nos insectes d'aujourd'hui, très étonnants encore, sont les descendants dégénérés. On imagine de grands pouvoirs de communication à distance, des civilisations fondées sur le modèle des centrales d'énergie psychique et matérielle que forment par exemple les termitières, lesquelles posent à l'observateur tant de problèmes bouleversants sur les domaines inconnus des infrastructures — ou des superstructures — de l'intelligence.

Cette deuxième lune va se rapprocher encore, éclater en anneau et s'abattre sur la terre qui va connaître une nouvelle et longue période sans satellite. Dans les lointains espaces, une formation glaciaire spirale rejoindra l'orbite de la terre qui captera ainsi une nouvelle lune. Mais, dans cette période où nulle grosse boule ne brille au-dessus des têtes, seuls survivent quelques spécimens des mutations qui se sont produites à la fin du secondaire, et qui vont subsister en diminuant de proportions. Il y a encore des géants, qui s'adaptent. Quand la lune tertiaire paraît, des hommes ordinaires ont été formés, plus petits, moins intelligents : nos véritables ancêtres. Mais les géants issus du secondaire et ayant traversé le cataclysme existent encore et ce sont eux qui vont civiliser les petits hommes.

L'idée que les hommes, partant de la bestialité et de la sauvagerie, se sont lentement élevés jusqu'à la civilisation, est une idée récente. C'est un mythe judéochrétien, imposé aux consciences, pour chasser un mythe plus puissant et plus révélateur. Quand l'humanité était plus fraîche, plus proche de son passé, au temps où nulle conspiration bien ourdie ne l'avait encore chassée de sa propre mémoire, elle savait qu'elle descendait des dieux, des rois géants qui lui avaient tout appris. Elle se souvenait d'un âge d'or où les supérieurs, nés avant elle, lui enseignaient l'agriculture, la métallurgie, les arts, les sciences et le maniement de l'Âme. Les Grecs évoquaient l'âge de Saturne et la reconnaissance que leurs ancêtres vouaient à Hercule. Les Égyptiens et les Mésopotamiens entretenaient les légendes des rois géants initiateurs. Les peuplades que nous appelons aujourd'hui « primitives », les indigènes du Pacifique, par exemple, mêlent à leur religion sans doute abâtardie, le culte des bons géants du début du monde. Dans notre époque où toutes les données de l'esprit et de la connaissance ont été inverties, les hommes qui ont accompli le formidable effort d'échapper aux manières de penser admises, retrouvent à la source de leur intelligence la nostalgie des temps heureux de l'aube des âges, d'un paradis perdu, le souvenir voilé d'une initiation primordiale.

De la Grèce à la Polynésie, de l'Égypte au Mexique et à la Scandinavie, toutes les traditions rapportent que les hommes furent initiés par des géants. C'est l'âge d'or du tertiaire, qui dure plusieurs millions d'années au cours desquelles la civilisation morale, spirituelle et peut-être technique, atteint son apogée sur le globe.

Quand les géants étaient encore mêlés aux hommes
Dans les temps où jamais personne ne parla

écrit Hugo en proie à une extraordinaire illumination.

La lune tertiaire, dont la spirale se rétrécit, se rapproche de la terre. Les eaux montent, aspirées par la gravitation du satellite, et les hommes, il y a plus de neuf cent mille ans, se hissent vers les plus hauts sommets montagneux avec des géants, leurs rois. Sur ces sommets, au-dessus des océans soulevés qui forment un bourrelet autour de la terre, les hommes et leurs Supérieurs vont établir une civilisation maritime mondiale dans laquelle Horbiger et son disciple anglais Bellamy voient la civilisation atlantidéenne.

Bellamy relève, dans les Andes, à quatre mille mètres, des traces de sédiments marins qui se prolongent sur sept cents kilomètres. Les eaux de la fin du tertiaire montaient jusque-là et l'un des centres civilisés de cette période aurait été Tiahuanaco, près du lac Titicaca. Les ruines de Tiahuanaco témoignent d'une civilisation des centaines de fois millénaire, et qui ne ressemble en rien aux civilisations postérieures[1]. Les traces des géants y sont, pour les horbigériens, visibles, ainsi que leurs inexplicables monuments. On y trouve, par exemple, une pierre de neuf tonnes, creusée par six faces de mortaises de trois mètres de haut qui demeurent incompréhensibles pour les architectes, comme si leur rôle avait été depuis

---

1. L'archéologue allemand Von Hagen, auteur d'un ouvrage publié en français sous le titre : *Au royaume des Incas* (Plon, 1950), a recueilli près du lac Titicaca une tradition orale des Indiens locaux selon laquelle « Tiahuanaco a été construit avant que les étoiles n'existent dans le ciel. »

oublié par tous les constructeurs de l'histoire. Des portiques ont trois mètres de haut et quatre de large, et ils sont taillés dans une seule pierre, avec des portes, des fausses fenêtres et des sculptures découpées au ciseau, le tout pesant dix tonnes. Des pans de murs, encore debout, pèsent soixante tonnes, soutenus par des blocs de grès de cent tonnes, enfoncés comme des coins dans la terre. Parmi ces ruines fabuleuses s'élèvent des statues gigantesques dont une seule a été descendue et placée dans le jardin du musée de La Paz. Elle a huit mètres de haut et pèse vingt tonnes. Tout invite les horbigériens à voir dans ces statues des portraits de géants exécutés par eux-mêmes.

« Des lignes du visage vient à nos yeux, et même jusqu'à notre cœur, une expression de souveraine bonté et de souveraine sagesse. Une harmonie de tout l'être sort de l'ensemble du colosse dont les mains et le corps hautement stylisés sont établis en un équilibre qui a une qualité morale. Du repos et de la paix émanent du merveilleux monolithe. Si c'est là le portrait d'un des rois géants qui ont gouverné ce peuple, on ne peut que penser à ce début de phrase de Pascal : " Si Dieu nous donnait des maîtres de sa main... " »

Si ces monolithes ont bien été découpés et mis en place par les géants à l'intention de leurs apprentis les hommes, si les sculptures d'une extrême abstraction, d'une stylisation si poussée qu'elle confond notre propre intelligence, ont bien été exécutées par ces Supérieurs, nous retrouvons là l'origine des mythes selon lesquels les arts ont été donnés aux hommes par des dieux, et la clé des diverses mystiques de l'inspiration esthétique.

Parmi ces sculptures figurent des stylisations d'un animal, le todoxon, dont des ossements ont été découverts dans les ruines de Tiahuanaco. Or, on sait que le todoxon n'a pu vivre qu'au tertiaire. Enfin, dans ces ruines qui précéderaient de cent mille ans la fin du tertiaire, enfoncé dans la vase séchée, il y a un portique de dix tonnes dont les décorations ont été étudiées par l'archéologue allemand Kiss, disciple de Horbiger, entre 1928 et 1937. Il s'agirait d'un calendrier réalisé d'après les observations des astronomes du tertiaire. Ce calendrier exprime des données scientifiques rigoureuses. Il est divisé en quatre parties séparées par les solstices et les équinoxes qui marquent les saisons astronomiques. Chacune de ces saisons est elle-même divisée en trois sections, et dans ces douze subdivisions, la position de la Lune est visible pour chaque heure du jour. En outre, les deux mouvements du satellite, son mouvement apparent et son mouvement réel, compte tenu de la rotation de la Terre, sont indiqués sur ce fabuleux portique sculpté, de sorte qu'il convient de penser que réalisateurs et utilisateurs du calendrier étaient d'une culture supérieure à la nôtre.

Tiahuanaco, à plus de quatre mille mètres dans les Andes, était donc une des cinq grandes cités de la civilisation maritime à la fin du tertiaire bâties par les géants conducteurs des hommes. Les disciples d'Horbiger y retrouvent les vestiges d'un grand port, avec ses quais énormes, d'où les Atlantes, puisqu'il s'agit sans doute de l'Atlantide, partaient, à bord de vaisseaux perfectionnés, faire le tour du monde sur le bourrelet des océans et toucher les quatre autres grands centres : Nouvelle-Guinée, Mexique, Abyssinie, Tibet. Ainsi cette civilisation était-elle étendue à tout le globe, ce qui explique les ressemblances entre les plus anciennes traditions recensées de l'humanité.

A l'extrême degré de l'unification, du raffinement des connaissances et des moyens, les hommes et leurs rois géants savent que la spirale de cette troisième lune se rétrécit et que le satellite s'abattra finalement, mais ils ont conscience des relations de toutes choses dans le cosmos, des rapports magiques de l'être avec l'univers et sans doute mettent-ils en œuvre certains pouvoirs, certaines énergies individuelles et sociales, techniques et spirituelles pour retarder le cataclysme et prolonger cet âge atlantidéen, dont le souvenir estompé demeurera, à travers les millénaires.

Lorsque la lune tertiaire s'abattra, les eaux redescendront brusquement, mais des bouleversements avant-coureurs auront déjà endommagé cette civilisation. Les océans abaissés, les cinq grandes cités, dont cette Atlantide des Andes, disparaîtront, isolées, asphyxiées par la retombée des eaux. Les vestiges sont plus nets à Tiahuanaco, mais les horbigériens en décèlent ailleurs.

Au Mexique, les Toltèques ont laissé des textes sacrés qui décrivent l'histoire de la terre conformément à la thèse d'Horbiger.

En Nouvelle-Guinée, les indigènes malekula continuent sans plus savoir ce qu'ils font, d'élever d'immenses pierres sculptées de plus de dix mètres de haut, représentant l'ancêtre supérieur, et leur tradition orale, qui fait de la lune la créatrice du genre humain, annonce la chute du satellite.

D'Abyssinie seraient descendus les géants méditerranéens après le cataclysme, et la tradition fait de ce haut plateau le berceau du peuple juif et la patrie de la reine de Saba, détentrice des anciennes sciences.

Enfin, on sait que le Tibet est un réservoir de très vieilles connaissances fondées sur le psychisme. Venant comme pour confirmer la vision des horbigériens, un curieux ouvrage est paru en Angleterre et en France en 1957. Cet ouvrage, intitulé *Le Troisième Œil*, est signé Lobsang Rampa. L'auteur assure être un lama ayant atteint le dernier degré d'initiation. Il se pourrait qu'il fût un des Allemands envoyés en mission spéciale au Tibet par les chefs nazis[1]. Il décrit sa descente, sous la conduite de trois grands métaphysiciens lamaïstes, dans une crypte de Lhassa où résiderait le véritable secret du Tibet.

« Je vis trois cercueils en pierre noire décorés de gravures et d'inscriptions curieuses. Ils n'étaient pas fermés. En jetant un coup d'œil à l'intérieur, j'eus le souffle coupé.

« — Regarde, mon fils, me dit le doyen des Abbés. Ils vivaient comme des dieux dans notre pays à l'époque où il n'y avait pas encore de montagnes. Ils arpentaient notre sol quand les mers baignaient nos rivages et quand d'autres étoiles brillaient dans nos cieux. Regarde bien, car seuls les initiés les ont vus.

« J'obéis, j'étais à la fois fasciné et terrifié. Trois corps nus, recouverts d'or, étaient allongés sous mes yeux. Chacun de leurs traits était fidèlement reproduit par l'or. Mais ils étaient immenses ! La femme mesurait plus de trois mètres et le plus grand des hommes pas moins de cinq. Ils avaient de grandes têtes, légèrement coniques au sommet, une mâchoire étroite, une bouche petite et des lèvres minces. Le nez était long et fin, les yeux droits et profondément enfoncés... J'examinai le

---

1. Nous reviendrons longuement sur les étranges rapports entretenus par Hitler et son entourage avec le Tibet.

Les journaux anglais, au moment de la publication du *Troisième Œil*, se sont interrogés sur la personnalité cachée derrière le nom de Lobsang Rampa, sans être en mesure de conclure, les services de renseignements officiels étant restés muets. Ou bien, il s'agit d'un authentique lama initié, l'auteur se disant fils d'un des hauts dignitaires de l'ancien gouvernement de Lhassa et ainsi obligé de travestir son nom, ou bien il s'agit d'un des Allemands des missions tibétaines entre 1928 et la fin du régime hitlérien. Dans ce cas, il fait, soit état de découvertes réelles, soit de propos transmis, soit de thèses horbigériennes et nationales-socialistes auxquelles il donne une illustration fantastique. Il faut toutefois retenir qu'aucun démenti catégorique n'a pu être donné à l'ensemble des « révélations » qu'il apporte, par les spécialistes du Tibet.

couvercle d'un des cercueils. Une carte des cieux, avec des étoiles très étranges, y était gravée[1]. »

Et il écrit encore, après cette descente dans la crypte :

« Autrefois, des milliers et des milliers d'années auparavant, les jours étaient plus courts et plus chauds. Des civilisations grandioses s'édifièrent et les hommes étaient plus savants qu'à notre époque. De l'espace extérieur surgit une planète, qui frappa obliquement la terre. Des vents agitèrent les mers, qui, sous des poussées gravitationnelles diverses, se déversèrent sur la terre. L'eau recouvrit le monde qui fut secoué de tremblements et le Tibet cessa d'être un pays chaud, une station maritime. »

Bellamy, archéologue horbigérien, retrouve autour du lac Titicaca les traces des catastrophes qui précédèrent la chute de la lune tertiaire : cendres volcaniques, dépôts provenant d'inondations soudaines. C'est le moment où le satellite va éclater en un anneau et tourner follement à toute petite distance de la terre avant de s'abattre. Autour de Tiahuanaco, des ruines évoquent des chantiers brusquement abandonnés, outils éparpillés. La haute civilisation atlantidéenne connaît, durant quelques milliers d'années, les attaques des éléments, et elle s'effrite. Puis, voici cent cinquante mille ans, le grand cataclysme se produit, la lune tombe, un effroyable bombardement atteint la terre. L'attraction cesse, le bourrelet des océans retombe d'un seul coup, les mers se retirent, redescen-

1. Il est à noter qu'on a trouvé dans une caverne du Bohistan, au pied de l'Himalaya, une carte du ciel très différente des cartes établies aujourd'hui. Les astronomes estiment qu'il s'agit d'observations ayant pu être faites voici treize mille ans. Cette carte a été publiée par le *National Geographical Magazine*, en 1925.

dent. Les sommets qui étaient de grandes stations maritimes, se trouvent isolés à l'infini par des marécages. L'air se raréfie, la chaleur s'en va. L'Atlantide ne meurt pas engloutie, mais au contraire abandonnée par les eaux. Les navires sont emportés et détruits, les machines s'étouffent ou explosent, la nourriture qui venait de l'extérieur fait défaut, la mort absorbe des myriades d'êtres, les savants et les sciences ont disparu, l'organisation sociale est anéantie. Si la civilisation atlantidéenne avait atteint le plus haut degré possible de perfection sociale et technique, de hiérarchie et d'unification, elle a pu se volatiliser en un rien de temps, sans presque laisser de traces. Que l'on songe à ce qui pourrait être l'effondrement de notre propre civilisation dans quelques centaines d'années, ou même dans quelques années. Les outils émetteurs d'énergie, comme les outils transmetteurs se simplifient de plus en plus, et les relais se multiplient. Chacun de nous possédera bientôt des relais d'énergie nucléaire, par exemple, ou vivra à proximité de ces relais : usines ou machines, jusqu'au jour où il suffira d'un accident à la source pour que tout se volatilise en même temps sur l'immense chaîne de ces relais : hommes, cités, nations. Ce qui serait épargné serait justement ce qui n'a pas de contact avec cette haute civilisation technique. Et les sciences clés, de même que les clés du pouvoir, disparaîtraient d'un coup, en raison même de l'extrême degré des spécialisations. Ce sont les civilisations les plus grandes qui s'engloutissent en un instant, sans rien y transmettre. Cette vision est irritante pour l'esprit, mais elle risque d'être juste. Ainsi peut-on songer que les centrales et les relais de l'énergie psychique, qui était peut-être à la base de la civilisation du tertiaire, sautent d'un seul coup, tandis que des déserts de vase cernent ces sommets maintenant refroidis et où l'air devient irrespirable. Plus simplement, la civilisation maritime, avec ses Supérieurs, ses vaisseaux, ses échanges, s'évanouit dans le cataclysme.

Il reste aux survivants à descendre vers les plaines marécageuses que vient de découvrir la mer, vers les immenses tourbières du continent nouveau, à peine encore libéré par le retrait des eaux tumultueuses, où n'apparaîtra que dans des millénaires une végétation utilisable. Les rois géants sont à la fin de leur règne ; les hommes sont redevenus sauvages, et ils s'enfoncent avec leurs derniers dieux déchus dans les profondes nuits sans lune que va maintenant connaître le globe.

Les géants qui, depuis des millions d'années, habitaient ce monde, pareils aux dieux qui vont hanter nos légendes, beaucoup plus tard, ont perdu leur civilisation. Les hommes sur lesquels ils régnaient sont redevenus des brutes. Cette humanité retombée, derrière ses maîtres sans pouvoir, se disperse en hordes dans les déserts de vase. Cette chute daterait de cent cinquante mille ans, et Horbiger calcule que notre globe demeure sans satellite durant cent trente-huit mille ans. Au cours de cette immense période, des civilisations renaissent sous la conduite des derniers rois géants. Elles s'établissent sur des plaines élevées, entre le quarantième et le soixantième degré de latitude nord, tandis que sur les cinq hauts sommets du tertiaire demeure quelque chose du lointain âge d'or. Il y aurait donc eu deux Atlantides : celle des Andes, rayonnant sur le monde, avec ses quatre autres points. Et celle de l'Atlantique Nord, beaucoup plus modeste, fondée longtemps après la catastrophe par les descendants des géants. Cette thèse des deux Atlantides permet d'intégrer toutes les traditions et anciens récits. C'est de cette seconde Atlantide que parle Platon.

Voici douze mille ans, la terre capte un quatrième satellite : notre lune actuelle. Une nouvelle catastrophe se produit. Notre globe prend sa forme renflée aux tropiques. Les mers du nord et du sud refluent vers le milieu de la terre et les âges glaciaires recommencent au nord, sur les plaines dénudées par l'appel d'air et d'eau de la lune commençante. La deuxième civilisation atlantidéenne, plus petite que la première, disparaît en une nuit, engloutie par les eaux du nord. C'est le Déluge dont notre Bible garde le souvenir. C'est la Chute dont se souviennent les hommes chassés en même temps du paradis terrestre des tropiques. Pour les horbigériens, les mythes de la Genèse et du Déluge sont à la fois des souvenirs et des prophéties puisque les événements cosmiques se reproduiront. Et le texte de l'Apocalypse, qui n'a jamais été expliqué, serait une traduction fidèle des catastrophes célestes et terrestres observées par les hommes au cours des âges et conformes à la théorie horbigérienne.

Dans cette nouvelle période de lune haute, les géants vivants dégénèrent. Les mythologies sont pleines de luttes de géants entre eux, de combats entre hommes et géants. Ceux qui avaient été des rois et des dieux, écrasés maintenant par le poids du ciel, épuisés, deviennent des monstres qu'il faut chasser. Ils tombent d'autant plus bas qu'ils avaient monté haut. Ce sont les ogres des légendes. Ouranos et Saturne dévorent leurs enfants, David tue Goliath. On voit, comme dit encore Hugo :

> ... *d'affreux géants très bêtes*
> *Vaincus par des nains pleins d'esprit.*

C'est la mort des dieux. Les Hébreux, lorsqu'ils vont entrer en Terre Promise, découvriront le lit de fer monumental d'un roi géant disparu :

376

« Et voyez, son lit était de fer, de neuf coudées de long et de quatre de large. » (Deutéronome.)

L'astre de glace qui éclaire nos nuits a été capté par la terre et tourne autour d'elle. Notre lune est née. Depuis douze mille ans, nous n'avons pas fini de lui rendre un culte vague, chargé d'inconscients souvenirs, de lui vouer une inquiète attention dont nous ne comprenons pas très bien le sens. Nous n'avons pas fini de sentir, quand nous la contemplons, quelque chose remuer au fond de notre mémoire plus vaste que nous-mêmes. Les antiques dessins chinois représentent le dragon lunaire menaçant la terre. On lit dans les Nombres (XIII, 33) : « Et là, nous vîmes les géants, les fils d'Anak qui viennent des géants, et à nos yeux nous étions devant eux comme des sauterelles — et à leurs yeux nous étions comme des sauterelles. » Et Job (XXVI, 5) évoque la destruction des géants et s'écrie : « Les êtres morts sont sous l'eau, et les anciens habitants de la terre... »

Un monde est englouti, un monde a disparu, les anciens habitants de la terre se sont évanouis, et nous commençons notre vie d'hommes seuls, de petits hommes abandonnés, dans l'attente des mutations, des prodiges et des cataclysmes à venir, dans une nouvelle nuit des temps, sous ce nouveau satellite qui nous arrive des espaces où se perpétue la lutte entre la glace et le feu.

Un peu partout, des hommes refont en aveugles les gestes des civilisations éteintes, élèvent sans plus savoir pourquoi des monuments gigantesques, répétant, dans la dégénérescence, les travaux des maîtres anciens : ce sont les immenses mégalithes de Malékula, les menhirs celtiques, les statues de l'île de Pâques. Des peuplades que nous nommons aujourd'hui « primitives » ne sont sans doute que des restes dégénérés d'empires disparus, qui répètent sans les comprendre et en les abâtardissant des actes autrefois réglés par des administrations rationnelles.

En certains lieux, en Égypte, en Chine, beaucoup plus tard en Grèce, de grandes civilisations humaines, mais qui se souviennent des Supérieurs disparus, des géants rois initiateurs, s'élèvent. Après quatre mille ans de culture, les Égyptiens du temps d'Hérodote et de Platon continuent d'affirmer que la grandeur des Anciens vient de ce qu'ils ont appris leurs arts et leurs sciences directement des dieux.

Après de multiples dégénérescences, une autre civilisation va naître en Occident. Une civilisation d'hommes coupés de leur passé fabuleux, se limitant dans le temps et l'espace, réduits à eux-mêmes et cherchant des consolations mythiques, exilés de leurs origines et inconscients de l'immensité du destin des choses vivantes, lié aux vastes mouvements cosmiques. Une civilisation humaine, humaniste : la civilisation judéo-chrétienne. Elle est minuscule. Elle est résiduelle. Et pourtant ce résidu de la grande âme passée a des possibilités illimitées de douleur et d'entendement. C'est ce qui fait le miracle de cette civilisation. Mais elle est à son terme. Nous approchons d'un autre âge Des mutations vont se produire. Le futur va redonner la main au passé le plus reculé. La terre reverra des géants. Il y aura d'autres déluges, d'autres apoca lypses, et d'autres races régneront. « Tout d'abord, nous avons gardé un souvenir relativement net de ce que nous avions vu. Ensuite, cette vie-ci s'éleva en volutes de fumée et obscurcit rapidement toutes choses, à l'exception de quelques grandes lignes générales. A présent, tout nous revient à l'esprit avec plus de netteté que jamais. Et dans l'univers où tout retentit sur tout, nous ferons de profondes vagues. »

Telle est la thèse d'Horbiger et tel est le climat spirituel qu'elle propage. Cette thèse est un puissant ferment de la magie nationale-socialiste, et nous évoquerons tout à l'heure ses effets sur les événements. Elle vient ajouter des éclairs aux intuitions d'Haushoffer, elle donne des ailes au travail lourd de Rosenberg, elle précipite et prolonge les illuminations du Führer.

Selon Horbiger, nous sommes donc dans le quatrième cycle. La vie sur terre a connu trois apogées, durant les trois périodes de lunes basses, avec des mutations brusques, des apparitions gigantesques. Pendant les millénaires sans lune sont apparues les races naines et sans prestige et les animaux qui se traînent, comme le serpent qui évoque la Chute. Pendant les lunes hautes, les races moyennes, sans doute les hommes ordinaires du début du tertiaire, nos ancêtres. Il faut encore songer que les lunes, avant leur effondrement, agissent en cercle autour de la terre, créant des conditions différentes dans les parties du globe qui ne sont pas sous cette ceinture. De sorte qu'après plusieurs cycles, la Terre offre un spectacle très varié : races en décadence, races en montée, êtres intermédiaires, dégénérés et apprentis de l'avenir, annonciateurs des mutations prochaines et esclaves d'hier, nains des anciennes nuits et Seigneurs de demain. Il nous faut dégager dans tout cela les routes du soleil d'un œil aussi implacable qu'est implacable la loi des astres. Ce qui se produit dans le ciel détermine ce qui se produit sur la terre, mais il y a réciprocité. Comme le secret et l'ordre de l'univers résident dans le moindre grain de sable, le mouvement des millénaires est contenu, d'une certaine façon, dans le court espace de notre passage sur ce globe et nous devons, dans notre âme individuelle comme dans l'âme collective, répéter les chutes et les ascensions passées, et préparer les apocalypses et les élévations futures. Nous savons que toute l'histoire du cosmos tient dans la lutte entre la glace et le feu et que cette lutte a de puissants reflets ici-bas. Sur le plan humain, sur le plan des esprits et des cœurs, quand le feu n'est plus entretenu, la glace vient. Nous le savons pour nous-mêmes et pour l'humanité tout entière qui est éternellement placée devant le choix entre le déluge et l'épopée.

Voilà le fond de la pensée horbigérienne et nazie. Nous allons maintenant aller toucher ce fond.

VII

*Horbiger a encore un million de disciples. — L'attente du messie.
— Hitler et l'ésotérisme en politique. — La science nordique et
la pensée magique. — Une civilisation entièrement différente
de la nôtre. — Gurdjieff, Horbiger, Hitler et l'homme responsable du cosmos. — Le cycle du feu. — Hitler parle. — Le fond
de l'antisémitisme nazi. — Des Martiens à Nuremberg. —
L'antipacte. — L'été de la fusée. — Stalingrad ou la chute des
mages. — La prière sur l'Elbrouz. — Le petit homme victo-
rieux du surhomme. — C'est le petit homme qui ouvre les
portes du ciel. — Le crépuscule des Dieux. — L'inondation du
métro de Berlin et le mythe du Déluge. — Mort caricaturale
des prophètes. — Chœur de Shelley.*

Les ingénieurs allemands dont les travaux sont à
l'origine des fusées qui envoyèrent dans le ciel les
premiers satellites artificiels, furent retardés dans la
mise au point des V2 par les chefs nazis eux-mêmes. Le
général Walter Dornberger dirigeait les essais de Peenemünde où naquirent les engins téléguidés. On arrêta
ces essais pour soumettre les rapports du général aux
apôtres de la cosmogonie horbigérienne. Il s'agissait,
avant toute chose, de savoir comment réagirait dans
les espaces, la « glace éternelle », et si le viol de la
stratosphère ne déclencherait pas quelque désastre sur
la terre.

Le général Dornberger raconte, dans ses Mémoires,

que les travaux furent encore arrêtés deux mois, un peu plus tard. Le Führer venait de rêver que les V2 ne fonctionneraient pas, ou bien que le ciel se vengerait. Ce rêve s'étant produit en état de transe spéciale, prit plus de valeur, dans l'esprit des dirigeants, que l'avis des techniciens. Derrière l'Allemagne scientiste et organisatrice veillait l'esprit des vieilles magies. Cet esprit n'est pas mort. En janvier 1958, l'ingénieur suédois Robert Engstroem adressait un mémoire à l'Académie des Sciences de New York pour mettre en garde les U.S.A. contre les expériences astronautiques. « Avant de procéder à de telles expériences, il conviendrait d'étudier d'une manière nouvelle la mécanique céleste », déclarait cet ingénieur. Et il poursuivait dans le ton horbigérien : « L'explosion d'une bombe H sur la lune pourrait déclencher un effroyable déluge sur la terre. » On retrouve dans ce singulier avertissement, l'idée parascientifique des changements de gravitation lunaire et l'idée mystique du châtiment dans un univers où tout retentit sur tout. Ces idées (qui ne sont d'ailleurs pas à rejeter entièrement si l'on veut maintenir ouvertes toutes les portes de la connaissance) continuent, dans leur forme innée, à exercer une certaine fascination. A l'issue d'une célèbre enquête, l'Américain Martin Gardner estimait en 1953 à plus d'un million le nombre des disciples d'Horbiger en Allemagne, en Angleterre et aux États-Unis. A Londres, H. S. Bellamy poursuit depuis trente ans l'établissement d'une anthropologie qui tient compte de l'effondrement des trois premières lunes et de l'existence des géants secondaires et tertiaires. C'est lui qui demanda aux Russes, après la guerre, l'autorisation de conduire une expédition sur le mont Ararat où il comptait découvrir l'Arche d'Alliance. L'agence Tass publia un refus catégorique, les Soviétiques déclarant fasciste l'attitude intellectuelle de Bellamy et estimant que de tels mouvements parascientifiques sont de nature à

« réveiller des forces dangereuses ». En France, M. Denis Saurat, universitaire et poète, s'est fait le porte-parole de Bellamy, et le succès de l'ouvrage de Vélikovski a montré que beaucoup d'esprits demeuraient sensibles à une conception magique du monde. Il va de soi, enfin, que les intellectuels influencés par René Guénon et les disciples de Gurdjieff donnent la main aux horbigériens.

En 1952, un écrivain allemand, Elmar Brugg, publiait un gros ouvrage à la gloire du « père de la glace éternelle », du « Copernic de notre XXᵉ siècle ». Il écrivait :

« La théorie de la glace éternelle n'est pas seulement une œuvre scientifique considérable. C'est une révélation des liaisons éternelles et incorruptibles entre le cosmos et tous les événements de la terre. Elle relie aux événements cosmiques les cataclysmes attribués aux climats, les maladies, les morts, les crimes, et ouvre ainsi des portes toutes nouvelles à la connaissance de la marche de l'humanité. Le silence de la science classique à son propos ne s'explique que par la conspiration des médiocres. »

Le grand romancier autrichien Robert Musil, dont l'œuvre a pu être comparée à celles de Proust et de Joyce[1], a bien analysé l'état des intelligences, en Allemagne, au moment où Horbiger est saisi par l'illumination et où le caporal Hitler forme le rêve de rédimer son peuple.

« Les représentants de l'esprit, écrit-il, n'étaient pas satisfaits... Leurs pensées ne trouvaient jamais de repos, parce qu'elles s'attachaient à cette part irréductible des choses qui erre éternellement sans pouvoir

---

1. *L'Homme sans qualités*, publié en français aux Éditions du Seuil.

jamais rentrer dans l'ordre. Ainsi s'étaient-ils finalement persuadés que l'époque dans laquelle ils vivaient était vouée à la stérilité intellectuelle, et ne pouvait être sauvée que par un événement ou un homme tout à fait exceptionnels. C'est alors que naquit, parmi ceux qu'on appelle les " intellectuels ", le goût du mot " rédimer ". On était persuadé que la vie s'arrêterait si un messie n'arrivait bientôt. C'était, selon le cas, un messie de la médecine, qui devait " sauver " l'art d'Esculape des recherches de laboratoire pendant lesquelles les hommes souffrent et meurent sans être soignés ; ou un messie de la poésie qui devait être en mesure d'écrire un drame qui attirerait des millions d'hommes dans les théâtres et serait cependant parfaitement original dans sa noblesse spirituelle. En dehors de cette conviction qu'il n'était pas une activité humaine qui pût être sauvée sans l'intervention d'un messie particulier, existait encore, bien entendu, le rêve banal et absolument brut d'un messie à la manière forte pour rédimer le tout. »

Ce n'est pas un seul messie qui va apparaître, mais, si nous pouvons nous exprimer ainsi, une société de messies désignant Hitler à sa tête. Horbiger est un de ces messies, et sa conception parascientifique des lois du cosmos et d'une histoire épique de l'humanité jouera un rôle déterminant dans l'Allemagne des « rédempteurs ». L'humanité vient de plus loin et de plus haut qu'on ne croit, et un prodigieux destin lui est réservé. Hitler, dans sa constante illumination mystique, a conscience d'être là pour que ce destin s'accomplisse. Son ambition et la mission dont il se croit chargé dépassent infiniment le domaine de la politique et du patriotisme. « L'idée de nation, dit-il lui-même, j'ai dû m'en servir pour des raisons d'opportunité, mais je savais déjà qu'elle ne pouvait avoir qu'une valeur provisoire... Un jour viendra où il ne restera pas grand-chose, même chez nous en Allemagne, de ce qu'on appelle le nationalisme. Ce qu'il y aura sur le monde, c'est une confrérie universelle des maîtres et des seigneurs. » La politique n'est que la manifestation extérieure, l'application pratique et momentanée d'une vision religieuse des lois de la vie sur terre et dans le cosmos. Il y a, pour l'humanité, un destin que ne sauraient concevoir les hommes ordinaires, dont ils ne sauraient supporter la vision. Cela est réservé à quelques initiés. « La politique, dit encore Hitler, n'est que la forme pratique et fragmentaire de ce destin. » C'est l'exotérisme de la doctrine, avec ses slogans, ses faits sociaux, ses guerres. Mais il y a un ésotérisme

Ce qu'Hitler et ses amis encouragent en soutenant Horbiger, c'est une extraordinaire tentative pour reconstituer, à partir de la science, ou d'une pseudo-science, l'esprit des anciens âges selon lequel l'homme, la société et l'univers obéissent aux mêmes lois, selon lequel le mouvement des âmes et celui des étoiles ont des correspondances. La lutte entre la glace et le feu, dont sont nées, mourront et renaîtront les planètes, se déroule aussi dans l'homme même.

Elmar Brugg écrit très justement : « L'Univers, pour Horbiger, n'est pas un mécanisme mort dont une partie seule se détériore peu à peu pour finalement succomber, mais un organisme vivant dans le sens le plus prodigieux du mot, un être vivant où tout retentit sur tout et qui perpétue, de génération en génération, sa force ardente. »

C'est le fond de la pensée hitlérienne, comme l'a bien vu Rauschning : « On ne peut comprendre les plans politiques d'Hitler que si l'on connaît ses arrière-pensées et sa conviction que l'homme est en relation magique avec l'Univers. »

Cette conviction, qui fut celle des sages dans les siècles passés, qui régit l'intelligence des peuples que nous nommons « primitifs » et qui sous-tend la philosophie orientale, n'est pas éteinte dans l'Occident d'aujourd'hui, et il se pourrait que la science elle-même lui redonne, de manière inattendue, quelque vigueur. Mais en attendant, on la retrouve à l'état brut, par exemple chez le Juif orthodoxe Vélikovski dont l'ouvrage : *Monde en Collisions*, a connu dans les années 1956-1957 un succès mondial. Pour les fidèles de la glace éternelle comme pour Vélikovski, nos actes peuvent avoir leur écho dans le cosmos et le soleil a pu s'immobiliser dans le ciel en faveur de Josué. Il y a quelque raison pour qu'Hitler ait nommé son astrologue particulier « plénipotentiaire des mathématiques, de l'astronomie et de la physique ». Dans une certaine mesure, Horbiger et les ésotéristes nazis changent les méthodes et les directions mêmes de la science. Ils la réconcilient de force avec l'astrologie traditionnelle. Tout ce qui se fera ensuite, sur le plan des techniques, dans l'immense effort de consolidation matérielle du Reich, pourra bien se faire, apparemment, en dehors de cet esprit : l'impulsion a été donnée, il y a une science secrète, une magie, à la base de toutes les sciences. « Il y a, disait Hitler, une science nordique et nationale-socialiste qui s'oppose à la science judéo-libérale. »

Cette « science nordique » est un ésotérisme, ou plutôt elle prend sa source dans ce qui constitue le fond même de tout ésotérisme. Ce n'est pas par hasard que les *Ennéades*, de Plotin, furent rééditées avec soin en Allemagne et dans les pays occupés. On lisait les *Ennéades*, dans les petits groupes d'intellectuels mystiques pro-allemands, pendant la guerre, comme on lisait les Hindous, Nietzsche et les Tibétains. Sous chaque ligne de Plotin, par exemple dans sa définition de l'astrologie, on pourrait placer une phrase d'Horbiger. Plotin parle des rapports naturels et surnaturels de l'homme avec le cosmos et de toutes les parties de l'univers entre elles :

« Cet univers est un animal unique qui contient en

lui tous les animaux... Sans être en contact, les choses agissent et elles ont nécessairement une action à distance... Le monde est un animal unique, c'est pourquoi il faut de toute nécessité qu'il soit en sympathie avec lui-même; il n'y a pas de hasard dans sa vie, mais une harmonie et un ordre unique. »

Et enfin : « Les événements d'ici-bas ont lieu en sympathie avec les choses célestes. »

Plus près de nous, William Blake, en une illumination poético-religieuse, voit l'univers tout entier contenu dans un grain de sable. C'est l'idée de la réversibilité de l'infiniment petit et de l'infiniment grand et de l'unité de l'univers dans toutes ses parties.

Selon le Zohar : « Tout ici-bas se passe comme en haut. »

Hermès Trismégiste : « Ce qui est en haut est comme ce qui est en bas. »

Et l'antique loi chinoise : « Les étoiles dans leur course combattent pour l'homme juste. »

Nous sommes ici aux bases mêmes de la pensée hitlérienne. Nous estimons qu'il est regrettable que cette pensée n'ait pas été jusqu'ici analysée de cette façon. On s'est contenté de mettre l'accent sur ses aspects extérieurs, sur ses formulations politiques, sur ses formes exotériques. Ce n'est pas, bien entendu, que nous cherchions à revaloriser le nazisme, on l'admettra sans peine. Mais cette pensée s'est inscrite dans les faits. Elle a agi sur les événements. Il nous semble que ces événements ne deviennent réellement compréhensibles que sous cet éclairage. Ils restent horribles, mais, éclairés de la sorte, ils deviennent autre chose que des douleurs infligées aux hommes par des fous et des méchants. Ils donnent à l'histoire une certaine amplitude; ils rétablissent celle-ci au niveau où elle cesse d'être absurde et mérite d'être vécue, même dans la souffrance : au niveau spirituel.

Ce que nous souhaitons faire comprendre, c'est qu'une civilisation totalement différente de la nôtre est apparue en Allemagne et s'est maintenue pendant quelques années. Qu'une civilisation aussi profondément étrangère ait pu s'établir en un rien de temps n'est pas, à bien y regarder, impensable. Notre civilisation humaniste repose elle-même sur un mystère. Le mystère est que toutes les idées, chez nous, coexistent et que la connaissance apportée par une idée finit par profiter à l'idée contraire. En outre, dans notre civilisation, tout contribue à faire comprendre à l'esprit que l'esprit n'est pas tout. Une inconsciente conspiration des pouvoirs matériels réduit les risques, maintient l'esprit dans des limites où la fierté n'est pas exclue mais où l'ambition se modère d'un peu « d'à quoi bon ». Mais, comme l'a bien vu Musil : « Il suffirait qu'on prît vraiment au sérieux l'une quelconque des idées qui influencent notre vie, de telle sorte qu'il ne subsiste absolument rien de son contraire, pour que notre civilisation ne fût pas notre civilisation. » C'est ce qui s'est produit en Allemagne, tout au moins dans les hautes sphères dirigeantes du socialisme magique.

Nous sommes en relation magique avec l'univers, mais nous l'avons oublié. La prochaine mutation de la race humaine créera des êtres conscients de cette relation, des hommes-dieux. Déjà cette mutation fait sentir ses effets dans certaines âmes messianiques qui renouent avec le très lointain passé et se souviennent du temps où les géants influençaient le cours des astres.

Horbiger et ses disciples, on l'a vu, imaginent des époques d'apogée de l'humanité : les époques de lune basse, à la fin du secondaire et à la fin du tertiaire. Quand le satellite menace de s'effondrer sur la terre, quand il tourne à faible distance du globe, les êtres vivants sont au sommet de leur puissance vitale et sans doute de leur puissance spirituelle. Le roi-géant, l'homme-dieu, capte et oriente les forces psychiques de la communauté. Il dirige ce faisceau de radiations de telle sorte que la course des astres soit maintenue et que la catastrophe soit retardée. C'est la fonction essentielle du géant-mage. Dans une certaine mesure, il maintient en place le système solaire. Il gouverne une sorte de centrale d'énergie psychique : c'est là sa royauté. Cette énergie participe à l'énergie cosmique. Ainsi le calendrier monumental de Tiahuanaco, qui aurait été érigé durant la civilisation des géants, ne serait pas fait pour enregistrer le temps et les mouvements des astres, mais pour créer le temps et pour maintenir ces mouvements. Il s'agit de prolonger au maximum la période où la lune est à quelques rayons terrestres du globe, et il se pourrait que toute l'activité des hommes, sous la conduite des géants, fût une activité de concentration de l'énergie psychique, afin que soit préservée l'harmonie des choses terrestres et célestes. Les sociétés humaines, animées par les géants, sont des sortes de dynamos. Des forces sont produites par elles, qui vont jouer leur rôle dans l'équilibre des forces universelles. L'homme, et plus particulièrement le géant, l'homme-dieu, est responsable du cosmos tout entier.

Il y a une singulière ressemblance entre cette vision et celle de Gurdjieff. On sait que ce célèbre thaumaturge prétendait avoir appris, dans des centres initiatiques d'Orient, un certain nombre de secrets sur les origines de notre monde et sur de hautes civilisations englouties depuis des centaines de milliers d'années. Dans son fameux ouvrage : *All and Everything*, sous la forme imagée qu'il affectionnait, il écrit :

« Cette commission (des anges architectes créateurs du système solaire) ayant calculé tous les faits connus, arriva à la conclusion que, quoique les fragments projetés au loin de la planète " Terre " puissent se maintenir quelque temps dans leur position actuelle, pourtant, dans l'avenir, à cause de ce qu'on appelle les déplacements *tastartoonariens*, ces fragments satellites pourraient quitter leur position et produire un grand nombre de calamités irréparables. Donc, les hauts commissaires décidèrent de prendre des mesures pour parer à cette éventualité. La mesure la plus efficace, décidèrent-ils, serait que la planète Terre envoie constamment à ses fragments satellites, pour les maintenir à leur place, les vibrations sacrées appelées *askokinns*. »

Les hommes se trouvent donc dotés d'un organe spécial, émetteur des forces psychiques destinées à préserver l'équilibre du cosmos. C'est ce que nous appelons vaguement l'âme, et toutes nos religions ne seraient que le souvenir dégénéré de cette fonction primordiale : participer à l'équilibre des énergies cosmiques.

« Dans la première Amérique, rappelle Denis Saurat, de grands initiés jouaient avec des raquettes et des balles une cérémonie sacrée : les balles décrivaient dans l'air le cours même des astres dans le ciel. Si un maladroit laissait tomber ou s'égarer la balle, il causait des catastrophes astronomiques : alors on le tuait, et on lui arrachait le cœur. »

Le souvenir de cette fonction primordiale se perd en légendes et superstitions, du Pharaon qui, par sa force magique, fait monter le Nil chaque année aux prières de l'Occident païen pour faire tourner les vents ou cesser la grêle, aux pratiques incantatoires des sorciers polynésiens pour que tombe la pluie. L'origine de toute haute religion serait dans cette nécessité dont les hommes des anciens âges et leurs rois géants étaient conscients : maintenir ce que Gurdjieff appelle « le mouvement cosmique d'harmonie générale ».

Dans la lutte entre la glace et le feu, qui est la clé de la vie universelle, il y a, sur terre, des cycles. Horbiger affirme que nous subissons, tous les six mille ans, une offensive de la glace. Des déluges et de grandes catastrophes se produisent. Mais au sein de l'humanité, tous les sept cents ans, il y a une poussée du feu. C'est-à-dire que, tous les sept cents ans, l'homme reprend conscience de sa responsabilité dans cette lutte cosmique. Il redevient, au plein sens du terme, religieux. Il renoue contact avec les intelligences depuis longtemps englouties. Il se prépare aux mutations futures. Son âme s'agrandit aux dimensions du cosmos. Il retrouve le sens de l'épopée universelle. Il est à nouveau capable de faire la distinction entre ce qui vient de l'homme-dieu et ce qui vient de l'homme-esclave, et de rejeter de l'humanité ce qui appartient aux espèces condamnées. Il redevient implacable et flamboyant. Il redevient fidèle à la fonction vers laquelle l'élevèrent les géants.

Nous n'avons pas réussi à comprendre comment Horbiger justifiait ces cycles, comment il reliait cette affirmation à l'ensemble de son système. Mais Horbiger déclarait, comme Hitler d'ailleurs, que le souci de la cohérence est un vice mortel. Ce qui compte, c'est ce qui provoque le mouvement. Le crime est aussi mouvement : un crime contre l'esprit est un bienfait. Enfin, Horbiger avait eu conscience de ces cycles par illumination. Cela dépassait en autorité le raisonnement. La dernière poussée de feu avait eu lieu avec l'apparition des chevaliers teutoniques. Nous étions dans une nouvelle poussée. Celle-ci coïncidait avec la fondation de l' « Ordre Noir » nazi.

Rauschning qui s'effarait, n'ayant aucune des clés de

la pensée du Führer et demeurant un bon aristocrate humaniste, notait les propos que Hitler se laissait parfois aller à tenir en sa présence :

« Un thème qui revenait constamment dans ses propos, c'est ce qu'il appelait le " tournant décisif du monde ", ou la charnière du temps. Il y aurait un bouleversement de la planète que nous autres, non-initiés, ne pouvions comprendre dans son ampleur[1]. Hitler parlait comme un voyant. Il s'était construit une mystique biologique, ou, si l'on veut, une biologie mystique qui formait la base de ses inspirations. Il s'était fabriqué une terminologie personnelle. " La fausse route de l'esprit ", c'était l'abandon par l'homme de sa vocation divine. Acquérir la " vision magique " lui apparaissait comme le but de l'évolution humaine. Il croyait qu'il était déjà lui-même au seuil de ce savoir magique, source de ses succès présents et futurs. Un professeur munichois[2] de cette époque avait écrit, à côté d'un certain nombre d'ouvrages scientifiques, quelques essais assez étranges sur le monde primitif, sur la formation des légendes, sur l'interprétation des rêves chez les peuplades des premiers âges, sur leurs connaissances intuitives et une sorte de pouvoir transcendant qu'elles auraient exercé pour modifier les lois de la nature. Il était encore question, dans ce fatras, de l'œil de Cyclope, de l'œil frontal qui s'était ensuite atrophié pour former la glande pinéale. De telles idées fascinaient Hitler. Il aimait à s'y plonger. Il ne pouvait s'expliquer autrement que par l'action des forces cachées la merveille de son propre destin. Il attribuait à ces

---

1. La quatrième lune se rapprochera de la Terre, la gravitation se trouvera modifiée. Les eaux monteront, les êtres connaîtront une période de gigantisme. Sous l'action des rayons cosmiques plus forts se produiront des mutations. Le monde entrera dans une nouvelle phase atlantidéenne.
2. Non pas munichois, mais autrichien ; il s'agit d'Horbiger, dont Rauschning parle par ouï-dire.

forces sa vocation surhumaine d'annoncer à l'humanité l'évangile nouveau.

« L'espèce humaine, disait-il, subissait depuis l'origine une prodigieuse expérience cyclique. Elle traversait des épreuves de perfectionnement d'un millénaire à l'autre. La période solaire[1] de l'homme touchait à son terme; on pouvait déjà discerner les premiers échantillons du surhomme. Une espèce nouvelle s'annonçait, qui allait refouler l'ancienne humanité. De même que, suivant l'immortelle sagesse des vieux peuples nordiques, le monde devait continuellement se rajeunir par l'écroulement des âges périmés et le crépuscule des dieux, de même que les solstices représentaient, dans les vieilles mythologies, le symbole du rythme vital, non pas en ligne droite et continue, mais en ligne spirale, de même l'humanité progressait par une série de bonds et de retours.

« Quand Hitler s'adressait à moi, poursuit Rauschning, il essayait d'exprimer sa vocation d'annonciateur d'une nouvelle humanité en termes rationnels et concrets. Il disait :

« " La création n'est pas terminée. L'homme arrive nettement à une phase de métamorphose. L'ancienne espèce humaine est entrée déjà dans le stade du dépérissement et de la survivance. L'humanité gravit un échelon tous les sept cents ans, et l'enjeu de la lutte, à plus long terme que cela encore, c'est l'avènement des Fils de Dieu. Toute la force créatrice se concentrera dans une nouvelle espèce. Les deux variétés évolueront rapidement en divergeant. L'une disparaîtra et l'autre s'épanouira. Elle dépassera infiniment l'homme actuel... Comprenez-vous maintenant le sens profond de notre mouvement national-socialiste? Celui qui ne comprend le national-socia-

1. La période sous l'influence du soleil. Les hautes périodes sont sous l'influence de la Lune, quand le satellite se rapproche de la Terre.

lisme que comme un mouvement politique, n'en sait pas grand-chose... " »

Rauschning, non plus que les autres observateurs, n'a relié la doctrine raciale au système général de Horbiger. Elle s'y relie pourtant d'une certaine façon. Elle fait partie de l'ésotérisme nazi dont nous allons voir tout à l'heure d'autres aspects. Il y avait un racisme de propagande : c'est celui que les historiens ont décrit et que les tribunaux, exprimant la conscience populaire, ont condamné justement. Mais il y avait un autre racisme, plus profond, et sans doute plus horrible. Il est resté hors de portée de l'entendement des historiens et des peuples, et il ne pouvait y avoir de langage commun entre ces racistes-là d'une part, leurs victimes et leurs juges d'autre part.

Dans la période terrestre et cosmique où nous nous trouvons, dans l'attente du nouveau cycle qui déterminera sur la terre de nouvelles mutations, un reclassement des espèces et le retour au géant-mage, à l'homme-dieu, dans cette période, coexistent sur le globe des espèces venues de diverses phases du secondaire, du tertiaire et du quaternaire. Il y a eu des phases d'ascension et des phases de chutes. Certaines espèces sont marquées de dégénérescence, d'autres sont annonciatrices du futur, portent les germes de l'avenir. L'homme n'est pas un. Ainsi, les hommes ne sont pas les descendants des géants. Ils sont apparus après la création des géants. Ils ont été créés à leur tour par mutation. Mais cette humanité moyenne elle-même n'appartient pas à une seule espèce. Il y a une humanité véritable, appelée à connaître le prochain cycle, douée des organes psychiques qu'il faut pour jouer un rôle dans l'équilibre des forces cosmiques et destinée à l'épopée sous la conduite des Supérieurs Inconnus à venir. Et il y a une autre humanité, qui n'est qu'une apparence, qui ne mérite pas ce nom, et qui est sans doute née sur le globe dans des époques basses et sombres où, le satellite s'étant abattu, d'immenses parties du globe n'étaient que bourbier désert. Elle a sans doute été créée avec les êtres rampants et hideux, manifestations de la vie déchue. Les Tziganes, les Nègres et les Juifs ne sont pas des hommes, au sens réel du terme. Nés après l'effondrement de la lune tertiaire, par mutation brusque, comme par un malheureux bégaiement de la force vitale châtiée, ces créatures « modernes » (particulièrement les Juifs) imitent l'homme et le jalousent, mais n'appartiennent pas à l'espèce. « Ils sont aussi éloignés de nous que les espèces animales de l'espèce humaine vraie », dit exactement Hitler à Rauschning terrifié qui découvre chez le Führer une vision plus folle encore que chez Rosenberg et tous les théoriciens du racisme. « Ce n'est pas, précise Hitler, que j'appelle le Juif un animal. Il est beaucoup plus éloigné de l'animal que nous. » L'exterminer n'est donc pas commettre un crime contre l'humanité : il ne fait pas partie de l'humanité. « C'est un être étranger à l'ordre naturel. »

C'est en cela que certaines séances au procès de Nuremberg étaient dépourvues de sens. Les juges ne pouvaient avoir aucune sorte de dialogue avec les responsables qui d'ailleurs avaient pour la plupart disparu, ne laissant au banc que les exécutants. Deux mondes étaient en présence, mais sans communication. Autant prétendre juger sur le plan de la civilisation humaniste des Martiens. C'étaient des Martiens. Ils appartenaient à un monde séparé du nôtre, de celui que nous connaissons depuis six ou sept siècles. Une civilisation totalement différente de ce qu'il est convenu d'appeler la civilisation s'était établie en Allemagne en quelques années, sans que nous nous en rendions clairement compte. Ses initiateurs n'avaient plus sur le fond aucune sorte de communication intellectuelle, morale ou spirituelle avec nous. En dépit des formes extérieures, ils nous étaient aussi étrangers que les sauvages d'Australie. Les juges de Nuremberg s'efforçaient de faire comme s'ils n'achoppaient pas sur cette effarante réalité. Dans une certaine mesure, il s'agissait bien, en effet, de jeter le voile sur cette réalité, afin qu'elle disparût dessous, comme dans les tours de prestidigitation. Il s'agissait de maintenir l'idée de la permanence et de l'universalité de la civilisation humaniste et cartésienne, et il fallait que les accusés soient, de gré ou de force, intégrés dans le système. C'était nécessaire. Il y allait de l'équilibre de la conscience occidentale, et l'on entend bien que nous ne songeons pas à nier les bienfaits de l'entreprise de Nuremberg. Nous pensons simplement que le fantastique y a été enterré. Mais il était bon qu'il le soit, afin que des dizaines de millions d'âmes ne soient pas empestées. Nous ne faisons nos fouilles que pour quelques amateurs, avertis et munis de masques.

Notre esprit refuse d'admettre que l'Allemagne nazie incarnait les concepts d'une civilisation sans rapport avec la nôtre. C'est pourtant cela, et rien d'autre, qui justifie cette guerre, une des seules de l'histoire connue dont l'enjeu ait été réellement essentiel. Il fallait qu'une des deux visions de l'homme, du ciel et de la terre triomphe, l'humaniste ou la magique. Il n'y avait pas de coexistence possible, alors que l'on imagine volontiers le marxisme et le libéralisme coexistant : ils reposent sur le même fond, ils sont du même univers. L'univers de Copernic n'est pas celui de Plotin ; ils s'opposent fondamentalement, et ce n'est pas seulement vrai sur le plan des théories, mais aussi sur celui de la vie sociale, politique, spirituelle, intellectuelle, passionnelle.

Ce qui nous gêne, pour admettre cette vision étrange d'une autre civilisation établie en un rien de temps au-delà du Rhin, c'est que nous avons gardé une idée enfantine de la distinction entre le « civilisé » et celui qui ne l'est pas. Il nous faut des casques à plumes, des tam-tams, des cases, pour sentir cette distinction. Or, on ferait plus aisément un « civilisé » d'un sorcier bantou qu'on n'aurait relié à notre humanisme Hitler, Horbiger ou Haushoffer. Mais la technique allemande, la science allemande, l'organisation allemande, comparables, sinon supérieures aux nôtres, nous cachaient ce point de vue. La nouveauté formidable de l'Allemagne nazie, c'est que la pensée magique s'est adjoint la science et la technique.

Les intellectuels détracteurs de notre civilisation, tournés vers l'esprit des anciens âges, ont toujours été des ennemis du progrès technique. Par exemple, René Guénon ou Gurdjieff, ou les innombrables hindouistes. Mais le nazisme a été le moment où l'esprit de magie s'est emparé des leviers du progrès matériel. Lénine disait que le communisme, c'est le socialisme plus l'électricité. D'une certaine façon, l'hitlérisme, c'était le guénonisme plus les divisions blindées.

Un des plus beaux poèmes de notre époque a pour titre : *Chroniques Martiennes*. Son auteur est un Américain d'une trentaine d'années, chrétien à la manière de Bernanos, redoutant une civilisation de robots, un homme plein de colère et de charité. Il se nomme Ray Bradbury. Ce n'est pas, comme on le croit en France, un auteur de « science-fiction » mais un artiste religieux. Il se sert des thèmes de l'imagination la plus moderne, mais s'il propose des voyages dans le futur et dans l'espace, c'est pour décrire l'homme intérieur et sa croissante inquiétude.

Au début des *Chroniques Martiennes*, les hommes vont lancer la première fusée interplanétaire. Elle atteindra Mars et établira pour la première fois des contacts avec d'autres intelligences. Nous sommes en janvier 1999 :

« L'instant d'avant, c'était l'hiver en Ohio, avec ses portes et ses fenêtres closes, ses vitres diaprées de givre, ses toits frangés de stalactites... Puis une longue vague de chaleur balaya la petite ville. Un raz de marée d'air brûlant ; comme si l'on venait d'ouvrir la porte d'un four. Le souffle chaud passa sur les maisons, les buissons, les enfants. Les glaçons se détachèrent, se brisèrent et se mirent à fondre... *L'été de la fusée*. La nouvelle se propageait de bouche en bouche dans les grandes maisons ouvertes. *L'été de la fusée*. L'haleine embrasée du désert dissolvait aux fenêtres les arabesques du gel... La neige tombant du ciel froid sur la ville se transformait en pluie chaude avant d'atteindre le sol. *L'été de la fusée*. Sur le pas de leurs portes aux porches ruisselants, les habitants regardaient le ciel rougeoyer... »

Ce qui arriva plus tard aux hommes, dans le poème de Bradbury, sera triste et douloureux, parce que l'auteur ne croit pas que le progrès des âmes puisse se trouver lié au progrès des choses. Mais, en prologue, il décrit cet « été de la fusée », mettant l'accent sur un archétype de la pensée humaine : la promesse d'un éternel printemps sur la terre. Au moment où l'homme touche à la mécanique céleste et y introduit un moteur nouveau, de grands changements se produisent ici-bas. Tout retentit sur tout. Dans les espaces interplané-taires où se manifeste désormais l'intelligence humaine, se produisent des réactions en chaîne qui ont leur répercussion sur le globe dont la température se modifie. Au moment où l'homme conquiert, non seule-ment le ciel, mais « ce qui est au-delà du ciel » ; au moment où s'opère une grande révolution matérielle et spirituelle dans l'univers ; au moment où la civilisation cesse d'être humaine pour devenir cosmique, il y a une sorte de récompense immédiate sur la terre. Les éléments n'accablent plus l'homme. Une éternelle douceur, une éternelle chaleur enveloppent le globe. La glace, signe de mort, est vaincue. Le froid recule. La promesse d'un éternel printemps sera tenue si l'humanité accomplit sa mission divine. Si elle s'intègre au Tout universel, la terre éternellement tiède et fleurie sera sa récompense. Les puissances du froid, qui sont les puissances de la solitude et de la déchéance, seront brisées par les puissances du feu.

C'est un autre archétype que l'assimilation du feu à l'énergie spirituelle. Qui porte cette énergie, porte le feu. Aussi étrange que cela puisse paraître, Hitler était persuadé que là où il avancerait, le froid reculerait. Cette conviction mystique explique en partie la manière dont il conduisit la campagne en Russie.

Les horbigériens qui se déclaraient capables de prévoir le temps sur toute la planète, des mois et même des années en avance, avaient annoncé un hiver relativement doux. Mais il y avait autre chose : avec les disciples de la glace éternelle, Hitler était intimement persuadé qu'il avait fait alliance avec le froid, et que les neiges des plaines russes ne pourraient retarder sa marche. L'humanité, sous sa conduite, allait entrer dans le nouveau cycle du feu. Elle y entrait. L'hiver céderait devant ses légions porteuses de la flamme.

Alors que le Führer accordait une attention particulière à l'équipement matériel de ses troupes, il n'avait fait donner aux soldats de la campagne de Russie qu'un supplément de vestiaire dérisoire : une écharpe et une paire de gants.

Et, en décembre 1941, le thermomètre descendit brusquement à moins quarante. Les prévisions étaient fausses, les prophéties ne se réalisaient pas, les éléments s'insurgeaient, les étoiles, dans leur course, cessaient brusquement de travailler pour l'homme juste. C'était la glace qui triomphait du feu. Les armes automatiques s'arrêtèrent, l'huile gelant. Dans les réservoirs, l'essence synthétique se séparait, sous l'action du froid, en deux éléments inutilisables. A l'arrière, les locomotives gelaient. Sous leur capote et dans leurs bottes d'uniforme, les hommes mouraient. La plus légère blessure les condamnait. Des milliers de soldats, en s'accroupissant sur le sol pour satisfaire leurs besoins, s'écroulaient l'anus gelé. Hitler refusa de croire à ce premier désaccord entre la mystique et le réel. Le général Guderian, risquant la destitution et peut-être la mise à mort, s'envola vers l'Allemagne pour mettre le Führer au courant de la situation et lui demander de donner l'ordre de reculer.

« Le froid, dit Hitler, j'en fais mon affaire. Attaquez. »

C'est ainsi que tout le corps de bataille blindé qui avait vaincu la Pologne en dix-huit jours et la France en un mois, les armées Guderian, Reinhardt et Hœppner, la formidable légion de conquérants qu'Hitler appelait ses Immortels, hachée par le vent, brûlée par la glace, disparaissait dans le désert du froid, pour que la mystique soit plus vraie que la terre.

Ce qui restait de cette Grande Armée dut enfin abandonner et foncer vers le sud. Quand, au printemps suivant, les troupes envahirent le Caucase, une singulière cérémonie se déroula. Trois alpinistes S.S. grimpèrent au sommet de l'Elbrouz, montagne sacrée des Aryens, haut lieu d'anciennes civilisations, sommet magique de la secte des « Amis de Lucifer ». Ils plantèrent le drapeau au svastika béni selon le rite de l'Ordre Noir. La bénédiction du drapeau au sommet de l'Elbrouz devait marquer le début de la nouvelle ère. Désormais, les saisons allaient obéir, et le feu vaincre la glace pour des millénaires. Il y avait eu une sérieuse déception l'an passé, mais ce n'était qu'une épreuve, la dernière, avant la véritable victoire spirituelle. Et, en dépit des avertissements des météorologues classiques, qui annonçaient un hiver encore plus redoutable que le précédent, en dépit des mille signes menaçants, les troupes remontèrent vers le nord et Stalingrad, pour couper la Russie en deux.

« Pendant que ma fille chantait ses chants enflammés, là-haut près du mât écarlate, les disciples de la raison se tinrent à l'écart, avec leurs mines ténébreuses... »

Ce sont « les disciples de la raison, avec leurs mines ténébreuses » qui l'emportèrent. Ce sont les hommes matériels, les hommes « sans feu », avec leur courage, leur science « judéo-libérale », leurs techniques sans prolongements religieux ; ce sont les hommes sans la « sacrée démesure » qui, aidés par le froid, par la glace, triomphèrent. Ils firent échouer le pacte. Ils eurent le pas sur la magie. Après Stalingrad, Hitler n'est plus un prophète. Sa religion s'écroule. Stalingrad n'est pas seulement une défaite militaire et politique. L'équilibre des forces spirituelles est modifié, la roue tourne. Les journaux allemands paraissent encadrés de noir et les descriptions qu'ils donnent du désastre sont plus terribles que celles des communiqués russes. Le deuil national est décrété. Mais ce deuil dépasse la nation. « Rendez-vous compte ! écrit Gœbbels. C'est toute une pensée, c'est toute une conception de l'Univers qui subit une défaite. Les forces spirituelles vont être écrasées, l'heure du jugement approche. »

A Stalingrad, ce n'est pas le communisme qui triomphe du fascisme, ou plutôt, ce n'est pas uniquement cela. A y regarder de plus loin, c'est-à-dire à la place qu'il faut pour saisir le sens d'aussi amples événements, c'est notre civilisation humaniste qui stoppe l'essor formidable d'une autre civilisation luciférienne, magique, non pas faite pour l'homme mais pour « quelque chose de plus que l'homme ». Il n'y a pas de différences essentielles entre les mobiles des actes civilisateurs de l'U.R.S.S. et des U.S.A. L'Europe du XVIIIᵉ et du XIXᵉ siècle a fourni le moteur qui sert toujours. Il ne fait pas exactement le même bruit à New York et à Moscou, voilà tout. Il n'y avait bien qu'un seul monde en guerre contre l'Allemagne, et non pas une coalition momentanée d'ennemis fondamentaux. Un seul monde qui croit au progrès, à la justice, à l'égalité et à la science. Un seul monde qui a la même vision du cosmos, la même compréhension des lois universelles et qui assigne à l'homme dans l'univers la même place, ni trop grande, ni trop petite. Un seul monde qui croit à la raison et à la réalité des choses. Un seul monde qui devait disparaître tout entier pour faire place à un autre dont Hitler se sentait l'annonciateur.

C'est le petit homme du « monde libre », l'habitant de Moscou, de Boston, de Limoges ou de Liège, le petit homme positif, rationaliste, plus moraliste que religieux, dépourvu du sens métaphysique, sans appétit pour le fantastique, celui que Zarathoustra tient pour un homme-semblant, une caricature, c'est ce petit homme sorti de la cuisse de M. Homais, qui va anéantir la grande armée destinée à ouvrir la voie au surhomme, à l'homme-dieu, maître des éléments, des climats et des étoiles. Et, par un curieux cheminement de la justice — ou de l'injustice — c'est ce petit homme à l'âme limitée qui, des années plus tard, va lancer dans le ciel un satellite, inaugurer l'ère interplanétaire. Stalingrad et le lancement du Spoutnik sont bien, comme le disent les Russes, les deux victoires décisives et ils les rapprochèrent l'une de l'autre en célébrant, en 1957, l'anniversaire de leur révolution. Une photographie de Gœbbels fut publiée par leurs journaux : « Il croyait que nous allions disparaître. Il fallait que nous triomphions pour créer l'homme interplanétaire. »

La résistance désespérée, folle, catastrophique d'Hitler, au moment où, de toute évidence, tout est perdu, ne s'explique que par l'attente du déluge décrit par les horbigériens. Si l'on ne pouvait retourner la situation par des moyens humains, il restait la possibilité de provoquer le jugement des dieux. Le déluge surviendrait, comme un châtiment, pour l'humanité entière. La nuit allait recouvrir le globe et tout serait noyé dans des tempêtes d'eau et de grêle. Hitler, dit Speer avec horreur, « essayait délibérément de tout faire périr avec lui. Il n'était plus qu'un homme pour qui la fin de sa propre vie signifiait la fin de toute chose ». Gœbbels, dans ses derniers éditoriaux, salue avec enthousiasme les bombardiers ennemis qui détruisent son pays : « Sous les débris de nos cités anéanties, les réalisations du stupide XIXᵉ siècle sont enterrées. » Hitler fait régner la mort : il prescrit la destruction totale de l'Allemagne, il fait exécuter les prisonniers, condamne son ancien chirurgien, fait tuer son beau-frère, demande la mort pour les soldats vaincus, et descend lui-même au tombeau. « Hitler et Gœbbels, écrit Trevor Roper, invitèrent le peuple allemand à détruire ses villes et ses usines, à faire sauter ses digues et ses ponts, à sacrifier les chemins de fer et tout le matériel roulant, et tout ceci en faveur d'une légende, au nom d'un crépuscule des dieux. » Hitler demande du sang, envoie ses dernières troupes au sacrifice : « Les pertes ne semblent jamais assez élevées », dit-il. Ce ne sont pas les ennemis de l'Allemagne qui gagnent, ce sont les forces universelles qui se mettent en marche pour noyer la terre, punir l'humanité parce que l'humanité a laissé la glace l'emporter sur le feu, les puissances de la mort l'emporter sur les puissances de la vie et de la résurrection. Le ciel va se venger. Il ne reste en mourant qu'à appeler le grand déluge. Hitler fait un sacrifice à l'eau : il ordonne que l'on noie le métro de Berlin, où 300 000 personnes réfugiées dans les souterrains périssent. C'est un acte de magie imitative : ce geste déterminera des mouvements d'apocalypse dans le ciel et sur la terre. Gœbbels publie un dernier article avant de tuer, dans le Bunker, sa femme, ses enfants et de se tuer lui-même. Il intitule son éditorial d'adieu : « Et quand même cela serait. » Il dit que le drame ne se joue pas à l'échelle de la terre, mais du cosmos. « Notre fin sera la fin de tout l'univers. »

Ils élevaient leur pensée démentielle vers les espaces infinis, et ils sont morts dans un souterrain.

Ils croyaient préparer l'homme-dieu auquel les éléments allaient obéir. Ils croyaient au cycle du feu. Ils vaincraient la glace, sur la terre comme dans le ciel, et leurs soldats mouraient en baissant culotte l'anus gelé.

Ils nourrissaient une vision fantastique de l'évolution des espèces, ils attendaient de formidables mutations. Et les dernières nouvelles du monde extérieur leur furent données par le gardien en chef du zoo de Berlin, qui, juché sur un arbre, téléphonait au Bunker.

Puissants, affamés et fiers, ils prophétisaient :

> *Le grand âge du monde renaît.*
> *Les années d'or reviennent ;*
> *La terre, comme un serpent,*
> *Renouvelle ses vêtements usés de l'hiver.*

Mais il y a sans doute une plus profonde prophétie qui condamne les prophètes eux-mêmes et les voue à une mort plus que tragique : caricaturale. Au fond de leur cave, entendant le grondement grandissant des tanks, ils finissaient leur vie ardente et mauvaise dans les révoltes, les douleurs et les supplications par lesquelles s'achève la vision de Shelley qui s'intitule *Hellas* :

Oh ! arrêtez ! La haine et la mort doivent-elles revenir ?
Arrêtez ! Les hommes doivent-ils tuer et mourir ?
Arrêtez ! N'épuisez pas jusqu'à la lie
L'urne d'une amère prophétie !
Le monde est las du passé.
Oh ! Puisse-t-il mourir ou reposer enfin !

VIII

Nous sommes en avril 1942. L'Allemagne jette toutes ses forces dans la guerre. Rien, semble-t-il, ne saurait détourner les techniciens, les savants et les militaires de leur tâche immédiate.

Cependant, une expédition organisée avec l'assentiment de Goering, d'Himmler et d'Hitler, quitte le Reich en grand secret. Les membres de cette expédition sont quelques-uns des meilleurs spécialistes du radar. Sous la conduite du docteur Heinz Fisher, connu par ses travaux sur les rayons infrarouges, ils débarquent sur l'île balte de Rügen. Ils ont été dotés des radars les plus perfectionnés. Pourtant, ces appareils sont encore rares, à cette époque, et répartis sur les points névralgiques de la défense allemande. Mais les observations auxquelles on va se livrer dans l'île de Rügen sont considérées dans le haut état-major de la marine, comme capitales pour l'offensive qu'Hitler s'apprête à livrer sur tous les fronts.

Aussitôt arrivé, le docteur Fisher fait pointer les radars vers le ciel, sous un angle de 45 degrés. Apparemment, il n'y a rien à détecter dans la direction choisie. Les autres membres de l'expédition croient qu'il s'agit d'un essai. Ils ignorent ce que l'on attend d'eux. L'objet des recherches leur sera révélé plus tard. Avec ahurissement, ils constatent que les radars demeurent pointés ainsi plusieurs jours. C'est alors qu'ils reçoivent cette précision : le Führer a de bonnes raisons de croire que la terre n'est pas convexe, mais concave. Nous n'habitons pas l'extérieur du globe, mais l'intérieur. Notre position est comparable à celle des mouches marchant à l'intérieur d'une boule. L'objet de l'expédition est de démontrer scientifiquement cette vérité. Par réflexion d'ondes-radar se propageant en ligne droite, on obtiendra des images de points extrêmement éloignés, à l'intérieur de la sphère. Le second objet de l'expédition est d'obtenir par réflexion des images de la flotte anglaise ancrée à Scapa Flow.

Martin Gardner raconte cette folle aventure de l'île de Rügen dans son ouvrage : *In the Name of Science*. Le docteur Fisher lui-même devait, après la guerre, y faire allusion. Le professeur Gérard S. Kuiper, de l'observatoire du mont Palomar, a consacré en 1946 une série d'articles à la doctrine de la terre creuse, qui avait présidé à cette expédition. Il écrivait dans *Popular Astronomy* : « Des milieux importants de la marine allemande et de l'aviation croyaient à la théorie de la terre creuse. Ils pensaient notamment qu'elle serait utile pour repérer la flotte anglaise parce que la courbure concave de la terre permettrait des observations à très longue distance par l'intermédiaire des rayons infrarouges, moins courbés que les rayons visibles. » L'ingénieur Willy Ley rapporte les mêmes faits dans son étude de mai 1947 : *Pseudo-sciences en pays nazi.*

C'est extraordinaire, mais vrai : des hauts dignitaires nazis, des experts militaires ont nié purement et simplement ce qui paraît une évidence à un petit enfant de notre monde civilisé, à savoir que la terre est une boule pleine et que nous sommes à la surface. Au-dessus de nous, pense le petit enfant, s'étend un univers infini, avec ses myriades d'étoiles et ses galaxies. Au-dessous de nous c'est le roc. Qu'il soit français, anglais, américain ou russe, le petit garçon est là-dessus d'accord avec la science officielle et aussi avec les religions et les philosophies admises. Nos morales, nos arts, nos techniques, se fondent sur cette vision que l'expérience semble vérifier. Si nous cherchons ce qui peut le mieux assurer l'unité de la civilisation moderne, c'est dans la cosmogonie que nous trouverons. Sur l'essentiel, c'est-à-dire sur la situation de l'homme et de la terre dans l'univers, nous sommes tous d'accord, que nous soyons marxistes ou non. Les nazis seuls n'étaient pas d'accord.

Pour les partisans de la terre creuse qui organisèrent la fameuse expédition parascientifique de l'île de Rügen, nous habitons l'intérieur d'une boule prise dans une masse de roc qui s'étend à l'infini. Nous vivons plaqués sur la face concave. Le ciel est au centre de cette boule : c'est une masse de gaz bleutée, avec des points de lumière brillante que nous prenons pour des étoiles. Il n'y a que le soleil et la lune, mais infiniment moins grands que ne le disent les astronomes orthodoxes. L'univers se limite à cela. Nous sommes seuls, et enveloppés de roc.

Nous allons voir comment est née cette vision : des légendes de l'intuition, de l'illumination. En 1942, une nation engagée dans une guerre où la technique est souveraine demande à la science de soutenir la mystique, à la mystique d'enrichir la technique. Le docteur

Fisher, spécialiste de l'infrarouge, reçoit pour mission de mettre le radar au service des mages.

A Paris ou à Londres, nous avons nos penseurs excentriques, nos découvreurs de cosmogonies aberrantes, nos prophètes de toutes sortes de bizarreries. Ils écrivent des opuscules, fréquentent les arrière-boutiques de vieux libraires, font des causeries à Hyde Park ou dans « La salle de Géographie » du boulevard Saint-Germain. Dans l'Allemagne hitlérienne, nous voyons des gens de cette espèce mobiliser les forces de la nation et l'appareillage technique d'une armée en guerre. Nous les voyons influencer les hauts états-majors, les chefs politiques, les savants. C'est que nous sommes en présence d'une civilisation toute neuve, fondée sur le mépris de la culture classique et de la raison. Dans cette civilisation, l'intuition, la mystique, l'illumination poétique, sont placées exactement sur le même plan que la recherche scientifique et la connaissance rationnelle. « Quand j'entends parler de culture, je sors mon revolver », dit Goering. Cette phrase redoutable a deux sens : le littéral, où l'on voit Goering-Ubu casser la tête des intellectuels, et un sens plus profond et aussi plus réellement préjudiciable à ce que nous appelons la culture, où l'on voit Goering tirer des balles explosives qui sont la cosmogonie horbigérienne, la doctrine de la terre creuse ou la mystique du groupe Thulé.

La doctrine de la terre creuse est née en Amérique au début du XIXe siècle. Le 15 avril 1818, tous les membres du Congrès des États-Unis, les directeurs des Universités et quelques grands savants reçurent la lettre suivante :

Au monde entier,

Je déclare que la terre est creuse et habitable intérieure-ment. Elle contient plusieurs sphères solides, concentri-ques, placées l'une dans l'autre, et elle est ouverte au pôle de 12 à 16 degrés. Je m'engage à démontrer la réalité de ce que j'avance et je suis prêt à explorer l'intérieur de la terre si le monde accepte de m'aider dans mon entreprise.

Jno. Cleves Symnes,
ancien capitaine d'infanterie de l'Ohio.

Sprague de Camp et Willy Ley, dans leur bel ouvrage : *De l'Atlantide à l'Eldorado*, résument ainsi la théorie et l'aventure de l'ancien capitaine d'infanterie [1] :

« Symnes soutint que tout en ce monde étant creux, aussi bien les os, les cheveux, les tiges des plantes, etc., les planètes l'étaient aussi et que dans le cas de la terre, par exemple, on pouvait distinguer cinq sphères pla-cées les unes à l'intérieur des autres, toutes habitables à l'intérieur comme à l'extérieur et toutes équipées de vastes ouvertures polaires par lesquelles les habitants de chaque sphère pouvaient aller de n'importe quel point de l'intérieur à un autre, aussi bien qu'à l'exté-rieur, comme une fourmi qui parcourrait l'intérieur puis l'extérieur d'un bol de porcelaine... Symnes orga-nisait ses tournées de conférences comme des cam-pagnes électorales. Il laissa à sa mort des monceaux de notes et probablement le petit modèle en bois du globe de Symnes, qui se trouve actuellement à l'Académie des Sciences Naturelles de Philadelphie. Son fils, Americ Vespucius Symnes, était un de ses adeptes et il

1. Traduit en français. Éd. Plon.

tenta sans succès d'assembler ses notes en un ouvrage cohérent. Il ajouta une supposition selon laquelle, lorsque les temps seraient révolus, les Dix Tribus perdues d'Israël seraient découvertes, vivant probablement à l'intérieur de la plus extérieure des sphères. »

En 1870, un autre Américain, Cyrus Read Teed, proclame à son tour que la terre est creuse. Teed était un esprit d'une grande érudition, spécialisé dans l'étude de la littérature alchimique. En 1869, alors qu'il travaillait dans son laboratoire et méditait sur les Livres d'Isaïe, il avait eu une illumination. Il avait compris que nous habitons, non pas sur la terre, mais à l'intérieur. Cette vision redonnant du crédit à d'anciennes légendes, il créa une sorte de religion et répandit sa doctrine en fondant un petit journal : *L'Épée de Feu*. En 1894, il avait rassemblé plus de quatre mille fanatiques. Sa religion se nommait le Koreshisme. Il mourut en 1908, après avoir annoncé que son cadavre n'entrerait pas en putréfaction. Mais ses fidèles durent le faire embaumer au bout de deux jours.

Cette idée de la terre creuse se relie à une tradition que l'on retrouve à toutes les époques et en tous lieux. Les plus vieux ouvrages de littérature religieuse parlent d'un monde séparé, situé sous la croûte terrestre et qui serait le séjour des morts et des esprits. Lorsque Gilgamesh, héros légendaire des anciens Sumériens et des épopées babyloniennes, s'en va visiter son ancêtre Utnapishtim, il descend dans les entrailles de la terre, et c'est là qu'Orphée s'en va chercher l'âme d'Eurydice. Ulysse, atteignant les limites de l'Occident, offre un sacrifice afin que les esprits des anciens s'élèvent des profondeurs de la terre et viennent le conseiller. Pluton règne au fond de la terre, sur les esprits des morts. Les premiers chrétiens s'assemblent dans les catacombes et font des abîmes souterrains le séjour des âmes damnées. Les légendes germaniques exilent Vénus au fond de la terre. Dante place l'enfer dans les cercles inférieurs. Les folklores européens logent des dragons sous la terre et les Japonais imaginent dans les profondeurs de leur île un monstre dont les hérissements provoquent les tremblements de terre.

Nous avons parlé d'une société secrète préhitlérienne, la société du Vril, qui brassait ces légendes avec les thèses soutenues par l'écrivain anglais Bulwer Lytton dans son roman *La Race qui nous supplantera.* Pour les membres de cette société, des êtres possédant un pouvoir psychique supérieur au nôtre habitent des cavernes au centre de la terre. Ils en sortiront un jour pour régner sur nous.

A la fin de la guerre de 1914, un jeune aviateur allemand prisonnier en France, Bender, découvre de vieux exemplaires du journal de Teed : *L'Épée de Feu,* ainsi que des brochures de propagande en faveur de la terre creuse. Attiré par ce culte et illuminé à son tour, il précise et développe cette doctrine. Rentré en Allemagne, il fonde un mouvement, le *Hohl Welt Lehre.* Il reprend les travaux d'un autre Américain, Marshall B. Gardner, qui, en 1913, avait publié un ouvrage pour démontrer que le soleil n'était pas au-dessus de la terre, mais au centre de celle-ci et qu'il émettait des rayons exerçant une pression qui nous maintient sur la croûte concave.

Pour Bender, la terre est une sphère de même dimension que dans la géographie orthodoxe, mais elle est creuse et la vie se trouve plaquée sur la face interne par l'effet de certaines radiations solaires. Au-delà, c'est le roc à l'infini. La couche d'air, à l'intérieur, s'étend sur soixante kilomètres, puis se raréfie jusqu'au vide absolu du centre où se trouvent trois corps : le soleil, la lune et l'univers fantôme. Cet univers fantôme est une boule de gaz bleutée dans laquelle brillent des grains de lumière que les astronomes appellent des étoiles. Il fait nuit sur une partie de la concavité terrestre lorsque cette masse bleue passe devant le soleil, et l'ombre de cette masse sur la lune produit les éclipses. Nous croyons à un univers extérieur, situé au-dessus de nous parce que les rayons lumineux ne se propagent pas en ligne droite : ils sont courbes, à l'exception des infrarouges. Cette théorie de Bender devait devenir populaire aux environs de 1930. Des dirigeants du Reich, des officiers supérieurs de la Marine et de l'Aviation croyaient à la terre creuse.

Il nous paraît tout à fait insensé que des hommes chargés de la direction d'une nation aient pu régler en partie leur conduite sur des intuitions mystiques qui nient l'existence de notre univers. Il faut cependant bien voir que, pour l'homme simple, pour l'Allemand de la rue dont l'âme avait été labourée par la défaite et la misère, l'idée de la terre creuse, aux environs de 1930, n'était pas plus folle, après tout, que l'idée selon laquelle des sources d'énergie illimitée seraient contenues dans un grain de matière, ou que l'idée d'un univers à quatre dimensions. La science, depuis la fin du XIXe siècle, s'engageait sur une route qui n'était pas celle du bon sens. Pour des esprits primaires, malheureux et mystiques, toute étrangeté devenait admissible et, de préférence, une étrangeté compréhensible et consolante comme la terre creuse. Hitler et ses camarades, hommes sortis du peuple et adversaires de l'intelligence pure, devaient considérer les idées de Bender comme plus admissibles que les théories d'Einstein qui découvraient un univers d'une infinie complexité, d'une infinie délicatesse d'approche. Le monde selon Bender était apparemment aussi fou que le monde einsteinien, mais il ne fallait pour y pénétrer qu'une folie du premier degré. L'explication de l'univers par Bender, sur des prémisses folles, se développait de manière raisonnable. Le fou a tout perdu, sauf la raison.

Le *Hohl Welt Lehre*, qui faisait de l'humanité la seule présence intelligente dans l'univers, qui ramenait cet univers aux seules dimensions de la terre, qui donnait à l'homme la sensation d'être enveloppé, enfermé, protégé, comme le fœtus dans le sein de la mère, satisfaisait certaines aspirations de l'âme malheureuse, repliée sur l'orgueil et pleine de hargne contre le monde extérieur. C'était en outre la seule théorie allemande que l'on puisse opposer au Juif Einstein.

La théorie d'Einstein repose sur l'expérience de Michelson et Morley démontrant que la vitesse de la lumière qui se déplace dans le sens de la révolution terrestre est la même que celle de la lumière perpendiculaire à cette révolution. Einstein en déduit qu'il n'y a donc pas un milieu qui « porte » la lumière, mais que celle-ci est composée de particules indépendantes. A partir de cette donnée, Einstein s'aperçoit que la lumière se contracte dans le sens du mouvement et qu'elle est condensation d'énergie. Il établit la théorie de la relativité du mouvement de la lumière. Dans le système Bender, la terre étant creuse ne se déplace pas. Il n'y a pas d'effet de Michelson. La thèse de la terre creuse rend donc apparemment compte de la réalité tout aussi bien que la thèse d'Einstein. A l'époque, aucune vérification expérimentale n'était encore venue corroborer la pensée d'Einstein, la bombe atomique n'était pas venue justifier cette pensée de façon absolue et terrifiante. Les dirigeants allemands saisirent l'occasion de dénier toute valeur aux travaux du génial Juif et la persécution contre les savants israélites et contre la science officielle commença.

Einstein, Teller, Fermi, et quantité d'autres grands esprits durent s'exiler. Ils reçurent bon accueil aux États-Unis, disposèrent d'argent et de laboratoires bien équipés. L'origine de la puissance atomique américaine est là. C'est la montée des forces occultes en Allemagne qui a donné l'énergie nucléaire aux Américains.

Le centre d'études le plus important de l'armée américaine se trouve à Dayton, dans l'Ohio. En 1957, on annonçait que le laboratoire qui, dans ce centre, est consacré à la domestication de la bombe à hydrogène était parvenu à réaliser une température de un million de degrés. Le savant qui venait de réussir cette extraordinaire expérience était le docteur Heinz Fisher, l'homme qui avait dirigé l'expédition de l'île de Rügen pour vérifier l'hypothèse de la terre creuse. Depuis 1945, il travaillait librement aux États-Unis. Interrogé sur son passé par la presse américaine, il déclara : « Les nazis me faisaient faire un travail de fou, ce qui dérangeait considérablement mes recherches. » On peut se demander ce qui serait arrivé et comment aurait évolué la guerre si les recherches du docteur Fisher n'avaient pas été interrompues au profit du mystique Bender...

Après l'expédition de l'île de Rügen, l'autorité de Bender, aux yeux des dignitaires nazis, décrut malgré la protection de Goering qui nourrissait de l'affection pour cet ancien héros de l'aviation. Les horbigériens, les partisans du grand univers où règne la glace éternelle, l'emportèrent. Bender fut jeté en camp de concentration où il mourut. La terre creuse eut ainsi son martyr.

Cependant, bien avant cette folle expédition, les disciples de Horbiger accablaient Bender de sarcasmes et demandaient l'interdiction des ouvrages en faveur de la terre creuse. Le système de Horbiger est aux dimensions de la cosmologie orthodoxe, et l'on ne saurait à la fois croire au cosmos où la glace et le feu poursuivent leur lutte éternelle, et au globe creux pris dans un roc qui s'étend à l'infini. L'arbitrage d'Hitler fut demandé. La réponse mérite réflexion :

« Nous n'avons nullement besoin, dit Hitler, d'une conception du monde cohérente. Ils peuvent avoir raison l'un et l'autre. »

Ce qui compte, ce n'est pas la cohérence et l'unité de vue, c'est la destruction des systèmes issus de la logique, des modes de pensée rationnelle, c'est le dynamisme mystique et la force explosive de l'intuition. Il y a place, dans les ténèbres étincelantes de l'esprit magique, pour plus d'une étincelle.

IX

De l'eau à notre horrible moulin. — Le journal des Blonds. — Le prêtre Lenz. — Une circulaire de la Gestapo. — La dernière prière de Dietrich Eckardt. — La légende de Thulé. — Une pépinière de médiums. — Haushoffer le magicien. — Les silences de Hess. — Le svastika et les mystères de la maison Ipatiev. — Les sept hommes qui voulaient changer la vie. — Une colonie tibétaine. — Les exterminations et le rituel. — Il fait plus noir que vous ne pensez.

Il y avait à Kiel, après la guerre, un brave médecin des assurances sociales, expert auprès des tribunaux, bon vivant, nommé Fritz Sawade. A la fin de l'année 1959, une voix mystérieuse prévint le docteur que la justice allait être obligée de l'arrêter. Il s'enfuit, erra huit jours, puis se rendit. C'était en réalité l'Obersturmbannführer S.S. Werner Heyde. Le professeur Heyde avait été l'organisateur médical du programme d'euthanasie qui, de 1940 à 1941, fit 200 000 victimes allemandes et servit de préface à l'extermination des étrangers dans les camps de concentration.

A propos de cette arrestation, un journaliste français, qui est en même temps un excellent historien de l'Allemagne hitlérienne, écrivit [1] :

« L'affaire Heyde, comme beaucoup d'autres, res-

1. M. Nobécourt : dans l'hebdomadaire *Carrefour*, 6 janvier 1960.

semble aux icebergs dont la partie visible est la moins importante... L'euthanasie des faibles, des incurables, l'extermination massive de toutes les communautés susceptibles de " contaminer la pureté du sang germanique ", ont été menées avec un acharnement pathologique, une conviction de nature quasi religieuse qui frisaient la démence. A tel point que de nombreux observateurs des procès allemands de l'après-guerre — autorités scientifiques ou médicales peu capables d'admettre pour preuves des mystifications — ont fini par penser que la passion politique offrait une explication bien faible, qu'il fallait qu'entre tant d'exécutants ou de chefs, qu'entre Himmler et le dernier gardien de camp de concentration, eût régné une sorte de lien mystique.

« L'hypothèse d'une communauté initiatique, sous-jacente au national-socialisme, s'est imposée peu à peu. Une communauté véritablement démoniaque, régie par des dogmes cachés, bien plus élaborés que les doctrines élémentaires de *Mein Kampf* ou du *Mythe du xxᵉ siècle*, et servie par des rites dont les traces isolées ne se remarquent pas, mais dont l'existence semble indubitable pour les analystes (et redisons qu'il s'agit de savants et de médecins) de la pathologie nazie. » Voilà de l'eau à notre horrible moulin.

Nous ne pensons pas cependant qu'il s'agisse d'une seule société secrète, solidement organisée et ramifiée, ni d'un dogme unique, ni d'un ensemble de rites organiquement constitué. La pluralité et l'incohérence nous semblent, tout au contraire, significatives de cette Allemagne souterraine que nous essayons de décrire. L'unité et la cohésion dans toute démarche, même mystique, paraît indispensable à un Occidental nourri de positivisme et de cartésianisme. Mais nous sommes hors de cet Occident ; il s'agit plutôt d'un culte multiforme, d'un *état de sur-esprit* (ou de sous-esprit) absorbant des rites divers, des croyances mal liées entre elles. L'important est d'entretenir un feu secret, une flamme vivante ; tout est bon pour l'alimenter.

Dans cet *état*, rien n'est plus impossible. Les lois naturelles sont suspendues, le monde devient fluide. Des chefs S.S. déclaraient que la Manche est beaucoup moins large que ne l'indiquent les atlas. Pour eux, comme pour les sages hindous d'il y a deux mille ans, comme pour l'évêque Berkeley au XVIIIe siècle, l'univers n'était qu'une illusion et sa structure pouvait être modifiée par la pensée active des initiés.

Ce qui est pour nous probable, c'est l'exercice du puzzle magique, d'un fort courant mystique luciférien sur lequel nous venons de donner quelques indications au cours des chapitres précédents. Tout cela peut servir à expliquer un grand nombre de faits terribles, de manière plus réaliste que celle des historiens conventionnels qui veulent voir uniquement, derrière tant d'actes cruels et déraisonnables, la mégalomanie d'un syphilitique, le sadisme d'une poignée de névrosés, l'obéissance servile d'une foule de lâches.

Selon notre méthode, nous allons maintenant vous soumettre des renseignements et des recoupements sur d'autres aspects négligés du « socialisme magique » : la société Thulé, le sommet de l'Ordre Noir et la société l'Ahnenerbe. Nous avons réuni là-dessus une assez grosse documentation, la valeur d'un millier de pages. Mais cette documentation demanderait à être encore une fois vérifiée et abondamment complétée, si nous voulions écrire un ouvrage clair, puissant, complet. Ceci est hors de nos moyens, pour l'instant. En outre, nous ne voulons pas alourdir à l'extrême le présent livre, qui ne traite de l'histoire contemporaine qu'à titre d'exemple du « réalisme fantastique ». Voici donc un bref résumé de quelques constatations éclairantes.

Un jour d'automne 1923, meurt à Munich un singulier personnage, poète, dramaturge, journaliste, bohème, qui se faisait appeler Dietrich Eckardt. Les poumons brûlés par l'ypérite, il avait fait, avant d'entrer en agonie, sa prière très personnelle devant une météorite noire dont il disait : « C'est ma pierre de Kaaba », et qu'il avait léguée au professeur Oberth, l'un des créateurs de l'astronautique. Il venait d'envoyer un long manuscrit à son ami Haushoffer. Ses affaires étaient en règle. Il mourait, mais la « Société Thulé » continuerait à vivre et bientôt changerait le monde, et la vie dans le monde.

En 1920, Dietrich Eckardt et un autre membre de la société Thulé, l'architecte Alfred Rosenberg, font la connaissance d'Hitler. Ils lui ont donné un premier rendez-vous dans la maison de Wagner, à Bayreuth. Durant trois ans, ils vont sans cesse entourer le petit caporal de la Reichswehr, diriger ses pensées et ses actes. Konrad Heiden [1] écrit : « Eckardt entreprend la formation spirituelle d'Adolphe Hitler. » Il lui apprend aussi à écrire et à parler. Son enseignement se développe sur deux plans : la doctrine « secrète » et la doctrine de propagande. Il a raconté certains des entretiens qu'il eut avec Hitler sur le second plan dans une curieuse brochure intitulée : *Le bolchevisme de Moïse à Lénine.* En juillet 1923, ce nouveau maître Eckardt sera un des sept membres fondateurs du parti national-socialiste. Sept : chiffre sacré. En automne, quand il meurt, il dit : « Suivez Hitler. Il dansera, mais c'est moi qui ai écrit la musique. Nous lui avons donné les moyens de communiquer avec Eux... Ne me regrettez pas : j'aurai influencé l'histoire plus qu'un autre Allemand... »

La légende de Thulé remonte aux origines du germanisme. Il s'agirait d'une île disparue, quelque part dans l'Extrême-Nord. Au Groenland ? Au Labrador ? Comme l'Atlantide, Thulé aurait été le centre magique d'une civilisation engloutie. Pour Eckardt et ses amis,

---

1. Konrad Heiden : *Adolf Hitler*, traduit par A. Pierhal. Grasset.

tous les secrets de Thulé n'auraient pas été perdus. Des êtres intermédiaires entre l'homme et les intelligences du Dehors disposeraient, pour les initiés, d'un réservoir de forces où puiser pour redonner à l'Allemagne la maîtrise du monde, pour faire de l'Allemagne la nation annonciatrice de la surhumanité à venir, des mutations de l'espèce humaine. Un jour, les légions s'ébranleront pour anéantir tout ce qui a fait obstacle au destin spirituel de la Terre, et elles seront conduites par des hommes infaillibles, nourris aux sources de l'énergie, guidés par les Grands Anciens. Tels sont les mythes contenus dans la doctrine aryenne d'Eckardt et de Rosenberg, et que ces prophètes d'un socialisme magique introduisent dans l'âme médiumnique d'Hitler. Mais la société Thulé n'est sans doute encore qu'une assez puissante petite machine à malaxer le rêve et la réalité. Elle va devenir très vite, sous d'autres influences et avec d'autres personnages, un instrument beaucoup plus étrange : un instrument capable de changer la nature même de la réalité. C'est, semble-t-il, avec Karl Haushoffer, que le groupe Thulé va prendre son véritable caractère de société secrète d'initiés en contact avec l'invisible, et devenir le centre magique du nazisme.

Hitler est né à Braunau-sur-Inn, le 20 avril 1889, 17 h 30, 219, Salzburger Vorstadt. Ville frontière austro-bavaroise, point de rencontre de deux grands États allemands, elle fut plus tard pour le Führer une cité symbole. Une singulière tradition s'y attache : c'est une pépinière de médiums. C'est la ville natale de Willy et Rudi Schneider, dont les expériences psychiques firent sensation voici une trentaine d'années. Hitler eut la même nourrice que Willy Schneider. Jean de Pange écrivait en 1940 : « Braunau est un centre de médiums. Un des plus connus est Mme Stokhammes qui, en 1920, épousa à Vienne le prince Joachim de Prusse. C'est de Braunau qu'un spirite de Munich, le baron Schrenk-Notzing, faisait venir ses sujets, dont l'un était précisément cousin d'Hitler. »

L'occultisme enseigne qu'après s'être concilié des forces cachées par un pacte, les membres du groupe ne peuvent évoquer ces forces que par l'intermédiaire d'un magicien, lequel ne saurait agir sans un médium. Tout se passe comme si Hitler avait été le médium et Haushoffer le magicien.

Rauschning décrivant le Führer : « On est obligé de penser aux médiums. La plupart du temps ce sont des êtres ordinaires, insignifiants. Subitement, il leur tombe comme du ciel des pouvoirs qui les élèvent bien au-dessus de la commune mesure. Ces pouvoirs sont extérieurs à leur personnalité réelle. Ce sont des visiteurs venus d'autres planètes. Le médium est possédé. Délivré, il retombe dans la médiocrité. C'est ainsi qu'incontestablement certaines forces traversent Hitler. Des forces quasi démoniaques dont le personnage nommé Hitler n'est que le vêtement momentané. Cet assemblage du banal et de l'extraordinaire, voilà l'insupportable dualité que l'on perçoit dès que l'on entre en contact avec lui. Cet être aurait pu être inventé par Dostoïevski. Telle est l'impression que donne dans un bizarre visage l'union d'un désordre maladif et d'une trouble puissance. »

Strasser : « Celui qui écoute Hitler voit soudain surgir le Führer de la gloire humaine... Une lumière apparaît derrière une fenêtre obscure. Un monsieur avec un comique pinceau de moustache se transforme en archange... Puis l'archange s'envole : il ne reste que Hitler qui se rassied, baigné de sueur, l'œil vitreux. »

Bouchez : « Je regardais ses yeux, des yeux devenus médiumniques... Parfois il se passait comme un phénomène d'ectoplasme : quelque chose semblait habiter l'orateur. Il se dégageait un fluide... Puis il redevenait petit, quelconque, vulgaire même. Il paraissait fatigué, accumulateurs à plat. »

François-Poncet : « Il entrait dans une sorte de transe médiumnique. Son visage touchait au ravissement extatique. »

Derrière le médium, non sans doute un seul homme, mais un groupe, un ensemble d'énergies, une centrale magique. Et ce qui nous paraît certain, c'est qu'Hitler est animé par autre chose que ce qu'il exprime : par des forces et des doctrines mal coordonnées mais infiniment plus redoutables que la seule théorie nationale-socialiste. Une pensée beaucoup plus grande que la sienne, qui sans cesse le déborde, et dont il ne donne au peuple, à ses collaborateurs, que des bribes lourdement vulgarisées. « Résonateur puissant, Hitler a toujours été le " tambour " qu'il se vantait d'être au procès de Munich, et il est toujours resté un tambour. Toutefois, il n'a retenu et utilisé que ce qui, au hasard des circonstances, servait son ambition de conquête du pouvoir, son rêve de domination du monde, et son délire : la sélection biologique de l'homme-Dieu[1]. »

Mais il y a un autre rêve, un autre délire : changer la vie sur toute la planète. Il s'en ouvre parfois ou plutôt la pensée de derrière le déborde, filtre brusquement par une petite ouverture. Il dit à Rauschning : « Notre révolution est une étape nouvelle, ou plutôt l'étape définitive de l'évolution qui mène à la suppression de l'histoire... » Ou encore : « Vous ne connaissez rien de moi, mes camarades du parti n'ont aucune idée des songes qui me hantent et de l'édifice grandiose dont les fondations au moins seront établies quand je mourrai... Il y a un tournant décisif du monde, nous voici à la charnière des temps... Il y aura un bouleversement de la planète que vous autres, non-initiés, ne pouvez comprendre... Ce qui se passe, c'est plus que l'avènement d'une nouvelle religion... »

Rudolf Hess avait été l'assistant de Haushoffer lors-

1. Dr Achille Delmas.

que celui-ci professait à l'Université de Munich. C'est lui qui établit le contact entre Haushoffer et Hitler. (Il s'enfuit d'Allemagne en avion, pour une délirante équipée après que Haushoffer lui eut dit qu'il l'avait vu en rêve voler vers l'Angleterre. Dans les rares moments de lucidité que lui laisse son inexplicable maladie, le prisonnier Hess, dernier survivant du groupe Thulé, aurait déclaré formellement que Haushoffer était le magicien, le maître secret [1].)

Après le soulèvement raté, Hitler est enfermé à la prison de Landshurt. Amené par Hess, le général Karl Haushoffer visite quotidiennement Hitler, passe des heures auprès de lui, développe ses théories et en extrait tous les arguments favorables à la conquête politique. Demeuré seul avec Hess, Hitler amalgame pour la propagande extérieure les thèses de Haushoffer et les projets de Rosenberg, en un ensemble aussitôt dicté pour *Mein Kampf*.

Karl Haushoffer est né en 1869. Il fit de nombreux séjours aux Indes et en Extrême-Orient, fut envoyé au Japon et apprit la langue. Pour lui, l'origine du peuple allemand se trouvait en Asie centrale et la permanence, la grandeur, la noblesse du monde étaient assurées par la race indo-germanique. Au Japon, Haushoffer aurait été initié à l'une des plus importantes sociétés secrètes bouddhistes et se serait engagé, en cas d'échec de sa « mission », à accomplir le suicide cérémoniel.

En 1914, Haushoffer, jeune général se fait remarquer par un extraordinaire pouvoir de prédire les événements : heures d'attaque de l'ennemi, points de chute des obus, tempêtes, changements politiques dans des pays dont il ne sait rien. Ce don de clairvoyance a-t-il aussi habité Hitler ou est-ce Haushoffer qui lui souffla ses propres illuminations ? Hitler prédit

1. Jack Fishman : *Les sept hommes de Spandau.*

avec exactitude la date de l'entrée de ses troupes dans Paris, la date de l'arrivée à Bordeaux des premiers forceurs de blocus. Lorsqu'il décide l'occupation de la Rhénanie, tous les experts d'Europe, y compris les Allemands, sont persuadés que la France et l'Angleterre s'y opposeront. Hitler prédit que non. Il annoncera la date de la mort de Roosevelt.

Après la première grande guerre, Haushoffer reprend ses études et semble s'orienter exclusivement vers la géographie politique, fonde la revue de Géopolitique et publie de nombreux ouvrages. Très curieusement, ces ouvrages paraissent fondés sur un réalisme politique étroitement matérialiste. Ce souci, chez tous les membres du groupe, d'employer un langage exotérique purement matérialiste, de véhiculer vers l'extérieur des conceptions pseudo-scientifiques, brouille sans cesse les cartes.

Le Géopoliticien se superpose à un autre personnage, disciple de Schopenhauer conduit vers le bouddhisme, admirateur d'Ignace de Loyola tenté par le gouvernement des hommes, esprit mystique en quête de réalités cachées, homme de grande culture et de grand psychisme. Il semble bien que ce soit Haushoffer qui ait choisi la croix gammée pour emblème.

En Europe, comme en Asie, le svastika a toujours été tenu pour un signe magique. On y a vu le symbole du soleil, source de vie et de fécondité, ou du tonnerre, manifestation de la colère divine, qu'il importe de conjurer. A la différence de la croix, du triangle, du cercle ou du croissant, le svastika n'est pas un signe élémentaire qui ait pu être inventé et réinventé à tout âge de l'humanité et en tous points du globe, avec une symbolique chaque fois différente. C'est le premier signe tracé avec une intention précise. L'étude de ses migrations pose le problème des premiers âges, des origines communes aux diverses religions, des relations préhistoriques entre l'Europe, l'Asie et l'Amérique. Sa trace la plus ancienne aurait été découverte en Transylvanie et remonterait à la fin de l'époque de la pierre polie. On le retrouve sur des centaines de fuseaux datant du xive siècle avant Jésus-Christ et dans les vestiges de Troie. Il apparaît en Inde au ive siècle avant J.-C. et en Chine au ve siècle après J.-C. On le voit un siècle plus tard au Japon, au moment de l'introduction du bouddhisme qui en fait son emblème. Constatation capitale : il est tout à fait inconnu ou n'apparaît qu'à titre accidentel dans toute la région sémitique, en Égypte, en Chaldée, en Assyrie, en Phénicie. C'est un symbole exclusivement aryen. En 1891, Ernest Krauss attire l'attention du public germanique sur ce fait ; Guido List, en 1908, décrit le svastika dans ses ouvrages de vulgarisation comme un symbole de la pureté du sang, doublé d'un signe de connaissance ésotérique révélé par le déchiffrage de l'épopée runique de l'Edda. A la cour de Russie, la croix gammée est introduite par l'impératrice Alexandra Feodorovna. Est-ce sous l'influence des théosophes ? Ou plutôt sous celle du médium Badmaiev, bizarre personnage formé à Lhassa et ayant ensuite établi de nombreuses liaisons avec le Tibet ? Or, le Tibet est une des régions du monde où le svastika dextrogyre ou sinistrogyre est d'usage le plus courant. Ici se place une histoire très étonnante.

Sur le mur de la maison Ipatieff, la tsarine, avant son exécution, aurait dessiné une croix gammée, accompagnée d'une inscription. Une photo de cette inscription aurait été prise, puis on se serait empressé d'effacer. Koutiepoff aurait été en possession de cette photo faite le 24 juillet, alors que la photographie officielle date du 14 août. Il aurait également reçu en dépôt l'icône découverte sur le corps de la tsarine, à l'intérieur de laquelle se serait trouvé un autre message, faisant allusion à la société secrète du Dragon Vert. Selon l'agent de renseignement qui devait être mystérieusement empoisonné, et qui usait dans ses romans du pseudonyme de Teddy Legrand, Koutiepoff, disparu sans laisser de trace, aurait été enlevé et tué sur le yacht trois-mâts du baron Otto Bautenas, assassiné plus tard lui aussi. Teddy Legrand écrit : « Le grand bateau blanc se nommait l'*Asgard*. Il avait donc été baptisé — est-ce fortuitement ? — d'un vocable dont les légendes islandaises désignent le Royaume du Roi de Thulé. » Selon Trebich Lincoln (qui assurait être en réalité le lama Djordni Den) la société des Verts, parente de la société Thulé, avait son origine au Tibet. A Berlin, un moine tibétain, surnommé « l'homme aux gants verts » et qui fit annoncer trois fois dans la presse, avec exactitude, le nombre des députés hitlériens envoyés au Reichstag, recevait régulièrement Hitler. Il était, disaient les initiés, « détenteur des clefs qui ouvrent le " royaume d'Agarthi " ».

Voilà qui nous ramène à Thulé. Au moment où *Mein Kampf* est publié, paraît aussi le livre du Russe Ossendovski, *Hommes, Bêtes et Dieux*, dans lequel se trouvent prononcés publiquement pour la première fois les noms de Schamballah et d'Agarthi. On retrouvera ces noms sur les lèvres de responsables de l'Ahnenerbe au procès de Nuremberg.

Nous sommes en 1925[1]. Le parti national-socialiste commence à recruter activement. Horst Wessel,

1. En 1931, dans son ouvrage *Le Symbolisme de la Croix*, René Guénon note en bas de page :
« Nous avons relevé récemment, dans un article du *Journal des Débats*, du 22 janvier 1929, l'information suivante, qui semblerait indiquer que les hautes traditions ne sont pas aussi complètement perdues qu'on le pense :
« " En 1925, une grande partie des Indiens Cuna se soulevèrent, tuèrent les gendarmes de Panama qui habitaient sur leur territoire, y fondèrent la République indépendante de Tulé dont le drapeau est un svastika sur fond orange à bordure rouge. Cette république existe encore à l'heure actuelle. " On remarquera surtout l'association du svastika avec ce nom de Tulé qui est une des plus anciennes désignations du centre spirituel suprême appliquée par la suite à quelques-uns des centres subordonnés. »

homme de main de Horbiger, organise les troupes de choc. Il est abattu par les communistes l'année suivante. A sa mémoire, le poète Ewers compose un chant qui deviendra l'hymne sacré du mouvement. Ewers, qui est un Lovecraft allemand, s'est inscrit d'enthousiasme au parti, parce qu'il y voit, à l'origine, « l'expression la plus forte des puissances noires ».

Ces puissances noires, les sept hommes fondateurs, qui rêvent de « changer la vie », sont certains, physiquement et spirituellement certains, d'être portés par elles. Si nos renseignements sont exacts, le serment qui les rassemble, le mythe auquel ils se réfèrent pour y puiser énergie, confiance, chance, ont leur source dans une légende tibétaine. Voici trente ou quarante siècles, existait dans le Gobi une haute civilisation. A la suite d'une catastrophe, peut-être atomique, le Gobi fut transformé en un désert et les rescapés émigrèrent, les uns vers la pointe nord de l'Europe, les autres vers le Caucase. Le Dieu Thor, les légendes nordiques, aurait été un des héros de cette migration.

Les « initiés » du groupe Thulé étaient persuadés que ces émigrés du Gobi composaient la race fondamentale de l'humanité, la souche aryenne. Haushoffer enseignait la nécessité d'un « retour aux sources », c'est-à-dire la nécessité de conquérir toute l'Europe orientale, le Turkestan, le Pamir, le Gobi et le Tibet. Ces pays constituaient à ses yeux la « région-cœur » et quiconque contrôle cette région contrôle le globe.

D'après la légende, telle qu'elle fut rapportée sans doute à Haushoffer vers 1905, et telle que la raconte à sa manière René Guénon dans *Le Roi du Monde*, après le cataclysme du Gobi, les maîtres de la haute civilisation, les détenteurs de la connaissance, les fils des Intelligences du Dehors, s'installèrent dans un immense système de cavernes sous les Himalayas. Au cœur de ces cavernes, ils se scindèrent en deux groupes, l'un suivant « la voie de la main droite », l'autre « la voie de la main gauche ». La première voie aurait son centre à Agarthi, lieu de contemplation, cité cachée du bien, temple de la non-participation au monde. La seconde passerait par Schamballah, cité de la violence et de la puissance, dont les forces commandent aux éléments, aux masses humaines, et hâtent l'arrivée de l'humanité à la « charnière des temps ». Aux mages conducteurs de peuples, il serait possible de faire un pacte avec Schamballah, moyennant serments et sacrifices.

En Autriche, le groupe Edelweiss annonçait en 1928 qu'un nouveau messie était né. En Angleterre, sir Musely et Bellamy proclamaient au nom de la doctrine horbigérienne que la lumière avait touché l'Allemagne. En Amérique, apparaissaient les « Chemins d'Argent » du colonel Ballard. Un certain nombre de grands Anglais cherchent à alerter l'opinion contre ce mouvement où ils voient d'abord une menace spirituelle, la montée d'une religion luciférienne. Kipling fait supprimer la croix gammée qui orne la couverture de ses livres. Lord Tweedsmuir, qui écrit sous le nom de John Buchan, fait paraître deux romans à clefs : *Le Jugement de l'Aube* et *Un Prince en captivité*, qui contiennent une description des dangers que peut faire courir à la civilisation occidentale une « centrale d'énergies » intellectuelles, spirituelles, magiques, orientée vers le grand mal. Saint-Georges Saunders dénonce, dans *Les Sept Dormeurs* et *Le Royaume Caché*, les sombres flammes de l'ésotérisme nazi et son inspiration « tibétaine ».

C'est en 1926 que s'installe à Berlin et à Munich une petite colonie hindoue et tibétaine. Au moment de l'entrée des Russes dans Berlin, on trouvera, parmi les cadavres, un millier de volontaires de la mort en uniforme allemand, sans papiers ni insignes, de race himalayenne. Dès que le mouvement commence à disposer de grands moyens financiers, il organise de multiples expéditions au Tibet qui se succéderont pratiquement sans interruption jusqu'en 1943.

Les membres du groupe Thulé devaient recevoir la domination matérielle du monde, ils devaient être protégés contre tous dangers, et leur action s'étendrait sur mille années, jusqu'au prochain déluge. Ils s'engageaient à mourir de leur propre main s'ils commettaient une faute qui romprait le pacte et à accomplir des sacrifices humains. L'extermination des bohémiens (750 000 morts) ne semble avoir que des raisons « magiques ». Wolfram Sievers fut désigné comme l'exécuteur, le bourreau sacrificiel, l'égorgeur rituel. Nous y reviendrons tout à l'heure, mais il est bon d'éclairer tout de suite, avec la « lumière interdite » qui convient, un des aspects de l'effrayant problème posé à la conscience moderne par ces exterminations. Dans l'esprit des plus grands responsables, il s'agissait de vaincre l'indifférence des Puissances, d'attirer leur attention. Des Mayas aux Nazis, c'est là le sens magique des sacrifices humains. On s'est souvent étonné de l'indifférence des chefs suprêmes de l'assassinat, au cours du procès de Nuremberg. Une belle et terrible parole que Merrit place dans la bouche d'un de ses héros, au cours de son roman : *Les Habitants du Mirage*, peut aider à comprendre cette attitude : « J'avais oublié, comme je les oubliais chaque fois, les victimes du sacrifice, dans la sombre excitation du rituel... »

Le 14 mars 1946, Karl Haushoffer tuait son épouse, Martha, et se donnait la mort, selon la tradition japonaise. Aucun monument, aucune croix ne marque sa tombe. Il avait tardivement appris l'exécution, au camp de Moabit, de son fils Albrecht, arrêté avec les organisateurs du complot contre Hitler et de l'attentat manqué du 20 juillet 1944. Dans la poche du vêtement sanglant d'Albrecht, on trouva un manuscrit de poèmes :

Pour mon père le destin avait parlé
Il dépendit une fois de plus
De repousser le démon dans sa geôle
Mon père a brisé le sceau
Il n'a pas senti le souffle du malin
Il a lâché le démon par le monde...

Tout cet exposé, dans sa rapidité et sa fatale incohérence, n'exprime qu'un faisceau de coïncidences, de recoupements, de signes, de présomptions. Il va de soi que les éléments réunis ici selon notre méthode n'excluent absolument pas les explications du phénomène hitlérien par la politique et l'économie. Il va de soi aussi que tout, dans l'esprit et même dans l'inconscient des hommes dont nous parlons, n'a pas été déterminé par de telles croyances. Mais les folles images que nous décrivons, prises pour telles ou pour des réalités, ont hanté ces cerveaux, à un moment ou à un autre : cela au moins nous paraît sûr.

Or, nos rêves ne s'effacent pas plus au fond de nous que les étoiles du ciel quand le jour revient. Ils continuent de luire derrière nos sentiments, nos pensées, nos actes. Il y a les faits, et il y a un sous-sol des faits ; c'est ce que nous explorons.

Ou plutôt, nous signalons, avec les quelques repères à notre disposition, qu'il y aurait lieu d'explorer. Nous ne voulons et ne pouvons dire qu'une chose : c'est que, dans ce sous-sol, il fait plus noir que vous ne pensez

X

Himmler et le problème à l'envers. — Le tournant de 1934. —
L'Ordre Noir au pouvoir. — Les moines guerriers à tête de
mort. — L'initiation dans les Burgs. — La dernière prière de
Sievers. — Les étranges travaux de l'Ahnenerbe. — Le grand-
prêtre Frédéric Hielscher. — Une note oubliée de Jünger. — Le
sens d'une guerre et d'une victoire.

C'était le farouche hiver de 1942. Les meilleurs
soldats allemands et la fleur de la S.S. pour la
première fois n'avançaient plus, brusquement pétrifiés
dans les trous de la plaine russe. L'Angleterre entêtée
se préparait à de futurs combats et l'Amérique allait
bientôt s'ébranler. Un matin de cet hiver, à Berlin, le
gros docteur Kersten, aux mains chargées de fluide,
trouva son client, le Reichsführer, Himmler, triste et
défait.

« Cher monsieur Kersten, je suis dans une terrible
détresse. »

Commençait-il à douter de la victoire ? Mais non. Il
déboutonna son pantalon pour se faire masser le
ventre, et se mit à parler, allongé, les yeux au plafond.
Il expliqua : le Führer avait compris qu'il n'y aurait
pas de paix sur terre tant qu'un seul Juif demeurerait
vivant... « Alors, ajouta Himmler, il m'a ordonné de
liquider immédiatement tous les Juifs en notre posses-

sion. » Ses mains, longues et sèches, reposaient sur le divan, inertes, comme gelées. Il se tut.

Kersten, stupéfait, voyait percer un sentiment de pitié chez le maître de l'Ordre Noir et sa terreur fut traversée par l'espoir :

« Oui, oui, répondit-il, au fond de votre conscience, vous n'approuvez pas cette atrocité... je comprends votre affreuse tristesse.

— Mais ce n'est pas cela ! Pas du tout ! s'écria Himmler en se redressant. Vous ne comprenez rien ! »

Hitler l'avait convoqué. Il lui avait demandé de supprimer tout de suite cinq à six millions de Juifs. C'était un très gros travail, et Himmler était fatigué, et puis il avait énormément à faire en ce moment. C'était inhumain d'exiger de lui ce surcroît d'effort dans les jours à venir. Vraiment inhumain. C'est ce qu'il avait laissé entendre à son chef bien-aimé et le chef bien-aimé n'avait pas été content, il était entré dans une grosse colère, et maintenant Himmler était très triste de s'être laissé aller à un moment d'épuisement et d'égoïsme[1].

Comment comprendre cette formidable inversion des valeurs ? On ne saurait y parvenir en invoquant seulement la folie. Tout se passe dans un univers parallèle au nôtre, dont les structures et les lois sont radicalement différentes. Le physicien George Gamov imagine un univers parallèle dans lequel, par exemple, la boule du billard japonais entrerait dans deux trous à la fois. L'univers dans lequel vivent des hommes comme Himmler est pour le moins aussi étranger au nôtre que celui de Gamov. L'homme vrai, l'initié de Thulé, est en communication avec les Puissances et toute son énergie est orientée vers un changement de la vie sur le globe. Le médium demande à un homme vrai

---

1. Cf. *Mémoires de Kersten* et le livre de Joseph Kessel : *Les Mains du Miracle*. Éd. Gallimard.

de liquider quelques millions de faux hommes ? D'accord, mais le moment est mal choisi. Il faut absolument ? Tout de suite ? Eh bien, oui. Hissons-nous encore un peu au-dessus de nous-même, sacrifions-nous encore davantage...

Le 20 mai 1945, des soldats britanniques arrêtèrent au pont de Berweverde, à 25 milles à l'ouest de Lüneburg, un homme grand, à la tête ronde et aux épaules étroites, porteur de papiers au nom de Hitzinger. On le conduisit à la police militaire. Il était en civil et portait un bandeau sur l'œil droit. Pendant trois jours, les officiers britanniques cherchèrent à percer sa véritable identité. A la fin, lassé, il ôta son bandeau et dit : « Je m'appelle Heinrich Himmler. » On ne le crut pas. Il insista. Pour l'éprouver, on l'obligea à se mettre nu. Puis on lui offrit le choix entre des vêtements américains et une couverture. Il s'enveloppa dans la couverture. Un enquêteur voulut s'assurer qu'il ne dissimulait rien dans l'intimité de son corps. Un autre le pria d'ouvrir la bouche. Alors, le prisonnier écrasa une ampoule de cyanure dissimulée dans une dent et tomba. Trois jours après, un commandant et trois sous-officiers prirent livraison du corps. Ils se rendirent dans la forêt proche de Lüneburg, creusèrent une fosse, y jetèrent le cadavre, puis aplanirent soigneusement le sol. Nul ne sait exactement où repose Himmler, sous quelles branches pépiantes achève de se décomposer la chair de celui qui se prenait pour la réincarnation de l'empereur Henri Ier, dit l'Oiseleur.

Himmler vivant, traîné au procès de Nuremberg, qu'eût-il pu dire pour sa défense ? Il n'y avait pas de langage commun avec les membres du jury. Il n'habitait pas de ce côté-ci du monde. Il appartenait tout entier à un autre ordre des choses et de l'esprit. C'était un moine combattant d'une autre planète. « On n'a pas encore pu expliquer d'une manière satisfaisante, dit le rapporteur Pœtel, les arrière-plans psychologiques qui ont engendré Auschwitz et tout ce que ce nom peut représenter. Au fond, les procès de Nuremberg n'ont pas apporté non plus beaucoup de lumière et l'abondance des explications psychanalytiques, qui déclaraient tout de go que des nations entières pouvaient perdre leur équilibre mental de la même façon que des individus isolés, n'a fait qu'embrouiller le problème. Ce qui se passait dans la cervelle de gens comme Himmler et ses pareils quand ils donnaient des ordres d'extermination, personne ne le sait. » En nous situant au niveau de ce que nous appelons le réalisme fantastique, il nous semble commencer à le savoir.

Denis de Rougemont disait d'Hitler : « Certains pensent, pour l'avoir éprouvé en sa présence, par une espèce de frisson d'horreur sacrée, qu'il est le siège d'une Domination, d'un Trône ou d'une Puissance, ainsi que saint Paul désigne les esprits de second rang, qui peuvent aussi échoir dans un corps d'homme quelconque et l'occuper comme une garnison. Je l'ai entendu prononcer un de ses grands discours. D'où lui vient le pouvoir surhumain qu'il développe ? Une énergie de cette nature, on sent très bien qu'elle n'est pas de l'individu, et même qu'elle ne saurait se manifester qu'autant que l'individu ne compte pas, n'est que le support d'une puissance qui échappe à notre psychologie. Ce que je dis là serait du romantisme de la plus basse espèce si l'œuvre accomplie par cet homme — et j'entends bien par cette puissance à travers lui — n'était une réalité qui provoque la stupeur du siècle. »

Or, durant la montée au pouvoir, Hitler, qui a reçu l'enseignement d'Eckardt et de Haushoffer, semble avoir voulu user des Puissances mises à sa disposition, ou plutôt passant à travers lui, dans le sens d'une ambition politique et nationaliste somme toute assez bornée. C'est à l'origine un petit bonhomme agité par une forte passion patriotique et sociale. Il s'emploie au degré inférieur : son rêve a des frontières. Miraculeusement, le voici porté en avant, et tout lui réussit. Mais le médium à travers qui circulent des énergies n'en comprend pas nécessairement l'ampleur et la direction.

Il danse sur une musique qui n'est pas de lui. Jusqu'en 1934, il croit que les pas qu'il exécute sont les bons. Or, il n'est pas tout à fait dans le rythme. Il croit qu'il n'a plus qu'à se servir des Puissances. Mais on ne se sert pas des Puissances : on les sert. Telle est la signification (ou l'une des significations) du changement fondamental qui intervient pendant et immédiatement après la purge de juin 1934. Le mouvement, dont Hitler lui-même a cru qu'il devait être national et socialiste, devient ce qu'il devait être, épouse plus étroitement la doctrine secrète. Hitler n'osera jamais demander de comptes sur le « suicide » de Strasser, et on lui fait signer l'ordre qui élève la S.S. au rang d'une organisation autonome, supérieure au parti. Joachim Gunthe écrit dans une revue allemande après la débâcle : « L'idée vitale qui animait la S.A. fut vaincue le 30 juin 1934, par une idée purement satanique, celle de la S.S. » « Il est difficile de préciser le jour où Hitler conçut le rêve de la mutation biologique », dit le docteur Delmas. L'idée de la mutation biologique n'est qu'un des aspects de l'appareil ésotérique auquel le mouvement nazi s'ajuste mieux à partir de cette époque où le médium devient, non point un fou total, comme le pense Rauschning, mais un instrument plus docile et le tambour d'une marche infiniment plus ambitieuse que la marche au pouvoir d'un parti, d'une nation, et même d'une race.

C'est Himmler qui est chargé de l'organisation de la S.S. non comme une compagnie policière, mais comme un véritable ordre religieux, hiérarchisé, des frères lais aux supérieurs. Dans les hautres sphères se trouvent les responsables conscients d'un Ordre Noir, dont l'existence ne fut d'ailleurs jamais officiellement reconnue par le gouvernement national-socialiste. Au sein même du parti, on parlait de ceux qui étaient « dans le coup du cercle intérieur », mais jamais une désignation légale ne fut donnée. Il semble certain que la doctrine, jamais pleinement explicitée, reposait sur la croyance absolue en des pouvoirs dépassant les pouvoirs humains ordinaires. Dans les religions, on distingue la théologie, considérée comme une science, de la mystique, intuitive et incommunicable. Les travaux de la société Ahnenerbe, dont il sera question plus loin, sont l'aspect théologique, l'Ordre Noir est l'aspect mystique de la religion des Seigneurs de Thulé.

Ce qu'il faut bien saisir, c'est qu'à partir du moment où toute l'œuvre de rassemblement et d'excitation du parti hitlérien change de direction, ou plutôt est plus sévèrement orientée dans le sens de la doctrine secrète, plus ou moins bien comprise, plus ou moins bien appliquée, jusqu'ici, par le médium placé aux postes de propagande, nous ne sommes plus en présence d'un mouvement national et politique. Les thèmes vont, en gros, demeurer les mêmes, mais il ne s'agira plus que du langage exotérique tenu aux foules, d'une description des buts immédiats, derrière lesquels il y a d'autres buts. « Plus rien n'a compté que la poursuite inlassable d'un rêve inouï. Désormais, si Hitler avait eu à sa disposition un peuple pouvant mieux que le peuple allemand servir à l'avènement de sa suprême pensée, il n'eût pas hésité à sacrifier le peuple allemand. » Non point « sa suprême pensée », mais la suprême pensée d'un groupe magique agissant à travers lui. Brasillach reconnaît « qu'il sacrifierait tout le bonheur humain, le sien et celui de son peuple par-dessus le marché, si le mystérieux devoir auquel il obéit le lui commandait. »

« Je vais vous livrer un secret, dit Hitler à Rauschning ; je fonde un ordre. » Il évoque les Burgs où une première initiation aura lieu. Et il ajoute : « C'est de là que sortira le second degré, celui de l'homme mesure et centre du monde, de l'homme-Dieu. L'homme-Dieu, la figure splendide de l'Être, sera comme une image du culte... Mais il y a encore des degrés dont il ne m'est pas permis de parler... »

Centrale d'énergie bâtie autour de la centrale mère, l'Ordre Noir isole tous ses membres du monde, à quelque degré initiatique qu'ils appartiennent. « Bien entendu, écrit Pœtel, ce n'est qu'un tout petit cercle de hauts gradés et de grands chefs S.S. qui furent au courant des théories et des revendications essentielles. Les membres des diverses formations " préparatoires " n'en furent informés que lorsqu'on leur imposa, avant de se marier, de demander le consentement de leurs chefs, ou qu'on les plaça sous une juridiction propre, extrêmement rigoureuse d'ailleurs, mais dont l'effet était de les soustraire à la compétence de l'autorité civile. Ils virent alors qu'en dehors des lois de l'Ordre ils n'avaient aucun autre devoir, et qu'il n'y avait plus pour eux d'existence privée. »

Les moines[1] combattants, les S.S. à tête de mort (qu'il importe de ne pas confondre avec d'autres groupements dont la Waffen S.S., composés de frères convers ou de tertiaires de l'Ordre, ou encore de mécaniques humaines construites à l'imitation du véritable S.S., comme des reproductions en creux du modèle), recevront la première initiation dans des

1. Moine = monos = seul.

Burgs. Mais ils seront d'abord passés par le séminaire, la Napola. Inaugurant une de ces Napola, ou écoles préparatoires, Himmler ramène la doctrine à son plus petit dénominateur commun : « Croire, obéir, combattre, un point c'est tout. » Ce sont des écoles où, comme le dit le *Schwarze Korps* du 26 novembre 1942, « on apprend à donner et à recevoir la mort ». Plus tard, s'ils en sont dignes, les cadets reçus dans les Burgs comprendront que « recevoir la mort » peut être interprété dans le sens « mourir à soi-même ». Mais s'ils ne sont pas dignes, c'est la mort physique qu'ils recevront sur les champs de bataille. « La tragédie de la grandeur est d'avoir à fouler des cadavres. » Et qu'importe ? Tous les hommes n'ont pas d'existence véritable, et il y a une hiérarchie d'existence, de l'homme-semblant au grand mage. A peine sorti du néant, que le cadet y retourne, ayant entr'aperçu, pour son salut, le chemin qui mène à la figure splendide de l'Être...

C'est dans les Burgs que l'on prononçait les vœux, et que l'on entrait dans une « destinée surhumaine irréversible ». L'Ordre Noir traduit en actes les menaces du docteur Ley : « Celui à qui le parti retirera le droit à la chemise brune, — il faut que chacun de nous le sache bien — celui-là ne perdra pas seulement ses fonctions, mais il sera anéanti, dans sa personne, dans celles de sa famille, de sa femme et de ses enfants. Telles sont les dures lois, les lois impitoyables de notre Ordre. »

Nous voici hors du monde. Il n'est plus question de l'Allemagne éternelle ou de l'État national-socialiste, mais de la préparation magique à la venue de l'homme-dieu, de l'homme d'après l'homme que les Puissances enverront sur la Terre, quand nous aurons modifié l'équilibre des forces spirituelles. La cérémonie où l'on recevait la rune S.S. devait assez ressembler à ce que décrit Reinhold Schneider quand il évoque les membres de l'Ordre Teutonique, dans la grande salle du Remter de Marienbourg, s'inclinant sous les vœux qui faisaient désormais d'eux l'Église Militante : « Ils venaient de pays aux visages divers, d'une vie agitée. Ils entraient dans l'austérité fermée de ce château et abandonnaient leurs boucliers personnels dont les armes avaient été portées par quatre ancêtres au moins. Maintenant, leur blason serait la croix qui ordonne de mener le combat le plus grave qui soit et qui assure la vie éternelle. » Celui qui sait ne parle pas : il n'existe aucune description de la cérémonie initiatique dans les Burgs, mais on sait qu'une telle cérémonie avait lieu. On la nommait « cérémonie de l'Air Épais », par allusion à l'atmosphère de tension extraordinaire qui régnait et ne se dissipait que lorsque les vœux avaient été prononcés. Des occultistes comme Lewis Spence ont voulu y voir une messe noire dans la pure tradition satanique. A l'opposé, Willi Frieschauer, dans son ouvrage sur Himmler, interprète « l'Air Épais » comme le moment d'abrutissement absolu des participants. Entre ces deux thèses il y a place pour une interprétation à la fois plus réaliste et donc plus fantastique.

Destinée irréversible : des plans furent conçus pour isoler le S.S. tête de mort du monde des « hommes-semblant » durant toute sa vie. On projeta de créer des cités, des villages de vétérans répartis à travers le monde et ne relevant que de l'administration et de l'autorité de l'Ordre. Mais Himmler et ses « frères » conçurent un rêve plus vaste. Le monde aurait pour modèle un État S.S. souverain. « A la conférence de la paix, dit Himmler, en mars 1943, le monde apprendra que la vieille Bourgogne va ressusciter, ce pays qui fut autrefois la terre des sciences et des arts et que la France a ravalé au rang d'appendice conservé dans la vinasse. L'État souverain de Bourgogne, avec son armée, ses lois, sa monnaie, ses postes, sera l'État modèle S.S. Il comprendra la Suisse romande, la Picardie, la Champagne, la Franche-Comté, le Hainaut et le Luxembourg. La langue officielle sera l'allemand, bien entendu. Le parti national-socialiste n'y aura aucune autorité. Seule la S.S. gouvernera, et le monde sera à la fois stupéfait et émerveillé par cet État où les conceptions du monde S.S. se trouveront appliquées. »

Le véritable S.S. de formation « initiatique » se situe, à ses propres yeux, au-delà du bien et du mal. « L'organisation de Himmler ne compte pas sur l'aide fanatique de sadiques qui recherchent la volonté du meurtre : elle compte sur des hommes nouveaux. » Hors du « cercle intérieur », qui comprend les « têtes de mort », leurs chefs, plus proches de la doctrine secrète, selon leur rang, et dont le centre est Thulé, le saint des saints, il y a la S.S. de type moyen, qui n'est qu'une machine sans âme, un robot de service. On l'obtient par fabrication standard, à partir de « qualités négatives ». Sa production ne relève pas de la doctrine, mais de simples méthodes de dressage. « Il ne s'agit point de supprimer l'inégalité parmi les hommes, mais au contraire de l'amplifier et d'en faire une loi protégée par des barrières infranchissables, dit Hitler... Quel aspect prendra le futur ordre social ? Mes camarades, je vais vous le dire : il y aura une classe de seigneurs, il y aura la foule des divers membres du parti classés hiérarchiquement, il y aura la grande masse des anonymes, la collectivité des serviteurs, des mineurs à perpétuité, et au-dessous encore, la classe des étrangers conquis, les esclaves modernes. Et au-dessus de tout cela, une nouvelle haute noblesse dont je ne puis parler... Mais ces plans doivent être ignorés des simples militants... »

Le monde est une matière à transformer pour qu'une énergie s'en dégage, concentrée par des mages, une énergie psychique susceptible d'attirer les Puissances du Dehors, les Supérieurs Inconnus, les Maîtres du Cosmos. L'activité de l'Ordre Noir ne répond à aucune nécessité politique ou militaire : elle répond à une nécessité magique. Les camps de concentration procèdent de la magie imitative : ils sont un acte symbolique, une maquette. Tous les peuples seront arrachés à leurs racines, changés en une immense population nomade, en une matière brute sur laquelle il sera loisible d'agir, et d'où s'élèvera la fleur : l'homme en contact avec les dieux. C'est le modèle en creux (comme Barbey d'Aurevilly disait : l'enfer, c'est le ciel en creux) de la planète devenue le champ des labours magiques de l'Ordre Noir.

Dans l'enseignement des Burgs, une partie de la doctrine secrète est transmise par la formule suivante : « Il n'existe que le Cosmos, ou l'Univers, être vivant. Toutes les choses, tous les êtres, y compris l'homme, ne sont que des formes diverses s'amplifiant au cours des âges de l'universel vivant. » Nous ne sommes pas vivants nous-mêmes tant que nous n'avons pas pris conscience de cet Être qui nous entoure, nous englobe et prépare à travers nous d'autres formes. La création n'est pas achevée, l'Esprit du Cosmos n'a pas trouvé son repos, soyons attentifs à ses ordres que des dieux nous transmettent, nous autres, mages farouches, boulangers de la sanglante et aveugle pâte humaine ! Les fours d'Auschwitz : rituel.

Le colonel S.S. Wolfram Sievers, qui s'était borné à une défense purement rationnelle, demanda, avant d'entrer dans la chambre de pendaison, qu'on le laissât une dernière fois célébrer son culte, dire de mystérieuses prières. Puis il livra son cou au bourreau, impassible.

Il avait été l'administrateur général de l'Ahnenerbe

et c'est comme tel qu'il fut condamné à mort à Nuremberg. La société d'étude pour l'héritage de ses ancêtres, Ahnenerbe, avait été fondée à titre privé par le maître spirituel de Sievers, Frédéric Hielscher, mystique ami de l'explorateur suédois Sven Hedin, lequel était en rapports étroits avec Haushoffer. Sven Hedin, spécialiste de l'Extrême-Orient, avait longuement vécu au Tibet et joua un rôle d'intermédiaire important dans l'établissement des doctrines ésotériques nazies. Frédéric Hielscher ne fut jamais nazi et entretint même des relations avec le philosophe juif Martin Buber. Mais ses thèses profondes rejoignaient les positions « magiques » des grands maîtres du national-socialisme. Himmler, en 1935, deux ans après la fondation, fit de l'Ahnenerbe une organisation officielle, rattachée à l'Ordre Noir. Les buts déclarés étaient : « Rechercher la localisation, l'esprit, les actes, l'héritage de la race indo-germanique et communiquer au peuple, sous une forme intéressante, les résultats de ces recherches. L'exécution de cette mission doit se faire en employant des méthodes d'exactitude scientifique. » Toute l'organisation rationnelle allemande mise au service de l'irrationnel. En janvier 1939, l'Ahnenerbe était purement et simplement incorporée à la S.S. et ses chefs intégrés dans l'état-major personnel d'Himmler. A ce moment, elle disposait de cinquante instituts dirigés par le professeur Wurst, spécialiste des anciens textes sacrés et qui avait enseigné le sanskrit à l'Université de Munich.

Il semble que l'Allemagne ait dépensé plus, pour les recherches de l'Ahnenerbe, que l'Amérique pour la fabrication de la première bombe atomique. Ces recherches allaient de l'activité scientifique proprement dite à l'étude des pratiques occultes, de la vivisection pratiquée sur les prisonniers à l'espionnage des sociétés secrètes. Il y eut des pourparlers avec Skorzeny pour organiser une expédition dont l'objet était de voler le Saint Graal, et Himmler créa une section spéciale, un service de renseignements chargé « du domaine du surnaturel ».

La liste des rapports établis à grands frais par l'Ahnenerbe confond l'imagination : présence de la confrérie Rose-Croix, symbolisme de la suppression de la harpe dans l'Ulster, signification occulte des tourelles gothiques et des chapeaux hauts de forme d'Eton, etc. Quand les armées se préparent à évacuer Naples, Himmler multiplie les ordres pour que l'on n'oublie surtout pas d'emporter la vaste pierre tombale du dernier empereur Hohenstaufen. En 1943, après la chute de Mussolini, le Reichsführer réunit dans une villa des environs de Berlin les six plus grands occultistes d'Allemagne pour découvrir le lieu où le Duce est retenu prisonnier. Les conférences d'état-major commencent par une séance de concentration yogique. Au Tibet, sur ordre de Sievers, le docteur Scheffer prend de multiples contacts dans les lamaseries. Il ramène à Munich, pour les études « scientifiques », des chevaux « aryens » et des abeilles « aryennes » dont le miel a des vertus particulières.

Durant la guerre, Sievers organise, dans les camps de déportés, les horribles expériences qui ont fait depuis l'objet de plusieurs livres noirs. L'Ahnenerbe s'est « enrichie » d'un « Institut de recherches scientifiques de défense nationale » qui dispose « de toutes les possibilités données à Dachau ». Le professeur Hirt, qui dirige ces instituts, se constitue une collection de squelettes typiquement israélites. Sievers passe commande à l'armée d'invasion en Russie d'une collection de crânes de commissaires juifs. Quand, à Nuremberg, on évoque ces crimes, Sievers demeure à distance de tout sentiment humain normal, étranger à toute pitié. Il est ailleurs. Il écoute d'autres voix.

Hielscher a sans doute joué un rôle important dans l'élaboration de la doctrine secrète. Hors de cette doctrine, l'attitude de Sievers, comme celle des autres grands responsables, reste incompréhensible. Les termes « monstruosité morale », « cruauté mentale », folie, n'expliquent rien. Sur le maître spirituel de Sievers, on ne sait presque rien. Mais Ernst Jünger en parle dans le journal qu'il tint durant ses années d'occupation à Paris. Le traducteur français n'a pas retenu une notation capitale à nos yeux. C'est qu'en effet son sens n'éclate que dans l'explication « réaliste-fantastique » du phénomène nazi.

A la date du 14 octobre 1943, Jünger écrit :

« Le soir, visite de Bogo. (Par prudence, Jünger revêt les hauts personnages de pseudonymes. Bogo, c'est Hielscher, comme Kniebolo est Hitler.) En une époque si pauvre en forces originales, il m'apparaît comme l'une de mes relations sur qui j'ai le plus réfléchi sans parvenir à me former un jugement. J'ai cru jadis qu'il entrerait dans l'histoire de notre époque comme un de ces personnages peu connus, mais d'une extraordinaire finesse d'esprit. Je pense à présent qu'il tiendra un plus grand rôle. Beaucoup, sinon la plupart des jeunes intellectuels de la génération qui est devenue adulte après la grande guerre, ont été traversés par son influence et sont souvent passés par son école... Il a confirmé un soupçon que je nourris depuis longtemps, celui qu'il a fondé une Église. Il se situe maintenant au-delà de la dogmatique et s'est déjà avancé très loin dans la liturgie. Il m'a montré une série de chants et un cycle de fêtes, " l'année païenne ", qui englobe toute une ordonnance de dieux, de couleurs, de bêtes, de mets, de pierres, de plantes. J'y ai vu que la consécration de la lumière se célèbre le 2 février... »

Et Jünger ajoute, confirmant notre thèse :

« J'ai pu constater chez Bogo un changement fondamental qui me semble caractéristique de toute notre élite : il se rue dans les domaines métaphysiques avec tout l'élan d'une pensée modelée par le rationalisme.

Ceci m'avait déjà frappé chez Spengler et compte parmi les présages favorables. On pourrait dire en gros que le XIXᵉ siècle a été un siècle rationnel et que le XXᵉ est celui des cultes. Kniebolo (Hitler) en vit lui-même, d'où la totale incapacité des esprits libéraux à voir seulement le lieu où il se tient. »

Hielscher, qui n'avait pas été inquiété, vint témoigner pour Sievers au procès de Nuremberg. Il s'en tint, devant les juges, à des diversions politiques et à des propos volontairement absurdes sur les races et les tribus ancestrales. Il demanda la faveur d'accompagner Sievers à la potence, et c'est avec lui que le condamné dit les prières particulières à un culte dont celui-ci ne parla jamais au cours des interrogatoires. Puis il rentra dans l'ombre.

Ils voulaient changer la vie et la mélanger à la mort d'une autre façon. Ils préparaient la venue du Supérieur Inconnu. Ils avaient une conception magique du monde et de l'homme. Ils y avaient sacrifié toute la jeunesse de leur pays et offert aux dieux un océan de sang humain. Ils avaient tout fait pour se concilier la Volonté des Puissances. Ils haïssaient la civilisation occidentale moderne, qu'elle soit bourgeoise ou ouvrière, ici son humanisme fade et là son matérialisme borné. Ils devaient vaincre, car ils étaient porteurs d'un feu que leurs ennemis, capitalistes ou marxistes, avaient depuis longtemps laissé mourir chez eux, s'étant endormis dans une idée du destin plate et limitée. Ils seraient les maîtres pour un millénaire, car ils étaient du côté des mages, des grands prêtres, des démiurges... Et voilà qu'ils étaient vaincus, écrasés, jugés, humiliés, par des gens ordinaires, mâchonneurs de chewing-gum ou buveurs de vodka ; des gens sans aucune sorte de délire sacré, aux croyances courtes et aux buts à ras de terre. Des gens du monde de la surface, positifs, rationnels, moraux, hommes simplement humains. Des millions de bons-hommes de bonne volonté faisaient échec à la Volonté des chevaliers des ténèbres étincelantes! A l'est, ces lourdauds, mécanisés, à l'ouest, ces puritains aux os mous, avaient construit en quantité supérieure des tanks, des avions, des canons. Et ils possédaient la bombe atomique, eux qui ne savaient pas ce qu'étaient les grandes énergies cachées! Et maintenant, comme les escargots après l'averse, sortis de la pluie de fer, des juges binoclards, des professeurs de droit humanitaire, de vertu horizontale, des docteurs en médiocrité, barytons de l'Armée du Salut, brancardiers de la Croix-Rouge, naïfs braillards des « lendemains qui chantent », venaient à Nuremberg faire des leçons de morale primaire aux Seigneurs, aux moines combattants qui avaient signé le pacte avec les Puissances, aux Sacrificateurs qui lisaient dans le miroir noir, aux alliés de Schamballah, aux héritiers du Graal! Et ils les envoyaient à la potence en les traitant de criminels et de fous enragés!

Ce que ne pouvaient comprendre les accusés de Nuremberg et leurs chefs qui s'étaient suicidés, c'est que la civilisation qui venait de triompher était, elle aussi et plus sûrement, une civilisation spirituelle, un formidable mouvement qui, de Chicago à Tachkent, entraîne l'humanité vers un plus haut destin. Ils avaient révoqué en doute la Raison et lui avaient substitué la magie. C'est qu'en effet la Raison carté-sienne ne recouvre pas le tout de l'homme, le tout de sa connaissance. Ils l'avaient mise en sommeil. Or, le sommeil de la raison engendre les monstres. Ce qui se passait en face, c'est que la raison, non point endormie, mais au contraire poussée à ses extrémités, rejoignait par un chemin plus haut les mystères de l'esprit, des secrets de l'énergie, des harmonies universelles. A force de rationalité exigeante, le fantastique apparaît et les monstres engendrés par le sommeil de la raison n'en sont que la noire caricature. Mais les juges de Nuremberg, mais les porte-parole de la civilisation victorieuse ne savaient pas eux-mêmes que cette guerre avait été une guerre spirituelle. Ils n'avaient pas de leur propre monde une assez haute vision. Ils croyaient seulement que le Bien l'emporterait sur le Mal, sans avoir vu la profondeur du mal vaincu et la hauteur du bien triomphant. Les mystiques guerriers allemands et japonais s'imaginaient plus magiciens qu'ils ne l'étaient en réalité. Les civilisés qui les avaient battus n'avaient pas pris conscience du sens magique supérieur que prenait leur propre monde. Ils parlaient de la Raison, de la Justice, de la Liberté, du Respect de la Vie, etc., sur un plan qui n'était déjà plus celui de cette deuxième moitié du XXe siècle où la connaissance s'est transformée, où le passage à *un autre état* de la conscience humaine est devenu perceptible.

Il est vrai que les nazis devaient gagner, si le monde moderne n'avait été que ce qu'il est encore aux yeux de la plupart d'entre nous : l'héritage pur et simple du XIXe siècle matérialiste et scientiste, et de la pensée bourgeoise qui considère la Terre comme un lieu à aménager pour en mieux jouir. Il y a deux diables. Celui qui transforme l'ordre divin en désordre et celui qui transforme l'ordre en un autre ordre, non divin. L'Ordre Noir devait l'emporter sur une civilisation qu'il jugeait tombée au niveau des seuls appétits matériels, enveloppés de morale hypocrite. Mais elle n'était pas que cela. Une figure nouvelle apparaissait au cours du martyre que les nazis lui infligeaient, comme le Visage sur le Saint Suaire. De la montée de l'intelligence dans les masses à la physique nucléaire, de la psychologie des sommets de la conscience aux fusées interplanétaires, une alchimie s'opérait, la promesse se dessinait d'une transmutation de l'humanité, d'une ascension du vivant. Cela ne se voyait peut-être pas de façon évidente, et des esprits à demi profonds regrettaient les temps très anciens de la tradition spirituelle, ayant ainsi partie liée avec l'ennemi par le plus ardent de leur âme, hérissés contre ce monde dans lequel ils ne distinguaient que mécanicité grandissante. Mais dans le même temps, des hommes, comme Teilhard de Chardin, par exemple, avaient les yeux mieux ouverts. Les yeux de la plus haute intelligence et les yeux de l'amour découvrent la même chose, sur des plans différents. L'élan des peuples vers la liberté, le chant de confiance des martyrs, contenaient en germe cette grande espérance archangélique. Cette civilisation, aussi mal jugée de l'extérieur par les mystiques passéistes que de l'intérieur par les progressistes primaires, devait être sauvée. Le diamant raye le verre. Mais le borazon, qui est un cristal synthétique, raye le diamant. La structure du diamant est plus ordonnée que celle du verre. Les nazis pouvaient vaincre. Mais l'intelligence éveillée peut créer en montant des figures de l'ordre plus pures que celles qui brillent dans les ténèbres.

« Quand on me frappe sur la joue, je ne tends pas l'autre joue, je ne tends pas non plus le poing : je tends la foudre. » Il fallait que cette bataille entre les Seigneurs du dessous et les petits bonshommes de la surface, entre les Puissances obscures et l'humanité en progrès, s'achevât à Hiroshima par le signe clair de la Puissance sans discussion.

L'homme, cet infini

I

UNE INTUITION NOUVELLE

*Le Fantastique dans le feu et le sang. — Les barrières de
l'incrédulité. — La première fusée. — Bourgeois et ouvriers de
la terre. — Les faits faux et la fiction véritable. — Les mondes
habités. — Les visiteurs venus d'ailleurs. — Les grandes
communications. — Les mythes modernes. — Du réalisme
fantastique en psychologie. — Pour une exploration du
fantastique intérieur. — Exposé de la méthode. — Une autre
conception de la liberté.*

Quand je sortis de la cave, Juvisy, la ville de mon
enfance, avait disparu. Un épais brouillard jaune
recouvrait un océan de gravats d'où montaient des
appels et des gémissements. Le monde de mes jeux, de
mes amitiés, de mes amours et la plupart des témoins
du début de ma vie gisaient sous ce vaste champ
lunaire. Un peu plus tard, quand les secours s'organisèrent, les oiseaux, trompés par les projecteurs, revinrent
et, croyant au jour, se mirent à chanter dans les
buissons couverts de poussière.

Autre souvenir : un matin d'été, trois jours avant la
Libération, je me trouvais, avec dix camarades, dans
un hôtel particulier proche du bois de Boulogne. Venus
de divers camps de jeunesse brusquement désertés, le
hasard nous rassemblait dans cette dernière « école de
cadres » où l'on continuait de nous apprendre, imper-

turbablement, tandis que tout changeait dans le bruit des armes et des chaînes, l'art de fabriquer des marionnettes, de jouer la comédie et de chanter. Ce matin-là, debout dans le hall faux gothique, sous la conduite d'un chef de chœur romantique, nous chantions à trois voix un air de folklore : « Donnez-moi de l'eau, donnez-moi de l'eau, de l'eau, de l'eau pour mes deux seaux... » Le téléphone nous interrompit. Quelques minutes après, notre maître à chanter nous faisait pénétrer dans un garage. D'autres garçons, mitraillette au poing, en gardaient les issues. Parmi les vieilles voitures et les barils d'huile, gisaient des jeunes hommes, percés de balles, achevés à la grenade : le groupe des résistants torturés par les Allemands à la Cascade du Bois. On avait réussi à reprendre les corps. On avait fait venir des cercueils. Des estafettes étaient parties prévenir les familles. Il fallait laver ces cadavres, éponger les flaques, reboutonner ces vestes et ces pantalons ouverts par les grenades, recouvrir de papier blanc et border dans leur boîte ces assassinés dont les yeux, les bouches et les blessures hurlaient d'effroi, donner à ces visages, à ces corps, un semblant de mort propre, et dans cette odeur de boucherie, l'éponge ou la brosse à la main, nous donnions de l'eau, de l'eau, de l'eau...

Pierre Mac Orlan, avant cette guerre, voyageait à la recherche du « fantastique social » qu'il trouvait dans le pittoresque des grands ports : bistrots de Hambourg sous la pluie, quais de la Tamise, faune d'Anvers. Charmante désuétude ! Le fantastique a cessé d'être une affaire d'artiste pour devenir, dans le feu et le sang, l'expérience vécue par le monde civilisé. Le maroquinier de votre rue apparaissait un matin sur le pas de sa porte, une étoile jaune au cœur. Le fils de la concierge recevait de Londres des messages de style surréaliste et portait d'invisibles galons de capitaine. Une guerre secrète de partisans accrochait soudain des pendus aux balcons du village. Plusieurs univers, violemment différents, se superposaient : un souffle du hasard vous faisait passer de l'un à l'autre.

Bergier me raconte :

« Au camp de Mauthausen, nous portions la mention N. N., nuit et brouillard. Aucun de nous ne pensait survivre. Le 5 mai 1945, quand la première jeep américaine monta la colline, un déporté russe, responsable de la lutte antireligieuse en Ukraine, couché à côté de moi, se souleva sur un coude et s'écria : " Dieu soit loué ! "

« Tous les hommes valides furent rapatriés en forteresse volante, et c'est ainsi que je me retrouvai, à l'aube du 19, sur l'aérodrome de Heinz, en Autriche. L'avion arrivait de Birmanie. " C'est une guerre mondiale, n'est-ce pas ? " me dit le radio. Il transmit pour moi un message au quartier général allié de Reims, puis me montra l'équipement radar. Il y avait toutes sortes d'appareils dont j'avais cru la réalisation impossible avant l'an 2000. A Mauthausen, les médecins américains m'avaient parlé de la pénicilline. En deux ans, les sciences avaient franchi un siècle. Une idée folle me vint : " Et l'énergie atomique ? " — " On en parle, me dit le radio. C'est assez secret, mais des bruits courent... "

« Quelques heures après, j'étais boulevard de la Madeleine, dans ma tenue rayée. Était-ce Paris ? Était-ce un rêve ? Des gens m'entouraient, posaient des questions. Je me réfugiai dans le métro, téléphonai à mes parents : " Un instant, j'arrive. " Mais je ressortis. C'est plus important que tout. Il fallait d'abord que je retrouve mon lieu favori d'avant guerre : la librairie américaine Brentano's, avenue de l'Opéra. J'y fis une entrée remarquée. Tous les journaux, toutes les revues, à brassée... Assis sur un banc des Tuileries, je tentai de réconcilier l'univers présent avec celui que j'avais connu. Mussolini avait été pendu à un crochet. Hitler avait flambé. Il y avait des troupes allemandes dans l'île d'Oléron et dans les ports de l'Atlantique. La guerre en France n'était donc pas finie ? Les revues techniques étaient ahurissantes. La pénicilline, c'était donc le triomphe de Sir Alexander Fleming, c'était donc sérieux ? Une nouvelle chimie était née, celle des silicones, corps intermédiaires entre l'organique et le minéral. L'hélicoptère, dont l'impossibilité avait été démontrée en 1940, était construit en série. L'électronique venait de faire des progrès fantastiques. La télévision allait bientôt être aussi répandue que le téléphone. Je débarquais dans un monde fait de mes rêveries sur l'an 2000. Des textes m'étaient incompréhensibles. Qui était ce maréchal Tito ? Et ces Nations unies ? et ce D.D.T. ?

« Brusquement, je me mis à saisir, en chair et en esprit, que je n'étais plus ni prisonnier, ni condamné à mort, et que j'avais tout le temps et toute la liberté pour comprendre et pour agir. J'avais d'abord toute cette nuit, si je voulais... J'ai dû devenir très pâle. Une femme vint vers moi, voulut me conduire chez un médecin. Je me sauvai, courus chez mes parents que je trouvai en larmes. Sur la table de la salle à manger, il y avait des plis apportés par des cyclistes, des télégrammes militaires et civils. Lyon allait donner mon nom à une rue, j'étais nommé capitaine, décoré par divers pays, et une expédition américaine à la recherche d'armes secrètes en Allemagne demandait mon concours. Vers minuit, mon père m'obligea à aller me coucher. Au moment de m'endormir, deux mots latins assaillirent sans raison ma mémoire : *magna, mater*. Le lendemain matin, en me réveillant, je les retrouvai et compris leur sens. Dans l'ancienne Rome les candidats au culte secret de *magna mater* devaient passer à travers un bain de sang. S'ils survivaient, ils naissaient une seconde fois. »

Dans cette guerre, toutes les portes de communication entre tous les mondes se sont ouvertes. Un formidable courant d'air. Puis la bombe atomique nous a projetés dans l'ère atomique. L'instant suivant, les fusées nous annonçaient l'ère cosmique. Tout devenait possible. Les barrières de l'incrédulité, si fortes au XIXe siècle, venaient d'être sérieusement secouées par la guerre. Maintenant, elles s'effondraient tout à fait.

En mars 1954, Mr. Ch. Wilson, secrétaire américain à la guerre, déclarait : « Les U.S.A., comme la Russie, détiennent désormais le pouvoir d'anéantir le monde entier. » L'idée de la fin des temps pénétrait dans les consciences. Coupé du passé, doutant de l'avenir, l'homme découvrait le présent comme valeur absolue, cette mince frontière comme une éternité retrouvée. Des voyageurs du désespoir, de la solitude et de l'éternel, partaient sur les mers en radeau. Noés expérimentaux, pionniers du prochain déluge, se nourrissant de plancton et de poissons ailés. Dans le même temps, affluaient dans tous les pays des témoignages sur l'apparition des soucoupes volantes. Le ciel se peuplait d'intelligences extérieures. Un petit marchand de sandwiches, du nom d'Adamsky, qui tenait boutique au pied du grand télescope du mont Palomar, en Californie, se baptise professeur, déclare que des Vénusiens lui ont rendu visite, raconte ces entretiens dans un livre qui connaît un des plus grands succès de vente de l'après-guerre et devient le Raspoutine de la cour de Hollande. Dans un monde pareillement visité par le tragique de l'étrange, on peut se demander comment sont faits les gens qui n'ont pas la foi et qui ne veulent pas s'amuser non plus.

Quand on lui parlait de la fin du monde, Chesterton répliquait : « Pourquoi m'inquiéterais-je ? Elle est déjà arrivée plusieurs fois. » Depuis un million d'années que les hommes hantent cette terre, ils ont sans doute connu plus d'une apocalypse. L'intelligence s'est éteinte et rallumée plusieurs fois. Un homme qu'on voit marcher de loin dans la nuit, une lanterne au poing, est alternativement ombre et feu. Tout nous invite à penser que la fin du monde est encore une fois arrivée et que nous faisons un nouvel apprentissage de l'existence intelligente dans un monde nouveau : le monde des grandes masses humaines, de l'énergie nucléaire, du cerveau électronique et des fusées interplanétaires. Peut-être nous faudrait-il une âme et un esprit différents pour cette terre différente.

Le 16 septembre 1959, à 22 h 2, les radios de tous les pays annoncèrent que pour la première fois une fusée lancée de la terre venait de se poser sur la Lune. J'écoutais Radio-Luxembourg. Le speaker donna la nouvelle et enchaîna pour présenter l'émission de variétés diffusée chaque dimanche à cette heure, et qui s'intitule : « La Porte Ouverte... » Je sortis dans le jardin pour regarder la Lune brillante, la Mer de la Sérénité sur laquelle reposaient depuis quelques secondes les débris de la fusée. Le jardinier était dehors, lui aussi. « C'est aussi beau que les Évangiles, Monsieur... » Il donnait spontanément sa vraie grandeur à la chose, il plaçait l'événement dans sa dimension. Je me sentais vraiment proche de cet homme-là, de tous les hommes simples qui levaient le visage vers le ciel, à cette minute, en proie à l'émerveillement, à une vaste et confuse émotion. « Heureux l'homme qui perd la tête, il la retrouvera au ciel ! » Et en même temps, je me sentais extrêmement loin des gens de mon milieu, de tous ces écrivains, philosophes et artistes qui se refusent à de tels enthousiasmes sous prétexte de lucidité et de défense de l'humanisme. Mon ami Jean Dutourd, par exemple, remarquable écrivain amoureux de Stendhal, m'avait dit quelques jours avant : « Voyons, restons sur la terre, ne nous laissons pas distraire par ces trains électriques pour adultes. » Un autre ami très cher, Jean Giono, que j'avais été voir à Manosque, m'avait raconté que, passant par Colmar-les-Alpes, un dimanche matin, il avait vu le capitaine de gendarmerie et le curé jouer aux grâces sur le parvis de l'église. « Tant qu'il y aura des curés et des capitaines de gendarmerie qui joueront aux grâces, il y aura place ici-bas pour le bonheur et nous y serons mieux que sur la Lune... » Eh bien, tous mes amis étaient des bourgeois attardés dans un monde où les hommes, sollicités par d'immenses projets à l'échelle du cosmos, commencent à se sentir ouvriers de la terre. « Restons sur la terre ! » disaient-ils. Ils réagissaient comme les canuts de Lyon quand on découvrit le métier à tisser : ils craignaient de perdre leur emploi. Dans l'ère où nous entrons, mes amis écrivains sentent que les perspectives sociales, morales, politiques, philosophiques de la littérature humaniste, du roman psychologique, apparaîtront bientôt comme insignifiantes. Le grand effet de la littérature dite moderne, c'est qu'elle nous empêche d'être réellement modernes. Ils ont beau se faire croire qu'ils écrivent « pour tout le monde », ils sentent que les temps sont proches où l'esprit des masses sera attiré par de grands mythes, par le projet de formidables aventures, et où, en continuant à écrire leurs petites histoires « humaines », ils décevront les gens avec des faits faux au lieu de leur conter des fictions véritables.

Ce soir du 16 septembre 1959, quand je fus descendu dans le jardin et que je regardai, de mes yeux d'homme mûr, de mes yeux fatigués et avides, dans le ciel profond la Lune désormais porteuse de la trace humaine, mon émotion fut double, car je pensai à mon père. Je levais le regard, poitrine ouverte, comme il faisait naguère, chaque soir, dans notre misérable jardinet de banlieue. Et comme lui, j'étais en train de poser la plus vaste question : « Hommes de cette terre, sommes-nous les seuls vivants ? » Mon père posait cette question parce qu'il avait une grande âme, et aussi parce qu'il avait lu des ouvrages d'un spiritualisme douteux, des affabulations primaires. Je la posais, lisant la *Pravda* et des ouvrages de science pure, fréquentant des gens de savoir. Mais sous les étoiles, visage renversé, je le rejoignais dans la même curiosité qu'accompagne une infinie dilatation de l'esprit.

J'ai tout à l'heure évoqué la naissance du mythe des soucoupes volantes. C'est un fait social significatif. Mais il va de soi que l'on ne saurait accorder crédit à ces astronefs dont débarquent des petits bonshommes qui vont discuter avec des gardes-barrières ou des marchands de sandwiches. Martiens, Saturniens ou Jupitériens sont improbables. Mais, résumant la somme des connaissances réelles sur la question, notre ami Charles-Noël Martin écrit : « La multiplicité des habitats possibles dans les galaxies, et dans la nôtre en particulier, entraîne une quasi-certitude de voir des formes de vie excessivement nombreuses. » Sur toute planète d'un autre soleil, fût-ce à des centaines d'années-lumière de la Terre, si la masse et l'atmosphère sont identiques, il doit exister des êtres à notre ressemblance. Or, le calcul montre qu'il peut exister, dans notre seule galaxie, de dix à quinze millions de planètes plus ou moins comparables à la Terre. Harlow Shapley, dans son ouvrage *Des Étoiles et des Hommes*, compte dans l'univers connu 10^{11} sœurs probables de notre Terre. Tout nous invite à supposer que d'autres mondes sont habités, que d'autres êtres hantent l'univers. A la fin de l'année 1959, des laboratoires ont été installés à l'Université de Cornell, aux États-Unis. Sous la direction des professeurs Coccioni et Morrisson, pionniers des grandes communications, on y recherche les signes que nous adressent peut-être d'autres vivants dans le cosmos.

Plus que le débarquement de fusées sur les astres proches, le contact des hommes avec d'autres intelligences et peut-être avec d'autres psychismes, pourrait être l'événement bouleversant de toute notre histoire.

S'il existe d'autres intelligences, ailleurs, savent-elles notre existence ? Captent-elles et décryptent-elles le lointain écho des ondes radio et télévision que nous émettons ? Voient-elles, à l'aide d'appareils, les perturbations produites sur notre soleil par les planètes géantes Jupiter et Saturne ? Envoient-elles des engins dans notre galaxie ? Notre système solaire a pu être traversé d'innombrables fois par des fusées observatrices sans que nous en ayons le moindre soupçon. Nous ne parvenons même plus, à l'heure où j'écris, à retrouver notre Lunik III dont l'émetteur est en panne. Nous ignorons ce qui se passe dans notre domaine.

Des êtres, des habitants de l'Ailleurs, sont-ils déjà venus nous visiter ? Il est hautement probable que des planètes ont reçu des visites. Pourquoi particulièrement la Terre ? Il y a des milliards d'astres éparpillés dans le champ des années-lumière. Sommes-nous les plus proches ? Sommes-nous les plus intéressants ? Cependant, il est licite d'imaginer que de « grands étrangers » ont pu venir contempler notre globe, s'y poser même, y séjourner. La vie est présente sur la Terre depuis un milliard d'années au moins. L'homme y est apparu depuis plus d'un million d'années, et nos souvenirs ne remontent guère à plus de quatre mille ans. Que savons-nous ? Des monstres préhistoriques ont peut-être levé leur long cou au passage d'astronefs, la trace d'un aussi fabuleux événement s'est perdue...

Le docteur Ralph Stair, du N.B.S. américain, analysant d'étranges roches hyalines dispersées dans la région du Liban, les *tektites*, admet que celles-ci pourraient provenir d'une planète disparue et qui se serait située entre Mars et Jupiter. Dans la composition des *tektites*, on a découvert des isotopes radio-actifs d'aluminium et de béryllium.

Plusieurs savants dignes de foi pensent que le satellite de Mars, Phobos, serait creux. Il s'agirait d'un astéroïde artificiel placé en orbite de Mars par des intelligences extérieures à la Terre. Telle était la conclusion d'un article de la sérieuse revue *Discovery* de novembre 1959. Telle est aussi l'hypothèse du professeur soviétique Chtlovski, spécialiste de radio-astronomie.

Dans une retentissante étude de la *Gazette Littéraire* de Moscou de février 1960, le professeur Agrest, maître ès sciences physico-mathématiques, déclarait que les *tektites*, qui ne pourraient s'être formées que dans des conditions de température très élevée et de radiations nucléaires puissantes, sont peut-être des traces d'atterrissage de projectiles-sondes venus du cosmos. Des visiteurs, il y a un million d'années, seraient venus. Pour le professeur Agrest (qui n'hésitait pas, dans cette étude, à proposer d'aussi fabuleuses hypothèses, montrant ainsi que la science, dans le cadre d'une philosophie positive, pouvait et devait s'ouvrir aussi largement que possible à l'imagination créatrice, aux suppositions hardies) la destruction de Sodome et Gomorrhe aurait été due à une explosion thermonucléaire provoquée par des voyageurs de l'espace, soit volontairement, soit par suite d'une destruction nécessaire de leurs dépôts d'énergie avant leur départ pour le Cosmos. On lit dans les manuscrits de la mer Morte cette description :

« Une colonne de fumée et de poussière s'éleva, semblable à une colonne de fumée qui serait venue du cœur de la terre. Elle versa une pluie de soufre et de feu sur Sodome et Gomorrhe et détruisit la ville, la plaine entière, tous les habitants et la végétation. Et la femme de Loth se retourna et se transforma en statue de sel. Et Loth vécut à Isoar, puis il s'installa dans les montagnes, parce qu'il avait peur de rester à Isoar.

« Les gens furent avertis de quitter les lieux de la future explosion, de ne pas s'attarder dans les endroits découverts, de ne pas regarder l'explosion et de se cacher sous la terre... Ceux des fugitifs qui se retournèrent furent aveugles et moururent. »

Dans cette région même de l'Anti-Liban, l'un des plus mystérieux monuments est la « terrasse de Baalbek ». Il s'agit d'une plate-forme construite avec des blocs de pierre dont certains mesurent plus de vingt mètres de côté et pèsent deux mille tonnes. On n'a jamais pu expliquer ni pourquoi, ni comment, ni par qui, cette plate-forme avait été construite. Pour le professeur Agrest, il n'est pas impensable que l'on se trouve en présence des vestiges d'une aire d'atterrissage érigée par les astronautes venus du Cosmos.

Enfin, des rapports de l'Académie des Sciences de Moscou sur l'explosion du 30 juin 1908, en Sibérie, suggèrent l'hypothèse de la désintégration d'un navire interstellaire en détresse.

Ce 30 juin 1908, à sept heures du matin, un pilier de feu surgit au-dessus de la taïga sibérienne, s'élevant jusqu'à 80 kilomètres de hauteur. La forêt fut volatilisée sur 40 kilomètres de rayon par suite du contact d'une boule de feu géante avec la terre. Pendant plusieurs semaines au-dessus de la Russie, de l'Europe occidentale et de l'Afrique du Nord, flottèrent d'étranges nuages dorés qui, la nuit, reflétaient la lumière solaire. A Londres, on photographiait des gens lisant dans la rue leur journal à une heure du matin. Aujourd'hui encore, la végétation n'a pas repoussé dans cette région sibérienne. Les mesures faites en 1960 par une commission scientifique russe révèlent que le taux de la radio-activité y dépasse de trois fois le taux normal.

Si nous avons été visités, les fabuleux explorateurs se sont-ils promenés parmi nous ? Le bon sens réagit : nous nous en serions aperçus. Rien n'est moins sûr. La première règle de l'éthologie est de ne pas perturber les animaux que l'on observe. Zimanski, savant allemand de Tübingen, élève du génial Conrad Lorenz, a étudié durant trois ans les escargots en s'assimilant leur langage et leur comportement psychique, de sorte que les escargots le prenaient réellement pour un des leurs. Nos visiteurs pourraient en user de même avec les humains. Cette idée est révoltante : elle est cependant fondée.

Des explorateurs bienveillants sont-ils venus sur la terre avant l'histoire humaine connue ? Une légende indienne parle des Seigneurs de Dzyan, venus de l'extérieur apporter aux terriens le feu et l'arc. La vie elle-même est-elle née sur la terre ou a-t-elle été déposée par des Voyageurs de l'Espace[1] ? « Sommes-

1. La plupart des astronomes et des théologiens pensent que la vie de la terre a commencé sur la terre. Non, pense l'astronome de Cornell, Thomas Gold. Dans un rapport lu à Los Angeles au congrès des savants de l'espace, qui eut lieu en janvier 1960, Gold a suggéré que la vie pouvait avoir existé autre part dans l'univers pendant d'innombrables milliards d'années avant de prendre racine sur terre. Comment la vie a-t-elle atteint la terre et commencé sa longue ascension vers l'humain ? Peut-être a-t-elle été apportée par les navires de l'espace.
La vie existe sur la terre depuis un milliard d'années environ. Gold le fait remarquer. Elle a commencé par des formes simples d'une taille microscopique.
Après un milliard d'années, selon l'hypothèse de Gold, la planète ensemencée peut avoir développé des créatures suffisamment intelligentes pour voyager plus avant dans l'espace, visitant des planètes fertiles mais vierges en les ensemençant à leur tour avec des microbes adaptables. En fait, cette contamination est probablement le commencement normal de la vie sur toute planète, y compris la terre. « Des voyageurs de l'espace — dit Gold — peuvent avoir visité la terre il y a un milliard d'années, et leurs formes résiduaires de vie abandonnées ont proliféré de telle sorte que les microbes auront bientôt un autre agent (les humains voyageurs de l'espace) capable de les répandre plus loin sur le champ de bataille. »
Qu'advient-il des autres galaxies qui flottent dans l'espace bien au-

nous venus d'ailleurs, se demande le biologiste Loren Eiseley, sommes-nous venus d'ailleurs et sommes-nous en train de nous préparer à rentrer chez nous à l'aide de nos instruments ?

Un mot encore sur le ciel : la dynamique stellaire montre qu'une étoile n'en peut capturer une autre. Les étoiles doubles ou triples, dont on observe l'existence, devraient donc avoir le même âge. Or, la spectroscopie révèle des composantes d'âges divers dans des systèmes doubles ou triples. Une naine blanche, vieille de dix milliards d'années, accompagne, par exemple, une géante rouge de trois milliards. C'est impossible, et pourtant cela est. Nous avons interrogé là-dessus, Bergier et moi, quantité d'astronomes et de physiciens. Certains, et non des moindres, n'excluent pas l'hypothèse selon laquelle ces groupements d'étoiles anormaux auraient été mis en place par des Volontés, par des Intelligences. Des Volontés, des Intelligences qui déplaceraient des étoiles et les assembleraient artificiellement, faisant ainsi connaître à l'univers que la vie existe dans telle région du ciel, pour la plus grande gloire de l'esprit.

En une étonnante prémonition de la spiritualité à venir, Blanc de Saint-Bonnet [1] écrivait : « La religion nous sera démontrée par l'absurde. Ce ne sera plus la

---

delà des limites de la Voie lactée ? L'astronome Gold est un des tenants de la théorie de l'univers à l'état fixe.

Quand alors a commencé la vie ? La théorie de l'univers à l'état fixe pose que l'espace n'a pas de limites et que le temps n'a ni commencement ni fin. Si la vie se propage des anciennes aux nouvelles galaxies, son histoire peut se remonter dans le temps éternel : elle est sans commencement ni fin.

1. 1815-1880, philosophe français méconnu. Son œuvre principale *L'Unité Spirituelle.*

doctrine méconnue que l'on entendra, ce ne sera plus la conscience inécoutée qui criera. Les faits parleront leur grande voix. La vérité quittera les hauteurs de la parole, elle entrera dans le pain que nous mangerons. La lumière sera du feu ! »

A l'idée déroutante que l'intelligence humaine n'est peut-être pas seule vivante et agissante dans l'univers, est venue s'ajouter l'idée que notre propre intelligence est capable de hanter des mondes différents du nôtre, de saisir leurs lois, d'aller, en quelque sorte, voyager et travailler de l'autre côté du miroir. Cette trouée fantastique a été faite par le génie mathématique. C'est le manque de curiosité et de connaissance qui nous a fait prendre l'expérience poétique, depuis Rimbaud, pour le fait capital de la révolution intellectuelle du monde moderne. Le fait capital est l'explosion du génie mathématique, comme l'a d'ailleurs bien vu Valéry. L'homme est désormais devant son propre génie mathématique comme devant un habitant de l'extérieur. Les entités mathématiques modernes vivent, se développent, se fécondent, dans des mondes inaccessibles, étrangers à toute expérience humaine. Dans *Men like Gods*, H. G. Wells suppose qu'il existe autant d'univers que de pages dans un gros livre. Nous n'habitons qu'une de ces pages. Mais le génie mathématique parcourt l'ouvrage tout entier : il constitue la réelle et illimitée puissance dont dispose le cerveau humain. Car, voyageant ainsi dans d'autres univers, il revient de ses explorations, chargé d'outils efficaces pour la transformation du monde que nous habitons. Il possède à la fois l'être et le faire. Le mathématicien, par exemple, étudie les théories d'espaces qui exigent deux tours complets pour revenir à la position de départ. Or, c'est ce travail parfaitement étranger à toute activité dans notre sphère d'existence, qui permet de découvrir les propriétés auxquelles obéissent les particules élémentaires dans les espaces microscopiques, et donc de faire progresser la physique nucléaire qui transforme notre civilisation. L'intuition mathématique, qui ouvre la route vers d'autres univers, change concrètement le nôtre. Le génie mathématique, si proche du génie de la musique pure, est en même temps celui dont l'efficacité sur la matière est la plus grande. C'est de l' « ailleurs absolu » qu'est née l' « arme absolue ».

Enfin, en élevant la pensée mathématique à son plus haut degré d'abstraction, l'homme s'aperçoit que cette pensée n'est peut-être pas sa propriété exclusive. Il découvre que les insectes, par exemple, semblent avoir conscience de propriétés de l'espace qui nous échappent, et qu'il existe peut-être une pensée mathématique universelle, qu'un chant de l'esprit supérieur monte peut-être de la totalité du vivant...

Dans ce monde où, pour l'homme, rien n'est plus sûr, ni lui-même, ni le monde tel que le définissaient les lois et les faits naguère admis, naît à toute vitesse une mythologie. La cybernétique a fait surgir l'idée que l'intelligence humaine est dépassée par celle du cerveau électronique, et l'homme ordinaire songe à l'œil vert de la machine « qui pense » avec le trouble, avec l'effroi de l'ancien Égyptien songeant au Sphinx. L'atome siège dans l'Olympe, la foudre au poing. A peine avait-on commencé de construire l'usine atomique française de Marcoule que les gens des environs crurent voir leurs tomates dépérir. La bombe détraque le temps, nous fait enfanter des monstres. Une littérature, dite de « science-fiction », plus abondante que la littérature psychologique, compose une Odyssée de notre siècle, avec Martiens et Mutants, et cet Ulysse métaphysique qui rentre chez lui, ayant vaincu l'espace et le temps.

A la question : « Sommes-nous seuls ? » vient s'ajouter la question : « Sommes-nous les derniers ? » L'évolution s'arrête-t-elle à l'homme ? Le Supérieur n'est-il pas déjà en formation ? N'est-il pas déjà parmi nous ? Et ce Supérieur, faut-il d'ailleurs l'imaginer comme un individu, ou comme un être collectif, comme la masse humaine tout entière en train de fermenter et de coaguler, tout entière entraînée vers une prise de conscience de son unité et de son ascension ? A l'ère des masses, l'individu meurt, mais c'est la mort salvatrice de la tradition spirituelle : mourir pour naître enfin. Il meurt à la conscience psychologique pour naître à la conscience cosmique. Il sent s'exercer sur lui une formidable pression : mourir en y résistant ou mourir en lui obéissant. Du côté du refus, de la résistance, est la mort totale, car il s'agit de l'agencement de la multitude pour la création d'un psychisme unanime régi par la conscience du Temps, de l'Espace et l'appétit de la Découverte.

A y regarder de près, tout cela reflète mieux le fond des pensées et des inquiétudes de l'homme d'aujourd'hui, que les analyses du roman néo-naturaliste ou les études politico-sociales ; on s'en apercevra bientôt, quand ceux qui usurpent la fonction de témoin et voient les choses nouvelles avec des yeux anciens, seront foudroyés par les faits.

A chaque pas, dans ce monde ouvert sur l'étrangeté, l'homme voit surgir des points d'interrogation aussi démesurés que l'étaient les animaux et les végétaux antédiluviens. Ils ne sont pas à sa taille. Mais quelle est la taille de l'homme ? La sociologie et la psychologie ont évolué beaucoup moins vite que la physique et les mathématiques. C'est l'homme du XIXe siècle qui se trouve subitement en présence d'un monde autre. Mais l'homme de la sociologie et de la psychologie du XIXe siècle est-il l'homme véritable ? Rien n'est moins sûr. Après la révolution intellectuelle suscitée par le *Discours de la Méthode,* après la naissance des sciences et de l'esprit encyclopédique, après le vaste apport du rationalisme et du scientisme optimiste du XIXe, nous nous trouvons en un moment où l'immensité et la complexité du réel qui vient d'être mis à jour devraient nécessairement modifier ce que nous pensions jusqu'ici de la nature de la connaissance humaine, bouleverser les idées acquises sur les rapports de l'homme avec sa propre intelligence, — en un mot exiger une attitude d'esprit très différente de ce que nous nommions hier encore l'attitude moderne. A une invasion du fantastique extérieur devrait correspondre une exploration du fantastique intérieur. Y a-t-il fantastique intérieur ? Et ce que l'homme a fait, ne serait-ce pas la projection de ce qu'il est ou deviendra ?

C'est donc à cette exploration du fantastique intérieur que nous allons procéder. Ou, tout au moins, nous allons nous efforcer de faire sentir que cette exploration serait nécessaire, et esquisser une méthode.

Naturellement nous n'avons ni le temps ni les moyens de nous livrer à des mesures et expérimentations qui nous sont apparues comme souhaitables et qui seront peut-être tentées par des chercheurs mieux qualifiés. Mais le propre de notre travail n'était pas de mesurer et d'expérimenter. Il était, ici, comme dans tout ce gros ouvrage, de recueillir des faits et des rapports entre les faits, que la science officielle néglige parfois ou auxquels elle refuse le droit d'exister. Cette manière de travailler peut paraître insolite et prêter à la suspicion. Elle a pourtant été à l'origine de grandes découvertes. Darwin, par exemple, n'a pas agi autrement, collectionnant et comparant des informations négligées. La théorie de l'évolution est née de cette collecte apparemment aberrante. De même, et toutes proportions gardées, avons-nous vu naître au cours de notre travail une théorie de l'homme intérieur véritable, de l'intelligence totale et de la conscience éveillée.

Ce travail est incomplet : il nous aurait fallu dix ans de plus. En outre, nous n'en donnons qu'un résumé, ou plutôt une image, afin de ne point rebuter, car c'est sur la fraîcheur d'esprit du lecteur que nous comptons, ayant toujours tenté de maintenir le nôtre dans ce climat.

Intelligence totale, conscience éveillée, il nous semble bien que l'homme se dirige vers ces conquêtes essentielles, au sein de ce monde en pleine renaissance et qui semble d'abord exiger de lui le renoncement à la liberté. Mais la liberté pour quoi faire ? demandait Lénine. La liberté de n'être que ce qu'il était, lui est en effet peu à peu retirée. C'est la liberté de devenir autre, de passer à un état supérieur d'intelligence et de conscience, qui lui sera bientôt seule accordée. Cette liberté-là n'est pas d'essence psychologique, mais mystique, tout au moins si l'on se réfère aux schémas anciens, au langage d'hier. En un certain sens, nous pensons que le fait de civilisation est que la démarche dite mystique s'étend, sur cette terre fumante d'usines et vibrante de fusées, à l'humanité entière. On verra que cette démarche est pratique, qu'elle est, en quelque sorte, le « second souffle » nécessaire aux hommes pour obéir à l'accélération du destin de la Terre.

« Dieu nous a créés le moins possible. La liberté, ce pouvoir d'être cause, cette faculté du mérite, veut que l'homme se refasse lui-même. »

II

LE FANTASTIQUE INTÉRIEUR

Des pionniers : Balzac, Hugo, Flammarion. — Jules Romains et la plus vaste question. — La fin du positivisme. — Qu'est-ce que la parapsychologie ? — Des faits extraordinaires et des expériences certaines. — L'exemple du Titanic. *— Voyance. — Précognition et rêve. — Parapsychologie et psychanalyse. — Notre travail exclut le recours à l'occultisme et aux fausses sciences. — A la recherche de la machinerie des profondeurs.*

Le critique littéraire et philosophe Albert Béguin soutenait que Balzac était un visionnaire bien plutôt qu'un observateur. Cette thèse me semble exacte. Dans une nouvelle admirable, *Le Réquisitionnaire*, Balzac voit la naissance de la parapsychologie, qui se produira dans la deuxième moitié du xxᵉ siècle et tentera de fonder comme science exacte l'étude des « pouvoirs psychiques » de l'homme :

« A l'heure précise où Mᵐᵉ de Dey mourait à Carentan, son fils était fusillé dans le Morbihan. Nous pouvons joindre ce fait tragique à toutes les observations sur les sympathies qui méconnaissent les lois de l'espace ; documents que rassemblent avec une savante curiosité quelques hommes de solitude, et qui serviront un jour à asseoir les bases d'une science nouvelle à laquelle il a manqué jusqu'à ce jour un homme de génie. »

En 1891, Camille Flammarion déclarait[1] : « Notre fin de siècle ressemble un peu à celle du siècle précédent. L'esprit se sent fatigué des affirmations de la philosophie qui se qualifie de positive. On croit deviner qu'elle se trompe... " Connais-toi toi-même ! " disait Socrate. Depuis des milliers d'années, nous avons appris une immense quantité de choses, excepté celle qui nous intéresse le plus. Il semble que la tendance actuelle de l'esprit humain soit enfin d'obéir à la maxime socratique. »

Chez Flammarion, à l'observatoire de Juvisy, Conan Doyle venait de Londres, une fois par mois, étudier avec l'astronome des phénomènes de voyance, d'apparitions, de matérialisations, d'ailleurs douteux. Flammarion croyait aux fantômes et Conan Doyle collectionnait des « photographies de fées ». La « science nouvelle » pressentie par Balzac n'était pas née, mais sa nécessité apparaissait.

Victor Hugo avait dit superbement dans sa bouleversante étude sur William Shakespeare : « Tout homme a en lui son Pathmos. Il est libre d'aller ou de ne point aller sur cet effrayant promontoire de la pensée d'où l'on aperçoit les ténèbres. S'il n'y va point, il reste dans la vie ordinaire, dans la conscience ordinaire, dans la vertu ordinaire, dans la foi ordinaire, dans le doute ordinaire, et c'est bien. Pour le repos intérieur, c'est évidemment le mieux. S'il va sur cette cime, il est pris. Les profondes vagues du prodige lui ont apparu. Nul ne voit impunément cet océan-là... Il s'obstine à cet abîme attirant, à ce sondage de l'inexploré, à ce désintéressement de la terre et de la vie, à cette entrée dans le défendu, à cet effort pour tâter l'impalpable, à ce regard sur l'invisible, il y revient, il y retourne, il s'y accoude, il s'y penche, il y fait un pas, puis deux, et c'est ainsi qu'on pénètre dans l'impénétrable, et c'est

1. *Le Figaro illustré*, novembre 1891.

ainsi qu'on s'en va dans l'élargissement sans bornes de la condition infinie. »

C'est, quant à moi, en 1939 que j'eus la vision précise d'une science qui, venant apporter sur l'homme intérieur des témoignages irrécusables, contraindrait bientôt l'esprit à une réflexion nouvelle sur la nature de la connaissance et, de proche en proche, aboutirait à modifier les méthodes de toute la recherche scientifique, dans tous les domaines. J'avais dix-neuf ans, et la guerre me saisissait alors que j'avais décidé de consacrer ma vie à l'établissement d'une psychologie et d'une physiologie des états mystiques. A ce moment, je lus dans *La Nouvelle Revue Française* un essai de Jules Romains : « Réponse à la plus vaste question », qui vint inespérément renforcer ma position. Cet essai était, lui aussi, prophétique. Après la guerre naissait en effet une science du psychisme, la parapsychologie, qui est aujourd'hui en plein développement, tandis qu'à l'intérieur même des sciences officielles, comme les mathématiques ou la physique, l'esprit, en quelque sorte, changeait de plan.

« Je crois, écrivait Jules Romains, que la principale difficulté pour l'esprit humain, c'est encore moins d'atteindre des conclusions vraies dans un certain ordre ou dans certaines directions, que de découvrir le moyen d'accorder ensemble les conclusions auxquelles il arrive en travaillant sur divers ordres de réalité, ou en s'engageant dans diverses directions qui varient selon les époques. Par exemple, il lui est très difficile de mettre d'accord les idées, en elles-mêmes très exactes, auxquelles l'a conduit la science moderne travaillant sur les phénomènes physiques, avec les idées, peut-être très valables aussi, qu'il avait trouvées aux époques où il s'occupait davantage des réalités spirituelles ou psychiques, et dont se réclament encore aujourd'hui ceux qui à l'écart des méthodes physiques, se consacrent à des recherches dans l'ordre spirituel ou psychique. Je ne pense pas du tout que la science moderne, qu'on accuse souvent de matérialisme, soit menacée d'une révolution qui ruinerait les résultats dont elle est sûre (seules peuvent être menacées les hypothèses trop générales ou prématurées dont elle n'est pas sûre). Mais elle peut se trouver un jour en face de résultats si cohérents, si décisifs, atteints par les méthodes appelées en gros " psychiques ", qu'il lui sera impossible de les tenir, comme elle le fait maintenant, pour nuls et non avenus. Beaucoup de gens s'imaginent qu'à ce moment-là les choses s'arrangeront facilement, la science dite " positive " n'ayant alors qu'à conserver paisiblement son domaine actuel, et qu'à laisser se développer hors de ses frontières des connaissances tout autres, qu'elle traite actuellement de pures superstitions ou qu'elle relègue dans " l'inconnaissable ", en les abandonnant dédaigneusement à la métaphysique. Mais les choses ne se passeront pas si commodément. Plusieurs des résultats les plus importants de l'expérimentation psychique, le jour où ils seront confirmés — s'ils doivent l'être — et s'appelleront officiellement des " vérités ", viendront attaquer la science positive *à l'intérieur de ses frontières*; et il faudra bien que l'esprit humain, qui jusqu'ici, par peur des responsabilités, fait semblant de ne pas voir le conflit, se décide à opérer un arbitrage. Ce serait une crise très grave, aussi grave que celle qu'a provoquée l'application des découvertes physiques à la technique industrielle. La vie même de l'humanité en serait changée. Cette crise, je la crois possible, probable, et même assez prochaine. »

Un matin d'hiver, j'accompagnais un ami à la clinique où l'on devait l'opérer d'urgence. Il faisait à peine jour et nous marchions sous la pluie, guettant avec angoisse un taxi. La fièvre envahissait mon ami chancelant qui, soudain, me désigna du doigt, sur le trottoir, une carte à jouer couverte de boue.

« Si c'est un Joker, dit-il, c'est que tout ira bien. »

Je ramassai la carte et la retournai. C'était un Joker.

La parapsychologie tente de systématiser l'étude des faits de cette nature, par accumulation expérimentale. L'homme normal est-il doué d'un pouvoir qu'il n'utilise presque jamais, simplement, semble-t-il, parce qu'on l'a persuadé qu'il ne l'avait pas ? Une expérimentation réellement scientifique paraît bien éliminer la notion de hasard. J'ai eu l'occasion de participer, en compagnie, notamment, d'Aldous Huxley, au Congrès international de parapsychologie de 1955, puis de suivre les travaux engagés dans cette recherche. Il ne saurait être question de douter du sérieux de ces travaux. Si la science n'accueillait pas avec une réticence d'ailleurs légitime les poètes, la parapsychologie pourrait puiser une excellente définition chez Apollinaire :

Tout le monde est prophète, mon cher André Billy,
Mais il y a si longtemps qu'on fait croire aux gens
Qu'ils n'ont aucun avenir et qu'ils sont ignorants à
*   jamais*
Et idiots de naissance
Qu'on en a pris son parti et que nul n'a même idée
De se demander s'il connaît l'avenir ou non.
Il n'y a pas d'esprit religieux dans tout cela
Ni dans les superstitions ni dans les prophéties
Ni dans tout ce que l'on nomme occultisme
Il y a avant tout une façon d'observer la nature
Et d'interpréter la nature
Qui est très légitime[1].

1. Apollinaire : *Calligrammes.*

L'expérimentation parapsychologique semble prouver qu'il existe, entre l'univers et l'homme, des rapports autres que ceux établis par les sens habituels. Tout être humain normal pourrait percevoir des objets à distance ou à travers les murs, influencer le mouvement des objets sans les toucher, projeter ses pensées et ses sentiments dans le système nerveux d'un autre être humain, et enfin avoir parfois connaissance d'événements à venir.

Sir H. R. Haggard, écrivain anglais, mort en 1925, donna, dans son roman, *Maiwa's Revenge*, une description détaillée de l'évasion d'Allan Quatermain, son héros. Celui-ci est capturé par les sauvages alors qu'il franchit une paroi rocheuse. Ses poursuivants le retiennent par un pied : il se libère en tirant sur eux un coup de pistolet, parallèlement à sa jambe droite. Quelques années après la publication du roman, un explorateur anglais se présentait chez Haggard. Il venait spécialement de Londres demander à l'écrivain comment celui-ci avait appris son aventure dans tous ses détails, car il n'en avait parlé à personne et tenait à cacher ce meurtre.

Dans la bibliothèque de l'écrivain autrichien Karl Hans Strobi, mort en 1946, son ami Willy Schrodter fit la découverte suivante : « J'ouvris ses propres ouvrages, rangés sur un rayon. De nombreux articles de presse étaient placés entre les pages. Ce n'étaient pas des critiques, comme je le crus tout d'abord, mais des faits divers. Je m'aperçus en frissonnant qu'ils relataient des événements décrits longtemps à l'avance par Strobi. »

En 1898, un auteur de science-fiction américain, Morgan Robertson, décrivait le naufrage d'un navire géant. Ce navire imaginaire déplaçait 70 000 tonnes, mesurait 800 pieds et transportait 3 000 passagers. Son moteur était équipé de trois hélices. Une nuit d'avril, lors de son premier voyage, il rencontrait, dans la brume, un iceberg et coulait. Son nom était : *Le Titan*.

Le *Titanic*, qui devait plus tard disparaître dans les mêmes circonstances, déplaçait 66 000 tonnes, mesurait 825,5 pieds, transportait 3 000 passagers, et possédait trois hélices. La catastrophe eut lieu une nuit d'avril.

Ce sont des faits. Voici des expériences menées par des parapsychologues :

A Durham, U.S.A., l'expérimentateur tient en main un jeu de cinq cartes spéciales. Il bat ces cartes, les tire les unes après les autres. Une caméra enregistre. Au même instant, à Zagreb, en Yougoslavie, un autre expérimentateur cherche à deviner dans quel ordre les cartes sont tirées. Ceci est répété des milliers de fois. La proportion des divinations s'avère plus importante que ne le permet le hasard.

A Londres, dans une chambre close, le mathématicien J. S. Soal tire des cartes d'un jeu semblable. Derrière une cloison opaque l'étudiant Basil Shakelton cherche à deviner. Quand on compare, on s'aperçoit que l'étudiant a, dans une proportion là aussi supérieure au hasard, deviné chaque fois la carte qui allait sortir dans la manipulation suivante.

A Stockholm, un ingénieur construit une machine qui, automatiquement, jette en l'air des dés et filme leur chute. Des spectateurs, membres de l'Université, tentent mentalement de favoriser la chute d'un numéro particulier, en souhaitant fortement cette chute. Ils y parviennent dans une proportion que le hasard seul ne saurait justifier.

Étudiant les phénomènes de précognition dans l'état l'état de sommeil, l'Anglais Dunne a scientifiquement démontré que certains songes sont capables de découvrir un avenir, même lointain[1], et deux chercheurs allemands, Moufang et Stevens, dans un ouvrage intitulé *Le Mystère des Rêves*[2], ont cité de nombreux cas précis, vérifiés, où des rêves avaient révélé des événements futurs et conduit à des découvertes scientifiques importantes.

Le célèbre atomiste Niels Bohr, étudiant, fit un rêve étrange. Il se vit sur un soleil de gaz brûlant. Des planètes passaient en sifflant. Elles étaient reliées à ce soleil par de minces filaments et tournaient autour. Soudain, le gaz se solidifia, le soleil et les planètes se réduisirent. Niels Bohr se réveilla à ce moment et eut conscience qu'il venait de découvrir le modèle de l'atome, tant cherché. Le « soleil » était le centre fixe autour duquel tournoyaient les électrons. Toute la physique atomique moderne et ses applications sont sorties de ce rêve.

Le chimiste Auguste Kékulé raconte : « Un soir d'été, je m'endormis sur la plate-forme de l'autobus qui me ramenait chez moi. Je vis nettement comment, de toutes parts, les atomes s'unissaient en couples qui étaient entraînés par des groupes plus importants, attirés eux-mêmes par d'autres plus puissants encore ; et tous ces corpuscules tourbillonnaient en une ronde effrénée. Je passai une partie de la nuit à transcrire la vision de mon rêve. La théorie de la structure était trouvée. »

Après avoir lu dans les journaux les récits des bombardements de Londres, un ingénieur de la compagnie américaine des téléphones Bell fit, une nuit d'automne 1940, un rêve dans lequel il se vit dessinant

---

1. *Le Temps et le Rêve*. Traduction française aux Éditions du Seuil. J. W. Dunne rêva, en 1901, que la ville de Lowestoft, sur les côtes de la Manche, était bombardée par une flotte étrangère. Ce bombardement eut lieu en 1914 avec tous les détails consignés en 1901 par Dunne.
Ce même Dunne vit en rêve les titres des journaux annonçant l'éruption du mont Pelé, quelques mois avant l'événement.
2. Traduction française aux Éditions des Deux Rives, Paris.

le plan d'un appareil qui permettait de pointer un canon antiaérien sur le lieu exact où passera un avion dont on connaît la trajectoire et la vitesse. Au réveil, il traça le schéma, « de mémoire ». L'étude de cet appareil, qui allait utiliser pour la première fois le radar, fut menée par le grand savant Norbert Wiener et les réflexions de Wiener à ce propos devaient aboutir à la naissance de la cybernétique.

« On ne saurait décidément sous-estimer, disait Lovecraft, l'importance titanesque que peuvent prendre les rêves[1]. » On ne saurait non plus, désormais, tenir pour négligeables les phénomènes de préconnaissance, soit dans l'état de rêve, soit dans l'état de veille. Passant très au-delà des acquis de la psychologie officielle, la commission de l'énergie atomique américaine proposait en 1958 l'utilisation de « clairvoyants » pour tenter de deviner les points de chute des bombardements russes en cas de guerre[2].

« Le mystérieux passager embarqua à bord du sous-marin atomique *Nautilus* le 25 juillet 1959. Le sous-marin prit aussitôt la mer, et, pendant seize jours, parcourut en plongée les profondeurs de l'océan Atlantique. Le passager sans nom s'était enfermé dans sa cabine. Seuls, le matelot qui lui portait sa nourriture, et le capitaine Anderson, qui lui faisait une visite quotidienne, avaient vu son visage. Deux fois par jour il remettait une feuille de papier au capitaine Anderson. Sur cette feuille se trouvaient les combinaisons de cinq signes mystérieux : une croix, une étoile, un cercle, un carré et trois lignes ondulées. Le capitaine Anderson et le passager inconnu apposaient leur signa-

---

1. Dans sa nouvelle : *Au-delà du Mur du Sommeil.*
2. 31 août 1958. Rapport de la Rand Corporation.

ture sur cette feuille, et le capitaine Anderson la scellait dans une enveloppe après avoir mis deux cachets à l'intérieur. L'un portait l'heure et la date. Le second, les mots " ultra-secret, à détruire en cas de danger de capture du sous-marin ". Le lundi 10 août 1959, le sous-marin débarquait à Croyton. Le passager monta dans une voiture officielle, qui, sous escorte, le déposa à l'aérodrome militaire le plus proche.

« Quelques heures plus tard, l'avion atterrissait sur le petit aérodrome de la ville de Friendship, dans le Maryland. Une automobile y attendait le voyageur. Elle le conduisit devant un bâtiment qui portait cette inscription : " Centre de recherches spéciales Westinghouse. Entrée interdite à toute personne non autorisée. » La voiture s'arrêta devant le poste de garde, et le voyageur demanda à voir le colonel William Bowers, directeur des sciences biologiques à l'Office des Recherches des Forces aériennes des États-Unis.

« Le colonel Bowers l'attendait dans son bureau :

« " Asseyez-vous, lieutenant Jones, lui dit-il. Vous avez l'enveloppe ? "

« Sans mot dire, Jones tendit l'enveloppe au colonel, qui alla vers un coffre-fort, l'ouvrit et en tira une enveloppe identique, à cela près que le cachet qu'elle portait n'était pas marqué " Sous-marin *Nautilus* ", mais, " Centre de recherches X, Friendship, Maryland ".

« Le Colonel Bowers ouvrit les deux enveloppes pour y prendre des paquets d'enveloppes plus petites, qu'il décacheta à leur tour et, silencieusement, les deux hommes mirent de côté les feuilles dont la date était semblable. Puis, ils les comparèrent. Avec une précision de plus de 70 % les signes étaient les mêmes, et placés dans le même ordre sur deux feuilles qui portaient la même date.

« " Nous sommes à un tournant de l'Histoire, dit le colonel William Bowers. Pour la première fois au

480

monde, dans des conditions ne permettant aucun truquage, avec une précision suffisante pour l'application pratique, la pensée humaine a été transmise à travers l'espace, sans intermédiaire matériel, d'un cerveau à un autre cerveau ! " »

Quand on pourra connaître le nom des deux hommes qui ont participé à cette expérience, ils seront certainement retenus pour l'histoire des sciences.

Pour le moment, ce sont « le lieutenant Jones », qui est officier de marine, et « le sujet Smith », un étudiant de l'Université de Duke à Durham (Caroline du Nord, États-Unis).

Deux fois par jour, pendant les seize jours que dura l'expérience, enfermé dans une pièce d'où il n'est jamais sorti, le sujet Smith se plaçait devant un appareil automatique à battre les cartes. A l'intérieur de cet appareil, dans un tambour, un millier de cartes étaient agitées. Il s'agissait non pas de cartes à jouer ordinaires, mais de cartes simplifiées, dites cartes de Zener. Ces cartes, employées depuis longtemps pour les expériences de parapsychologie, sont toutes de même couleur. Elles portent un des cinq symboles suivants : trois lignes ondulées, cercle, croix, carré, étoile. Deux fois par jour, sous l'action d'un mouvement d'horlogerie, l'appareil éjectait une carte, au hasard, à une minute d'intervalle. Le sujet Smith regardait fixement cette carte en tâchant d'y penser intensément. A la même heure, à 2 000 kilomètres de distance, à des centaines de mètres de profondeur sous l'océan, le lieutenant Jones essayait de deviner quelle était la carte que regardait le sujet Smith. Il notait le résultat, et faisait contresigner la feuille d'expérience par le commandant Anderson. *Sept fois sur dix, le lieutenant Jones devina juste.* Aucun truquage n'était possible. Même si l'on suppose les complicités les plus invraisemblables, il ne pouvait y avoir aucune liaison entre le sous-marin en plongée et le laboratoire où se trouvait le sujet Smith. Les ondes de T.S.F. elles-mêmes ne peuvent pénétrer plusieurs centaines de mètres d'eau de mer. Pour la première fois dans l'histoire de la science, on avait obtenu la preuve indiscutable de la possibilité, entre deux cerveaux humains, de communiquer à distance. L'étude de la parapsychologie entrait enfin dans une phase scientifique.

C'est sous la pression des nécessités militaires que fut faite cette grande découverte. Dès le début de 1957, la fameuse organisation Rand, qui s'occupe des recherches les plus secrètes du gouvernement américain, déposait un rapport sur ce sujet devant le président Eisenhower. « Nos sous-marins, pouvait-on y lire, sont maintenant inutiles, car il est impossible de communiquer avec eux lorsqu'ils sont en plongée, et surtout lorsqu'ils seront sous la croûte polaire. Tous les moyens nouveaux doivent être employés. » Pendant un an, le rapport Rand ne fut suivi d'aucun effet. Les conseillers scientifiques du président Eisenhower pensaient que l'idée rappelait trop les tables tournantes. Tandis que le « bip-bip » de Spoutnik I résonnait comme un glas au-dessus du monde, les plus grands savants américains décidèrent qu'il était temps de foncer dans toutes les directions, y compris celles que les Russes dédaignaient. La science américaine fit appel à l'opinion publique. Le 13 juillet 1958, le supplément du dimanche du *New York Herald Tribune* publiait un article du plus grand spécialiste militaire de la presse américaine, Ansel E. Talbert.

Celui-ci écrivait : « Il est indispensable pour les forces armées des États-Unis de savoir si l'énergie émise par un cerveau humain peut influencer, à des milliers de kilomètres, un autre cerveau humain... Il s'agit là d'une recherche tout à fait scientifique, et les phénomènes constatés sont, comme tout ce qui est produit par l'organisme vivant, alimentés en énergie par la combustion des aliments dans l'organisme...

« L'amplification de ce phénomène pourra fournir un nouveau moyen de communication entre les sous-marins et la terre ferme, peut-être même, un jour, entre des navires voyageant dans l'espace interplanétaire et la terre. »

A la suite de cet article et de nombreux rapports de savants confirmant le rapport Rand, des résolutions furent prises. Des laboratoires d'études sur la nouvelle science de parapsychologie existent maintenant à la Rand Corporation, à Cleveland, chez Westinghouse, à Friendship, dans le Maryland, à la General Electric, à Schenectady, à la Bell Telephone, à Boston, et même au centre de recherches de l'armée, à Redstone, Alabama. Dans ce dernier centre, le laboratoire qui étudie la transmission de la pensée se trouve à moins de 500 mètres du bureau de Werner von Braun, l'homme de l'espace. Ainsi, la conquête des planètes et la conquête de l'esprit humain sont-elles prêtes, déjà, à se tendre la main.

En moins d'une année, ces puissants laboratoires ont obtenu plus de résultats que des siècles de recherches dans le domaine de la télépathie. La raison en est bien simple : les chercheurs sont repartis de zéro, sans idée préconçue. Des commissions furent envoyées dans le monde entier : en Angleterre, où des enquêteurs prirent contact avec des savants authentiques ayant vérifié les phénomènes de transmission de pensée. Le docteur Soal, de l'Université de Cambridge, a pu donner aux enquêteurs des démonstrations de communications, à plusieurs centaines de kilomètres de distance, entre deux jeunes mineurs du pays de Galles.

En Allemagne, la commission d'enquête rencontra des savants tout aussi indiscutables, comme Hans Bender et Pascual Jordan, qui avaient observé non seulement des phénomènes de transmission de pensée, mais encore qui ne craignaient pas de l'écrire. En Amérique même, les preuves se multipliaient. Un savant chinois, le docteur Chin Yu Wang, a pu, avec l'aide de quelques confrères également chinois, donner à des experts de la Rand Corporation des preuves apparemment tout à fait concluantes de la transmission de la pensée.

Comment procède-t-on pratiquement pour obtenir des résultats aussi étonnants que l'expérience du lieutenant Jones et du sujet Smith ?

Il faut pour cela trouver une paire d'expérimentateurs, c'est-à-dire deux sujets dont l'un fait émetteur et l'autre récepteur. Ce n'est qu'en employant deux sujets dont les cerveaux sont en quelque sorte synchronisés (les spécialistes américains emploient le terme résonance, emprunté à la T.S.F., tout en étant conscients de ce que ce terme a de vague) qu'on obtient des résultats réellement sensationnels.

Ce qu'on constate donc dans les travaux modernes, c'est une communication dans un seul sens. Si l'on inverse, si l'on fait émettre par le sujet qui recevait, et réciproquement, on n'obtient plus rien. Pour maintenir des communications efficientes dans les deux sens, il faudra donc « deux » couples émetteurs-récepteurs, autrement dit :

— un sujet émetteur et un sujet récepteur à bord du sous-marin ;

— un sujet émetteur et un sujet récepteur dans un laboratoire à terre.

Comment sont choisis ces sujets ?

C'est pour le moment un secret. Tout ce qu'on sait, c'est que le choix est fait en examinant les électro-encéphalogrammes, c'est-à-dire les enregistrements électriques de l'activité cérébrale des volontaires qui se présentent. Cette activité cérébrale, bien connue de la science, ne s'accompagne d'aucune émission d'ondes. Mais elle détecte les émissions d'énergie dans le cerveau, et Grey Walter, le célèbre cybernéticien anglais, a montré le premier que l'électro-encéphalogramme peut servir à détecter les activités cérébrales anormales.

Une autre clarté sur le sujet a été apportée par une psychologue américaine, Mme Gertrude Schmeidler. La doctoresse Schmeidler a montré que les volontaires qui se présentent pour servir de sujets dans les expériences de parapsychologie peuvent être divisés en deux catégories, qu'elle appelle les « moutons » et les « chèvres ». Les moutons sont ceux qui croient à la perception extra-sensorielle, les chèvres ceux qui n'y croient pas. Dans la communication à distance, il faut, semble-t-il, associer un mouton avec une chèvre.

Ce qui rend ce genre de travail extrêmement difficile, c'est qu'au moment où s'établit la communication à distance par la pensée, l'émetteur, aussi bien que le récepteur, ne ressent rien. La communication se fait à un niveau inconscient, et rien ne transparaît dans la conscience. L'émetteur ne sait pas si son message parvient au but. Le récepteur ne sait pas s'il reçoit des signaux provenant d'un autre cerveau ou s'il est en train d'inventer. C'est pour cela qu'au lieu d'essayer de transmettre des images compliquées ou discutables, on se contente de transmettre les cinq symboles très simples des tables de Zener. Lorsque cette transmission sera au point, on pourra facilement se servir de ces cartes comme d'un code, à l'image de l'alphabet morse, et transmettre des messages intelligibles. Pour le moment, il s'agit de perfectionner le mode de communication, le rendre plus sûr. On y travaille dans de nombreuses directions, et l'on recherche en particulier des médicaments à action psychologique qui facilitent la transmission de pensée. Un spécialiste américain de pharmacologie, le docteur Humphrey Osmond, a déjà obtenu quelques premiers résultats dans ce domaine, et les a rendus publics dans un rapport fait en mars 1947 à l'Académie des Sciences de New York.

Cependant, ni le lieutenant Jones ni le sujet Smith n'utilisaient de drogue. Car le but de ces expériences des forces armées américaines, c'est d'exploiter à fond les possibilités du cerveau humain normal. Hormis le café, qui paraît améliorer la transmission, et l'aspirine, qui, au contraire, l'inhibe, la paralyse, aucune drogue n'est autorisée dans les expériences du projet Rand.

Ces expériences ouvrent sans nul doute une ère nouvelle dans l'histoire de l'humanité et de la science[1].

Dans le domaine des « guérisons paranormales », c'est-à-dire obtenues par un traitement psychologique, qu'il s'agisse du guérisseur « possédant le fluide » ou du psychanalyste (toutes distinctions étant faites entre les méthodes) les parapsychologues sont arrivés à des conclusions du plus haut intérêt. Ils nous ont apporté une conception nouvelle : celle du couple médecin-malade. Le résultat du traitement serait déterminé par la liaison télépathique qui existerait ou non entre le traitant et le patient. Si cette liaison s'établit — et elle ressemble à un rapport amoureux — elle produit cette hyper-lucidité et cette hyper-réceptivité qu'on observe dans les couples passionnés ; la guérison est possible. Sinon, guérisseur et malade perdent leur temps l'un et l'autre. La notion du « fluide » se trouve dépassée au profit de la notion du « couple ». On imagine qu'il deviendra possible de dessiner le profil psychologique profond du traitant et du patient. Certains tests permettraient de déterminer quelle sorte d'intelligence et de sensibilité possèdent le traitant et le patient et la nature des rapports inconscients qui peuvent s'établir

1. Jacques Bergier : *Constellation*, n° 140, décembre 1959.

entre eux. Le traitant, comparant son profil à celui du patient, pourrait savoir dès le départ s'il lui est possible d'agir ou non.

A New York, un psychanalyste brise la clef du classeur où il range ses fiches d'observation. Il se précipite chez un serrurier, obtient que celui-ci lui refasse sur l'heure une clef. Il ne parle à personne de cet incident. Quelques jours après, au cours d'une séance de rêve éveillé, une clef apparaît dans le rêve de son patient qui la décrit. Elle est brisée, et elle porte le numéro de la clef du classeur : véritable phénomène d'osmose.

Le docteur Lindner, célèbre psychanalyste américain, eut, en 1953, à soigner un savant atomiste réputé[1]. Ce dernier se désintéressait de son travail, de sa famille, de tout. Il s'évadait, avoua-t-il à Lindner, dans un autre univers. De plus en plus fréquemment, sa pensée voyageait sur une autre planète où la science était plus avancée et dont il était l'un des chefs. Il avait une vision précise de ce monde, de ses lois, de ses mœurs, de sa culture. Fait extraordinaire, Lindner se sentit peu à peu aspiré par la folie de son malade, rejoignit en pensée celui-ci dans son univers, perdit en partie l'esprit. C'est alors que le malade commença à se détacher de sa vision et entra dans la voie de la guérison. Lindner devait guérir, à son tour, quelques semaines plus tard. Il venait de retrouver, sur le plan expérimental, l'immémoriale injonction faite au thaumaturge de « prendre sur soi » le mal d'autrui, de racheter le péché d'autrui.

La parapsychologie n'a aucune sorte de rapport avec l'occultisme et les fausses sciences : elle s'emploie tout

1. Le docteur Lindner décrit cette expérience dans un livre de souvenirs : *L'Homme de Cinquante Minutes.*

au contraire à une démystification de ce domaine. Cependant, les savants, vulgarisateurs et philosophes qui la condamnent, y voient un encouragement au charlatanisme. C'est faux, mais il est vrai que notre époque est, plus que toute autre, favorable au développement de ces fausses sciences qui ont « l'usage et l'apparence de tout, mais qui n'ont pas la propriété ni la réalité de rien ». Nous sommes persuadés qu'il existe dans l'homme des terres inconnues. La parapsychologie propose une méthode d'exploration. Dans les pages qui vont suivre, nous allons proposer à notre tour une méthode. Cette exploration est à peine commencée : ce sera, pensons-nous, une des grandes tâches de la civilisation à venir. Des forces naturelles encore ignorées seront sans doute révélées, étudiées et maîtrisées, afin que l'homme puisse accomplir son destin sur une terre en pleine transformation. Ceci est notre certitude. Mais notre certitude est aussi que le déploiement actuel de l'occultisme et des fausses sciences dans un immense public est de l'ordre de la maladie. Ce ne sont pas les miroirs fêlés qui portent malheur, mais les cerveaux fêlés.

Aux États-Unis, il y a, depuis la dernière guerre, plus de 30 000 astrologues, 20 magazines uniquement consacrés à l'astrologie, dont l'un tire à 500 000 exemplaires. Plus de 2 000 journaux ont leur rubrique astrologique. En 1943, 5 millions d'Américains agissaient selon les directives des devins et dépensaient 200 millions de dollars par an pour connaître l'avenir. La France seule possède 40 000 guérisseurs et plus de 50 000 cabinets de consultation occulte. Selon des estimations contrôlées [1], les honoraires des devins, pythonisses, voyantes, sourciers, radiesthésistes, guérisseurs, etc., atteignent 50 milliards de francs pour

1. Chiffres cités par François Le Lionnais dans son étude : *Une maladie des civilisations : les Fausses Sciences*, La Nef, n° 6, juin 1954.

Paris. Le budget global de la « magie » serait, pour la France, d'environ 300 milliards par an : beaucoup plus que le budget de la recherche scientifique.

« Si un diseur de bonne aventure fait commerce de la vérité...

— Eh bien ?

— Eh bien, je crois qu'il fait commerce avec l'ennemi [1]. »

Il est tout à fait nécessaire, ne serait-ce que pour nettoyer le champ d'investigations, de repousser cette invasion. Mais ceci doit profiter au progrès de la connaissance. C'est dire qu'il ne s'agit pas de revenir au positivisme que Flammarion estimait déjà dépassé en 1891, ni au scientisme étroit alors que la science même nous conduit vers une réflexion nouvelle sur les structures de l'esprit. Si l'homme possède des pouvoirs jusqu'ici ignorés ou négligés et s'il existe, comme nous inclinerions à le penser, un état supérieur de conscience, il importe de ne pas rejeter les hypothèses utiles à l'expérimentation, les faits véritables, les confrontations éclairantes, en repoussant cette invasion de l'occultisme et des fausses sciences. Un proverbe anglais dit : « En vidant l'eau sale de la baignoire, faites attention de ne pas jeter le bébé avec. »

La science soviétique elle-même admet « que nous ne savons pas tout, mais qu'il n'y a pas de domaine tabou, ni de territoires à jamais inaccessibles ». Les spécialistes de l'institut Pavlov, les savants chinois qui se consacrent à l'étude de l'activité nerveuse supérieure, travaillent sur le yoga. « Pour le moment, écrit le journaliste scientifique Saparine, dans la revue russe *Force et Savoir* [2], les phénomènes présentés par les yogis ne sont pas explicables, mais ceci arrivera

1. Chesterton : *Father Brown.*
2. Moscou, n° 7, 1956, p. 21.

sans doute. L'intérêt de tels phénomènes est énorme, car ils révèlent les extraordinaires possibilités de la machine humaine. »

L'étude des facultés extra-sensorielles, la « psionique », comme disent les chercheurs américains par analogie avec l'électronique et la nucléonique, est en effet susceptible de déboucher sur des applications pratiques d'une ampleur considérable. Les travaux récents sur le sens de l'orientation des animaux, par exemple, révèlent l'existence de facultés extra-sensorielles. L'oiseau migrateur, le chat qui parcourt 1 300 kilomètres pour revenir chez lui, le papillon qui retrouve la femelle à 11 kilomètres, paraissent utiliser le même type de perception et d'action à distance. Si nous pouvions découvrir la nature de ce phénomène et le maîtriser, nous disposerions d'un nouveau moyen de communication et d'orientation. Nous aurions à notre disposition un véritable radar humain.

La communication directe des émotions, telle qu'elle paraît se produire dans le couple analyste-patient, pourrait avoir des applications médicales précieuses. La conscience humaine est semblable à un iceberg flottant sur l'océan. La plus grande partie est sous l'eau. Parfois, l'iceberg bascule, laissant apparaître une énorme masse inconnue, et nous disons : voici un fou. S'il était possible que s'établisse une communication directe entre les masses immergées, dans le couple médecin-malade, au moyen de quelque « amplificateur psionique », les maladies mentales pourraient disparaître complètement.

La science moderne nous apprend que les méthodes expérimentales, à leur extrême degré de perfection, lui fixent des limites. Par exemple, un microscope suffisamment puissant emploierait une source lumineuse si forte que celle-ci déplacerait l'électron observé, rendant l'observation impossible. Nous ne pouvons apprendre ce qu'il y a à l'intérieur du noyau en le bombardant : il se trouve changé. Mais il se peut que l'équipement inconnu de l'intelligence humaine permette la perception directe des structures ultimes de la matière et des harmonies de l'univers. Nous pourrions peut-être disposer de « microscopes psioniques », de « télescopes psioniques » nous apprenant directement ce qu'il y a à l'intérieur d'un astre lointain ou à l'intérieur du noyau atomique.

Il y a peut-être un lieu, dans l'homme, d'où toute la réalité peut être perçue. Cette hypothèse paraît délirante. Auguste Comte déclarait qu'on ne connaîtrait jamais la composition chimique d'une étoile. L'année suivante, Bunsen inventait le spectroscope. Nous sommes peut-être à la veille de découvrir un ensemble de méthodes qui nous permettraient de développer systématiquement nos facultés extra-sensorielles, d'utiliser une puissante machinerie cachée dans nos profondeurs. C'est dans cette perspective que nous avons, Bergier et moi, travaillé, sachant, avec notre maître Chesterton, que « le fumiste n'est pas celui qui plonge dans le mystère, mais celui qui refuse d'en sortir ».

III

VERS LA RÉVOLUTION PSYCHOLOGIQUE

Le « second souffle » de l'esprit. — On demande un Einstein de la psychologie. — L'idée religieuse renaît. — Notre société agonise. — Jaurès et l'arbre bruissant de mouches. — Le peu que nous voyons tient au peu que nous sommes.

« Terre fumante d'usines. Terre trépidante d'affaires. Terre vibrante de cent radiations nouvelles. Ce grand organisme ne vit en définitive que pour et par une âme nouvelle. Sous le changement d'âge, un changement de Pensée. Or, où chercher, où placer cette altération rénovatrice et subtile, qui, sans modifier appréciablement nos corps, a fait de nous des êtres nouveaux ? Nulle part ailleurs que dans une intuition nouvelle, modifiant dans sa totalité la physionomie de l'Univers où nous nous mouvions, — dans un éveil, autrement dit. »

Ainsi, pour Teilhard de Chardin, la mutation de l'espèce humaine est commencée : l'âme nouvelle est en train de naître. Cette mutation s'opère dans les régions profondes de l'intelligence et, par cette « altération rénovatrice », une vision totale et totalement différente de l'Univers est donnée. A l'état de veille de la conscience se substitue un état supérieur en comparaison duquel le précédent n'était que sommeil. Voici venu le temps de l'éveil véritable.

C'est à une réflexion sur cet éveil véritable que nous voulons amener le lecteur. J'ai dit, au début de cet ouvrage, comment mon enfance et mon adolescence se sont trouvées baignées dans un sentiment semblable à celui qui animait Teilhard. Quand je regarde l'ensemble de mes actes, de mes recherches, de mes récits, je vois bien que tout cela s'est trouvé orienté par le sentiment, si violent et vaste chez mon père, qu'il y a pour la conscience humaine une étape à franchir, qu'il y a un « second souffle » à trouver, et que les temps sont venus. Ce présent livre n'a, au fond, pour objet que l'affirmation aussi puissante que possible de ce sentiment.

Sur la science, le retard de la psychologie est considérable. La psychologie dite moderne étudie un homme conforme à la vision du XIXe siècle dominé par le positivisme militant. La science réellement moderne prospecte un univers qui se révèle de plus en plus riche en surprises, de moins en moins ajusté aux structures de l'esprit et à la nature de la connaissance officiellement admises. La psychologie des états conscients suppose un homme achevé et statique : l'*homo sapiens* du « siècle des lumières ». La physique dévoile un monde qui joue plusieurs jeux à la fois, ouvert par de multiples portes sur l'infini. Les sciences exactes débouchent sur le fantastique. Les sciences humaines sont encore enfermées dans la superstition positiviste. La notion du devenir, de l'évolution, domine la pensée scientifique. La psychologie se fonde encore sur une vision de l'homme fini, aux fonctions mentales une fois pour toutes hiérarchisées. Or, il nous semble bien, tout au contraire, que l'homme n'est pas fini, il nous semble bien discerner, à travers les formidables secousses qui changent en ce moment le monde, secousses en hauteur dans le domaine de la connaissance, secousses en largeur produites par la formation des grandes masses, les prémices d'un changement d'état de la conscience humaine, une « altération rénovatrice » à l'intérieur de l'homme lui-même. De sorte que la psychologie efficace adaptée au temps que nous vivons, devrait, croyons-nous, se fonder, non pas sur ce qu'est l'homme (ou plutôt ce qu'il paraît être) mais sur ce qu'il peut devenir, sur son évolution possible. Le premier travail utile serait la recherche du point de vue sur cette évolution possible. C'est à cette recherche que nous nous sommes livrés.

Toutes les doctrines traditionnelles reposent sur l'idée que l'homme n'est pas un être accompli, et les anciennes psychologies étudient les conditions dans lesquelles doivent s'opérer les changements, altérations, transmutations, qui amèneront l'homme à son accomplissement véritable. Une certaine réflexion tout à fait moderne, menée selon notre méthode, nous amène à penser que l'homme possède peut-être des facultés qu'il n'exploite pas, toute une machinerie inutilisée. Nous l'avons dit : la connaissance du monde extérieur, à son extrême pointe, aboutit à une remise en question de la nature même de la connaissance, des structures de l'intelligence et de la perception. Nous avons dit aussi que la prochaine révolution serait psychologique. Cette vision ne nous est pas particulière : elle est celle de beaucoup de chercheurs modernes, d'Oppenheimer à Costa de Beauregard, de Wolfgang Pauli à Heisenberg, de Charles-Noël Martin à Jacques Ménétrier.

Cependant, il est vrai qu'au seuil de cette révolution, rien des hautes pensées quasi religieuses qui animent les chercheurs ne pénètre dans l'esprit des hommes ordinaires, ne vient vivifier les profondeurs de la société. Tout a changé dans quelques cerveaux. Rien n'a changé depuis le XIXe siècle dans les idées générales sur la nature de l'homme et sur la société humaine. Dans un article inédit sur Dieu, Jaurès, à la fin de sa vie, écrivait magnifiquement :

« Tout ce que nous voulons dire aujourd'hui, c'est que l'idée religieuse, un moment effacée, peut rentrer dans les esprits et dans les consciences parce que les conclusions actuelles de la science les prédisposent à la recevoir. Il y a dès maintenant, si l'on peut dire, une religion toute prête, et si elle ne pénètre point à cette heure les profondeurs de la société, si la bourgeoisie est platement spiritualiste ou niaisement positiviste, si le prolétariat est partagé entre la superstition servile ou un matérialisme farouche, c'est parce que le régime social actuel est un régime d'abrutissement et de haine, c'est-à-dire un régime irréligieux. Ce n'est point, comme le disent souvent les déclamateurs vulgaires et les moralistes sans idées, parce que notre société a le souci des intérêts matériels qu'elle est irréligieuse. Il y a au contraire quelque chose de religieux dans la conquête de la nature par l'homme, dans l'appropriation des forces de l'univers aux besoins de l'humanité. Non, ce qui est irréligieux, c'est que l'homme ne conquiert la nature qu'en assujettissant les hommes. Ce n'est pas le souci du progrès matériel qui détourne l'homme des hautes pensées et de la méditation des choses divines, c'est l'épuisement du labeur inhumain qui ne laisse pas, à la plupart des hommes, la force de penser ni celle même de sentir la vie, c'est-à-dire Dieu. C'est aussi la surexcitation des passions mauvaises, la jalousie et l'orgueil, qui absorbent dans des luttes impies l'énergie intime des plus vaillants et des plus heureux. Entre la provocation de la faim et la surexcitation de la haine, l'humanité ne peut pas penser à l'infini. L'humanité est comme un grand arbre, tout bruissant de mouches irritées sous un ciel d'orage, et dans ce bourdonnement de haine, la voix profonde et divine de l'univers n'est plus entendue. »

495

C'est avec émotion que j'ai découvert ce texte de Jaurès. Il reprend les termes d'un long message que mon père lui avait envoyé. Mon père attendit avec fièvre la réponse, qui ne vint pas. Elle me parvint, à moi, par le truchement de cet inédit, près de cinquante ans après...

Certes, l'homme n'a pas de lui-même une connaissance à la hauteur de ce qu'il *fait*, j'entends de ce que la science, qui est le couronnement de son obscur labeur, découvre de l'univers, de ses mystères, de ses puissances, et de ses harmonies. Et s'il ne l'a pas, c'est que l'organisation sociale, fondée sur des idées périmées, le prive d'espérance, de loisir et de paix. Privé de la vie, au sens plein du mot, comment en découvrirait-il l'étendue infinie ? Cependant, tout nous invite à penser que les choses vont rapidement changer ; que l'ébranlement des grandes masses, la formidable pression des découvertes et des techniques, le mouvement des idées dans les sphères de vraie responsabilité, le contact avec des intelligences extérieures, balaieront les principes anciens qui paralysent la vie en société, et que l'homme, redevenu disponible au bout de ce chemin qui va de l'aliénation à la révolte, puis de la révolte à l'adhésion, entendra en lui-même monter cette « âme nouvelle » dont parle Teilhard, et découvrira dans la liberté ce « pouvoir d'être cause » qui relie l'être au faire.

Que l'homme possède certains pouvoirs : précognition, télépathie, etc., cela semble acquis. Il y a des faits observables. Mais, jusqu'ici, de tels faits ont été présentés comme de prétendues preuves de « la réalité de l'âme », ou de « l'esprit des morts ». L'extraordinaire comme manifestation de l'improbable : absurdité. Nous avons donc, dans notre travail, rejeté tout recours à l'occulte et au magique. Cela ne signifie pas qu'il faille négliger la totalité des faits et des textes de ce domaine. En cela, nous avons fait nôtre l'attitude si neuve, honnête et intelligente de Roger Bacon[1] : « Il faut se diriger en ces choses avec prudence, car il est facile à l'homme de se tromper, et l'on se trouve en présence de deux erreurs : les uns nient tout ce qui est extraordinaire, et les autres, dépassant la raison, tombent dans la magie. Il faut donc se garder de ces nombreux livres qui contiennent des vers, des caractères, des oraisons, des conjurations, des sacrifices, car ce sont des livres de pure magie, et d'autres en nombre infini, lesquels ne contiennent ni la puissance de l'art ni celle de la nature, mais des fictions de sorciers. Il faut, d'autre part, considérer que, parmi les livres qui sont regardés comme magiques, il en est qui ne le sont pas du tout et contiennent le secret des sages... Si quelqu'un trouve dans ces ouvrages quelque opération de la nature ou de l'art, qu'il le garde... »

Le seul progrès en psychologie a été le commencement d'exploration des profondeurs, des zones sousconscientes. Nous pensons qu'il y a aussi des sommets à explorer, une zone surconsciente. Ou plutôt, nos recherches et réflexions nous invitent à admettre comme hypothèse l'existence d'un équipement supérieur du cerveau, en grande partie inexploité. Dans l'état de veille normal de la conscience, il y a un dixième du cerveau en activité. Que se passe-t-il dans les neuf dixièmes apparemment silencieux ? Et n'existe-t-il pas un état où la totalité du cerveau se trouverait en activité organisée ? Tous les faits que nous allons maintenant rapporter et étudier peuvent être rattachés à un phénomène d'activation des zones habituellement endormies. Or, il n'existe encore aucune psychologie orientée vers ce phénomène. Il

1. 1613 : *Lettre sur les prodiges.*

faudra sans doute attendre que la neurophysiologie progresse pour que naisse une psychologie des sommets. Sans attendre le développement de cette nouvelle physiologie, et sans vouloir rien préjuger des résultats, nous voulons simplement attirer l'attention sur ce domaine. Il se peut que son exploration se révèle aussi importante que l'exploration de l'atome et celle de l'espace.

Tout l'intérêt s'est trouvé jusqu'ici fixé sur ce qui est en dessous de la conscience ; quant à la conscience elle-même, elle n'a cessé d'apparaître, dans l'étude moderne, comme un phénomène en provenance des zones inférieures : le sexe chez Freud, les réflexes conditionnés chez Pavlov, etc. De sorte que toute la littérature psychologique, tout le roman moderne, par exemple, relève de la définition de Chesterton : « Ces gens qui, parlant de la mer, ne parlent que du mal de mer. » Mais Chesterton était catholique : il supposait l'existence des sommets de la conscience parce qu'il admettait l'existence de Dieu. Il fallait bien que la psychologie se libérât, comme toute science, de la théologie. Nous pensons simplement que la libération n'est pas encore complète ; qu'il y a aussi une libération par le haut : par l'étude méthodique des phénomènes qui se situent au-dessus de la conscience, de l'intelligence qui vibre à une fréquence supérieure.

Le spectre de la lumière se présente ainsi : à gauche, la large bande des ondes hertziennes et de l'infra-rouge. Au milieu, la bande étroite de la lumière visible ; à droite, la bande infinie : ultraviolet, rayons X, rayons gamma et l'inconnu.

Et si le spectre de l'intelligence, de la lumière humaine, était comparable ? A gauche l'infra ou subconscient, au milieu, l'étroite bande de la conscience, à droite, la bande infinie de l'ultraconscience. Les études n'ont porté jusqu'ici que sur la conscience et la sous-conscience. Le vaste domaine de l'ultraconscience ne semble avoir été exploré que par les mystiques et magiciens : explorations secrètes, témoignages peu déchiffrables. Le peu de renseignements parvenus fait que l'on explique certains phénomènes indéniables, comme l'intuition et le génie, correspondant aux débuts de la bande de droite, par les phénomènes de l'infraconscience, correspondant à la fin de la bande de gauche. Ce que nous savons du sous-conscient nous sert à expliquer le peu que nous savons du surconscient. Or, on ne peut expliquer la droite du spectre de la lumière par sa gauche, les rayons gamma par les ondes hertziennes : les propriétés ne sont pas les mêmes. Ainsi, nous pensons que s'il existe un état au-delà de l'état de conscience, les propriétés de l'esprit y sont totalement différentes. D'autres méthodes que celles de la psychologie des états inférieurs doivent donc être trouvées.

Dans quelles conditions l'esprit peut-il atteindre à cet autre état ? Quelles sont alors ses propriétés ? A quelles connaissances est-il susceptible de parvenir ? Le mouvement formidable de la connaissance nous amène à ce point où l'esprit se sait dans l'obligation de se changer, pour voir ce qui est à voir, pour faire ce qui est à faire. « Le peu que nous voyons tient au peu que nous sommes. » Mais ne sommes-nous que ce que nous croyons être ?

IV

UNE REDÉCOUVERTE
DE L'ESPRIT MAGIQUE

L'œil vert du Vatican. — L'autre intelligence. — L'Usine du Bois Dormant. — Histoire de la relavote. — La nature joue peut-être double jeu. — La manivelle de la supermachine. — Nouvelles cathédrales, nouvel argot. — L'ultime porte. — L'existence comme instrument. — Du neuf et du raisonnable sur les symboles. — Tout n'est pas dans tout.

Pour décrypter certains manuscrits trouvés sur les rivages de la mer Noire, la science des meilleurs linguistes du monde n'a pas suffi. On a installé une machine, un calculateur électronique au Vatican, et on lui a donné à étudier un effroyable gribouillis, les débris d'un parchemin immémorial sur lesquels s'inscrivaient en tous sens les restes d'indéchiffrables signes. Il fallait que la machine fasse un travail que cent et cent cerveaux, pendant cent et cent années, n'eussent pu exécuter : comparer les traces, refaire toutes les séries possibles de traces semblables, choisir entre toutes les probabilités possibles, dégager une loi de similitude entre tous les termes de comparaisons imaginables, puis, ayant épuisé la liste infinie des combinaisons, constituer un alphabet à partir de l'unique similitude acceptable, recréer une langue, restituer, traduire. La machine fixa le magma de son œil vert, immobile et froid, se mit à cliqueter et à vrombir, d'innombrables ondes rapides parcoururent son cerveau électronique, et enfin elle fit émerger de ce détritus un message, délivrant la parole du vieux monde enseveli. Elle traduisit. Ces ombres de lettres sur ces poussières de parchemin se ranimèrent, se remarièrent, se refécondèrent, et de l'informe, de ce cadavre du verbe sortit une voix pleine de promesses. La machine dit : « Et dans ce désert nous tracerons une route vers votre Dieu. »

On sait la différence entre l'arithmétique et les mathématiques. La pensée mathématique, depuis Évariste Galois, a découvert un monde qui est étranger à l'homme, qui ne correspond pas à l'expérience humaine, à l'univers tel que le connaît la conscience humaine ordinaire. La logique qui procède par oui *ou* non, y est remplacée par une super-logique qui fonctionne par oui *et* non. Cette super-logique n'est pas du domaine du raisonnement, mais de l'intuition. C'est en ce sens que l'on peut dire que l'intuition, c'est-à-dire une faculté « sauvage », un pouvoir « insolite » de l'esprit, « régit maintenant de grands cantons de mathématiciens [1] ».

Comment fonctionne normalement le cerveau ? Il fonctionne en machine arithmétique. Il fonctionne en machine binaire : oui, non, d'accord, pas d'accord, vrai, faux, j'aime, je n'aime pas, bon, mauvais. En binaire notre cerveau est imbattable. De grands calculateurs humains ont réussi à surpasser des machines électroniques.

Qu'est-ce qu'une machine électronique arithmétique ? C'est une machine qui, avec une rapidité extraordinaire, classe, accepte et refuse, range les facteurs

---

1. Charles-Noël Martin : *Les Vingt Sens de l'Homme.*

divers en séries. Somme toute, c'est une machine qui met de l'ordre dans l'univers. Elle imite le fonctionnement de notre cerveau. L'homme classe. C'est son honneur. Toutes les sciences se sont bâties sur un effort de classement.

Oui, mais il existe aussi, maintenant, des machines électroniques qui ne fonctionnent pas seulement arithmétiquement, mais analogiquement. Exemple : si vous voulez étudier *toutes* les conditions de résistance du barrage que vous construisez, vous fabriquez une maquette du barrage. Vous vous livrez à *toutes* les observations possibles sur cette maquette. Vous fournissez à la machine l'ensemble de ces observations. Celle-ci coordonne, compare à une vitesse inhumaine, établit *toutes* les connexions possibles entre ces mille observations de détail, et vous dit : « Si vous ne renforcez pas la cale de la troisième pile de droite, elle craquera en 1984. »

La machine analogique a fixé, de son œil immobile et infaillible, l'ensemble des réactions du barrage, puis elle a envisagé tous les aspects de l'existence de ce barrage, elle s'est assimilé cette existence et elle en a déduit toutes les lois. Elle a *vu* le présent dans sa totalité, en établissant à une vitesse qui contracte le temps, tous les rapports possibles entre tous les facteurs particuliers, et elle a pu voir, du même coup, le futur. Somme toute, elle est passée du savoir à la connaissance.

Or, nous pensons que le cerveau peut, lui aussi, dans certains cas, fonctionner comme une machine analogique. C'est-à-dire qu'il doit pouvoir :

1° Réunir toutes les observations possibles sur une chose ;

2° Établir la liste des rapports constants entre les multiples aspects de la chose ;

3° Devenir, en quelque sorte, la chose elle-même,

s'assimiler son essence et découvrir la totalité de son destin.

Tout ceci, naturellement, à une vitesse électronique, des dizaines de milliers de connexions se réalisant dans un temps comme atomisé. Cette série fabuleuse d'opérations précises, mathématiques, c'est ce que nous appelons parfois, quand le mécanisme se déclenche par hasard, une illumination.

Si le cerveau peut fonctionner comme une machine analogique, il peut, lui aussi, travailler, non sur la chose elle-même, mais sur une maquette de la chose. Non sur Dieu lui-même, mais sur une idole. Non sur l'éternité, mais sur une heure. Non sur la terre, mais sur un grain de sable. C'est-à-dire qu'il doit pouvoir, des connexions s'établissant à une vitesse qui dépasse le raisonnement binaire le plus rapide, sur une image jouant le rôle de maquette, voir, comme disait Blake, « l'univers dans un grain de sable et l'éternité dans une heure ».

Si cela se passait ainsi, si la vitesse de classement, de comparaison, de déduction se trouvait formidablement accélérée, si notre intelligence se trouvait, dans certains cas, comme la particule dans le cyclotron, nous aurions l'explication de toute magie. A partir de l'observation d'une étoile à l'œil nu, un prêtre maya aurait pu recomposer dans son cerveau l'ensemble du système solaire et découvrir Uranus et Pluton sans télescope (ainsi qu'en témoignent, semble-t-il, certains bas-reliefs). A partir d'un phénomène dans le creuset, l'alchimiste aurait pu avoir une représentation exacte de l'atome le plus complexe et découvrir le secret de la matière. On aurait l'explication de la formule selon laquelle : « Ce qui est en haut est comme ce qui est en bas. » Dans le domaine plus grossier de la magie imitative, on comprendrait comment le magicien de Cro-Magnon, contemplant dans sa grotte l'image du bison cérémoniel, parvenait à saisir l'ensemble des lois du monde bison et à annoncer à la tribu la date, le lieu et le temps favorables à la prochaine chasse.

Les techniciens de la cybernétique ont mis au point des machines électroniques qui fonctionnent d'abord arithmétiquement, puis analogiquement. Ces machines servent notamment au décryptage des langages chiffrés. Mais les savants sont ainsi : ils se refusent à imaginer que *ce que l'homme a créé, il puisse aussi l'être*. Étrange humilité !

Nous admettons cette hypothèse : l'homme possède un appareillage au moins égal, sinon supérieur, à tout appareillage techniquement réalisable, et destiné à atteindre le résultat que se propose toute technique, à savoir la compréhension et le maniement des forces universelles. Pourquoi ne posséderait-il pas une sorte de machine électronique analogique dans les profondeurs de son cerveau ? Nous savons aujourd'hui que les neuf dixièmes du cerveau humain sont inutilisés dans la vie consciente normale et le docteur Warren Penfield a démontré l'existence, en nous, de ce vaste domaine silencieux. Et si ce domaine silencieux était une immense salle de machines en état de marche, qui attendent un geste de commande ? Si cela était, la magie aurait raison.

Nous avons une poste : les sécrétions des hormones partent en mille lieux de notre corps provoquer des excitations.

Nous avons un téléphone : notre système nerveux ; on me pince, je crie ; j'ai honte, je rougis, etc.

Pourquoi n'aurions-nous pas une radio ? Le cerveau émet peut-être des ondes qui se propagent à grande vitesse et qui, comme les ondes à hyperfréquence qui s'engouffrent dans les conducteurs creux, circulent à l'intérieur des manchons de myéline. Nous posséderions dans ce cas un système de communications, de connexions, inconnu. Notre cerveau émet peut-être sans cesse de telles ondes, mais les récepteurs ne sont pas utilisés, ou bien ne se mettent à fonctionner qu'en de rares occasions, comme ces postes de T.S.F. mal en point qu'un choc rend un instant sonores.

J'avais sept ans. Je me tenais dans la cuisine à côté de ma mère qui faisait la vaisselle. Ma mère saisit une « lavette » pour chasser la graisse des assiettes, et elle pensa, dans la même seconde, que son amie Raymonde appelait cet instrument « une relavote ». Je babillais, mais à cette seconde, je dis : « Raymonde appelle cela une relavote », puis j'enchaînai. Je ne me souviendrais pas de cet incident si ma mère, vivement frappée, ne me l'avait souvent rappelé, comme si elle avait touché là un grand mystère, senti, dans une bouffée de joie, que j'étais elle, reçu une preuve plus qu'humaine de mon amour. Plus tard, quand je la faisais souffrir, dans les répits, elle évoquait cette seconde de « rencontre », comme pour se convaincre que quelque chose de plus profond que son sang était passé d'elle en moi.

Je sais bien tout ce qu'il faut penser des coïncidences, et même de ces coïncidences privilégiées que Jung dit « significatives », mais il me semble, pour avoir vécu des moments analogues avec un ami très cher, avec une femme passionnément aimée, qu'il faut dépasser la notion de coïncidence et oser en venir à une interprétation magique. Il suffit de s'entendre sur le terme « magique ».

Que s'était-il passé dans cette cuisine, un soir de ma septième année ? Je pense qu'à mon insu (et à cause d'un imperceptible choc, un infime tremblement comparable à l'onde légère qui fait tomber un objet longtemps en équilibre, un infime tremblement dû au hasard pur), une machine, en moi-même, rendue infiniment sensible par mille et mille élans d'amour, de ce simple, violent, exclusif amour de l'enfance, s'est mise brusquement à fonctionner. Cette machine toute neuve et toute prête, dans le domaine silencieux de mon cerveau, dans l'usine cybernétique de la Belle au Bois Dormant, a regardé ma mère. Elle l'a vue, elle a recueilli et classé toutes les facettes de sa pensée, de son cœur, de ses humeurs, de ses sensations ; elle est devenue ma mère ; elle a eu connaissance de son essence et de son destin jusqu'à cet instant-là. Elle a fiché, rangé, à une vitesse plus grande que la lumière, toutes les associations de sentiments et d'idées qui avaient défilé en ma mère depuis sa naissance, et elle est arrivée à la dernière association, celle de la lavette, de Raymonde et de la relavote. Et alors, j'ai exprimé le résultat du travail de cette machine, qui avait été exécuté si follement vite que son fruit lui-même me traversait sans laisser trace, comme les rayons cosmiques nous traversent sans provoquer nulle sensation. J'ai dit : « Raymonde appelle cela une relavote. » Puis la machine s'est arrêtée, ou bien j'ai cessé d'être réceptif après l'avoir été un milliardième de seconde, et j'ai enchaîné sur la phrase commencée avant. Avant que le temps ne s'arrête, ou bien ne soit accéléré en tous sens, passé, présent, avenir : c'est la même chose.

Je devais connaître, en d'autres circonstances, des « coïncidences » de même nature. Je pense qu'il est possible de les interpréter de cette façon. Il se peut que la machine fonctionne constamment, mais que nous ne puissions être réceptifs qu'occasionnellement. Encore, cette réceptivité ne peut-elle être que rarissime. Sans doute est-elle nulle chez certains êtres. Ainsi y a-t-il des « gens qui ont de la chance » et des gens qui n'en ont pas. Les chanceux seraient ceux qui, parfois, reçoivent un message de la machine : elle a analysé tous les éléments de la conjoncture, elle a classé, choisi, comparé tous les effets et toutes les causes possibles et, découvrant ainsi le meilleur chemin du destin, elle a rendu son oracle, qui a été recueilli, sans même que la conscience ait été effleurée par le soupçon d'un si formidable travail. Ceux-là sont « chéris des dieux », en effet. Ils sont de temps en temps branchés sur leur usine. Pour ne parler que de moi, j'ai ce que l'on appelle « de la chance ». Tout me porte à croire que les phénomènes qui président à cette chance sont du même ordre que les phénomènes qui présidèrent à l'histoire de la « relavote ».

Ainsi commençons-nous à nous apercevoir que la conception magique des rapports de l'homme avec autrui, avec les choses, avec l'espace, avec le temps, — que cette conception n'est pas tout à fait étrangère à une réflexion libre et vive sur la technique et la science modernes. C'est la modernité qui nous permet de croire au magique. Ce sont les machines électroniques qui nous font prendre au sérieux le sorcier de Cro-Magnon et le prêtre maya. Si des connexions ultra-rapides s'établissent dans le domaine silencieux du cerveau humain et si, en certaines circonstances, le résultat de ce travail est capté par la conscience, certaines pratiques de magie imitative, certaines révélations prophétiques, certaines illuminations poétiques ou mystiques, certaines divinations, que nous mettons sur le compte du délire ou du hasard, sont à considérer comme des acquis réels de l'esprit en état d'éveil.

Voici d'ailleurs plusieurs années que nous savons que la nature n'est pas raisonnable. Elle ne se conforme pas au mode ordinaire du fonctionnement de l'intelligence. Pour la partie de notre cerveau normalement en usage, toute démarche est binaire. Ceci est noir, ou blanc. C'est oui ou non. C'est continu ou c'est discontinu. Notre machine à comprendre est arithmétique. Elle classe, et elle compare. Tout le *Discours de la méthode* est fondé là-dessus. Toute la philosophie chinoise du Ying et du Yang aussi (et le *Livre des Mutations*, seul livre d'oracles, dont l'Antiquité nous ait transmis les règles, est composé des figures graphiques : trois lignes continues, trois discontinues, dans tous les ordres possibles). Or, comme le disait Einstein à la fin de sa vie : « Je me demande si la nature joue toujours le même jeu. » Il semble bien, en effet, que la nature échappe à la machine binaire qu'est notre cerveau dans son état de marche normal. Depuis Louis de Bloglie, on a été obligé d'admettre que la lumière est *à la fois* continue et brisée. Mais nul cerveau humain n'est parvenu à une représentation d'un tel phénomène, à une compréhension par l'intérieur, à une connaissance réelle. On admet. On sait. On ne connaît pas. Supposez maintenant que, sur un modèle de la lumière (toute la littérature et l'iconographie religieuses abondent en évocations de la lumière), un cerveau passe de l'état arithmétique à l'état analogique, dans l'éclair de l'extase. Il devient la lumière. Il *vit* l'incompréhensible phénomène. Il naît avec. Il le connaît. Il va là où l'intelligence sublime de de Bloglie n'atteint pas. Puis il retombe, le contact est rompu avec les machines supérieures qui fonctionnent dans l'immense galerie secrète du cerveau. Sa mémoire ne lui restitue que les bribes de la connaissance qu'il vient d'acquérir. Et le langage échoue à traduire ces bribes elles-mêmes. Peut-être certains mystiques ont-ils *connu* ainsi les phénomènes de la nature que notre intelligence moderne a réussi à découvrir, à admettre, mais n'est pas parvenue à intégrer.

« Et comme moi, le scribe demandait comment, ou quelle chose elle voyait, ou si elle voyait chose corporelle ? Elle répondait ainsi : je voyais une plénitude, une clarté, de quoi je sentais un tel emplissement que je ne sais dire et ne sais donner nulle similitude... » Voilà un passage de la dictée d'Angèle de Foligno à son confesseur, tout à fait significatif.

Le calculateur électronique, sur une maquette mathématique de barrage ou d'avion, fonctionne analogiquement. Dans une certaine mesure, il devient ce barrage ou cet avion et découvre la totalité des aspects de leur existence. Si le cerveau peut agir de même[1], nous commençons à comprendre pourquoi le sorcier fabrique une structure évoquant l'ennemi qu'il veut atteindre ou dessine le bison dont il veut découvrir la trace. Il attend devant ces maquettes le passage de son intelligence du stade binaire au stade analogique, le passage de sa conscience de l'état ordinaire à l'état d'éveil supérieur. Il attend que la machine se mette à fonctionner analogiquement, que se produisent, dans le domaine silencieux de son cerveau, ces connexions ultra-rapides qui lui livreront la réalité totale de la chose représentée. Il attend, mais non passivement. Que fait-il? Il a choisi l'heure et le lieu en fonction d'enseignements anciens, de traditions qui sont peut-être le résultat d'une somme de tâtonnements. Tel moment de telle nuit, par exemple, est plus favorable que tel autre moment de telle autre nuit, peut-être à cause de l'état du ciel, du rayonnement cosmique, de la disposition des champs magnétiques, etc. Il se met dans une certaine posture bien précise. Il fait certains gestes, une danse particulière, il prononce certaines paroles, émet des sons, module un souffle, etc. On ne s'est pas encore avisé qu'il pourrait s'agir là de techni-

1. Bien entendu, notre comparaison avec la machine électronique n'est pas absolue. Comme toute comparaison, elle n'est qu'un point de départ et elle-même une maquette d'idée.

ques (embryonnaires, tâtonnantes) destinées à provoquer l'ébranlement des machines ultra-rapides contenues dans la partie endormie de notre cerveau. Les rites ne sont peut-être que des ensembles complexes de dispositions rythmiques susceptibles d'opérer une mise en route des fonctions supérieures de l'intelligence. Des tours de manivelle, en quelque sorte, plus ou moins efficaces. Tout porte à croire que la mise en route de ces fonctions supérieures, de ces cerveaux électroniques analogiques, exige des branchements mille fois plus compliqués et subtils que ceux qui ont lieu dans le passage du sommeil à la lucidité.

Depuis les travaux de Von Frisch, on sait que les abeilles ont un langage : elles dessinent dans l'espace des figures mathématiques d'une infinie complication, au cours de leur vol, et se communiquent ainsi les renseignements nécessaires à la vie de la ruche. Tout porte à croire que l'homme, pour établir la communication avec ses pouvoirs les plus élevés, doit mettre en jeu des séries d'impulsions pour le moins aussi complexes, aussi ténues et aussi étrangères à ce qui détermine habituellement ses actes intellectuels.

Les prières et les rites devant les idoles, devant les figures symboliques des religions, seraient donc des manières d'essayer de capter et d'orienter des énergies subtiles (magnétiques, cosmiques, rythmiques, etc.) en vue du déclenchement de l'intelligence analogique qui permettrait à l'homme de *connaître* la divinité représentée.

Si cela est, s'il existe des techniques pour obtenir du cerveau un rendement sans commune mesure avec les résultats de l'intelligence binaire même la plus grande, et si ces techniques n'ont été recherchées jusqu'ici que par les occultistes, on comprend que la plupart des importantes découvertes pratiques et scientifiques, avant le XIXe siècle, aient été faites par ceux-ci.

Notre langage, comme notre pensée, procède du fonctionnement arithmétique, binaire, de notre cerveau. Nous classons en oui, non, positif, négatif, nous établissons les comparaisons et déduisons. Si le langage nous sert à mettre de l'ordre dans notre pensée elle-même tout entière occupée à ranger, il faut bien voir qu'il n'est pas un élément créateur extérieur, un attribut divin. Il ne vient pas ajouter une pensée à la pensée. Si je parle ou écris, je freine ma machine. Je ne peux la décrire qu'en observant au ralenti. Je n'exprime donc que ma prise de conscience binaire du monde, et encore lorsque cette conscience cesse de fonctionner à la vitesse normale. Mon langage ne témoigne que du ralenti d'une vision du monde elle-même limitée au binaire. Cette insuffisance du langage est évidente et est vivement ressentie. Mais que dire de l'insuffisance de l'intelligence binaire elle-même ? L'existence interne, l'essence des choses lui échappe. Elle peut découvrir que la lumière est continue et discontinue à la fois, que la molécule du benzène établit entre ses six atomes des rapports doubles et pourtant mutuellement exclusifs ; elle l'admet, mais elle ne peut le comprendre, elle ne peut intégrer à sa propre démarche la réalité des structures profondes qu'elle examine. Pour y parvenir, il lui faudrait changer d'état, il faudrait que d'autres machines que celles habituellement en usage se mettent à fonctionner dans le cerveau et qu'au raisonnement binaire se substitue une conscience analogique qui revêt les formes et s'assimile les rythmes inconcevables de ces structures profondes. Sans doute cela se produit-il, dans l'intuition scientifique, dans l'illumination poétique, dans l'extase religieuse et dans d'autres cas que nous ignorons. Le recours à la *conscience éveillée*, c'est-à-dire à un état différent de l'état de veille lucide, est le *leitmotiv* de toutes les anciennes philosophies. Il est aussi le *leitmotiv* des plus grands physiciens et mathématiciens modernes, pour qui « quelque chose doit se passer dans la conscience humaine pour qu'elle passe du savoir à la connaissance ».

Il n'est donc pas surprenant que le langage, qui ne parvient qu'à témoigner d'une conscience du monde à l'état de veille lucide normale, soit obscur dès qu'il s'agit d'exprimer ces structures profondes, qu'il s'agisse de la lumière, de l'éternité, du temps, de l'énergie, de l'essence de l'homme, etc. Cependant, nous distinguons deux sortes d'obscurité.

L'une vient de ce que le langage est le véhicule d'une intelligence qui s'applique à examiner ces structures sans jamais pouvoir les assimiler. Il est le véhicule d'une nature qui se heurte vainement à une autre nature. Au mieux, il ne peut qu'apporter le témoignage d'une impossibilité, l'écho d'une sensation d'impuissance et d'exil. Son obscurité est réelle. Elle n'est justement que l'obscurité.

L'autre vient de ce que l'homme qui tente de s'exprimer a connu, par éclairs, un autre état de conscience. Il a vécu un instant dans l'intimité de ces structures profondes. Il les a connues. C'est le mystique du type saint Jean de la Croix, le savant illuminé du type Einstein ou le poète inspiré du type William Blake, le mathématicien transporté du type Galois, le philosophe visionnaire du type Meyrink.

Retombé, le « voyant » échoue à communiquer. Mais, ce faisant, il exprime la certitude positive que l'univers serait contrôlable et maniable si l'homme parvenait à combiner aussi intimement que possible l'état de veille et l'état de super-veille. Quelque chose d'efficace, le profil d'un instrument souverain apparaît dans un tel langage. Fulcanelli parlant du mystère des Cathédrales, Wiener parlant de la structure du Temps, sont obscurs, mais ici l'obscurité n'est pas l'obscurité : elle est le signe que quelque chose brille ailleurs.

Seul, sans doute, le langage mathématique moderne rend compte de certains résultats de la pensée analogique. Il existe, en physique mathématique, des domaines de l' « ailleurs absolu » et des « continus de mesure nulle », c'est-à-dire des mesures sur des univers inconcevables et pourtant réels. On peut se demander pourquoi les poètes ne sont pas encore allés entendre du côté de cette science le chant des réalités fantastiques, sinon par crainte d'avoir à reconnaître cette évidence : que l'art magique vit et prospère hors de leurs cabinets[1].

Ce langage mathématique qui témoigne de l'existence d'univers échappant à la conscience normalement lucide est le seul qui soit en activité, en foisonnement constant[2].

Les « êtres mathématiques », c'est-à-dire les expressions, les signes qui symbolisent la vie et les lois du monde invisible, du monde *impensable*, développent, fécondent d'autres « êtres ». A proprement parler, ce

1. Cantor : *L'essence des mathématiques, c'est la liberté.*
Mittag-Leffler à propos des travaux d'Abel : *Il s'agit de véritables poèmes lyriques d'une beauté sublime ; la perfection de la forme laisse transparaître la grandeur de la pensée et comble l'esprit d'images d'un monde plus éloigné des banales apparences de la vie, plus directement surgi de l'âme que la plus belle création du plus beau poète au sens ordinaire du mot.*
Dedekind : *Nous sommes de race divine et possédons le pouvoir de créer.*
2. Là, tout est ouvert : les techniques de pensée, les « logiques », les « ensembles », tout est vivant, tout sans cesse se renouvelle, les conceptions les plus étranges et les plus transparentes naissent les unes des autres, se transforment, pareilles aux « mouvements » d'une symphonie ; nous sommes dans le domaine divin de l'imagination. Mais d'une imagination abstraite si l'on peut dire. En effet, ces images de la technique mathématique n'ont rien à voir avec celles du monde illusoire où nous pataugeons, *bien qu'elles en détiennent la clef et le secret.* (Georges Buraud : *Mathématique et Civilisation*, revue « La Table Ronde », avril 1959.)

langage est la véritable « langue verte » de notre temps.

Oui, la « langue verte », l'argot au sens originel de ces mots, au sens qu'on leur donnait dans le Moyen Âge (et non pas au sens affadi que leur supposent aujourd'hui des littérateurs qui veulent se croire « affranchis »), voilà que nous les trouvons dans la science d'avant-garde, dans la physique mathématique qui est, si l'on y regarde de près, un dérèglement de l'intelligence admise, une rupture, une voyance.

Qu'est-ce que l'art gothique, auquel nous devons les cathédrales ? « Pour nous, écrivait Fulcanelli [1], art gothique n'est qu'une déformation orthographique du mot *argotique*, conformément à la loi phonétique qui régit, dans toutes les langues, sans tenir aucun compte de l'orthographe, la cabale traditionnelle. » La cathédrale est une œuvre d'art got ou *d'argot*.

Et qu'est-ce que la cathédrale d'aujourd'hui, enseignant aux hommes les structures de la Création, si ce n'est, substituée à la rosace, l'équation ? Dégageons nous des fidélités inutiles au passé afin de mieux nous raccorder à celui-ci. Ne cherchons pas la cathédrale moderne dans le monument de verre et de béton surmonté d'une croix. La cathédrale du Moyen Âge était le livre des mystères donné aux hommes d'hier. Le livre des mystères, aujourd'hui, ce sont les physiciens mathématiciens qui l'écrivent, avec des « êtres mathématiques », enchâssés comme des rosaces, dans les constructions qui se nomment fusée interplanétaire, usine atomique, cyclotron. Voilà la vraie continuité, voilà le fil réel de la tradition.

Les *argotiers* du Moyen Âge, fils spirituels des Argonautes qui connaissaient la route du jardin des Hespérides, écrivaient dans la pierre leur message hermétique. Signes incompréhensibles pour les hommes en

---

1. Fulcanelli : *Le Mystère des cathédrales.*

qui la conscience n'a pas subi de transmutations, en qui le cerveau n'a pas subi cette accélération formidable grâce à quoi l'inconcevable devient réel, sensible et maniable. Ils n'étaient pas secrets par amour du secret, mais simplement parce que leurs découvertes des lois de l'énergie, de la matière et de l'esprit, s'étaient effectuées dans un autre état de conscience, incommunicable directement. Ils étaient secrets, parce que « être », c'est « être différent ».

Par tradition atténuée, comme en souvenir d'un si haut exemple, l'argot est de nos jours un dialecte en marge, à l'usage des insoumis, avides de liberté, des proscrits, des nomades, de tous ceux qui vivent en dehors des lois reçues et des conventions. Des voyous, c'est-à-dire des *voyants*, de ceux qui, nous dit encore Fulcanelli, au Moyen Âge se réclamaient aussi du titre de *Fils* ou *Enfants du Soleil, l'art got* étant *l'art de la lumière* ou *de l'Esprit*.

Mais nous retrouvons la tradition sans dégénérescence si nous nous apercevons que cet art got, que cet *art de l'Esprit*, est aujourd'hui celui des « êtres mathématiques » et des intégrales de Lebesque, des « nombres par-delà l'Infini » ; celui des physiciens mathématiciens qui bâtissent, en courbes insolites, en « lumières interdites », en tonnerres et en flammes, les cathédrales de nos messes à venir.

Ces observations risquent de paraître révoltantes à un lecteur religieux. Elles ne le sont pas. Nous pensons que les possibilités du cerveau humain sont infinies. Ceci nous met en contradiction avec la psychologie et la science officielles, qui font « confiance à l'homme » à condition qu'il ne déborde pas le cadre tracé par les rationalistes du

XIXe siècle. Ceci ne devrait pas nous mettre en contradiction avec l'esprit religieux, tout au moins avec ce qu'il a de plus pur et de plus haut.

L'homme peut accéder aux secrets, *voir* la lumière, *voir* l'Éternité, saisir les lois de l'Énergie, intégrer à sa démarche intérieure le rythme du destin universel, avoir une connaissance sensible de l'ultime convergence des forces et, comme Teilhard de Chardin, vivre de l'incompréhensible vie du point Omega en quoi toute création se trouvera, dans la fin du temps terrestre, à la fois accomplie, consumée et exaltée. L'homme peut tout. Son intelligence, depuis l'origine sans doute équipée pour une infinie connaissance, peut, dans certaines conditions, saisir l'ensemble des mécanismes de la vie. Le pouvoir de l'intelligence humaine entièrement déployée peut probablement s'étendre à la totalité de l'Univers. Mais ce pouvoir s'arrête là où cette intelligence, parvenue au terme de sa mission, pressent qu'il y a encore « quelque chose » au-delà de l'Univers. Ici, la conscience analogique perd toute possibilité de fonctionner. Il n'y a pas de modèles dans l'Univers de ce qui est au-delà de l'Univers. Cette porte infranchissable est celle du Royaume de Dieu. Nous acceptons cette expression, à ce degré : « Royaume de Dieu. »

Pour avoir tenté de déborder l'univers en imaginant un nombre plus grand que tout ce que l'on pourrait concevoir dans l'Univers, pour avoir tenté de construire un concept que l'univers ne saurait remplir, le génial mathématicien Cantor a sombré dans la folie. Il y a une ultime porte que l'intelligence analogique ne peut ouvrir. Peu de textes égalent en grandeur métaphysique celui où H. P. Lovecraft[1] tente de décrire

---

1. Extrait de la nouvelle : *A travers les Portes de la Clef d'Argent*, que Bergier et moi avons publiée en français dans un recueil intitulé : *Démons et Merveilles*. (Coll. « Lumière Interdite », Éd. des Deux Rives, Paris.)

l'impensable aventure de l'homme éveillé qui serait parvenu à entrebâiller cette porte et ainsi aurait prétendu se glisser là où Dieu règne par-delà l'infini...

« Il savait qu'un Randolph Carter, de Boston, avait existé ; il ne pouvait pourtant savoir au juste si c'était lui, fragment ou facette d'entité au-delà de l'Ultime Porte, ou quelque autre qui avait été ce Randolph Carter. Son " moi " avait été détruit et cependant, grâce à quelque faculté inconcevable, il avait également conscience d'être une légion de " moi ". Si toutefois, en ce lieu où la moindre notion d'existence individuelle était abolie, pouvait survivre, sous quelque forme une aussi singulière chose. C'était comme si son corps avait été brusquement transformé en l'une de ces effigies aux membres et têtes multiples des temps hindous. En un effort insensé, contemplant cet agglomérat, il tentait d'en séparer son corps originel — si toutefois pouvait exister un corps originel...

« Durant ces terrifiantes visions, ce fragment de Randolph Carter qui avait franchi l'Ultime Porte, fut arraché au nadir de l'horreur pour plonger dans les abîmes d'une horreur encore plus profonde, et, cette fois, cela venait de l'intérieur : c'était une force, une sorte de personnalité qui brusquement lui faisait face et l'entourait tout à la fois, s'emparait de lui et s'intégrant à sa propre présence, coexistait à toutes les éternités, était contiguë à tous les espaces. Il n'y avait aucune manifestation visible, mais la perception de cette entité et la redoutable combinaison des concepts d'identité et d'infinité lui communiquaient une terreur paralysante. Cette terreur dépassait de loin toutes celles dont, jusque-là, les multiples facettes de Carter avaient soupçonné l'existence... Cette entité était tout en un et un en tout, un être à la fois infini et limité qui n'appartenait pas seulement à un continu d'espace-temps, mais faisait partie intégrante du maelström éternel de forces de vie, de l'ultime maelström sans limites qui dépasse aussi bien les mathématiques que l'imagination. Cette entité était peut-être celle que certains cultes secrets de la terre évoquent à voix basse et que les esprits vaporeux des nébuleuses spirales désignent par un signe intranscriptible... Et en un éclair, projeté encore plus loin, le fragment Carter connut la superficialité, l'insuffisance de ce qu'il venait d'éprouver de cela même, de cela même... »

Revenons à notre propos initial. Nous ne disons pas : il existe, dans la vaste partie silencieuse du cerveau, une machine électronique analogique. Nous disons : comme il existe des machines arithmétiques et des machines analogiques, ne pourrait-on imaginer, au-delà du fonctionnement de notre intelligence à l'état normal, un fonctionnement à l'état supérieur ? Des pouvoirs de l'intelligence qui seraient du même ordre que ceux de la machine analogique ? Notre comparaison ne doit pas être prise à la lettre. Il s'agit d'un point de départ, d'une rampe de lancement vers les régions de l'intelligence encore sauvages, encore à peine explorées. Dans ces régions, l'intelligence se met peut-être brusquement à fulgurer, à éclairer les choses habituellement cachées de l'univers. Comment parvient-elle à passer dans ces régions où sa propre vie devient prodigieuse ? Par quelles opérations se fait le changement d'état ? Nous ne disons pas que nous le savons. Nous disons qu'il y a, dans les rites magiques et religieux, dans l'immense littérature ancienne et moderne consacrée aux moments singuliers, aux instants fantastiques de l'esprit, des milliers et des milliers de descriptions fragmentaires qu'il faudrait réunir, comparer, et qui évoquent peut-être une méthode perdue, — ou une méthode à venir.

Il se peut que l'intelligence frôle parfois, comme par

hasard, la frontière de ces régions sauvages. Elle y déclenche, une fraction de seconde, les machines supérieures dont elle perçoit confusément le bruit. C'est mon histoire de la relavote, ce sont tous ces phénomènes dits « parapsychologiques » dont l'existence nous trouble tant, ce sont ces extraordinaires et rares flambées illuminatives, une, deux, ou trois, que la plupart des êtres fins connaissent au cours de leur vie, et surtout aux âges tendres. Il n'en reste rien, à peine le souvenir.

Franchir cette frontière (ou, comme disent les textes traditionnels : « entrer dans l'état d'éveil ») apporte infiniment plus et ne semble pas pouvoir être le fait du hasard. Tout invite à penser que ce franchissement exige le rassemblement et l'orientation d'un nombre énorme de forces, extérieures et intérieures. Il n'est pas absurde de songer que ces forces sont à notre disposition. Simplement, la méthode nous manque. La méthode nous manquait aussi, il y a peu de temps, pour libérer l'énergie nucléaire. Mais ces forces ne sont sans doute à notre disposition que si nous engageons pour les capter la totalité de notre existence. Les ascètes, les saints, les thaumaturges, les voyants, les poètes et les savants de génie ne disent pas autre chose. Et c'est ce qu'écrit William Temple, poète américain moderne : « Aucune révélation particulière n'est possible si l'existence n'est pas elle-même tout entière un instrument de révélation »

Reprenons donc notre comparaison. C'est durant la Seconde Guerre mondiale que la « recherche opérationnelle » est née. Pour que le besoin d'une telle méthode se fît sentir, « il fallait que se posent des problèmes échappant au bon sens et à l'expérience ». Les tacticiens eurent donc recours aux mathématiciens :

« Lorsqu'une situation, par la complexité de sa structure apparente et de son évolution visible, ne peut être maîtrisée par des moyens habituels, on demande à des scientifiques de traiter cette situation comme, dans leur spécialité, ils traitent les phénomènes de la nature et d'en faire la théorie. Faire la théorie d'une situation ou d'un objet, est en imaginer un modèle abstrait dont les propriétés simuleront les propriétés de cet objet. Le modèle est toujours mathématique. Par son intermédiaire, les questions concrètes sont traduites en propriétés mathématiques. »

Il s'agit du « modèle » d'une chose ou d'une situation trop nouvelle ou trop complexe pour être choisie dans sa totale réalité par l'intelligence. « En recherche opérationnelle fondamentale, on a intérêt à construire alors une machine électronique analogique de façon que cette machine réalise le modèle. On peut alors, en manipulant les boutons de réglage et en la regardant fonctionner, trouver les réponses à toutes les questions en vue desquelles le modèle a été conçu. »

Ces définitions sont extraites d'un bulletin technique[1]. Elles sont plus importantes, pour une vision de « l'homme éveillé », pour une compréhension de l'esprit « magique », que la plupart des ouvrages de littérature occultiste. Si nous traduisons modèle par idole ou symbole et machine analogique par fonctionnement illuminatif du cerveau ou état d'hyper-lucidité, nous voyons que le plus mystérieux chemin de la connaissance humaine — celui que refusent d'admettre les héritiers du XIXᵉ siècle positiviste — est un vrai et grand chemin. C'est la technique moderne qui nous invite à le considérer comme tel.

« La présence des symboles, signes énigmatiques et d'expression mystérieuse, dans les traditions reli-

---

1. *Bulletin de Liaison des Cercles de Politique Économique*, mars 1959.

gieuses, les œuvres d'art, les contes et les coutumes du folklore, atteste l'existence d'un langage universellement répandu en Orient comme en Occident et dont la signification transhistorique semble se situer à la racine même de notre existence, de nos connaissances et de nos valeurs [1]. »

Or, qu'est-ce que le symbole, sinon le modèle abstrait d'une réalité, d'une structure, que l'intelligence humaine ne saurait maîtriser entièrement, mais dont elle esquisse la « théorie » ?

« Le symbole révèle certains aspects de la réalité — les plus profonds — qui défient tout moyen de connaissance [2]. » Comme le « modèle » qu'élabore le mathématicien à partir d'un objet ou d'une situation échappant au bon sens ou à l'expérience, les propriétés du symbole simulent les propriétés de l'objet ou de la situation ainsi abstraitement représentés, et dont l'aspect fondamental demeure caché. Il faudrait ensuite qu'une machine électronique analogique fût branchée et fonctionnât, à partir de ce modèle, pour que le symbole livre la réalité qu'il contient et les réponses à toutes les questions en vue desquelles il a été conçu. L'équivalent de cette machine, pensons-nous, existe dans l'homme. Certaines attitudes mentales et physiques encore mal connues peuvent en déclencher le fonctionnement. Toutes les techniques ascétiques, religieuses, magiques, semblent orientées vers ce résultat, et sans doute est-ce cela que la tradition, parcourant toute l'histoire de l'humanité, exprime en promettant aux sages « l'état d'éveil ».

Ainsi, les symboles sont peut-être les modèles abstraits établis depuis les origines de l'humanité pensante, à partir desquels les structures profondes de l'univers nous pourraient être sensibles. Mais atten-

1. René Alleau *De la nature des Symboles* (Flammarion, édit.).
2. Mircea Eliade : *Images et Symboles.*

tion ! Les symboles ne représentent pas la chose elle-même, le phénomène lui-même. Il serait faux aussi de penser qu'ils sont purement et simplement des schématisations. En recherche opérationnelle, le modèle n'est pas le modèle réduit ou simplifié d'une chose connue. Il est le point de départ possible en vue de la connaissance de cette chose. Et un point de départ situé hors de la réalité : situé dans l'univers mathématique. Il faudra ensuite que la machine analogique, bâtie sur ce modèle, entre en transes électroniques, pour que les réponses *pratiques* soient données. C'est pourquoi toutes les explications des symboles auxquelles se livrent les occultistes sont sans intérêt. Ils travaillent sur les symboles comme s'il s'agissait de schémas traduisibles par l'intelligence à l'état normal. Comme si, de ces schémas, l'on pouvait remonter immédiatement vers une réalité. Depuis des siècles qu'ils s'emploient de la sorte sur la Croix de Saint-André, le svastika, l'étoile de Salomon, l'étude des structures profondes de l'univers n'a pas avancé par leurs soins.

Par une illumination de sa sublime intelligence, Einstein parvient à entrevoir (non à saisir totalement, non à s'incorporer et maîtriser) le rapport espace-temps. Pour communiquer sa découverte au degré où elle est intelligemment communicable, et pour s'aider lui-même à *remonter vers sa propre vision illuminative*, il dessine le signe λ ou trièdre de référence. Ce dessin n'est pas un schéma de la réalité. Il est inutilisable pour le commun. Il est un « lève-toi et marche ! » pour l'ensemble des connaissances de physique-mathématique. Et encore, tout cet ensemble mis en marche dans un cerveau puissant ne parviendra qu'à retrouver ce qu'évoque ce trièdre, non pas à passer dans l'univers où joue la loi exprimée par ce signe. Mais on saura, au terme de cette marche, que cet autre univers existe.

Tous les symboles sont peut-être du même ordre. Le

svastika inversé, ou croix gammée, dont l'origine se perd dans le plus lointain passé, est peut-être le « modèle » de la loi qui préside à toute destruction. Chaque fois qu'il y a destruction, dans la matière ou dans l'esprit, le mouvement des forces est peut-être conforme à ce modèle, comme le rapport espace-temps est conforme au trièdre.

De même, nous dit le mathématicien Eric Temple Bell, la spirale est peut-être le « modèle » de la structure profonde de toute évolution (de l'énergie, de la vie, de la conscience). Il se peut que dans « l'état d'éveil », le cerveau puisse fonctionner comme la machine analogique à partir d'un modèle établi, et qu'il pénètre ainsi, à partir du svastika, la structure universelle de la destruction, à partir de la spirale, la structure universelle de l'évolution.

Les symboles, les signes sont donc peut-être des modèles conçus pour les machines supérieures de notre esprit, en vue du fonctionnement de notre intelligence en un autre état.

Notre intelligence, en son état ordinaire, travaille peut-être, avec sa pointe la plus fine, à dessiner des modèles grâce auxquels, passant dans un état supérieur, elle pourrait s'incorporer l'ultime réalité des choses. Quand Teilhard de Chardin parvient à concevoir le point Oméga, il élabore ainsi le « modèle » du point dernier de l'évolution. Mais pour *sentir* la réalité de ce point, pour vivre en profondeur une réalité si peu imaginable, pour que la conscience intègre cette réalité, se l'assimile tout entière, — pour que la conscience, somme toute, devienne elle-même le point Oméga et saisisse tout ce qui est saisissable en un tel point : le sens ultime de la vie de la terre, le destin cosmique de l'Esprit accompli, au-delà de la fin des temps sur notre globe ; — pour que ce passage de l'idée à la connaissance se fasse, il faudrait que se déclenche une autre forme d'intelligence. Disons une intelligence analogique, disons l'illumination mystique, disons l'état de contemplation absolu.

Ainsi, l'idée d'Éternité, l'idée de Transfini, l'idée de Dieu, etc., sont peut-être des « modèles » établis par nous et destinés, dans un autre domaine de notre intelligence, dans un domaine habituellement endormi, à livrer les réponses en vue desquelles nous les avons élaborés.

Ce qu'il faut bien savoir, c'est que la plus sublime idée est peut-être l'équivalent du dessin de bison pour le sorcier de Cro-Magnon. Il s'agit d'une maquette. Il faudra ensuite que les machines analogiques se mettent à fonctionner sur ce modèle dans la zone secrète du cerveau. Le sorcier passe, par transes, dans la réalité du monde bison, en découvre tous les aspects d'un seul coup et peut annoncer le lieu et l'heure de la prochaine chasse. Ceci est de la magie à l'état le plus bas. A l'état le plus haut, le modèle n'est pas un dessin ou une statuette, ou même un symbole. Il est une idée, il est le produit le plus fin de la plus fine intelligence binaire possible. Cette idée n'a été conçue qu'en vue d'une autre étape de la recherche : l'étape analogique, deuxième temps de toute recherche opérationnelle.

Ce qui nous apparaît, c'est que la plus haute, la plus fervente activité de l'esprit humain consiste à établir des « modèles » destinés à une autre activité de l'esprit, mal connue, difficile à déclencher. C'est dans ce sens que l'on peut dire : tout est symbole, tout est signe, tout est évocation d'une autre réalité.

Ceci nous ouvre des portes sur l'infinie puissance possible de l'homme. Ceci ne nous donne pas la clé de toutes choses, contrairement à ce que croient les symbologistes. De l'idée de Trinité, de l'idée du Transfini, à la statuette percée d'épingles du mage villageois en passant par la croix, le svastika, le vitrail, la cathédrale, la Vierge Marie, « les êtres mathématiques », les nombres, etc., tout est modèle, « maquette » de quelque chose qui existe dans un univers différent de celui où cette maquette a été conçue. Mais les « maquettes » ne sont pas interchangeables : un modèle mathématique de barrage fourni au calculateur électronique n'est pas comparable à un modèle de fusée supersonique. Tout n'est pas dans tout. La spirale n'est pas dans la croix. L'image du bison n'est pas dans la photo sur laquelle s'exerce le médium, le point Oméga du Père Teilhard n'est pas dans l'Enfer de Dante, le menhir n'est pas dans la cathédrale, les nombres de Cantor ne sont pas dans les chiffres de l'Apocalypse. S'il y a des « maquettes » de tout, toutes les maquettes ne sont pas comme des tables gigognes et elles ne forment pas un tout démontable qui livrerait le secret de l'univers.

Si les modèles les plus puissants fournis à l'intelligence en état d'éveil supérieur sont les modèles sans dimension, c'est-à-dire les idées, il faut abandonner l'espoir de trouver la maquette de l'univers dans la Grande Pyramide ou sur le portail de Notre-Dame. S'il existe une maquette de l'univers tout entier, elle ne saurait exister que dans le cerveau humain, à la pointe extrême de la plus sublime des intelligences. Mais l'univers n'aurait-il pas plus de ressources que l'homme ? Si l'homme est un infini, l'Univers ne serait-il pas l'infini plus quelque chose ?

Cependant, découvrir que tout est maquette, modèle, signe, symbole, amène à découvrir une clé. Non celle qui ouvre la porte du mystère insondable, et qui d'ailleurs n'existe pas ou bien est entre les mains de Dieu. Une clé, non de certitude mais d'attitude. Il s'agit de faire fonctionner l'intelligence « différente » à laquelle sont proposées ces maquettes. Il s'agit donc de passer de l'état de veille ordinaire à l'état de veille supérieure. A l'état d'éveil. Tout n'est pas dans tout. Mais veiller est tout.

LA NOTION D'ÉTAT D'ÉVEIL

J'ai consacré un gros volume à la description d'une société d'intellectuels qui recherchait, sous la conduite du thaumaturge Gurdjieff, « l'état d'éveil ». Je continue à penser qu'il n'est pas de recherche plus importante. Gurdjieff disait que l'esprit moderne, né sur un fumier, retournerait au fumier, et il enseignait le mépris du siècle. C'est qu'en effet l'esprit moderne est né sur l'oubli, sur l'ignorance de la nécessité d'une telle recherche. Mais Gurdjieff, homme vieux, confondait l'esprit moderne avec le cartésianisme crispé du XIXᵉ siècle. Pour le véritable esprit moderne, le cartésianisme n'est plus la panacée, et la nature même de l'intelligence est à reconsidérer. De sorte que c'est, au contraire, l'extrême modernité qui peut amener les hommes à méditer utilement sur l'existence possible d'un autre état de conscience : d'un état de conscience éveillée. En ce sens, les mathématiciens, les physiciens d'aujourd'hui, donnent la main aux mystiques d'hier. Le mépris de Gurdjieff (comme celui de René Guénon, autre défenseur, mais purement théorique, de l'état d'éveil) n'est pas de saison. Et je pense que si Gurdjieff avait été tout à fait éclairé, il ne se serait pas trompé de saison. Pour une intelligence qui éprouve l'absolue nécessité d'une transmutation, le temps n'est pas au mépris du siècle, mais au contraire à l'amour.

Jusqu'ici, c'est en termes religieux, ésotériques ou poétiques que l'état d'éveil a été évoqué. L'incontestable apport de Gurdjieff a été de montrer qu'il pouvait y avoir une psychologie et une physiologie de cet état. Mais il occultait à plaisir son langage et enfermait ses disciples derrière des murs de thébaïde. Nous allons essayer de parler en hommes de la deuxième moitié du XXe siècle, avec les moyens du dehors. Naturellement, sur un tel sujet, aux yeux des « spécialistes », nous allons faire ainsi figure de barbares. Hé! c'est qu'en effet nous sommes un peu barbares. Nous sentons, dans le monde aujourd'hui, se forger une âme nouvelle pour un âge nouveau de la terre. Notre façon de cerner l'existence probable d'un « état d'éveil » ne sera ni tout à fait religieuse, ni tout à fait ésotérique, ou poétique, ni tout à fait scientifique. Elle sera un peu de tout cela à la fois, et en porte à faux sur toutes les disciplines. C'est cela, la Renaissance : un bouillon où trempent, mêlées, les méthodes des théologiens, des savants, des mages et des enfants.

Un matin d'août 1957, il y eut affluence de journalistes au départ d'un paquebot quittant Londres pour les Indes. Un monsieur et une dame, la cinquantaine, d'aspect insignifiant, s'embarquaient. C'était le grand biologiste J. B. S. Haldane, accompagné de sa femme, qui quittait à jamais l'Angleterre.

« J'en ai assez de ce pays, et de tas de choses dans ce pays, dit-il doucement. Notamment de l'américanisme qui nous envahit. Je vais chercher des idées nouvelles et travailler en liberté dans un pays nouveau. »

Ainsi commençait une étape nouvelle dans la carrière d'un des hommes les plus extraordinaires de l'époque. J. B. S. Haldane avait défendu Madrid, le fusil à la main, contre les franquistes. Il avait adhéré au parti communiste anglais, puis avait déchiré sa carte après l'affaire Lyssenko. Et maintenant, il allait chercher la vérité aux Indes.

Pendant trente ans, son humour noir avait inquiété. Il avait répondu à une enquête d'un quotidien sur l'anniversaire de la décapitation du roi Charles, qui avait ranimé d'antiques controverses :

« Si Charles Ier avait été un géranium, les deux moitiés auraient survécu. »

Après avoir prononcé un discours violent au Club des Athéistes, il avait reçu une lettre d'un catholique anglais l'assurant que « Sa Sainteté le Pape n'était pas d'accord ». Adaptant aussitôt cette respectueuse formule, il avait écrit au ministre de la Guerre : « Votre Férocité », au ministre de l'Air : « Votre Vélocité » et au président de la ligue rationaliste : « Votre Impiété. »

Ce matin d'août, ses confrères « de gauche » ne devaient pas, eux non plus, être mécontents de son départ. Car, tout en défendant la biologie marxiste, Haldane n'en réclamait pas moins l'élargissement du champ de prospection de la science, le droit à l'observation des phénomènes non conformes à l'esprit rationnel. Il leur répondait, avec une tranquille insolence : « J'étudie ce qui est réellement bizarre, en chimie-physique, mais je ne néglige rien ailleurs. »

Il avait insisté depuis longtemps pour que la science étudiât systématiquement la notion d'éveil mystique. Dès 1930, dans ses livres : *L'Inégalité de l'Homme* et *Les Mondes Possibles*, en dépit de sa position de savant officiel, il avait déclaré que l'univers était sans doute plus étrange qu'on ne le pensait et que les témoignages poétiques ou religieux sur un état de conscience supérieur à l'état de veille devaient faire l'objet d'une recherche scientifique.

Un tel homme devait fatalement s'embarquer un jour pour les Indes et il ne serait pas étonnant que ses travaux futurs portent sur des sujets comme « Électro-Encéphalographie et Mysticisme » ou « Quatrième état de conscience et métabolisme du gaz carbonique ». Cela est possible, de la part d'un homme dont l'œuvre comporte déjà une « Étude des applications de l'espace à dix-huit dimensions aux problèmes essentiels de la génétique ».

Notre psychologie officielle admet deux états de conscience : sommeil et veille. Mais, des origines de l'humanité à nos jours, les témoignages abondent sur l'existence d'états de conscience supérieurs à l'état de veille. Haldane fut sans doute le premier savant moderne décidé à examiner objectivement cette notion de superconscience.

Il était dans la logique de notre époque de transition que cet homme apparût à ses ennemis spiritualistes aussi bien qu'à ses amis matérialistes, comme un metteur de bâtons dans les roues.

Comme Haldane, nous devons être tout à fait étrangers au vieux débat entre spiritualistes et matérialistes. Voilà l'attitude vraiment moderne. Non pas nous tenir au-dessus du débat. Il n'a ni dessus, ni dessous : il n'a ni volume ni sens.

Les spiritualistes croient à la possibilité d'un état supérieur de conscience. Ils y voient un attribut de l'âme immortelle.

Les matérialistes trépignent dès qu'il en est question, et brandissent Descartes. Ni les uns ni les autres n'y vont voir de près, avec un esprit libre. Or il doit y avoir une autre façon de considérer ce problème. Une façon réaliste, au sens où nous entendons ce terme : un réalisme intégral, c'est-à-dire qui tient compte des aspects fantastiques de la réalité.

Il se pourrait d'ailleurs que ce vieux débat n'ait de philosophie que l'apparence. Il se pourrait qu'il ne soit rien d'autre qu'une dispute entre gens qui, fonctionnellement, réagissent de manière différente à un phénomène naturel. Quelque chose comme une discussion dans un ménage entre Monsieur qui aime le vent et Madame qui déteste ça. Le heurt de deux types humains : rien là-dedans qui soit de nature à faire de la lumière. S'il en était ainsi, réellement, que de temps perdu en controverses abstraites, et combien aurions-nous raison de nous éloigner du débat pour aborder, d'un esprit « sauvage », la question de l'état d'éveil !

Voyons l'hypothèse :

Le passage du sommeil à la veille produit un certain nombre de modifications dans l'organisme. Par exemple, la tension artérielle change, l'influx nerveux se modifie. S'il existe, comme nous le pensons, un autre état, disons un état de superveille, un état de conscience supérieur, le passage doit, lui aussi, s'accompagner de diverses transformations.

Or, nous savons tous que, pour certains hommes, le fait d'émerger du sommeil est douloureux ou tout au moins violemment désagréable. La médecine moderne tient compte du phénomène et distingue deux types humains à partir de la réaction au réveil.

Qu'est-ce que l'état de superconscience, de conscience réellement éveillée ? Les hommes qui en ont fait l'expérience nous le décrivent, au retour, avec difficulté. Le langage échoue en partie à en rendre compte. Nous savons qu'il peut être atteint volontairement. Tous les exercices des mystiques convergent vers ce but. Nous savons aussi qu'il est possible, — comme le dit Vivekananda — « qu'un homme qui ne connaît pas cette science (la science des exercices mystiques) parvienne par hasard à cet état ». La littérature poétique du monde entier fourmille de témoignages sur ces brusques illuminations. Et combien d'hommes, qui ne sont ni des poètes ni des mystiques, se sont sentis, en une fraction de seconde, frôler cet état ?

Comparons cet état singulier, exceptionnel, à un autre état exceptionnel. Les médecins et les psychologues commencent à étudier, pour les besoins de l'armée, le comportement de l'être humain dans la chute sans pesanteur. Au-delà d'un certain degré d'accélération, la pesanteur se trouve abolie. Le passager de l'avion expérimental lancé en piqué, flotte durant quelques secondes. On s'aperçoit que, pour certains passagers, cette chute s'accompagne d'une sensation d'extrême bonheur. Pour certains autres, d'extrême angoisse, d'horreur.

Eh bien, il se peut que le passage — ou l'esquisse d'un passage — entre l'état de veille ordinaire et l'état de conscience supérieure (illuminative, magique) entraîne certains changements subtils dans l'organisme, désagréables pour certains hommes et agréables pour d'autres. L'étude d'une physiologie liée aux états de conscience est encore embryonnaire. Elle commence à faire quelques progrès avec l'hibernation. La physiologie de l'état supérieur de conscience n'a pas encore attiré l'attention des savants, sauf exceptions. Si l'on retient notre hypothèse, on comprend l'existence d'un type humain rationaliste, positiviste, agressif par autodéfense dès qu'il s'agit, en littérature, en philosophie ou en science, de sortir du domaine où s'exerce la conscience dans son état ordinaire. Et l'on comprend l'existence du type spiritualiste, pour qui toute allusion à un dépassement de la raison évoque une sensation de paradis perdu. On retrouverait à la base d'une immense querelle scolastique, l'humble : « J'aime, ou je n'aime pas. » Mais qu'est-ce qui, en nous, aime ou n'aime pas ? en vérité, ce n'est jamais *Je* : « Ça aime, ou ça n'aime pas, en moi », rien de plus. Filons donc aussi loin que possible du faux problème spiritualisme-matérialisme, qui n'est peut-être qu'un vrai problème d'allergies. L'essentiel est de savoir si l'homme possède, dans ses régions inexplorées, des instruments supérieurs, d'énormes amplificateurs de son intelligence, l'équipement complet pour conquérir et comprendre l'univers, pour se conquérir et se comprendre lui-même, pour assumer la totalité de son destin.

Bodhidharma, fondateur du bouddhisme Zen, un jour qu'il était en méditation, s'endormit (c'est-à-dire qu'il se laissa retomber, par inadvertance, dans l'état de conscience habituel à la plupart des hommes). Cette faute lui parut si horrible qu'il se coupa les paupières. Celles-ci, dit la légende, tombèrent sur le sol, donnant aussitôt naissance au premier plant de thé. Le thé, qui protège contre le sommeil, est la fleur qui symbolise le désir des sages de se maintenir en éveil, et c'est pourquoi, dit-on « le goût du thé et le goût du Zen sont semblables ».

Cette notion de « l'état d'éveil » paraît aussi vieille que l'humanité. Elle est la clé des plus anciens textes religieux, et peut-être l'homme de Cro-Magnon cherchait-il déjà à atteindre ce troisième état. Le datage au radiocarbone a permis de constater que les Indiens du sud-est du Mexique, il y a plus de six mille ans, absorbaient certains champignons pour provoquer l'hyperlucidité. Il s'agit toujours de faire s'ouvrir le troisième œil, de dépasser l'état de conscience ordinaire où tout n'est qu'illusions, prolongement des songes du profond sommeil. « Éveille-toi, dormeur, éveille-toi ! » Des Évangiles aux contes de fées. c'est toujours la même admonestation.

Les hommes ont cherché cet état d'éveil dans toutes sortes de rites, par les danses, les chants, par la macération, le jeûne, la torture physique, les drogues diverses, etc. Quand l'homme moderne aura saisi l'importance de l'enjeu, — ce qui ne saurait tarder —, d'autres moyens seront certainement trouvés. Le savant américain J. B. Olds envisage une stimulation électronique du cerveau[1]. L'astronome anglais Fred Hoyle[2] propose l'observation d'images lumineuses sur un écran de télévision. Déjà H. G. Wells, dans son beau livre *Au temps de la Comète*, imaginait qu'à la suite d'une collision avec une comète, l'atmosphère de la Terre se trouvait emplie d'un gaz provoquant l'hyperlucidité. Les hommes franchissaient enfin la frontière qui sépare la vérité de l'illusion. Ils s'éveillaient aux véritables réalités. Du coup, tous les problèmes, pratiques, moraux et spirituels, se trouvaient résolus.

Cet éveil de la « superconscience » ne semble avoir été recherché jusqu'ici que par les mystiques. S'il est possible, à quoi faut-il l'attribuer ? Les religieux nous parlent de grâce divine. Les occultistes, d'initiation magique. Et s'il s'agissait d'une faculté naturelle ?

La science la plus récente nous montre que des portions considérables de la matière cérébrale sont encore « terre inconnue ». Siège de pouvoirs que nous ne savons pas utiliser ? Salle de machines dont nous ignorons l'emploi ? Instruments en attente pour les mutations prochaines ?

---

1. « Les Centres au plaisir du cerveau », dans *Scientific American*, oct. 1956.
2. Dans un roman : *The Black Cloud*. Des nuages noirs dans l'espace, entre les étoiles, sont des formes supérieures de la vie. Ces super-intelligences se proposent d'éveiller les hommes de la Terre en envoyant des images lumineuses qui produisent dans les cerveaux des connexions réalisant « l'état de conscience éveillée ».

Nous savons, en outre, aujourd'hui, que l'homme n'utilise habituellement, même pour les opérations intellectuelles les plus complexes, que les neuf dixièmes de son cerveau. La plus grande partie de nos pouvoirs demeure donc en friche. L'immémorial mythe du trésor caché ne signifie pas autre chose. C'est ce que dit le savant anglais Gray Walter dans un des ouvrages essentiels de notre époque : *Le Cerveau Vivant*. Dans un second ouvrage[1], mélange d'anticipation et d'observation, de philosophie et de poésie, Walter affirme qu'il n'y a sans doute aucune limite aux possibilités du cerveau humain, et que notre pensée explorera un jour le Temps, comme nous explorons maintenant l'espace. Il rejoint dans cette vision le mathématicien Eric Temple Bell qui prête au héros de son roman *Le Flot du Temps*, le pouvoir de voyager à travers toute l'histoire du cosmos[2].

Tenons-nous aux faits. On peut attribuer le phénomène de l'état de superveille à une âme immortelle. Depuis des milliers d'années que cette pensée nous est

1. *Farther Outlook*, non traduit.
2. « Or, j'ai découvert, par des moyens que je ne comprends qu'imparfaitement, le secret de remonter le cours des événements. C'est comme nager. Une fois qu'on a attrapé le coup, on ne l'oublie jamais. Mais l'apprendre exige une pratique constante et il faut pour y arriver une certaine crispation involontaire de l'esprit ou des muscles. Je suis sûr de ceci : il n'est pas d'homme qui sache exactement comment il a, la première fois, surmonté la difficulté de nager, et sans aucun doute les voyants les plus experts eux-mêmes, ne peuvent expliquer aux autres le secret de remonter le flot du temps. »
Comme Fred Hoyle et comme beaucoup d'autres savants anglais, américains ou russes, Eric Temple Bell écrit des essais ou des romans fantastiques (sous le pseudonyme de John Taine). Bien sot le lecteur qui ne verrait là qu'une distraction de grands esprits. C'est la seule façon de faire circuler certaines vérités non admises par la philosophie officielle. Comme dans toute période prérévolutionnaire, les pensées de l'avenir sont publiées sous le manteau. La jaquette d'un ouvrage de « sience-fiction », voilà le manteau de 1960.

proposée, elle n'a guère fait avancer le problème. Mais si, pour ne pas aller plus loin que les faits, nous nous bornons à constater que la notion d'un état de super-veille est une aspiration constante de l'humanité, ce n'est pas suffisant. C'est une aspiration. C'est également quelque chose d'autre.

La résistance à la torture, les moments d'inspiration chez les mathématiciens, les observations faites par l'électro-encéphalogramme des yogis, d'autres preuves encore doivent nous obliger à reconnaître que l'homme peut accéder à un autre état que l'état de veille lucide normale. Sur cet état, chacun est libre d'adapter l'hypothèse de son choix, grâce de Dieu ou éveil du Moi Immortel. Libre aussi de chercher, « en sauvage », une explication scientifique. On nous entend : nous ne sommes pas des scientistes. Simplement, nous ne négligeons rien de ce qui est de notre époque pour aller explorer ce qui est de tous les temps.

Notre hypothèse est celle-ci :

Les communications dans le cerveau se font d'habi-tude par l'influx nerveux. C'est une action lente : quelques mètres-seconde à la surface des nerfs. Il est possible qu'en certaines circonstances, une autre forme de communication s'établisse, mais beaucoup plus rapide, par une onde électromagnétique voya-geant à la vitesse de la lumière. On atteindrait alors l'énorme rapidité d'enregistrement et de transmissions d'informations des machines électroniques. Aucune loi naturelle ne s'oppose à l'existence d'un tel phénomène. De telles ondes ne seraient pas détectables à l'extérieur du cerveau. C'est l'hypothèse que nous suggérions dans le chapitre précédent.

Si cet état d'éveil existe, par quoi se manifeste-t-il ? Les descriptions données par les poètes et mystiques hindous, arabes, chrétiens, etc., n'ont pas été systéma-tiquement rassemblées et étudiées. Il est extraordi-naire qu'il n'existe pas, dans la liste abondante des anthologies de toutes sortes publiées en notre époque de recensement, une seule « anthologie de l'état d'éveil ». Ces descriptions sont probantes, mais peu claires. Cependant, si nous voulons, en langage moderne, évoquer ce par quoi se manifeste l'état d'éveil, voici :

Normalement, la pensée chemine, comme l'a bien montré Émile Meyerson. La plupart des réussites de la pensée sont, au fond, le fruit d'un cheminement extrêmement lent vers une évidence. Les plus admirables découvertes mathématiques ne sont que des égalités. Égalités inattendues, mais égalités tout de même. Le grand Léonard Euler considérait comme le sommet sublime de la pensée mathématique la relation :

$$e^i \pi + 1 = 0$$

Cette relation, qui accouple le réel à l'imaginaire et constitue la base des logarithmes naturels est une évidence. Dès qu'on l'explique à un étudiant de « spéciale », il ne manque pas de déclarer qu'en effet, « cela crève les yeux ». Pourquoi a-t-il fallu tant de pensée, pendant tant et tant d'années, pour aboutir à un telle évidence ?

En physique, la découverte de la nature ondulatoire des particules est la clé qui a ouvert l'ère moderne. Là aussi, il s'agit d'une évidence. Einstein avait écrit : l'énergie est égale à mc^2, m étant la masse et c la vitesse de la lumière. Ceci en 1905. En 1900, Planck avait écrit : l'énergie est égale à hf, h étant une constante et f la fréquence des vibrations. Il a fallu attendre 1923 pour que Louis de Broglie, génie exceptionnel, songe à égaler les deux équations et à écrire :

$$hf = mc^2$$

La pensée rampe, même chez les plus grands esprits. Elle ne domine pas le sujet.

Dernier exemple : depuis la fin du xviiiᵉ siècle, on a enseigné que la masse apparaissait à la fois dans la formule de l'énergie cinétique ($e = 1/2\ mv^2$) et dans la loi de pesanteur de Newton (deux masses s'attirent avec une force inversement proportionnelle au carré des distances).

Pourquoi faut-il attendre Einstein pour saisir que le mot masse a le même sens dans les deux formules classiques ? Toute la relativité s'en déduit immédiatement. Pourquoi un seul esprit, dans toute l'histoire de l'intelligence, a-t-il vu cela ? Et pourquoi ne l'a-t-il pas vu d'un seul coup, mais après dix ans de recherches acharnées ? Parce que notre pensée chemine le long d'un sentier tortueux situé sur un seul plan, et qui se recoupe plusieurs fois. Et sans doute les idées disparaissent-elles et reparaissent-elles périodiquement ; sans doute les inventions sont-elles oubliées, puis refaites.

Et pourtant, il semble possible que l'esprit puisse s'élever au-dessus de ce sentier, ne plus cheminer, avoir une vue totale, se déplacer à la manière des oiseaux ou des avions. C'est ce que les mystiques appellent « l'état d'éveil ».

S'agit-il, d'ailleurs, d'un ou de plusieurs états d'éveil ? Tout invite à croire qu'il y a plusieurs états, comme il y a plusieurs altitudes de vol. « Le premier échelon se nomme génie. Les autres sont inconnus de la foule et tenus pour légendes. Troie aussi était une légende, avant que des fouilles n'en révèlent l'existence véritable. »

Si les hommes ont en eux la possibilité physique d'accéder à cet ou à ces états d'éveil, la recherche des moyens d'user de cette possibilité devrait être le but principal de leur vie. Si mon cerveau possède les machines qu'il faut, si tout cela n'est pas seulement du domaine religieux ou mythique, si tout cela ne relève pas seulement d'une « grâce », d'une « initiation magique », mais de certaines techniques, de certaines attitudes intérieures et extérieures susceptibles de mettre en route ces machines, alors je me rends compte que parvenir à l'état d'éveil, à l'esprit de survol, devrait être mon unique ambition, ma tâche essentielle.

Si les hommes ne concentrent pas tous leurs efforts sur cette recherche, ce n'est pas qu'ils sont « légers » ou « mauvais ». Ce n'est pas une affaire de morale. Et, en cette matière, un peu de bonne volonté, quelques efforts de-ci de-là, ne sont d'aucun usage. Peut-être les instruments supérieurs de notre cerveau ne sont-ils utilisables que si la vie tout entière (individuelle, collective) est elle-même un instrument, tout entière considérée et vécue comme une façon d'établir le branchement.

Si les hommes n'ont pas pour unique objet le passage dans l'état d'éveil, c'est que les difficultés de la vie en société, la poursuite des moyens matériels d'existence ne leur laissent pas le loisir d'une telle préoccupation. Les hommes ne vivent pas seulement de pain, mais jusqu'à présent notre civilisation ne s'est pas montrée capable d'en fournir à tous.

A mesure que le progrès technique permettra aux hommes de respirer, la recherche du « troisième état » de l'éveil, de l'hyperlucidité, se substituera aux autres aspirations. La possibilité de participer à cette recherche sera finalement reconnue parmi les droits de l'homme. La prochaine révolution sera psychologique

Imaginons un homme de Néandertal transporté par miracle à l'Institut des Études Avancées de Princeton. Il serait, en face du docteur Oppenheimer, dans une situation comparable à celle où nous nous trouverions en compagnie d'un homme réellement éveillé, d'un homme dont la pensée ne cheminerait plus, mais se déplacerait dans trois, quatre ou n dimensions.

Physiquement, il semble que nous puissions devenir un tel homme. Il y a assez de cellules dans notre cerveau, assez d'interconnexions possibles. Mais il nous est difficile d'imaginer ce qu'un pareil esprit pourrait voir et comprendre.

La légende alchimique assure que les manipulations de la matière dans le creuset peuvent provoquer ce que des modernes appelleraient une radiation ou un champ de forces. Cette radiation transmuterait toutes les cellules de l'adepte et en ferait un homme véritablement éveillé, un homme qui serait « à la fois ici et de l'autre côté, un vivant ».

Admettons, s'il vous plaît, cette hypothèse, cette psychologie superbement non euclidienne. Supposons qu'un jour de 1960, un homme comme nous, manipulant la matière et l'énergie d'une certaine manière, se trouve entièrement changé, c'est-à-dire « éveillé ». En 1955, le professeur Singleton montra à ses amis, dans les couloirs de la conférence atomique de Genève, des œillets qu'il avait cultivés dans le champ de radiations du grand réacteur nucléaire de Brookhaven. Ils avaient été blancs. C'étaient maintenant des œillets rouge violacé, d'une espèce jusqu'alors inconnue. Toutes leurs cellules avaient été modifiées, et ils persisteraient, par bouture ou reproduction, dans leur nouvel état. Ainsi pour notre homme. Le voici devenu notre supérieur. Sa pensée ne chemine pas, elle survole. En intégrant d'une façon différente ce que nous savons, les uns les autres, dans nos diverses spécialités, ou tout simplement en établissant toutes les connexions possibles entre les acquis de la science humaine telle qu'elle est exprimée dans les manuels du baccalauréat et les cours de Sorbonne, il peut arriver à des concepts qui nous sont aussi étrangers que pouvaient l'être les chromosomes pour Voltaire ou le neutrino pour Leibniz. Un tel homme n'aurait absolument plus aucun intérêt à communiquer avec nous, et il ne chercherait pas à briller en tentant de nous expliquer les énigmes de la lumière ou le secret des gènes. Valéry ne publiait pas ses pensées dans *La Semaine de Suzette*. Cet homme se trouverait au-dessus et à côté de l'humanité. Il ne pourrait s'entretenir utilement qu'avec des esprits semblables au sien.

On peut rêver là-dessus.

On peut songer que les diverses traditions initiatiques proviennent du contact avec des esprits d'autres planètes. On peut imaginer que, pour un homme éveillé, le temps et l'espace n'ont plus de barrières, et que la communication est possible avec les intelligences des autres mondes habités, — ce qui d'ailleurs expliquerait que nous n'ayons jamais été visités.

On peut rêver. A condition, comme l'écrit Haldane, de ne pas oublier que les rêves de cette sorte sont, probablement, toujours moins fantastiques que la réalité.

Voici maintenant trois histoires vraies. Elles vont nous servir d'illustrations. Les illustrations ne sont pas des preuves, bien entendu. Cependant, ces trois histoires obligent à penser qu'il existe d'autres états de conscience que ceux reconnus par la psychologie officielle. La notion même de génie, si vague, ne suffit pas. Nous n'avons pas choisi ces illustrations parmi les vies et les œuvres des mystiques, ce qui eût été plus facile, et peut-être plus efficace. Mais nous maintenons notre propos d'aborder la question hors de toute Église, les mains nues, en honnêtes barbares...

VI

TROIS HISTOIRES
POUR SERVIR D'ILLUSTRATION

Histoire d'un grand mathématicien à l'état sauvage. — Histoire du plus étonnant des clairvoyants. — Histoire d'un savant de demain qui vivait en 1750.

I. — RAMANUJAN

Un jour du début de l'année 1887, un brahmane de la province de Madras se rend au temple de la déesse Namagiri. Le brahmane a marié sa fille voici de nombreux mois, et la couche des époux est stérile. Que la déesse Namagiri leur donne la fécondité! Namagiri exauce sa prière. Le 2 décembre naît un garçon, auquel on donne le nom de Srinivasa Ramanujan Alyangar. La veille, la déesse était apparue à la mère pour lui annoncer que son enfant serait extraordinaire.

On le met à l'école à cinq ans. D'emblée, son intelligence étonne. Il semble déjà savoir ce qu'on lui apprend. Une bourse lui est accordée pour le lycée de Kumbakonan, où il fait l'admiration de ses condisciples et professeurs. Il a quinze ans. Un de ses amis lui fait prêter par la bibliothèque locale un ouvrage intitulé : *A Synopsis of Elementary Results in Pure and Applied Mathematics*. Cet ouvrage, publié en deux volumes, est un aide-mémoire rédigé par George Shoobridge, professeur à Cambridge. Il contient des résumés et des énoncés sans démonstration de 6 000 théorèmes environ. L'effet qu'il produit sur l'esprit du jeune Hindou est fantastique. Le cerveau de Ramanujan se met brusquement à fonctionner de façon totalement incompréhensible pour nous. Il démontre toutes les formules. Après avoir épuisé la géométrie, il attaque l'algèbre. Ramanujan racontera plus tard que la déesse Namagiri lui apparut pour lui expliquer les calculs les plus difficiles. A seize ans, il échoue à ses examens, car son anglais demeure faible, et la bourse lui est retirée. Il poursuit seul, sans documents, ses recherches mathématiques. Il rattrape d'abord toutes les connaissances dans ce domaine jusqu'au point où elles en sont en 1880. Il peut rejeter l'ouvrage de ce professeur Shoobridge. Il va bien au-delà. A lui seul, il vient de recréer, puis de dépasser tout l'effort mathématique de la civilisation — à partir d'un aide-mémoire, d'ailleurs incomplet. L'histoire de la pensée humaine ne connaît pas d'autre exemple. Galois lui-même n'avait pas travaillé seul. Il avait fait ses études à l'École Polytechnique, qui était à l'époque le meilleur centre mathématique du monde. Il avait accès à des milliers d'ouvrages. Il était en contact avec des savants de premier ordre. En aucune occasion, l'esprit humain ne s'est élevé aussi haut avec si peu d'appui.

En 1909, après des années de travail solitaire et de misère, Ramanujan se marie. Il cherche un emploi. On le recommande à un percepteur local, Ramachandra Rao, amateur éclairé de mathématiques. Celui-ci nous a laissé un récit de son entretien :

« Un petit homme malpropre, non rasé, avec des yeux comme je n'en avais jamais vus, entra dans ma chambre, un carnet de notes usé sous le bras. Il me parla de découvertes merveilleuses qui dépassaient infiniment mon savoir. Je lui demandai ce que je pouvais faire pour lui. Il me dit qu'il voulait juste avoir de quoi manger, afin de pouvoir poursuivre ses recherches. »

Ramachandra Rao lui verse une toute petite pension. Mais Ramanujan est trop fier. On lui trouve finalement une situation : un médiocre poste de comptable au port de Madras.

En 1913, on le persuade d'entrer en correspondance avec le grand mathématicien anglais G. H. Hardy, alors professeur à Cambridge. Il lui écrit et lui envoie par le même courrier cent vingt théorèmes de géométrie qu'il vient de démontrer. Hardy devait écrire par la suite :

« Ces notes auraient pu être écrites uniquement par un mathématicien du plus grand calibre. Aucun voleur d'idées, aucun farceur, fût-il génial, n'aurait pu saisir des abstractions aussi élevées. » Il propose immédiatement à Ramanujan de venir à Cambridge. Mais la mère s'y oppose, pour des raisons religieuses. C'est une fois de plus la déesse Namagiri qui va résoudre la difficulté. Elle apparaît à la vieille dame pour la convaincre que son fils peut se rendre en Europe sans danger pour son âme, et elle lui montre, en rêve, Ramanujan assis dans le grand amphithéâtre de Cambridge parmi des Anglais qui l'admirent.

A la fin de l'année 1913, l'Hindou s'embarque. Pendant cinq ans, il va travailler et faire avancer prodigieusement les mathématiques. Il est élu membre de la Société Royale des Sciences et nommé professeur à Cambridge, au collège de la Trinité. En 1918, il tombe malade. Le voici tuberculeux. Il rentre aux Indes pour y mourir, à trente-deux ans.

A tous ceux qui l'approchèrent, il laissa un souvenir extraordinaire. Il ne vivait que parmi les nombres. Hardy va lui rendre visite à l'hôpital, et lui dit qu'il a pris un taxi. Ramanujan demande le numéro de la voiture : 1729. « Quel beau nombre ! s'écrie-t-il ; c'est le plus petit qui soit deux fois une somme de deux cubes ! » En effet, 1729 est égal à 10 au cube plus 9 au cube, et aussi à 12 au cube plus 1 au cube. Il fallut six mois à Hardy pour le démontrer, et le même problème n'est pas encore résolu pour la quatrième puissance.

L'histoire de Ramanujan est de celles que personne ne pourrait croire. Mais elle est rigoureusement vraie. Il n'est pas possible d'exprimer en termes simples la nature des découvertes de Ramanujan. Il s'agit des mystères les plus abstraits de la notion du nombre, et particulièrement des « nombres entiers ».

On sait peu de chose sur ce qui, hors des mathématiques, retenait l'intérêt de Ramanujan. Il se souciait peu d'art et de littérature. Mais il se passionnait pour l'étrange. A Cambridge, il s'était constitué une petite bibliothèque et un fichier sur toutes sortes de phénomènes déroutants pour la raison.

II. — CAYCE

Edgar Cayce est mort le 5 janvier 1945, se refermant sur un secret qu'il n'avait lui-même jamais percé et qui l'avait effrayé toute sa vie. La fondation Edgar Cayce à Virginia Beach, où s'emploient des médecins et des psychologues, poursuit l'analyse des dossiers. Depuis 1958, les études sur la clairvoyance disposent en Amérique de crédits importants. C'est que l'on songe aux services que pourraient rendre, dans le domaine militaire, des hommes capables de télépathie et de précognition. De tous les cas de clairvoyance, celui de Cayce est le plus pur, le plus évident, et le plus extraordinaire[1].

Le petit Edgar Cayce était très malade. Le médecin

1. Cf. L'ouvrage de Yoseph Millard sur Cayce, non traduit, *Copyright Cayce Foundation*, et l'étude de John W. Campbell dans *Astounding S. F.*, de mars 1957, et Thomas Sugrue : *Edgar Cayce Dell Book*.

de campagne était à son chevet. Il n'y avait rien à faire pour tirer le garçonnet hors du coma. Or, brusquement, la voix d'Edgar s'éleva, claire et tranquille. Et pourtant, il dormait. « Je vais vous dire ce que j'ai. J'ai reçu un coup de balle de base-ball sur la colonne vertébrale. Il faut me faire un cataplasme spécial et me l'appliquer à la base du cou. » De la même voix, le garçonnet dicta la liste des plantes qu'il fallait mélanger et préparer. « Dépêchez-vous, sinon le cerveau risque d'être atteint. »

A tout hasard, on obéit. Le soir, la fièvre était tombée. Le lendemain, Edgar se levait, frais comme l'œillet. Il ne se souvenait de rien. Il ignorait la plupart des plantes qu'il avait citées.

Ainsi commence l'une des histoires les plus étonnantes de la médecine. Cayce, paysan du Kentucky, parfaitement ignorant, peu enclin à user de son don, se désolant sans cesse de n'être pas « comme tout le monde », soignera et guérira, en état de sommeil hypnotique, plus de quinze mille malades, dûment homologués.

Ouvrier agricole dans la ferme d'un de ses oncles, puis commis dans une librairie de Hopkinsville, propriétaire enfin d'un petit magasin de photographie où il entend passer paisiblement ses jours, c'est contre son gré qu'il va jouer les thaumaturges. Son ami d'enfance, Al Layne, et sa fiancée Gertrude useront leurs forces à le contraindre. Nullement par ambition, mais parce qu'il n'a pas le droit de garder son pouvoir pour lui seul, de refuser d'aider les affligés. Al Layne est malingre, toujours souffrant. Il se traîne. Cayce accepte de s'endormir : il décrit les maux de base, dicte des remèdes. Quand il se réveille : « Mais ce n'est pas possible, je ne connais pas la moitié des mots que tu as notés. Ne prends pas ces drogues, c'est dangereux ! Je n'y entends rien, tout cela est de la magie ! » Il refuse de revoir Al, s'enferme dans son magasin de photos.

Huit jours après, Al force sa porte : il ne s'est jamais si bien porté. La petite ville s'enfièvre, chacun demande une consultation. « Ce n'est pas parce que je parle en dormant que je vais me mettre à soigner les gens. » Il finit par accepter. A condition de ne pas voir les patients, de crainte que, les connaissant, son jugement soit influencé. A condition que des médecins assistent aux séances. A condition de ne pas recevoir un sou, ni même le plus mince cadeau.

Les diagnostics et les ordonnances faits en état d'hypnose sont d'une telle précision et d'une telle acuité, que les médecins sont persuadés qu'il s'agit d'un confrère camouflé en guérisseur. Il se limite à deux séances par jour. Ce n'est pas qu'il redoute la fatigue : il sort de ces sommeils très reposé. Mais il tient à rester photographe. Il ne cherche absolument pas à acquérir des connaissances médicales. Il ne lit rien, demeure un enfant de paysans, doté d'un vague certificat d'études. Et il continue à s'insurger contre son étrange faculté. Mais dès qu'il décide de renoncer à l'employer, il devient aphone.

Un magnat des chemins de fer américains, James Andrews, vient le consulter. Il lui prescrit, en état d'hypnose, une série de drogues, dont une certaine *eau d'orvale.* Ce remède est introuvable. Andrews fait publier des annonces dans les revues médicales, sans résultat. Au cours d'une autre séance, Cayce dicte la composition de cette eau, extrêmement complexe. Or, Andrews reçoit une réponse d'un jeune médecin parisien : c'est le père de ce Français, également médecin, qui avait mis au point l'eau d'orvale, mais en avait cessé l'exploitation cinquante ans plus tôt. La composition est identique à celle « rêvée » par le petit photographe.

Le secrétaire local du Syndicat des Médecins, John Blackburn, se passionne pour le cas Cayce. Il réunit un comité de trois membres, qui assiste à toutes les séances, avec stupéfaction. Le Syndicat Général Américain reconnaît les facultés de Cayce, et l'autorise officiellement à donner des « consultations psychiques ».

Cayce s'est marié. Il a un fils de huit ans, Hugh Lynn. L'enfant, en jouant avec des allumettes, fait exploser un stock de magnésium. Les spécialistes concluent à la cécité totale prochaine et proposent l'ablation d'un œil. Avec terreur, Cayce se livre à une séance de sommeil. Plongé dans l'hypnose, il s'élève contre l'ablation et préconise quinze jours d'application de pansements imbibés d'acide tannique. C'est une folie pour les spécialistes. Et Cayce, en proie aux pires tourments, n'ose désobéir à ses voix. Quinze jours après, Hugh Lynn est guéri.

Un jour, après une consultation, il demeure endormi, et dicte coup sur coup quatre consultations, très précises. On ne sait à qui elles peuvent s'appliquer : elles ont quarante-huit heures d'avance sur les quatre malades qui vont se présenter.

Au cours d'une séance, il prescrit un médicament qu'il nomme *Codiron*, et indique l'adresse du laboratoire, à Chicago. On téléphone : « Comment pouvez-vous avoir entendu parler du Codiron ? Il n'est pas encore en vente. Nous venons de mettre au point la formule et de trouver le nom. »

Cayce, atteint d'une maladie incurable qu'il était seul à connaître, meurt au jour et à l'heure qu'il avait fixés : « Le cinq au soir, je serai définitivement guéri. » Guéri d'être « quelque chose d'autre ».

Interrogé en état de sommeil sur la façon de procéder, il avait déclaré (pour ne se souvenir de rien au réveil, comme d'habitude) qu'il était en mesure d'entrer en contact avec n'importe quel cerveau humain vivant et d'utiliser les informations contenues dans ce cerveau, ou ces cerveaux, pour le diagnostic et le traitement des cas qu'on lui présentait. C'était peut-être une intelligence différente, qui s'animait alors en Cayce, et utilisait toutes les connaissances circulant dans l'humanité, comme on utilise une bibliothèque, mais quasi instantanément, ou tout au moins à la vitesse de la lumière et de l'électromagnétique. Mais rien ne nous permet d'expliquer le cas d'Edgar Cayce, de cette façon ou d'une autre. Tout ce que l'on sait fermement, c'est qu'un photographe de bourgade, sans curiosité ni culture, pouvait, à volonté, se mettre dans un état où son esprit fonctionnait comme celui d'un médecin de génie, ou plutôt comme tous les esprits de tous les médecins à la fois.

III. — BOSCOVITCH

Un thème de science-fiction : si les relativistes ont raison, si nous vivons dans un univers à quatre dimensions, et si nous étions capables d'en prendre conscience, ce que nous appelons le sens commun éclaterait. Des auteurs d'anticipation s'efforcent de *penser* en termes d'espace-temps. A leurs efforts correspondent, sur un plan de recherche plus pure et dans un langage théorique, ceux des grands physiciens-mathématiciens. Mais l'homme est-il capable de penser en quatre dimensions ? Il lui faudrait des structures mentales autres. Ces structures seront-elles réservées à l'homme d'après l'homme, à l'être de la prochaine mutation ? Et cet homme d'après l'homme est-il déjà parmi nous ? Des romanciers de l'imaginaire l'ont affirmé. Mais ni Van Vogt, dans son beau livre fantastique sur les *Slans*, ni Sturgeon dans sa description des *Plus qu'Humains* n'ont osé imaginer personnage aussi fabuleux que Roger Boscovitch.

Mutant ? Voyageur du Temps ? Extra-terrestre camouflé derrière ce Serbe mystérieux ?

Boscovitch serait né en 1711 à Dubrovnik : c'est

tout au moins ce qu'il déclara, à quatorze ans, en s'inscrivant comme étudiant libre au collège jésuite de Rome. Il y étudia les mathématiques, l'astronomie et la théologie. En 1728, ayant achevé son noviciat, il entre dans l'ordre des jésuites. En 1736, il publie une communication sur les taches du Soleil. En 1740, il enseigne les mathématiques au Collegium Romanum, puis devient conseiller scientifique de la Papauté. Il crée un observatoire, entreprend l'assèchement des marais Pontins, répare le dôme de Saint-Pierre, mesure le méridien entre Rome et Rimini, sur deux degrés de latitude. Puis il explore diverses régions d'Europe et d'Asie et fait des fouilles sur les lieux mêmes où Schliemann, plus tard, découvrira Troie. Il est nommé membre de la Société Royale d'Angleterre, le 26 juin 1760, et à cette occasion publie un long poème latin, sur les apparences visibles du soleil et de la lune, dont les contemporains disent : « C'est Newton dans la bouche de Virgile. » Il est reçu par les grands érudits de l'époque, et entretient notamment une correspondance importante avec le docteur Johnson et avec Voltaire. En 1763, la nationalité française lui est offerte. Il prend la direction du département des instruments d'optique de la Marine Royale, à Paris, où il vivra jusqu'en 1783. Lalande le considéra comme le plus grand savant vivant. D'Alembert et Laplace seront effrayés par ses idées avancées. En 1785, il se retire à Bassano et se consacre à l'impression de ses œuvres complètes. Il meurt à Milan en 1787.

C'est tout récemment, sous l'impulsion du gouvernement yougoslave, qu'on vient de réexaminer l'œuvre de Boscovitch, et principalement sa *Théorie de la Philosophie Naturelle*[1], éditée à Vienne en 1758. La

---

1. *Theoria philosophiæ naturalis redacta ad unicam legem virium in natura existentium.*

surprise a été considérable. Allan Lindsay Mackay, décrivant cet ouvrage dans un article du *New Scientist* du 6 mars 1958, estime qu'il s'agit d'un esprit du XXe siècle forcé de vivre et de travailler au XVIIIe.

Il apparaît que Boscovitch était en avance, non seulement sur la science de son temps, mais sur notre propre science. Il propose une théorie unitaire de l'univers, une équation générale et unique, régissant la mécanique, la physique, la chimie, la biologie, et même la psychologie. Dans cette théorie, la matière, l'espace et le temps ne sont pas divisibles à l'infini, mais composés de points : de grains. Ceci rappelle les récents travaux de Jean Charon et de Heisenberg, que Boscovitch semble dépasser. Il parvient à rendre compte aussi bien de la lumière que du magnétisme, de l'électricité et de tous les phénomènes de la chimie, connus de son temps, découverts depuis, ou à découvrir. On retrouve chez lui les quanta, la mécanique ondulatoire, l'atome constitué de nucléons. L'historien des sciences L. L. Whyte assure que Boscovitch dépasse de deux cents ans au moins son époque, et qu'on ne pourra réellement le comprendre que lorsque la jonction entre la relativité et la physique des quanta aura été enfin opérée. On estime qu'en 1987, pour le 200e anniversaire de sa naissance présumée, son œuvre sera peut-être appréciée à sa juste valeur.

On n'a encore proposé aucune explication de ce cas prodigieux. Deux éditions complètes de son œuvre, l'une en serbe, l'autre en anglais, sont actuellement en cours. Dans la correspondance déjà publiée (collection Bestermann) entre Boscovitch et Voltaire, on trouve entre autres idées modernes :

— La création d'une année géophysique internationale.

— La transmission de la malaria par les moustiques.

— Les applications possibles du caoutchouc (idée

mise en pratique par La Condamine, jésuite ami de Boscovitch).

— L'existence de planètes autour d'autres étoiles que notre soleil.

— L'impossibilité de localiser le psychisme dans une région donnée du corps.

— La conservation du « grain de quantité » de mouvement dans le monde . c'est la constante de Planck, énoncée en 1958.

Boscovitch attribue une importance considérable à l'alchimie et donne des traductions claires, scientifiques, du langage alchimique. Pour lui, par exemple, les quatre éléments, Terre, Eau, Feu et Air, ne se distinguent que par des arrangements particuliers des particules sans masse ni poids qui les constituent, ce qui recoupe la recherche d'avant-garde sur l'équation universelle.

Ce qui est tout aussi hallucinant chez Boscovitch, c'est l'étude des accidents dans la nature. On y trouve déjà la mécanique statistique d'un savant américain Willard Gibbs, proposée à la fin du XIXe siècle et admise seulement au XXe. On y découvre aussi une explication moderne de la radio-activité (parfaitement inconnue au XVIIIe siècle) par une série d'exceptions aux lois naturelles : ce que nous appelons « les pénétrations statistiques des barrières de potentiel ».

Pourquoi cette œuvre extraordinaire n'a-t-elle pas influencé la pensée moderne ? Parce que les philosophes et savants allemands, qui dominèrent la recherche jusqu'à la guerre de 14-18, étaient partisans des structures continues, alors que les conceptions de Boscovitch sont essentiellement fondées sur l'idée de discontinuité. Parce que les enquêtes en bibliothèques et les travaux historiques concernant Boscovitch, grand voyageur à l'œuvre dispersée, et dont les origines se situent dans un pays sans cesse bouleversé, n'ont pu être entrepris systématiquement que très tard. Quand la totalité de ses écrits aura pu être réunie, quand des témoignages de contemporains auront été retrouvés et classés, quelle étrange, inquiétante, bouleversante figure nous apparaîtra !

VII

PARADOXES ET HYPOTHÈSES
SUR L'HOMME ÉVEILLÉ

Pourquoi nos trois histoires ont déçu des lecteurs. — Nous ne savons rien de sérieux sur la lévitation, l'immortalité, etc. — Pourtant l'homme a le don d'ubiquité, il voit à distance, etc. — Qu'appelez-vous une machine? — Comment aurait pu naître le premier homme éveillé. — Rêve fabuleux mais raisonnable sur les civilisations disparues. — Apologue de la panthère. — L'écriture de Dieu.

Ces cas sont nets. Cependant, ils risquent de décevoir. C'est que la plupart des hommes préfèrent les images aux faits. Marcher sur les eaux est l'image de dominer le mouvant; arrêter le soleil, de triompher du temps. Dominer le mouvant, triompher du temps, sont peut-être des faits réels, possibles, au sein d'une conscience changée, à l'intérieur d'un esprit puissamment accéléré. Et ces faits peuvent sans doute engendrer mille conséquences considérables dans la réalité tangible : dans les techniques, les sciences, les arts. Mais la plupart des hommes, dès qu'on leur parle d'un état de conscience *autre*, veulent voir des gens qui marchent sur les eaux, arrêtent le soleil, passent à travers les murs ou paraissent vingt ans à quatre-vingts. Pour commencer à croire en l'infinie possibilité de l'esprit éveillé, ils attendent que la part enfantine de leur intelligence, qui accorde crédit à des images et des légendes, ait trouvé excuse et satisfaction.

Il y a autre chose. En présence de cas comme ceux de Ramanujan, Cayce ou Boscovitch, on refuse de penser qu'il s'agit d'esprits *différents*. On admet seulement que des esprits comme les nôtres ont eu le privilège de « monter plus haut que d'habitude » et que, « là-haut », ils ont décroché certaines connaissances. Comme s'il existait quelque part dans l'univers une sorte de magasin annexe de la médecine, des mathématiques, de la poésie ou de la physique, dans lequel s'approvisionnent quelques intelligences championnes d'altitude. Cette absurde vision rassure.

Ce qui nous semble, tout au contraire, c'est que Cayce, Ramanujan, Boscovitch sont des esprits qui sont restés ici (et où aller ?), parmi nous, mais qui ont fonctionné à une vitesse extraordinaire. Ce n'est pas affaire de différence de niveau, mais de différence de vitesse. Nous en dirons autant des esprits mystiques les plus grands. Les miracles sont dans l'accélération, en physique nucléaire comme en psychologie. C'est à partir de cette notion qu'il faut, croyons-nous, étudier le troisième état de conscience, ou l'état d'éveil.

Pourtant, si cet état d'éveil est possible, et s'il n'est pas un don venu du ciel, une faveur de quelque Dieu, mais s'il est contenu dans l'équipement du cerveau et du corps, cet équipement, une fois mis en service, ne peut-il modifier aussi d'autres choses en nous que l'intelligence ? Si l'état d'éveil est une propriété de quelque système nerveux supérieur, cette activation devrait pouvoir réagir sur tout le corps, lui donner des pouvoirs étranges. Toutes les traditions lient à l'état d'éveil l'existence de pouvoirs : l'immortalité, la lévitation, la télékinésie, etc. Mais ces pouvoirs ne sont-ils que des images de ce que peut l'esprit, quand il a changé d'état, dans le domaine de la connaissance ? Ou bien sont-ils des réalités ? Il y aurait eu quelques cas probables de lévitation[1]. Nous n'avons pas, en ce qui concerne l'immortalité, élucidé le cas Fulcanelli. C'est tout ce que nous avons à dire de sérieux là-dessus. Nous n'avons en notre possession aucune preuve expérimentale. Nous oserons avouer, enfin, que ceci ne nous intéresse que médiocrement. Ce n'est pas le bizarre qui nous retient, c'est le fantastique. Cette question des pouvoirs paranormaux mériterait d'ailleurs d'être abordée de toute autre façon. Non pas du point de vue de la logique cartésienne (que Descartes, vivant aujourd'hui, se fût employé à répudier), mais du point de vue de la science ouverte d'aujourd'hui. Regardons les choses avec l'œil de l'étranger du dehors qui débarque sur notre planète : la lévitation existe, la vision à distance existe, l'homme a le don d'ubiquité, l'homme s'est emparé de l'énergie universelle. L'avion, le radiotélescope, la télévision, la pile atomique existent. Ce ne sont pas des produits naturels : ce sont des créations de l'esprit humain. Cette observation peut paraître puérile : elle est vivifiante. Ce qui est puéril, c'est de tout ramener à l'homme seul. L'homme seul n'a pas le don d'ubiquité, il ne lévite pas, il ne possède pas la vision à distance, etc. En effet, c'est la société humaine, et non l'individu, qui détient ces pouvoirs. Mais la notion d'individu est peut-être une notion puérile, et la tradition, avec ses légendes, s'exprimait peut-être au nom de l'ensemble humain, au nom du phénomène humain...

« Vous n'êtes pas sérieux ! Vous nous parlez de machines ! »
Voilà ce que diront ensemble les rationalistes qui se

1. Voir : *La Lévitation*, par le R. P. Olivier Leroy. Éd. du Cerf, Paris.

recommandent de Descartes et les occultistes qui se recommandent de la « tradition ». Mais qu'appelle-t-on des machines ? Voilà encore une question qui mérite d'être mieux posée.

Quelques lignes tracées à l'encre sur un parchemin, est-ce une machine ? Or, la technique des circuits imprimés, que l'électronique moderne emploie couramment, permet de réaliser un récepteur d'ondes composé de lignes tracées avec des encres contenant l'une du graphite, l'autre du cuivre.

Une pierre précieuse, est-ce une machine ? Non, répond le chœur. Or, la structure cristalline d'une pierre précieuse est une machine complexe et l'on utilise le diamant comme détecteur des radiations atomiques. Des cristaux artificiels, les transistors, remplacent à la fois les lampes électroniques, les transformateurs, les machines tournantes électriques du type commutatrices pour élévation de voltage, etc.

L'esprit humain, dans ses créations techniques les plus subtiles et les plus efficaces, emploie des moyens de plus en plus simples

« Vous jouez sur les mots, s'écrie l'occultiste. Moi je parle des manifestations de l'esprit humain sans aucune sorte d'intermédiaire. »

C'est lui qui joue sur les mots

Nul n'a jamais enregistré une manifestation de l'esprit humain n'usant d'aucune machine. Cette idée de « l'esprit en soi » est une pernicieuse fantasmagorie. L'esprit humain en action utilise une machine complexe, mise au point en trois milliards d'années d'évolution : le corps humain. Et ce corps n'est jamais seul, n'existe pas seul : il est lié à la terre et au cosmos tout entier par mille liens matériels et énergétiques.

Nous ne savons pas tout du corps. Nous ne savons pas tout de ses rapports avec l'univers. Nul ne pourrait dire quelles sont les limites de la machine humaine, et comment pourrait user de cette machine un esprit qui l'utiliserait au maximum de ses possibilités.

Nous ne savons pas tout des forces en circulation dans les profondeurs de nous-mêmes et autour de nous, sur terre, autour de la terre, dans le vaste cosmos. Nul ne sait quelles sont les forces naturelles simples, non encore soupçonnées et cependant à portée de la main, qu'un homme doué d'une conscience éveillée, ayant de la nature une appréhension plus directe que celle de notre intelligence linéaire, pourrait utiliser.

Forces naturelles simples. Voyons encore les choses avec l'œil barbare et lucide de l'étranger du dehors : rien n'est plus simple, plus facile à réaliser qu'un transformateur électrique. Les Égyptiens de la haute antiquité auraient très bien pu en construire un, s'ils avaient connu la théorie électromagnétique.

Rien n'est plus facile que la libération de l'énergie atomique. Il suffit de dissoudre un sel d'uranium pur dans l'eau lourde, et l'on peut obtenir de l'eau lourde en redistillant pendant vingt-cinq ou cent ans de l'eau ordinaire.

La machine à prédire les marées de Lord Kelvin (1893), d'où sont sortis nos calculateurs analogiques et toute notre cybernétique, était composée de poulies et de bouts de ficelle. Les Sumériens auraient pu la construire.

Voilà une façon de voir qui donne des dimensions nouvelles au problème des civilisations disparues. S'il y a eu, dans le passé, des hommes ayant atteint l'état d'éveil et s'ils n'ont pas seulement appliqué leurs pouvoirs à la religion, à la philosophie, à la mystique, mais aussi à la connaissance objective et à la technique, il est parfaitement naturel, raisonnable d'admet-

tre qu'ils ont pu faire des « miracles », même avec
l'appareillage le plus simple[1].

Un homme, un sage, avait, nous raconte Jorge Luis
Borges, consacré toute sa vie à chercher, parmi les
innombrables signes de la nature, le nom ineffable de
Dieu, le chiffre du grand secret. De tribulations en

1. Si la plupart des archéologues s'accordent pour nier totalement
l'existence dans le passé de civilisations avancées, disposant de
moyens matériels puissants, la possibilité de l'existence à toute époque
de l'humanité d'un petit pourcentage d'êtres éveillés, utilisant les
forces naturelles avec « les moyens du bord », ne peut guère être
démentie.
   Nous pensons même qu'un examen méthodique des données archéologiques et historiques confirmerait cette hypothèse.
   Comment cet éveil aurait-il commencé?
   On peut évidemment invoquer des interventions du Dehors. On peut
également imaginer une interprétation purement matérialiste, rationaliste.
   C'est une telle interprétation que nous voudrions proposer. La
physique des rayons cosmiques a découvert depuis plusieurs années ce
qu'elle appelle des événements extraordinaires. On appelle « événement » en physique cosmique la collusion entre une particule venant
de l'espace et notre matière.
   En 1957, comme nous le signalons dans notre étude sur l'alchimie,
on a détecté une particule exceptionnelle d'une énergie fantastique,
énergie atteignant 10^{18} électrons-volts, alors que la fission de l'uranium ne produit que 2×10^8.
   Admettons qu'*une fois seulement*, depuis la naissance de l'humanité,
une telle particule ait frappé un cerveau humain. Qui sait si les
énormes énergies dégagées ne pourraient pas produire une activation
et si le premier « homme éveillé » n'est pas né ainsi.
   Cet homme éveillé aurait pu découvrir, aurait pu appliquer des
techniques pour transmettre l'éveil. Sous des formes diverses, cette
technique se serait prolongée jusqu'à notre époque et le Grand Œuvre
des Alchimistes, l'Initiation seraient peut-être plus que des légendes.
   Notre hypothèse n'est évidemment qu'une hypothèse. Elle ne paraît
pas être vérifiable expérimentalement, car on ne peut même pas
concevoir un accélérateur artificiel produisant d'aussi formidables,
d'aussi fantastiques énergies. Tout ce que nous pouvons dire, c'est que
le très grand savant anglais, sir James Jeans, avait écrit : « C'est peut-
être la radiation cosmique qui a fait du singe l'homme » (cette citation
provient de son livre : *Le Mystérieux Univers*, Hermann éd., 1929).
   Nous ne faisons que reprendre ces idées, avec des données modernes
que sir James Jeans ignorait et qui nous permettent d'écrire : « C'est
peut-être les événements cosmiques exceptionnels aux énergies fantastiques qui ont fait de l'homme le surhomme. »

tribulations, le voici arrêté par la police d'un prince, condamné à être dévoré par une panthère. On le jette dans une cage. De l'autre côté de la cloison de barreaux, qu'on va soulever dans un instant, le fauve se prépare au festin. Notre sage regarde la bête et voici que, contemplant les taches de son pelage, il découvre à travers le rythme des formes, le nombre, le nom qu'il avait tant et en tant de lieux cherché. Il sait alors pourquoi il va mourir, et qu'il mourra exaucé, — et que ce n'est pas mourir.

L'univers nous dévore, ou bien nous livre son secret, selon que nous savons ou non le contempler. Il est hautement probable que les lois les plus subtiles et les plus profondes de la vie et du destin de toute chose créée sont inscrites en clair dans le monde matériel qui nous cerne, que Dieu a laissé son écriture sur les choses, comme pour notre sage sur le pelage de la panthère, et qu'il suffirait d'un certain regard... L'homme éveillé serait l'homme de ce certain regard.

VIII

QUELQUES DOCUMENTS
SUR L'ÉTAT D'ÉVEIL

Une anthologie à faire. — Les propos de Gurdjieff. — Mon passage à l'école de l'éveil. — Un récit de Raymond Abellio. — Un admirable texte de Gustav Meyrinck, génie méconnu.

S'il existe un état d'éveil, il manque un étage à l'édifice de la psychologie moderne. Voici quatre documents qui appartiennent cependant à notre époque. Nous ne les avons pas choisis, le temps nous ayant manqué pour faire une vraie prospection. Une anthologie des témoignages et études modernes sur l'état d'éveil reste à établir. Elle serait très utile. Elle rouvrirait des communications avec la tradition. Elle montrerait la permanence de l'essentiel dans notre siècle. Elle éclairerait certaines routes de l'avenir. Des littérateurs y trouveraient une clef, des chercheurs en sciences humaines s'en trouveraient stimulés, des savants y verraient le fil qui court à travers toutes les grandes aventures de l'esprit, et se sentiraient moins isolés. Bien entendu, en réunissant ces documents qui se trouvaient à portée de notre main, nous avons moins de prétention. Nous voulons seulement apporter de brèves indications sur une psychologie possible de l'état d'éveil dans ses formes élémentaires.

On trouvera donc dans ce chapitre :

1° Des extraits des propos du chef d'école Georges Ivanovitch Gurdjieff, recueillis par le philosophe Ouspensky ;

2° Mon propre témoignage sur les tentatives que je fis pour me mettre sur la route de l'état d'éveil sous la conduite des instructeurs de l'école Gurdjieff ;

3° Le récit que fait le romancier et philosophe Raymond Abellio d'une expérience personnelle ;

4° Le plus admirable texte, à nos yeux, de toute la littérature moderne sur cet état. Ce texte est extrait d'un roman méconnu du poète et philosophe allemand Gustav Meyrinck dont l'œuvre, non traduite à l'exception du *Visage Vert* et *Le Golem*, s'élève aux sommets de l'intuition mystique.

I. — LES PROPOS DE GURDJIEFF

« Pour comprendre la différence entre les états de conscience, il nous faut revenir sur le premier, qui est le sommeil. C'est un état de conscience entièrement subjectif. L'homme y est englouti dans ses rêves — peu importe qu'il en garde ou non le souvenir. Même si quelques impressions réelles atteignent le dormeur, telles que sons, voix, chaleur, froid, sensations de son propre corps, elles n'éveillent en lui que des images fantastiques. Puis l'homme s'éveille. A première vue, c'est un état de conscience tout à fait différent. Il peut se mouvoir, parler avec d'autres personnes, faire des projets, voir des dangers, les éviter, et ainsi de suite. Il paraît raisonnable de penser qu'il se trouve dans une meilleure situation que lorsqu'il était endormi. Mais si nous voyons les choses un peu plus à fond, si nous jetons un regard sur un monde intérieur, sur ses pensées, sur les causes de ses actions, nous comprendrons qu'il est presque dans le même état que lorsqu'il dormait. C'est même pire, parce que dans le sommeil il est passif, ce qui veut dire qu'il ne peut rien faire. Dans l'état de veille au contraire, il peut agir tout le temps et les résultats de ses actions se répercuteront sur lui et sur son entourage. Et cependant il ne se souvient pas de lui-même. Il est une machine, tout lui arrive. Il ne peut arrêter le flot de ses pensées, il ne peut contrôler son imagination, ses émotions, son attention. Il vit dans un monde subjectif de " j'aime ", " je n'aime pas ", " cela me plaît ", " cela ne me plaît pas ", " j'ai envie ", " je n'ai pas envie ", c'est-à-dire un monde fait de ce qu'il croit aimer ou ne pas aimer, désirer ou ne pas désirer. Il ne voit pas le monde réel. Le monde réel lui est caché par le mur de son imagination. Il vit dans le sommeil. Il dort. Et ce qu'il appelle sa " conscience lucide " n'est que sommeil — et un sommeil beaucoup plus dangereux que son sommeil de la nuit, dans son lit.

« Considérons quelque événement de la vie de l'humanité. Par exemple, la guerre. Il y a la guerre en ce moment. Qu'est-ce que cela veut dire ? Cela signifie que plusieurs millions d'endormis s'efforcent de détruire plusieurs millions d'autres endormis. Ils s'y refuseraient, naturellement, s'ils s'éveillaient. Tout ce qui se passe actuellement est dû à ce sommeil.

« Ces deux états de conscience, sommeil et état de veille, sont aussi subjectifs l'un que l'autre. Ce n'est qu'en commençant à se rappeler lui-même que l'homme peut réellement s'éveiller. Autour de lui toute la vie prend alors un aspect et un sens différents. Il la voit comme une vie de gens endormis, une vie de sommeil. Tout ce que les gens disent, tout ce qu'ils font, ils le disent et le font dans le sommeil. Rien de cela ne peut donc avoir la moindre valeur. Seul le réveil et ce qui mène au réveil a une valeur réelle. »

« Combien de fois m'avez-vous demandé s'il ne serait pas possible d'arrêter les guerres ? Certainement, ce serait possible. Il suffirait que les gens s'éveillent. Cela semble bien peu de chose. Rien au contraire ne saurait être plus difficile, parce que le sommeil est amené et maintenu par toute la vie ambiante, par toutes les conditions de l'ambiance.

« Comment s'éveiller ? Comment échapper à ce sommeil ? Ces questions sont les plus importantes, les plus vitales qu'un homme ait à se poser. Mais, avant de se les poser, il devra se convaincre du fait même de son sommeil. Et il ne lui sera possible de s'en convaincre qu'en essayant de s'éveiller. Lorsqu'il aura compris qu'il ne se souvient pas de lui-même et que le rappel de soi signifie un éveil jusqu'à un certain point, et lorsqu'il aura vu par l'expérience combien il est difficile de se rappeler soi-même, alors il comprendra qu'il ne suffit pas pour s'éveiller d'en avoir le désir. Plus rigoureusement, nous dirons qu'un homme ne peut pas s'éveiller par lui-même. Mais si vingt hommes conviennent que le premier d'entre eux qui s'éveillera, éveillera les autres, ils ont déjà une chance. Cependant cela même est insuffisant, parce que ces vingt hommes peuvent aller dormir en même temps, et rêver qu'ils s'éveillent. Ce n'est donc pas assez. Il faut plus encore. Ces vingt hommes doivent être surveillés par un homme qui n'est pas lui-même endormi ou qui ne s'endort pas aussi facilement que les autres, ou qui va consciemment dormir lorsque cela est possible, lorsqu'il n'en peut résulter aucun mal ni pour lui ni pour les autres. Ils doivent trouver un tel homme et l'embaucher pour qu'il les éveille et ne leur permette plus de retomber dans le sommeil. Sans cela, il est impossible de s'éveiller. C'est ce qu'il faut comprendre.

« Il est possible de penser pendant un millier d'années, il est possible d'écrire des bibliothèques entières, d'inventer des théories par millions et tout cela dans le sommeil, sans aucune possibilité d'éveil. Au contraire, ces théories et ces livres écrits ou fabriqués par des endormis auront simplement pour effet d'entraîner d'autres hommes dans le sommeil et ainsi de suite.

« Il n'y a rien de nouveau dans l'idée de sommeil. Presque depuis la création du monde, il a été dit aux hommes qu'ils étaient endormis, et qu'ils devaient s'éveiller. Combien de fois lisons-nous, par exemple, dans les Évangiles : " Éveillez-vous " ; " veille " ; " ne dormez pas ". Les disciples du Christ, même dans le jardin de Gethsémani, tandis que leur Maître priait pour la dernière fois, dormaient. Cela dit tout. Mais les hommes le comprennent-ils ? Ils prennent cela pour une figure de rhétorique, une métaphore. Ils ne voient pas du tout que cela doit être pris à la lettre. Et ici encore il est facile de comprendre pourquoi. Il leur faudrait s'éveiller un peu, ou tenter à tout le moins de s'éveiller. Sérieusement, il m'a souvent été demandé pourquoi les Évangiles ne parlent jamais du sommeil... Il en est question à toutes les pages. Cela montre simplement que les gens lisent les Évangiles en dormant. »

« En règle générale, que faut-il pour éveiller un homme endormi ? Il faut un bon choc. Mais lorsqu'un homme est profondément endormi, un seul choc ne suffit pas. Une longue période de chocs incessants est nécessaire. Par conséquent, il faut quelqu'un pour administrer ces chocs. J'ai déjà dit que l'homme désireux de s'éveiller doit embaucher l'aide qui se chargera de le secouer pendant longtemps. Mais qui peut-il embaucher, si tout le monde dort ? Il embauche quelqu'un pour l'éveiller, mais celui-ci aussi tombe endormi. Quelle peut être son utilité ? Quant à l'homme réellement capable de se tenir éveillé, il refusera probablement de perdre son temps à réveiller les autres : il peut avoir à faire des travaux beaucoup plus importants pour lui.

« Il y a aussi la possibilité de s'éveiller par des moyens mécaniques. On peut faire usage d'un réveille-matin. Le malheur veut que l'on s'habitue trop vite à n'importe quel réveille-matin : on cesse de l'entendre tout simplement. Beaucoup de réveille-matin, avec des sonneries variées, sont donc nécessaires. L'homme doit littéralement s'entourer de réveils qui l'empêchent de dormir. Et ici encore surgissent des difficultés. Les réveils doivent être remontés ; pour les remonter, il est indispensable de s'en souvenir ; pour s'en souvenir, il faut souvent se réveiller. Mais voilà le pire : un homme s'habitue à tous les réveille-matin et, après un certain temps, il n'en dort que mieux. Par conséquent, les réveils doivent être continuellement changés, il faut toujours en inventer de nouveaux. Avec le temps, cela peut aider un homme à s'éveiller. Or, il y a fort peu de chances qu'il fasse tout ce travail d'inventer, de remonter et de changer tous ces réveils par lui-même, sans l'aide extérieure. Il est bien plus probable qu'ayant commencé ce travail, il ne tardera pas à s'endormir et que, dans son sommeil, il rêvera qu'il invente des réveils, qu'il les remonte, qu'il les change — et, comme je l'ai déjà dit il n'en dormira que mieux.

« Donc, pour s'éveiller, il faut toute une conjugaison d'efforts. Il est indispensable qu'il y ait quelqu'un pour réveiller le dormeur ; il est indispensable qu'il y ait quelqu'un pour surveiller le réveilleur ; il faut avoir des réveille-matin, et il faut aussi en inventer constamment de nouveaux.

« Mais pour mener à bien cette entreprise et obtenir des résultats, un certain nombre de personnes doivent travailler ensemble.

« Un homme seul ne peut rien faire.

« Avant toute autre chose, il a besoin d'aide. Mais un homme seul ne saurait compter sur une aide. Ceux qui sont capables d'aider évaluent leur temps à un très haut prix. Et naturellement ils préfèrent aider, disons vingt ou trente personnes désireuses de s'éveiller, plutôt qu'une seule. De plus, comme je l'ai déjà dit, un homme peut fort bien se tromper sur son éveil, prendre pour un éveil ce qui est simplement un nouveau rêve. Si quelques personnes décident de lutter ensemble contre le sommeil, elles s'éveilleront mutuellement. Il arrivera souvent qu'une vingtaine d'entre elles dormiront, mais la vingt et unième s'éveillera, et elle éveillera les autres. Il en va de même pour les réveille-matin. Un homme inventera un réveil, un second en inventera un autre, après quoi ils pourront faire un échange. Tous ensemble, ils peuvent être les uns pour les autres d'une grande aide, et sans cette aide mutuelle, aucun d'eux ne peut arriver à rien.

« Donc un homme qui veut s'éveiller doit chercher d'autres personnes qui veulent aussi s'éveiller, afin de travailler avec elles. Mais cela est plus vite dit que fait, parce que la mise en marche d'un tel travail et son organisation réclament une connaissance que l'homme ordinaire ne possède pas. Le travail doit être organisé et il doit y avoir un chef. Sans ces deux conditions, le travail ne peut pas donner les résultats attendus, et tous les efforts seront vains. Les gens pourront se torturer ; mais ces tortures ne les feront pas s'éveiller. Il semble que pour certaines personnes rien ne soit plus difficile à comprendre. Par elles-mêmes et de leur propre initiative, elles peuvent être capables de grands efforts, leurs premiers sacrifices doivent être d'obéir à un autre, rien au monde ne les en persuadera jamais.

« Et elles ne veulent pas admettre que tous leurs sacrifices, dans ce cas, ne peuvent servir à rien.

« Le travail doit être organisé. Et il ne peut l'être que par un homme qui connaisse ses problèmes et ses buts, qui connaisse ses méthodes, étant lui-même passé, en son temps, par un tel travail organisé. »

Ces propos de Gurdjieff sont rapportés dans l'ouvrage de P. D. Ouspensky : *Fragments d'un Enseignement Inconnu.* Éd. Stock, Paris, 1950.

II. — MES DÉBUTS À L'ÉCOLE GURDJIEFF

« Prenez une montre, nous disait-on, et regardez la grande aiguille en essayant de garder la perception de vous-même et de vous concentrer sur la pensée : " Je suis Louis Pauwels et je suis ici en ce moment. " Essayez de ne penser qu'à cela, suivez simplement les mouvements de la grande aiguille en restant conscient de vous-même, de votre nom, de votre existence et de l'endroit où vous êtes. »

Au début, cela paraît simple et même un peu ridicule. Bien entendu, je puis garder présente à l'esprit l'idée que je me nomme Louis Pauwels et que je suis ici, en ce moment, regardant se déplacer très lentement la grande aiguille de ma montre. Puis je dois bien m'apercevoir que cette idée ne demeure pas très longtemps immobile en moi, qu'elle se met à prendre mille formes et à couler dans tous les sens, comme les objets que peignait Salvador Dali, transformés en boue mouvante. Mais encore dois-je reconnaître que l'on ne me demande pas de maintenir vivace et fixe une idée, mais une perception. On ne me demande pas seulement de penser que je suis, mais de le savoir, mais d'avoir de ce fait une connaissance absolue. Or, je sens que cela est possible et que cela pourrait se produire en moi en m'apportant quelque chose de neuf et d'important. Je découvre que mille pensées ou ombres de pensées, mille sensations, images et associations d'idées parfaitement étrangères à l'objet de mon effort m'assaillent sans relâche et me détournent de cet effort. Parfois, encore, c'est cette aiguille qui prend toute mon attention et, la regardant, je me perds de vue. Parfois, c'est mon corps, une crispation de la jambe, un petit mouvement dans le ventre, qui m'arrachent à l'aiguille elle-même en même temps qu'à moi-même. Parfois encore, je crois avoir arrêté mon petit cinéma intérieur, éliminé le monde extérieur, mais je m'aperçois alors que je viens de plonger dans une sorte de sommeil où l'aiguille a disparu, où j'ai disparu moi-même et durant lequel continuent de s'enchevêtrer les unes dans les autres les images, les sensations, les idées, comme derrière un voile, comme dans un rêve qui se déploie pour son propre compte tandis que je dors. Parfois enfin, dans une fraction de seconde, je suis regardant cette aiguille, je suis totalement, pleinement. Mais, dans la même fraction de seconde, je me félicite d'y être parvenu; mon esprit, si je puis dire, applaudit, et aussitôt mon intelligence, s'emparant de la réussite pour s'en réjouir, la compromet irrémédiablement. Enfin, dépité mais surtout épuisé, je me dérobe à cette expérience avec précipitation, parce qu'il me semble que je viens de vivre les minutes les plus difficiles de mon existence, que je viens d'être privé d'air jusqu'au point extrême de ma résistance. Comme cela m'a semblé long! Or, il ne s'est pas écoulé beaucoup plus de deux minutes, et en deux minutes, je n'ai eu une véritable perception de moi-même qu'en trois ou quatre imperceptibles éclairs.

Je devais bien alors admettre que nous ne sommes presque jamais conscients de nous-mêmes et que nous n'avons presque jamais conscience de la difficulté d'être conscient.

L'état de conscience, nous disait-on, est d'abord l'état de l'homme qui sait enfin qu'il n'est presque jamais conscient et qui, ainsi, apprend peu à peu quels sont les obstacles, en lui-même, à l'effort qu'il entreprend. A la lumière de ce tout petit exercice, vous savez maintenant qu'un homme peut lire un ouvrage, par exemple, approuver, s'ennuyer, protester ou s'enthousiasmer, sans être une seconde conscient du fait qu'il est, et ainsi donc sans que rien de sa lecture s'adresse véritablement à lui-même. Sa lecture est un rêve ajouté à ses propres rêves, un écoulement dans le perpétuel écoulement de l'inconscience. Car notre conscience véritable peut être — et est presque toujours — complètement absente de tout ce que nous faisons, pensons, voulons, imaginons.

Je comprends alors qu'il y a fort peu de différence entre l'état où nous sommes dans le sommeil et celui où nous sommes dans l'état de veille ordinaire, quand nous parlons, agissons, etc. Nos rêves sont devenus invisibles, comme les étoiles quand le jour s'est levé, mais ils sont présents et nous continuons de vivre sous leur influence. Nous avons seulement acquis, après le réveil, une attitude critique à l'endroit de nos propres sensations, des pensées mieux coordonnées, des actions plus disciplinées, plus de vivacité d'impression, de sentiments, de désirs, mais nous sommes toujours dans la non-conscience. Il ne s'agit pas du véritable éveil, mais du « sommeil éveillé », et c'est dans cet état de « sommeil éveillé » que se déroule presque toute notre vie. On nous apprenait qu'il était possible de s'éveiller tout à fait, d'acquérir l'état de conscience de soi. Dans cet état, comme je l'avais entrevu au cours de l'exercice de la montre, je pouvais avoir, du fonctionnement de ma pensée, du déroulement des images, des idées, des sensations, des sentiments, des désirs, une connaissance objective. Dans cet état, je pouvais tenter et développer un effort réel pour examiner, stopper de temps à autre, et modifier ce déroulement. Et cet effort même, me disait-on, créait en moi une certaine subsistance. Cet effort même n'aboutissait pas à ceci ou cela. Il lui suffisait d'être pour que se crée et s'accumule en moi la substance même de mon être. Il m'était dit que je pourrais alors, possédant un être fixe, atteindre à la « conscience objective » et qu'il me serait alors loisible d'avoir non seulement de moi-même, mais des autres hommes, des choses et du monde tout entier, une connaissance totalement objective, une connaissance absolue.

Monsieur Gurdjieff. Éd. du Seuil, Paris, 1954.

III — LE RÉCIT DE RAYMOND ABELLIO

Lorsque, dans l'attitude « naturelle » qui est celle de la totalité des existants, je « vois » une maison, ma perception est spontanée, c'est cette maison que je perçois et non ma perception même. Au contraire, dans l'attitude « transcendantale », c'est ma perception elle-même qui est perçue. *Mais cette perception de la perception altère radicalement l'état primitif.* L'état vécu, naïf, d'abord, perd sa spontanéité précisément du fait que la nouvelle réflexion prend pour objet ce qui était d'abord *état* et non *objet* et que, parmi les éléments de ma nouvelle perception, figurent non seulement ceux de la maison en tant que telle mais ceux de la perception elle-même en tant que flux vécu. Et ce qui importe essentiellement dans cette « altération », c'est que la vision concomitante que j'ai, dans cet état bi-réflexif, ou plutôt réfléchi-réflexif, de la maison qui fut mon motif originel, loin d'être perçue, éloignée ou brouillée par cette interposition de « ma » perception seconde devant « sa » perception primaire, *s'en trouve paradoxalement intensifiée,* plus nette, plus présente, *plus chargée de réalité objective qu'avant.* Nous nous trouvons ici devant un fait injustifiable par la pure analyse spéculative : celui de la transfiguration de la chose comme fait de conscience, de sa transformation, comme nous dirons plus tard, en « surchose », de son passage de l'état de science à l'état de connaissance. Ce fait est généralement méconnu, bien qu'il soit le plus frappant de toute expérimentation phénoménologique, réelle. Toutes les difficultés auxquelles se heurtent la phénoménologie vulgaire et d'ailleurs toutes les théories classiques de la « connaissance » résident dans ce fait qu'elles considèrent le couple conscience-connaissance (ou plus exactement conscience-science) comme capable d'épuiser à lui seul la totalité du vécu, alors qu'il faudrait en réalité considérer la triade connaissance-conscience-science qui est la seule à permettre un enracinement réellement ontologique de la phénoménologie. Et certes, rien ne peut rendre évidente cette transfiguration, sauf l'expérience directe et personnelle du phénoménologue lui-même. Mais nul ne peut prétendre avoir compris la phénoménologie réellement transcendantale s'il n'a pratiqué cette expérience avec succès et n'en a été lui-même « illuminé ». Serait-il le dialecticien le plus subtil, le logisticien le plus délié, celui qui ne l'a point vécue et qui ainsi n'a point vu d'autres choses sous les choses, ne peut que faire des discours sur la phénoménologie et non assumer une activité réellement phénoménologique. Prenons un exemple plus précis. Aussi loin que remontent mes souvenirs, j'ai toujours su reconnaître les couleurs, le bleu, le rouge, le jaune. Mon œil les voyait, j'en avais l'expérience latente. Certes, « mon œil » ne s'interrogeait pas sur elles, et comment d'ailleurs eût-il pu poser des questions ? Sa fonction est de voir, non de se voir en train de voir, mais mon cerveau lui-même était comme en sommeil, il n'était pas du tout l'œil *de* l'œil, mais un simple prolongement de cet organe. Aussi disais-je seulement, et presque sans y penser : ceci est un beau rouge, un vert un peu éteint, un blanc brillant. Un jour, il y a quelques années, me promenant dans les vignes vaudoises qui surplombent en corniche le lac Léman et qui composent un des plus beaux sites du monde, si beau même et si vaste que le « Je », à force d'y être dilaté, s'y sent dissous et, brusquement, se ressaisit et s'exalte, un événement soudain et pour moi extraordinaire se produisit. L'ocre du versant abrupt, le bleu du lac, le violet des monts de Savoie, et au fond les glaciers étincelants du Grand-Combin, je les avais *vus* cent fois. Je sus pour la première fois que je ne les avais jamais *regardés*. Je vivais là pourtant depuis trois mois Et ce paysage, certes, depuis le premier instant, manquait de me dissoudre, mais ce qui lui répondait en moi n'était qu'une exaltation confuse. Certes, le « Moi » du philosophe est plus fort que tous les paysages. Le sentiment poignant de la beauté n'est qu'un ressaisissement par le « Moi », qui s'en fortifie, de cette distance infinie qui nous sépare d'elle. Mais ce jour-là, brusquement, je sus que je créais moi-même ce paysage, qu'il n'était rien sans moi : « C'est moi qui te vois, et qui me vois te voir, et qui, en me voyant, te fais. » Ce véritable cri intérieur est celui du démiurge lors de « sa » création du monde. Il n'est pas seulement suspension d'un « ancien » monde, mais projection d'un « nouveau ». Et dans l'instant, en effet, le monde fut recréé. Jamais je n'avais vu de pareilles couleurs. Elles étaient cent fois plus intenses, plus nuancées, plus « vivantes ». Je sus que je venais d'acquérir le sens des couleurs, que j'étais revirginisé aux couleurs, que jamais jusque-là je n'avais réellement vu un tableau ou pénétré dans l'univers de la peinture. Mais je sus aussi que, par ce rappel à soi de ma conscience, par cette perception de ma perception, je tenais la clef de ce monde de la transfiguration qui n'est pas un arrière-monde mystérieux mais le vrai monde, celui dont la « nature » nous tient exilés. Rien de commun, certes, avec l'attention. La transfiguration est pleine, l'attention ne l'est pas. La transfiguration se connaît dans sa suffisance certaine, l'attention se tend vers une suffisance éventuelle. On ne peut pas dire, bien entendu, que l'attention soit vide. Au contraire, elle est a-vide. Mais l'a-vidité n'est pas la plénitude. Quand je rentrai au village, ce jour-là, les gens que je croisai étaient pour la plupart « attentifs » à leur travail : ils me parurent cependant tous des somnambules.

Raymond ABELLIO : *Cahiers du Cercle d'Études Métaphysiques.* (Publication intérieure — 1954.)

IV. — L'ADMIRABLE TEXTE
DE GUSTAV MEYRINCK

La clef qui nous rendra maîtres de la nature intérieure est rouillée depuis le déluge.

Elle s'appelle : veiller.

Veiller est tout.

L'homme est fermement convaincu qu'il veille ; mais en réalité, il est pris dans un filet de sommeil et de rêve qu'il a tissé lui-même. Plus ce filet est serré, plus puissant règne le sommeil. Ceux qui sont accrochés dans ses mailles sont les dormeurs qui marchent à travers la vie comme des troupeaux de bestiaux menés à l'abattoir, indifférents et sans pensée.

Les rêveurs voient à travers les mailles un monde grillagé, ils n'aperçoivent que des ouvertures trompeuses, agissent en conséquence et ne savent pas que ces tableaux sont simplement les débris insensés d'un tout énorme. Ces rêveurs ne sont pas, comme tu le crois peut-être, les fantasques et les poètes ; ce sont les travailleurs, les sans-repos du monde, ceux que ronge la folie d'agir. Ils ressemblent à de vilains scarabées laborieux qui grimpent le long d'un tuyau lisse pour s'y engouffrer une fois en haut. Ils disent qu'ils veillent, mais ce qu'ils croient une vie n'est en réalité qu'un rêve, déterminé à l'avance jusque dans ses détails et soustrait à l'influence de leur volonté.

Il y a eu et il y a encore quelques hommes qui ont bien su qu'ils rêvaient, les pionniers qui se sont avancés jusqu'aux bastions derrière lesquels se cache le moi éternellement éveillé, — des voyants comme Descartes, Schopenhauer et Kant. Mais ils ne possédaient pas les armes nécessaires à la prise de la forteresse et leur appel au combat n'a pas éveillé les dormeurs.

Veiller est tout.

Le premier pas vers ce but est si simple que chaque enfant le peut faire. Seul celui qui a l'esprit faussé a oublié comment on marche et reste paralysé sur ses deux pieds parce qu'il ne veut pas se passer des béquilles qu'il a héritées de ses prédécesseurs.

Veiller est tout.

Veille dans tout ce que tu fais ! Ne te crois pas déjà éveillé. Non, tu dors et rêves.

Rassemble toutes tes forces et fais ruisseler un instant dans ton corps ce sentiment : à présent, je veille !

Si cela te réussit, tu reconnaîtras aussitôt que l'état dans lequel tu te trouvais apparaît alors comme un assoupissement et un sommeil.

C'est le premier pas hésitant du long, long voyage qui mène de la servitude à la toute-puissance.

De cette façon avance d'éveil en éveil.

Il n'existe pas de pensée tourmentante qu'ainsi tu ne puisses bannir. Elle reste en arrière et ne peut plus t'atteindre. Tu t'étends au-dessus d'elle comme la couronne d'un arbre s'élève au-dessus des branches sèches.

Les douleurs s'éloignent de toi comme des feuilles mortes lorsque cette veille saisit également ton corps.

Les bains glacés des Brahmanes, les nuits de veille

des disciples de Bouddha et des ascètes chrétiens, les supplices des fakirs hindous ne sont pas autre chose que les rites figés indiquant que là s'élevait jadis le temple de ceux qui s'efforçaient de veiller.

Lis les Écritures saintes de tous les peuples de la terre. A travers chacune d'elles passe comme un fil rouge la science cachée de la veille. Elle est l'échelle de Jacob, qui combat toute la « nuit » avec l'ange du Seigneur, jusqu'à ce que le « jour » vienne et qu'il obtienne la victoire.

Tu dois monter d'un échelon à l'autre du réveil, si tu veux vaincre la mort.

L'échelon inférieur, déjà, s'appelle : génie.

Comment devons-nous nommer les degrés supérieurs ? Ils restent inconnus de la foule et sont tenus pour les légendes.

L'histoire de Troie fut tenue pour une légende, jusqu'à ce qu'enfin un homme trouvât le courage de fouiller lui-même.

Sur ce chemin de l'éveil, le premier ennemi que tu trouveras sera ton propre corps. Il luttera avec toi jusqu'au premier chant du coq. Mais si tu aperçois le jour de la veille éternelle qui t'éloigne des somnambules qui croient être des hommes et qui ignorent qu'ils sont des dieux endormis, alors le sommeil de ton corps disparaîtra aussi et l'univers te sera assujetti.

Alors tu pourras opérer des miracles, si tu le veux, et tu ne seras plus astreint comme un humble esclave à attendre qu'un cruel faux dieu soit assez aimable pour te combler de présents ou te couper la tête.

Naturellement le bonheur du bon chien fidèle : servir un maître, n'existera plus pour toi, — mais sois franc envers toi-même : voudrais-tu, même maintenant, changer avec ton chien ?

Ne te laisse pas effrayer par la peur de ne pas atteindre le but dans cette vie. Celui qui a trouvé ce chemin revient toujours au monde avec une maturité intérieure qui lui rend possible la continuation de son travail. Il naît comme « génie ».

Le sentier que je te montre est semé d'événements étranges : des morts que tu as connus se lèveront et te parleront ! Ce ne sont que des images ! Des silhouettes lumineuses t'apparaîtront et te béniront. Ce ne sont que des images, des formes exaltées par ton corps qui, sous l'influence de ta volonté transformée, mourra d'une mort magique et deviendra esprit, comme la glace, atteinte par le feu, se dissout en vapeur.

Quand tu auras dépouillé en toi le cadavre alors seulement tu pourras dire : à présent le sommeil s'est éloigné de moi pour toujours.

Alors sera accompli le miracle auquel les hommes ne peuvent croire, — parce que, trompés par leurs sens, ils ne comprennent pas que matière et force sont la même chose — ni ce miracle que, même si on t'enterre, il n'y aura pas de cadavre dans le cercueil.

Alors seulement tu pourras différencier ce qui est réalité ou apparence. Celui que tu rencontreras ne pourra être que l'un de ceux qui ont suivi le chemin avant toi.

Tous les autres sont des ombres.

Jusque-là tu ne sais pas si tu es la créature la plus heureuse ou la plus malheureuse. Mais ne crains rien. Pas un de ceux qui a pris le sentier de la veille, même s'il s'égara, n'a été abandonné par ses guides

Je veux te donner un signe auquel tu pourras reconnaître si une apparition est réalité ou bien image : si elle s'approche de toi, si ta conscience se trouble, si les choses du monde extérieur sont vagues ou disparaissent, méfie-toi. Sois sur tes gardes ! L'apparition n'est qu'une partie de toi-même. Si tu ne la comprends pas, c'est un spectre seulement, sans consistance, un voleur qui consomme une part de ta vie.

Les voleurs qui prennent la force de l'âme sont plus

mauvais que les voleurs du monde. Ils t'attirent comme des feux follets dans les marais d'une espérance trompeuse pour te laisser seul dans les ténèbres et disparaître à jamais.

Ne te laisse aveugler par aucun miracle qu'ils paraissent faire pour toi, par aucun nom sacré qu'ils se donnent, par aucune prophétie qu'ils expriment, pas même si elle se réalise; ils sont tes ennemis mortels, chassés de l'enfer de ton propre corps, et avec lesquels tu luttes pour la domination.

Sache que les forces merveilleuses qu'ils possèdent sont les tiennes propres — détournées par eux pour te tenir dans l'esclavage. Ils ne peuvent pas vivre en dehors de ta vie, mais si tu les vaincs ils s'effondreront, outils muets et dociles que tu pourras employer selon tes besoins.

Innombrables sont les victimes qu'ils ont faites parmi les hommes. Lis l'histoire des visionnaires et des sectaires et tu apprendras que le sentier que tu suis est jonché de crânes.

Inconsciemment l'humanité a dressé contre eux un mur : le matérialisme. Ce mur est une défense infaillible, elle est une image du corps mais elle est aussi un mur de prison qui masque la vue.

Aujourd'hui ils sont dispersés et le phénix de la vie intérieure ressuscite de la cendre dans laquelle il a été couché longtemps comme mort, mais les vautours d'un autre monde commencent aussi à battre des ailes. C'est pourquoi prends garde. La balance sur laquelle tu poseras ta conscience te montrera quand tu peux avoir confiance en ces apparitions. Plus elle est éveillée, plus elle s'abaissera en ta faveur.

Si un guide, un frère d'un autre monde spirituel, veut t'apparaître, il doit pouvoir le faire sans dépouiller ta conscience. Tu peux poser ta main sur son côté comme Thomas l'incrédule.

Il serait facile d'éviter les apparitions et leurs dangers. Tu n'as qu'à te conduire comme un homme ordinaire. Mais qu'as-tu gagné par là ? Tu restes un prisonnier dans la geôle de ton corps jusqu'à ce que le bourreau « Mort » te conduise à l'échafaud.

Le désir des mortels de voir les êtres surnaturels est un cri qui réveille même les fantômes des enfers parce qu'un tel désir n'est pas pur ; — parce qu'il est avidité plutôt que désir, parce qu'il veut « prendre » d'une façon quelconque au lieu de crier pour apprendre à « donner ».

Tous ceux qui considèrent la terre comme une prison, tous les gens pieux qui implorent la délivrance évoquent sans s'en rendre compte le monde des spectres. Fais-le aussi toi-même. Mais consciemment.

Pour ceux qui le font inconsciemment, existe-t-il une main invisible qui puisse les sortir du marais dans lequel ils s'embourbent ? Moi, je ne le crois pas.

Lorsque sur ta route de l'éveil tu traverseras le royaume des spectres tu reconnaîtras peu à peu qu'ils sont simplement des pensées que tu peux tout à coup voir de tes yeux. C'est pourquoi ils te sont étrangers et semblent être des créatures, car ce langage des formes est différent de celui du cerveau.

Alors le moment est arrivé où la transformation s'accomplit : les hommes qui t'entourent deviendront des spectres. Tous ceux que tu as aimés seront tout à coup des larves. Même ton propre corps.

On ne peut imaginer de plus terrible solitude que celle du pèlerin au désert, et qui ne sait pas y trouver la source vive meurt de soif.

Tout ce que je dis ici se trouve dans les livres des hommes pieux de tous les peuples : la venue d'un nouveau royaume, la veille, la victoire sur le corps et la solitude. Et cependant un abîme infranchissable nous sépare de ces gens pieux : ils croient que le jour approche où les bons entreront au paradis et les méchants seront jetés dans l'enfer. Nous savons qu'un temps viendra où beaucoup se réveilleront et seront séparés des dormeurs qui ne peuvent comprendre ce que signifie le mot veille. Nous savons qu'il n'existe pas le bon et le mauvais mais seulement le juste et le faux. Ils croient que veiller signifie garder ses sens lucides et ses yeux ouverts pendant la nuit, de façon que l'homme puisse faire ses prières. Nous savons que la veille est l'éveil du moi immortel et que l'insomnie du corps en est une conséquence naturelle. Ils croient que le corps devrait être négligé et méprisé parce qu'il est pécheur. Nous savons qu'il n'y a pas de péché ; le corps est le commencement de notre œuvre et nous sommes descendus sur terre pour le transformer en esprit. Ils croient que nous devrions vivre dans la solitude avec notre corps pour purifier l'esprit. Nous savons que notre esprit doit aller d'abord dans la solitude pour transfigurer le corps.

A toi seul reste le choix du chemin à prendre : ou le nôtre ou le leur. Tu dois agir selon ta propre volonté.

Je n'ai pas le droit de te conseiller. Il est plus salutaire de cueillir selon ta propre décision un fruit amer sur un arbre que de voir pendre un fruit doux conseillé par autrui.

Mais ne fais pas comme beaucoup qui savent qu'il est écrit : examinez tout et ne conservez que le meilleur. Il faut aller, ne rien examiner et retenir la première chose venue

Gustav MERYNCK : Extrait du roman *Le Visage Vert*, traduit par le docteur Etthofen et Mlle Perrenoud. Éd. Émile-Paul Frères, Paris, 1932.

IX

LE POINT PAR-DELÀ L'INFINI

Du Surréalisme au Réalisme fantastique. — Le Point Suprême.
— Se méfier des images. — La folie de Georg Cantor. — Le
yogi et le mathématicien. — Une aspiration fondamentale de
l'esprit humain. — Un extrait d'une géniale nouvelle de Jorge
Louis Borges.

Dans les chapitres précédents, j'ai voulu donner une
idée des études possibles sur la réalité d'un *autre* état
de conscience. Dans cet autre état, s'il existe, tout
homme en proie au démon de la conscience trouverait
peut-être une réponse à la question suivante, qu'il finit
toujours par se poser :

« Est-ce qu'il n'y a pas un lieu à trouver, en moi-
même, d'où tout ce qui *m'arrive* serait explicable
immédiatement, un lieu d'où tout ce que je vois, sais
ou sens, serait déchiffré aussitôt, qu'il s'agisse du
mouvement des astres, de la disposition des pétales
d'une fleur, des mouvements de la civilisation à
laquelle j'appartiens, ou des mouvements les plus
secrets de mon cœur ? Est-ce que cette immense et folle
ambition de comprendre, que je promène comme en
dépit de moi-même à travers toutes les aventures de
ma vie, ne pourrait être, un jour, entièrement et d'un
seul coup satisfaite ? Est-ce qu'il n'y a pas dans

l'homme, dans moi-même, un chemin qui conduit à la connaissance de toutes les lois du monde ? Est-ce que ne repose pas au fond de moi la clé de la connaissance totale ? »

André Breton, dans le second manifeste du Surréalisme, croyait pouvoir définitivement répondre à cette question : « Tout porte à croire qu'il existe un certain point de l'esprit d'où la vie et la mort, le réel et l'imaginaire, le passé et le futur, le communicable et l'incommunicable, le haut et le bas cessent d'être perçus contradictoirement. »

Il va de soi que je ne prétends pas, à mon tour, apporter une réponse définitive. Aux méthodes et à l'appareil du surréalisme, nous avons voulu substituer les méthodes plus humbles et l'appareil plus lourd de ce que nous appelons, Bergier et moi, le « réalisme fantastique ». Je vais donc faire appel, pour étudier cette affaire, à plusieurs plans de la connaissance. A la tradition ésotérique. Aux mathématiques d'avant-garde. Et à la littérature moderne insolite. Mener une étude sur des plans différents (ici, le plan de l'esprit magique, le plan de l'intelligence pure et le plan de l'intuition poétique), établir entre ceux-ci des communications, vérifier par comparaison les vérités contenues à chaque stade et faire surgir finalement une hypothèse dans laquelle se trouvent intégrées ces vérités, telle est exactement notre méthode. Notre gros livre hirsute n'est rien d'autre qu'un commencement de défense et d'illustration de cette méthode.

La phrase d'André Breton : « Tout porte à croire... » date de 1930. Elle connut une fortune extraordinaire. Elle ne cesse encore d'être citée, commentée. C'est qu'en effet, un des traits de l'activité de l'esprit contemporain est l'intérêt croissant pour ce que l'on pourrait appeler : le point de vue par-delà l'infini.

Ce concept hante les traditions les plus anciennes comme les mathématiques les plus modernes. Il hantait la pensée poétique de Valéry, et l'un des plus grands écrivains vivants, l'Argentin Jorge Luis Borges, lui a consacré sa plus belle et plus surprenante nouvelle [1], donnant à celle-ci le titre significatif : *L'Aleph*. Ce nom est celui de la première lettre de l'alphabet de la langue sacrée. Dans la Cabale, elle désigne le En-Soph, le lieu de la connaissance totale, le point d'où l'esprit aperçoit d'un seul coup la totalité des phénomènes, de leurs causes et de leur sens. Il est dit, dans de nombreux textes, que cette lettre a la forme d'un homme qui montre le ciel et la terre, pour indiquer que le monde d'en bas est le miroir et la carte du monde d'en haut. Le point par-delà l'infini est ce point suprême du second manifeste du surréalisme, le point Oméga du Père Teilhard de Chardin et l'aboutissement du Grand Œuvre des Alchimistes.

Comment définir clairement ce concept ? Essayons. Il existe dans l'Univers un point, un lieu privilégié, d'où tout l'Univers se dévoile. Nous observons la création avec des instruments, télescopes, microscopes, etc. Mais, ici, il suffirait à l'observateur de se trouver dans ce lieu privilégié : en un éclair, l'ensemble des faits lui apparaîtrait, l'espace et le temps se révéleraient dans la totalité et la signification ultime de leurs aspects.

Pour faire sentir aux élèves de la classe de sixième ce que pouvait être le concept d'éternité, le Père jésuite d'un célèbre collège se servait de l'image suivante : « Imaginez que la terre soit de bronze et qu'une

---

1. Publiée par la revue *Les Temps modernes* en juin 1957 et traduite de l'espagnol par Paul Bénichou, on en lira un extrait à la fin de ce chapitre.

hirondelle, tous les mille ans, l'effleure de son aile. Quand la terre aura été ainsi effacée, alors seulement commencera l'éternité... » Mais l'éternité n'est pas seulement l'infinie longueur du temps. Elle est autre chose que la durée. Il faut se méfier des images. Elles servent à transporter à un niveau de conscience plus bas l'idée qui ne pouvait respirer qu'à une autre altitude. Elles livrent un cadavre dans le sous-sol. Les seules images capables de véhiculer une idée supérieure sont celles qui créent dans la conscience un état de surprise, le dépaysement, propres à élever cette conscience jusqu'au niveau où vit l'idée en question, où l'on peut la capter dans sa fraîcheur et sa force. Les rites magiques et la véritable poésie n'ont pas d'autre destination. C'est pourquoi nous ne chercherons pas à donner une « image » de ce concept du point par-delà l'infini. Nous renverrons plus efficacement le lecteur au texte magique et poétique de Borges.

Borges, dans sa nouvelle, a utilisé les travaux des Cabalistes, des Alchimistes et les légendes musulmanes. D'autres légendes, aussi anciennes que l'humanité, évoquent ce Point Suprême, ce Lieu Privilégié. Mais l'époque dans laquelle nous vivons a ceci de particulier que l'effort de l'intelligence pure, appliquée à une recherche éloignée de toute mystique et de toute métaphysique, a abouti à des conceptions mathématiques qui nous permettent de rationaliser et de comprendre l'idée de transfini.

Les plus importants, et les plus singuliers travaux, sont dus au génial Georg Cantor, qui devait mourir fou. Ces travaux sont encore discutés par les mathématiciens dont certains prétendent que les idées de Cantor sont logiquement indéfendables. A quoi les partisans du Transfini répliquent : « Du Paradis ouvert par Cantor nul ne nous chassera ! »

Voici comment on peut résumer, grossièrement, la pensée de Cantor. Imaginons sur cette feuille de papier deux points A et B distants de 1 cm. Traçons le segment de droite qui joint A à B. Combien de points y a-t-il sur ce segment ? Cantor démontre qu'il y en a plus qu'un nombre infini. Pour remplir complètement le segment, il faut un nombre de points plus grand que l'infini : le nombre aleph.

Ce nombre aleph est égal à toutes ses parties. Si l'on divise le segment en dix parties égales, il y aura autant de points dans une des parties que sur tout le segment. Si l'on construit, à partir du segment, un carré, il y aura autant de points sur le segment que dans la surface du carré. Si l'on construit un cube, il y aura autant de points sur le segment que dans tout le volume du cube. Si l'on construit, à partir du cube, un solide à quatre dimensions, un tessaract, il y aura autant de points sur le segment que dans le solide à quatre dimensions du tessaract. Et ainsi de suite, à l'infini.

Dans cette mathématique du transfini, qui étudie les aleph, la partie est égale du tout. C'est parfaitement démentiel, si l'on se place au point de vue de la raison classique, et pourtant c'est démontrable. Tout aussi démontrable est le fait que si l'on multiplie un aleph par n'importe quel nombre, on arrive toujours à l'aleph. Et voilà les hautes mathématiques contemporaines qui rejoignent la Table d'Émeraude d'Hermès Trismégiste (« ce qui est en haut est comme ce qui est en bas ») et l'intuition des poètes comme William Blake (tout l'univers contenu dans un grain de sable).

Il n'existe qu'un seul moyen de passer au-delà de l'aleph, c'est de l'élever à une puissance aleph (on sait que A puissance B signifie A multiplié par A, B fois et, de même, aleph à la puissance aleph est un autre aleph).

Si l'on appelle le premier aleph zéro, le second est aleph un, le troisième aleph deux, etc. Aleph zéro, nous l'avons dit, est le nombre de points contenus sur un segment de droite ou dans un volume. On démontre que aleph un est le nombre de toutes les courbes rationnelles possibles contenues dans l'espace. Quant à aleph deux, déjà il correspond à un nombre qui serait plus grand que tout ce que l'on peut concevoir dans l'univers. Il n'existe pas dans l'univers d'objets en nombre suffisamment grand pour qu'en les comptant, on arrive à un aleph deux. Et les aleph s'étendent a l'infini. L'esprit humain parvient donc à déborder l'univers, à construire des concepts que l'univers ne pourra jamais remplir. C'est un attribut traditionnel de Dieu, mais on n'avait jamais imaginé que l'esprit puisse s'emparer de cet attribut. C'est probablement la contemplation des aleph au-delà de deux, qui a rendu Cantor fou.

Les mathématiciens modernes, plus résistants ou moins sensibles au délire métaphysique, manipulent des concepts de cet ordre, et même en déduisent certaines applications. Certaines de ces applications sont de nature à déconcerter le bon sens. Par exemple, le fameux paradoxe de Banach et Tarski [1].

D'après ce paradoxe, il est possible de prendre une sphère de dimensions normales, celles d'une pomme ou d'une balle de tennis, par exemple, de la découper en tranches et de rassembler ensuite ces tranches de façon à avoir une sphère plus petite qu'un atome ou plus grande que le soleil.

On n'a pu exécuter physiquement l'opération, parce que le découpage doit se faire suivant des surfaces spéciales qui n'ont pas de plan tangent et que la technique ne peut réaliser effectivement. Mais la plupart des spécialistes estiment que cette inconcevable opération est théoriquement retenable, en ce sens que

1. Ce sont des mathématiciens polonais contemporains. Banach fut assassiné par les Allemands à Auschwitz. Tarski est encore vivant et traduit actuellement en français son monumental traité de logique mathématique.

si ces surfaces n'appartiennent pas à l'univers maniable, les calculs portant sur elles se révèlent justes et efficaces dans l'univers de la physique nucléaire. Les neutrons se déplacent dans les piles selon des courbes qui n'ont pas de tangente.

Les travaux de Banach et Tarski aboutissent à des conclusions qui rejoignent, de manière hallucinante, les pouvoirs que s'attribuent les initiés hindous de la technique Samadhi : ils déclarent qu'il leur est possible de grandir jusqu'à la dimension de la Voie lactée ou de se contracter jusqu'à la dimension de la plus petite particule concevable. Plus près de nous, Shakespeare fait crier à Hamlet :

« O Dieu, je voudrais être contenu tout entier dans une coquille de noisette et cependant rayonner sur les espaces infinis ! »

Il est impossible, nous semble-t-il, de ne pas être frappé par la ressemblance entre ces lointains échos de la pensée magique et la logique mathématique moderne. Un anthropologue participant à un colloque de parapsychologie à Royaumont, en 1956, déclarait : « Les siddhis yogiques sont extraordinaires, puisque parmi eux figure la faculté de se rendre aussi petit qu'un atome, ou aussi grand qu'un soleil tout entier ou un univers ! Parmi ces prétentions extraordinaires, nous rencontrons des faits positifs, que nous avons toutes présomptions de croire vrais, et des faits comme ceux-ci, qui nous paraissent incroyables et au-delà de toute espèce de logique. » Mais il faut croire que cet anthropologue ignorait à la fois le cri de Hamlet et les formes inattendues que vient de revêtir la logique la plus pure et la plus moderne : la logique mathématique.

Quelle peut être la signification profonde de ces correspondances ? Comme toujours, dans ce livre, nous nous bornerons à formuler des hypothèses. La plus romanesque et excitante, mais la moins « intégrante », serait d'admettre que les techniques Samadhi sont réelles, que l'initié parvient effectivement à se rendre aussi petit qu'un atome et aussi grand qu'un soleil, et que ces techniques dérivent de connaissances provenant d'anciennes civilisations qui avaient maîtrisé les mathématiques du transfini. Pour nous, il s'agit là d'une des aspirations fondamentales de l'esprit humain, qui trouve son expression aussi bien dans le yoga samadhi que dans les mathématiques d'avant garde de Banach et Tarski.

Si les mathématiciens révolutionnaires ont raison, si les paradoxes du transfini sont fondés, des perspectives extraordinaires s'ouvrent devant l'esprit humain. On peut concevoir qu'il existe dans l'espace des points aleph comme celui décrit dans la nouvelle de Borges. En ces points, tout le continu espace-temps se trouve représenté et le spectacle s'étend de l'intérieur du noyau atomique à la galaxie la plus lointaine.

On peut aller plus loin encore : on peut imaginer qu'à la suite de manipulations qui impliqueraient à la fois la matière, l'énergie et l'esprit, n'importe quel point de l'espace puisse devenir un point transfini. Si une telle hypothèse correspond à une réalité physico-psychomathématique, nous avons l'explication du Grand Œuvre des Alchimistes et de l'extase suprême de certaines religions. L'idée d'un point transfini d'où tout l'univers serait perceptible est prodigieusement abstraite. Mais les équations fondamentales de la relativité ne le sont pas moins, d'où dérivent pourtant le cinéma parlant, la télévision et la bombe atomique. L'esprit humain fait d'ailleurs des progrès constants vers les niveaux d'abstraction de plus en plus élevés. Paul Langevin faisait déjà remarquer que l'électricien du quartier manie parfaitement la notion si abstraite et délicate du potentiel et l'a même incorporée à son argot : il dit « il y a du jus ».

On peut encore imaginer que, dans un avenir plus ou

moins lointain, l'esprit humain ayant maîtrisé ces mathématiques du transfini, parviendra, aidé de certains instruments, à construire dans l'espace des « aleph », des points transfinis d'où l'infiniment petit et l'infiniment grand lui apparaîtront dans leur totalité et leur ultime vérité. Ainsi la traditionnelle recherche de l'Absolu aurait enfin abouti. Il est tentant de songer que l'expérience a déjà partiellement réussi. Nous avons évoqué, dans la première partie de cet ouvrage, la manipulation alchimique au cours de laquelle l'adepte oxyde la surface d'un bain fondu de métaux. Lorsque la pellicule d'oxyde se déchire, on verrait apparaître sur un fond opaque l'image de notre galaxie avec ses deux satellites, les nuages de Magellan. Légende ou réalité ? Il s'agirait là, en tout cas, de l'évocation d'un premier « instrument transfini » prenant contact avec l'univers par d'autres moyens que ceux fournis par les instruments connus. C'est peut-être avec un appareillage de cette sorte que les Mayas, qui ignoraient le télescope, découvrirent Uranus et Neptune. Mais ne nous laissons pas égarer dans l'imaginaire. Contentons-nous de noter cette aspiration fondamentale de l'esprit, négligée par la psychologie classique, et de noter aussi, à ce propos, les rapports entre d'anciennes traditions et un des grands courants mathématiques modernes.

Voici maintenant l'extrait de la nouvelle de Borges : *L'Aleph*.

Rue Garay, la bonne me demanda d'avoir la bonté d'attendre. Monsieur était, comme d'habitude, à la cave, en train de révéler des photographies. Près du vase sans fleurs, sur le piano inutile, souriait (plus intemporel qu'anachronique) le grand portrait de Beatriz aux couleurs malhabiles. Personne ne pouvait nous voir, dans un mouvement de tendresse désespérée, je m'approchai du portrait et lui dis .

« Beatriz, Beatriz Elena, Beatriz Elena Viterbo, Beatriz chérie, Beatriz perdue pour toujours, c'est moi, moi, Borges. »

Carlos entra peu après. Il parla avec sécheresse : je compris qu'il était incapable de penser à autre chose qu'à la perte de l'Aleph.

« Un petit verre de pseudo-cognac, ordonna-t-il, et tu plongeras dans la cave. Tu sais que le décubitus dorsal est indispensable. L'obscurité, l'immobilité, une certaine accommodation visuelle le sont également. Tu te couches par terre, sur les dalles, et tu fixes ton regard sur la dix-neuvième marche de l'escalier indiqué. Je m'en vais, je baisse la trappe et tu restes seul. Quelque rongeur te fait peur, facile entreprise ! Après quelques minutes tu vois l'Aleph. Le microcosme des alchimistes et des cabalistes, notre concret et proverbial ami, le *multum in parvo* ! »

Une fois dans la salle à manger, il ajouta .

« Il est évident que si tu ne le vois pas, ton incapacité n'invalide pas mon témoignage... Descends ; très bientôt, tu pourras engager un dialogue avec *toutes* les images de Beatriz. »

Je descendis rapidement, fatigué de ses paroles creuses. La cave, à peine plus large que l'escalier, tenait beaucoup du puits. Du regard, je cherchai en vain la malle dont Carlos Argentino m'avait parlé. Quelques caisses avec des bouteilles et quelques sacs de grosse toile encombraient un coin. Carlos prit un sac, le plia et le plaça en un endroit précis.

« L'oreiller est humble, expliqua-t-il, mais si je le soulève d'un seul centimètre, tu ne verras pas une miette et tu seras honteux et confus. Étends ta grande carcasse sur le sol et compte dix-neuf marches. »

Je me pliai à ses exigences ridicules ; à la fin il s'en alla. Il ferma précautionneusement la trappe ; l'obscurité, malgré une lézarde que je distinguai plus tard, me parut d'abord totale. Soudain, je compris le danger ; je m'étais laissé enterrer par un fou, après avoir absorbé un poison. Les fanfaronnades de Carlos laissaient transparaître la terreur cachée que le prodige ne m'apparût pas ; Carlos afin de défendre son délire, afin de ne pas savoir qu'il était fou, *devait me tuer*. Je ressentis un malaise confus que j'essayai d'attribuer à la rigidité, et non à l'effet d'un narcotique Je fermai les yeux, les ouvris. Je vis alors l'Aleph.

J'arrive maintenant au centre ineffable de mon récit ; ici commence mon désespoir d'écrivain. Tout langage est un alphabet de symboles, dont l'usage présuppose un passé partagé par les interlocuteurs ; comment transmettre aux autres l'Aleph infini que ma mémoire craintive contient à peine ? Les mystiques, en pareil cas, prodiguent les symboles : pour signifier la divinité, un Persan parle d'un oiseau qui, d'une certaine manière, est tous les oiseaux ; Alanus de Insulis, d'une sphère dont le centre est partout et la circonférence nulle part ; Ézéchiel, d'un ange à quatre visages tourné en même temps en direction de l'Orient et de l'Occident, du nord et du sud. (Ce n'est pas sans raison que je rappelle ces analogies inconcevables ; elles ont un certain rapport avec l'Aleph.) Peut-être les dieux ne me refuseraient-ils pas la trouvaille d'une image semblable, mais ce récit serait alors entaché de littérature, de fausseté. Du reste, le problème central est insoluble : on ne saurait énumérer même partiellement un ensemble infini. En cet instant gigantesque, j'ai vu des millions d'actions délectables ou atroces ; aucune ne m'étonna autant que le fait qu'elles occupaient toutes le même point, sans superposition et sans transparence. Ce que virent mes yeux fut simultané : ce que je transcrirai, successif, parce que le langage l'est. Je veux pourtant en consigner quelque chose.

Au bas de la marche, vers la droite, je vis une petite

sphère moirée d'un éclat presque intolérable. Au début je crus qu'elle tournait sur elle-même ; puis je compris que ce mouvement était une illusion produite par les spectacles vertigineux qu'elle renfermait. Le diamètre de l'Aleph devait être de deux ou trois centimètres, mais l'espace cosmique était dedans, sans réduction. Chaque chose (la glace du miroir, par exemple) était une infinité de choses, parce que je la voyais clairement de tous les points de l'univers. Je vis la mer populeuse, je vis l'aube et le soir, je vis les multitudes d'Amérique, je vis une toile d'araignée argentée au centre d'une noire pyramide, je vis un labyrinthe brisé (c'était Londres), je vis d'interminables yeux se scruter en moi, immédiats, comme en un miroir, je vis tous les miroirs de la planète et aucun ne réfléchit mon image, je vis dans une arrière-cour de la rue Soler le même dallage que j'ai vu il y a trente ans dans une maison de Fray Bentos, je vis des grappes, de la neige, du tabac, des veines de métal, de la vapeur d'eau, je vis des déserts convexes sous l'Équateur, et chacun de leurs grains de sable, je vis à Inverness une femme que je n'oublierai pas, je vis la chevelure violente, le corps altier, je vis un cancer au sein, je vis un cercle de terre sèche sur un trottoir, à l'endroit où il y avait eu un arbre, je vis dans une maison de campagne d'Adrogué un exemplaire de la première traduction anglaise de Pline, celle de Philémon Holland, je vis à la fois chaque lettre de chaque page (enfant, je m'émerveillais toujours du fait que les lettres d'un livre fermé ne se mêlaient pas jusqu'à se perdre, au cours de la nuit), je vis la nuit et le jour contemporain de la nuit, je vis un couchant à Queretaro qui semblait refléter la couleur d'une rose au Bengale, je vis ma chambre à coucher sans personne, je vis dans un cabinet d'Alkmaar un globe terrestre entre deux miroirs qui le multiplient sans fin, je vis des chevaux à la crinière tourbillonnante sur une plage de la mer Caspienne à l'aube, je vis la délicate ossature d'une main, je vis les survivants d'une bataille envoyant des cartes postales, je vis dans une vitrine de Mirzapur un jeu de cartes espagnol, je vis des ombres obliques de fougères sur le sol d'une serre, je vis des tigres, des pistons, des bisons, des houles et des armées, je vis toutes les fourmis de la terre, je vis un astrolabe persan, je vis dans un tiroir de bureau (et l'écriture me fit trembler) des lettres obs cènes, incroyables, précises, que Beatriz avait adressées à Carlos Argentino, je vis un monument adoré au cimetière de la Chacarita, je vis la relique atroce de ce qui avait été délicieusement Beatriz Viterbo, je vis la circulation de mon sang obscur, je vis l'engrenage de l'amour et les changements de la mort, je vis l'Aleph, de tous les points, je vis dans l'Aleph la terre et dans la terre à nouveau l'Aleph et dans l'Aleph la terre, je vis mon visage et mes viscères, je vis ton visage, et j'éprouvai du vertige, et je pleurai, parce que mes yeux avaient vu cet objet secret et conjectural, dont les hommes emploient indûment le nom, mais qu'aucun homme n'a vu : l'inconcevable univers.

Je ressentis une vénération infinie, une peine infinie.

« Tu dois être ahuri de tant fouiner dans ce qui ne te regarde pas, dit une voix détestée et joviale. Tu peux dévider tout ton cerveau, tu n'arriveras pas en cent ans à me payer cette révélation. Quel formidable observatoire, hein, Borges ! »

Les pieds de Carlos Argentino occupaient la plus haute marche de l'escalier. Dans la brusque pénombre, je réussis à me lever et à balbutier :

« Formidable. Oui, formidable. »

L'accent indifférent de ma voix m'étonna. Anxieux, Carlos Argentino insistait :

« Tu as tout bien vu, en couleurs ? »

En cet instant, je conçus ma vengeance. Bienveillant, manifestement apitoyé, nerveux, évasif, je remerciai Carlos Argentino Daneri de l'hospitalité qu'il m'avait faite de sa cave et je l'engageai à profiter de la démolition de sa maison pour s'éloigner de la pernicieuse capitale qui ne pardonne à personne, crois-moi à personne ! Je me refusai, avec une énergie suave, à discuter de l'Aleph ; je l'embrassai, en le quittant, et lui répétai que la campagne et la sérénité étaient deux grands médecins.

Dans la rue, dans les escaliers de Constitución, dans le métro tous les visages me parurent familiers. Je craignis qu'il n'y eût plus rien au monde qui fût capable de me surprendre ; je craignis de n'être plus jamais quitté par le sentiment du déjà vu. Heureusement, après quelques nuits d'insomnie, l'oubli me travailla à nouveau.

X

RÊVERIE SUR LES MUTANTS

L'enfant astronome. — Une poussée de fièvre de l'intelligence. — Théorie des mutations. — Le mythe des Grands Supérieurs. — Les Mutants parmi nous. — Du Horla à Léonard Euler. — Une société invisible des Mutants? — Naissance de l'être collectif. — L'amour du vivant.

Dans le courant de l'hiver 1956, le docteur J. Ford Thomson, psychiatre du service d'éducation de Wolverhampton, reçut dans son cabinet un petit garçon de sept ans qui inquiétait fort ses parents et son instituteur.

« Il n'avait évidemment pas à sa disposition les ouvrages spécialisés, écrit le docteur Thomson. Et s'il les avait eus, aurait-il pu seulement les lire ? Cependant, il connaissait les réponses justes à des problèmes d'astronomie d'une extrême complexité. »

Bouleversé par l'examen de ce cas, le docteur résolut d'enquêter sur le niveau d'intelligence des écoliers et entreprit de tester cinq mille enfants à travers toute l'Angleterre, avec l'aide du Conseil de Recherches Médicales Britanniques, des physiciens de Harwell et de nombreux professeurs d'université. Après dix-huit mois de travaux, il lui apparut comme évident qu'il se produisait « une brusque poussée de fièvre de l'intelligence ».

« Dans les derniers 90 enfants de sept à neuf ans que nous avons questionnés, 26 avaient un quotient intellectuel de 140, ce qui équivaut au génie, ou presque. Je crois, poursuit le docteur Thomson, que le strontium 90, produit radio-actif qui pénètre dans le corps pourrait en être responsable. Ce produit n'existait pas avant la première explosion atomique. »

Deux savants américains, C. Brooke Worth et Robert K. Enders, dans un important ouvrage intitulé *The Nature of Living Things*, croient pouvoir démontrer que le groupement des gènes est aujourd'hui bouleversé et que, sous l'effet d'influences encore mystérieuses, une nouvelle race d'hommes apparaît, dotée de pouvoirs intellectuels supérieurs. Il s'agit naturellement d'une thèse sujette à caution. Cependant, le généticien Lewis Terman, après avoir étudié pendant trente ans les enfants prodiges, arrive aux conclusions suivantes .

La plupart des enfants prodiges perdaient leur qualité en passant à l'âge adulte. Il semble, maintenant, qu'ils deviennent des adultes supérieurs, d'une intelligence sans commune mesure avec les humains du type courant. Ils ont trente fois plus d'activité qu'un homme normal bien doué. Leur « indice de réussite » est multiplié par vingt-cinq. Leur santé est parfaite, ainsi que leur équilibre sentimental et sexuel. Enfin, ils échappent aux maladies psychosomatiques et notamment au cancer. Est-ce certain ? Ce qui est sûr, c'est que nous assistons à une accélération progressive, dans le monde entier, des facultés mentales, correspondant d'ailleurs à celle des facultés physiques. Le phénomène est si net qu'un autre savant américain, le docteur Sydney Pressey, de l'Université d'Ohio, vient d'établir un plan pour l'instruction des enfants précoces, susceptible, selon lui, de fournir trois cent mille hautes intelligences par an.

S'agit-il de mutation dans l'espèce humaine ? Assistons-nous à l'apparition d'êtres qui nous ressemblent extérieurement et qui sont cependant différents ? C'est ce formidable problème que nous allons étudier. Ce qui est certain, c'est que nous assistons à la naissance de ce mythe : celui du mutant. La naissance d'un mythe, dans notre civilisation technicienne et scientifique, ne saurait être sans signification et sans valeur dynamique.

Avant d'aborder ce sujet il convient de remarquer que la poussée de fièvre de l'intelligence, constatée chez les enfants, entraîne l'idée simple, pratique, raisonnable, d'une amélioration progressive de l'espèce humaine par la technique. La technique sportive moderne a montré que l'homme possède des ressources physiques encore loin d'être épuisées. Les expériences en cours sur le comportement du corps humain dans les fusées interplanétaires ont prouvé une résistance insoupçonnée. Les survivants des camps de concentration ont pu mesurer l'extrême possibilité de défense de la vie et découvrir des ressources considérables dans l'interaction entre le psychisme et le physique. Enfin, en ce qui concerne l'intelligence, la découverte proche des techniques mentales et des produits chimiques susceptibles d'activer la mémoire, de réduire à rien l'effort de mémorisation, ouvre des perspectives extraordinaires. Les principes de la science ne sont nullement inaccessibles à un esprit normal. Si l'on soulage le cerveau de l'écolier et de l'étudiant de l'énorme effort de mémoire qu'il doit faire, il deviendra tout à fait possible d'apprendre la structure du noyau et la table périodique des éléments aux élèves du certificat d'études et de faire comprendre la relativité et les quanta à un bachelier. D'autre part, quand les principes de la science seront propagés de façon massive dans tous les pays, quand il y aura cinquante ou cent fois plus de chercheurs, la multiplication des idées nouvelles, leur fécondation mutuelle, leurs rapprochements multipliés produiront le même effet qu'une augmentation du nombre des génies. Meilleur effet même, car le génie est souvent instable et antisocial. Il est probable d'ailleurs qu'une science nouvelle, la théorie générale de l'information, permettra prochainement de préciser quantitativement l'idée que nous exposons ici de façon qualitative. En répartissant équitablement entre les hommes les connaissances dont l'humanité dispose déjà, et en les encourageant aux échanges de manière à produire des combinaisons nouvelles, on augmentera le potentiel intellectuel de la société humaine aussi rapidement et aussi sûrement qu'en multipliant le nombre des génies.

Cette vision doit être maintenue parallèlement à la vision plus fantastique du mutant.

Notre ami Charles-Noël Martin, dans une retentissante communication, a révélé les effets accumulatifs des explosions atomiques. Les radiations répandues au cours des expériences développent leurs effets en proportion géométrique. L'espèce humaine risquerait ainsi d'être victime de mutations défavorables. En outre, depuis cinquante ans, le radium est utilisé partout dans le monde sans contrôle sérieux. Les rayons X et certains produits chimiques radio-actifs sont exploités dans de multiples industries. Dans quelle proportion et comment ce rayonnement atteint-il l'homme moderne ? Nous ignorons tout du système des mutations. Ne pourrait-il se produire aussi des mutations favorables ? Prenant la parole à une conférence atomique de Genève, Sir Ernest Rock Carling, pathologiste attaché au Home Office, déclarait : « On peut aussi espérer que, dans une proportion limitée de cas, ces mutations produisent un effet favorable et créent un enfant de génie. Au risque de choquer l'honorable assistance, j'affirme que la mutation qui nous donnera un Aristote, un Léonard de Vinci, un Newton, un Pasteur ou un Einstein, compensera largement les quatre-vingt-dix-neuf autres qui auront des effets bien moins heureux. »

Un mot d'abord sur la théorie des mutations.

A la fin du siècle, A. Weisman et Hugo de Vriès ont renouvelé l'idée que l'on se faisait de l'évolution. La mode était à l'atome dont la réalité commençait à percer en physique. Ils découvrirent « l'atome d'hérédité » et le localisèrent dans les chromosomes. La nouvelle science de génétique ainsi créée remit à jour les travaux effectués dans la deuxième moitié du XIXᵉ siècle par le moine tchèque Gregor Mendel. Il paraît aujourd'hui indiscutable que l'hérédité est transportée par les gènes. Ceux-ci sont fortement protégés contre le milieu extérieur. Cependant, il semble que les radiations atomiques, les rayons cosmiques et certains poisons violents comme la colchicine peuvent les atteindre ou faire doubler le nombre des chromosomes. On a observé que la fréquence des mutations est proportionnelle à l'intensité de la radio-activité. Or, la radio-activité est aujourd'hui trente-cinq fois supérieure à ce qu'elle était au début du siècle. Des exemples précis de sélection s'opérant chez les bactéries par mutation génétique sous l'action des antibiotiques ont été fournis en 1943 par Luria et Debruck et en 1945 par Demerec. Dans ces travaux on voit s'opérer la mutation-sélection telle que l'avait imaginée Darwin. Les adversaires de la thèse Lamarck, Mitchourine, Lissenko, sur l'hérédité des caractères acquis, semblent donc avoir raison. Mais peut-on généraliser des bactéries aux plantes, aux animaux, à l'homme ? Cela ne paraît plus douteux. Existe-t-il des mutations génétiques contrôlables dans l'espèce humaine ? Oui. Un des cas certains est celui-ci :

Ce cas est extrait des archives de l'hôpital spécial anglais pour maladies infantiles, à Londres. Le docteur Louis Wolf, directeur de cet hôpital, estime qu'il naît en Angleterre trente mutants phényl-cétoniques par an. Ces mutants possèdent des gènes qui ne produisent pas dans le sang certains ferments en action dans le sang normal. Un mutant phényl-cétonique est incapable de dissocier la phénile-alamine. Cette incapacité rend l'enfant vulnérable à l'épilepsie et à l'eczéma, provoque chez lui une coloration gris cendre des cheveux et rend l'adulte vulnérable aux maladies mentales. Une certaine race phényl-cétonique, en marge de la race humaine normale, est donc vivante parmi nous... Il s'agit là d'une mutation défavorable : mais peut-on refuser tout crédit à la possibilité d'une mutation favorable ? Des mutants pourraient avoir dans leur sang des produits susceptibles d'améliorer leur équilibre physique et d'augmenter bien au-dessus du nôtre leur coefficient d'intelligence. Ils pourraient charrier dans leurs veines des tranquillisants naturels, les plaçant à l'abri des chocs psychiques de la vie sociale et des complexes d'anxiété. Ils formeraient donc une race différente de la race humaine, supérieure à elle. Les psychiatres et les médecins repèrent ce qui ne va pas. Comment repérer ce qui va plus que bien ?

Dans l'ordre des mutations, il faut distinguer plusieurs aspects. La mutation cellulaire qui n'atteint pas les gènes, qui n'engage pas de descendance, nous est connue dans sa forme défavorable : le cancer, la leucémie, sont des mutations cellulaires. Dans quelle mesure ne pourrait-il se produire des mutations cellulaires favorables, généralisées dans tout l'organisme ? Les mystiques parlent de l'apparition d'une « chair nouvelle », d'une « transfiguration ».

La mutation génétique défavorable (le cas des phényl-cétoniques) commence, elle aussi, à nous être connue. Dans quelle mesure ne pourrait-il se produire une mutation favorable ? Ici, encore, il faudrait distinguer deux aspects du phénomène, ou plutôt deux interprétations.

1° Cette mutation, cette apparition d'une autre race pourrait être due au hasard. La radio-activité, entre autres causes, pourrait amener une modification des gènes de certains individus. La protéine du gène, légèrement atteinte, ne fournirait plus, par exemple, certains acides produisant en nous l'anxiété. On verrait apparaître une autre race : la race de l'homme tranquille, de l'homme qui n'a peur de rien, qui ne ressent rien de négatif. Qui va à la guerre tranquillement, qui tue sans inquiétude, qui jouit sans complexe, une sorte de robot sans aucune sorte de tremblement intérieur. Il n'est pas impossible que nous assistions à l'apparition de cette race.

2° La mutation ne serait pas due au hasard. Elle serait dirigée. Elle irait dans le sens d'une assomption spirituelle de l'humanité. Elle serait le passage d'un niveau de conscience à un niveau supérieur. Les effets de la radio-activité répondraient à une volonté dirigée vers le haut. Les modifications que nous évoquions à l'instant ne seraient rien en regard de ce qui attendrait l'espèce humaine, rien qu'un léger effleurement en regard des changements profonds à venir. La protéine du gène serait affectée dans sa structure totale, et nous verrions naître une race dont la pensée serait entièrement transformée, une race capable de maîtriser le temps et l'espace et de situer toute opération intellectuelle par-delà l'infini. Il y a, entre la première et la seconde idée, autant de différence qu'entre l'acier trempé et l'acier transformé subtilement en bande magnétique.

Cette dernière idée, créatrice d'un mythe moderne dont la science-fiction s'est emparée, est curieusement inscrite dans les différents volets de la spiritualité contemporaine. Du côté des Lucifériens, nous avons vu Hitler croire en l'existence des Grands Supérieurs, et nous l'avons entendu s'écrier : « Je vais vous dévoiler le secret : la mutation de la race humaine est commencée ; il existe des êtres supra-humains. »

Du côté de l'hindouisme rénové, le maître de l'Ashram de Pondichéry, l'un des plus grands penseurs de l'Inde nouvelle, Sri Aurobindo Ghose, a fondé sa philosophie et ses commentaires des textes sacrés sur la certitude d'une évolution ascendante de l'humanité s'opérant par mutations.

Il a écrit notamment : « La venue sur cette terre d'une race humaine, — si prodigieux ou miraculeux que puisse paraître le phénomène — peut devenir une chose d'actualité pratique. » Enfin, au sein d'un catholicisme ouvert à la réflexion scientifique, Teilhard de Chardin a affirmé qu'il croyait « en une dérive capable de nous entraîner vers quelque forme d'Ultra-Humain ».

Pèlerin sur le chemin de l'étrange, plus sensible qu'aucun autre homme au passage des courants d'idées inquiétantes, témoin plutôt que créateur, mais témoin hyperlucide des aventures extrêmes de l'intelligence moderne, l'écrivain André Breton, père du Surréalisme, n'hésitait pas à écrire en 1942 :

« L'homme n'est peut-être pas le centre, le point de mire de l'univers. On peut se laisser aller à croire qu'il existe au-dessus de lui, dans l'échelle animale, des êtres dont le comportement lui est aussi étranger que le sien peut l'être à l'éphémère ou à la baleine. Rien ne s'oppose nécessairement à ce que des êtres échappent de façon parfaite à son système de références sensoriel à la faveur d'un camouflage de quelque nature qu'on voudra l'imaginer mais dont la théorie de la forme et l'étude des animaux mimétiques posent à elles seules la possibilité. Il n'est pas douteux que le plus grand champ spéculatif s'offre à cette idée, bien qu'elle tende à placer l'homme dans les modestes conditions d'interprétation de son propre univers où l'enfant se plaît à concevoir une fourmi du dessous quand il vient de donner un coup de pied dans la fourmilière. En considérant les perturbations du type cyclone, dont l'homme est impuissant à être autre chose que la victime ou le témoin, ou celles du type guerre, au sujet desquelles des notions notoirement insuffisantes sont avancées, il ne serait pas impossible, au cours d'un vaste ouvrage auquel ne devrait jamais cesser de présider l'induction la plus hardie, d'approcher jusqu'à les rendre vraisemblables la structure et la complexion de tels êtres hypothétiques, qui se manifestent obscurément à nous dans la peur et le sentiment du hasard.

« Je crois devoir faire observer que je ne m'éloigne pas sensiblement du témoignage de Novalis : " Nous vivons en réalité dans un animal dont nous sommes les parasites. La constitution de cet animal détermine la nôtre, et vice versa " et que je ne fais que m'accorder avec la pensée de William James : " Qui sait si, dans la nature, nous ne tenons pas une aussi petite place auprès d'êtres par nous insoupçonnés, que nos chats et nos chiens vivant à nos côtés dans nos maisons ? " Les savants eux-mêmes ne contredisent pas tous cette opinion : " Autour de nous circulent peut-être des êtres bâtis sur le même plan que nous, mais différents, des hommes, par exemple, dont les albumines seraient droites. " Ainsi parle Émile Duclaux, ancien directeur de l'Institut Pasteur.

« Un mythe nouveau ? Ces êtres, faut-il les convain
cre qu'ils procèdent du mirage ou leur donner l'occasion de se découvrir ? »

Existe-t-il parmi nous des êtres extérieurement semblables à nous, mais dont le comportement nous serait
aussi étranger « que celui de l'éphémère ou de la
baleine » ? Le bon sens réplique que cela se saurait,
que si des individus supérieurs vivaient parmi nous,
nous le verrions bien.

C'est, à notre connaissance, John W. Campbell, qui a
réduit cet argument du bon sens à peu de chose dans
un éditorial de la revue *Astounding Science Fiction*,
paru en 1941 :

Nul ne va trouver son médecin pour lui déclarer qu'il
se porte magnifiquement. Nul n'ira chez le psychiatre
pour lui faire savoir que la vie est un jeu facile et
délicieux. Nul ne sonnera à la porte d'un psychanalyste
pour déclarer qu'il ne souffre d'aucun complexe. Les
mutations défavorables sont détectables. Mais les favorables ?

Cependant, objecte le bon sens, les mutants supérieurs se feraient remarquer par leur prodigieuse
activité intellectuelle.

Nullement, répond Campbell. Un homme génial,
appartenant à notre espèce, un Einstein, par exemple,
publie les fruits de ses travaux. Il se fait remarquer. Ce
qui lui vaut beaucoup d'ennuis, de l'hostilité, de
l'incompréhension, des menaces, l'exil. Einstein, à la
fin de sa vie, déclare : « Si j'avais su, je me serais fait
plombier. » Au-dessus d'Einstein, le mutant est assez
intelligent pour se cacher. Il garde pour lui ses découvertes. Il vit d'une vie aussi discrète que possible en
essayant simplement de maintenir le contact avec
d'autres intelligences de son espèce. Quelques heures

de travail par semaine lui suffisent pour subvenir à ses besoins et il utilise le reste de son temps à des activités dont nous n'avons pas même l'idée.

L'hypothèse est séduisante. Elle n'est nullement vérifiable dans l'état actuel de la science. Aucun examen anatomique ne peut apporter de renseignements sur l'intelligence. Anatole France avait un cerveau anormalement léger. Il n'y a enfin aucune raison pour qu'un mutant soit autopsié, sauf en cas d'accident, et comment déceler alors une mutation affectant les cellules du cerveau ? Il n'est donc pas totalement fou d'admettre comme possible l'existence des Supérieurs parmi nous. Si les mutations sont régies par le hasard seul, il y en a probablement quelques-unes de favorables. Si elles sont régies par une force naturelle organisée, si elles correspondent à une volonté d'ascension du vivant, comme le croyait par exemple Sri Aurobindo Ghose, il doit y en avoir beaucoup plus encore. Nos successeurs seraient déjà ici.

Tout invite à croire qu'ils nous ressemblent exactement, ou plutôt que rien ne nous permet de les distinguer. Certains auteurs de science-fiction attribuent naturellement aux mutants des particularités anatomiques. Van Vogt, dans son ouvrage célèbre *A la poursuite des Slans*, imagine que leurs cheveux sont d'une structure singulière : des sortes d'antennes servant aux communications télépathiques, et il bâtit là-dessus une belle et terrible histoire de chasse aux Supérieurs, copiée sur la persécution des Juifs. Mais il arrive que les romanciers ajoutent à la nature pour simplifier les problèmes.

Si la télépathie existe, elle ne se transmet sans doute pas au moyen d'ondes et il n'est nullement besoin d'antennes. Si l'on croit à une évolution dirigée, il convient d'admettre que le mutant dispose, pour assurer sa protection, de moyens de camouflage quasi parfaits. Il est constant, dans le règne animal, de voir le prédateur trompé par des proies « déguisées » en feuilles mortes, en brindilles, en excréments même, avec une perfection ahurissante. La « malice » des espèces succulentes va même, dans certains cas, jusqu'à imiter la couleur des espèces immangeables. Comme l'a bien vu André Breton, qui pressent parmi nous de « Grands Transparents », il se peut que ces êtres échappent à notre observation « à la faveur d'ur camouflage de quelque nature qu'on voudra l'imaginer, mais dont la théorie de la forme et l'étude des animaux mimétiques posent à elles seules la possibilité ».

« L'homme nouveau vit au milieu de nous ! Il est là ! Cela vous suffit-il ? Je vais vous dire un secret : j'ai vu l'homme nouveau. Il est intrépide et cruel ! J'ai eu peur devant lui ! » hurle Hitler en tremblant.

Un autre esprit, saisi par la terreur, assailli par la folie : Maupassant, livide et suant, écrit de façon précipitée l'un des textes les plus inquiétants de la littérature française : *Le Horla :*

« A présent, je sais, je devine. Le règne de l'homme est fini. Il est venu. Celui que redoutaient les premières terreurs des peuples naïfs. Celui qu'exorcisaient les prêtres inquiets, que les sorciers évoquaient par les nuits sombres, sans le voir apparaître encore, à qui les pressentiments des maîtres passagers du monde prêtèrent toutes les formes monstrueuses ou gracieuses des gnomes, des esprits, des génies, des fées, des farfadets. Après les grossières conceptions des épouvantes primitives, des hommes plus perspicaces l'ont pressenti plus clairement. Mesmer l'avait deviné, et les médecins, depuis dix ans déjà, ont découvert la nature de sa puissance avant qu'il l'eût exercée lui-même. Ils ont joué avec cette arme du Seigneur nouveau, la domina

tion de mystérieux pouvoirs sur l'âme humaine, devenue esclave. Ils ont appelé cela magnétisme, hypno-
tisme, suggestion... que sais-je ? Je les ai vus s'amuser
comme des enfants imprudents avec cette horrible
puissance ! Malheur à nous ! Malheur à l'homme. Il est
venu, le... le... Comment se nomme-t-il ?... le... il me
semble qu'il crie son nom, et je ne l'entends pas le...
oui... il le crie... j'écoute... je ne peux pas... répète... le...
Horla... j'ai entendu... le Horla... c'est lui... le Horla... il
est venu ! »

Dans son interprétation balbutiante de cette vision
pleine d'émerveillement et d'horreur, Maupassant,
homme de son époque, attribue au mutant des pouvoirs hypnotiques. La littérature moderne de science-
fiction, plus proche des travaux de Rhine, de Soal, de
Mac Connel que de ceux de Charcot, prête aux mutants
des pouvoirs « parapsychologiques » : la télépathie, la
télékinésie. Des auteurs vont plus loin encore et nous
montrent le Supérieur flottant dans l'air ou traversant
les murs : ici, il n'y a que fantaisies, échos plaisants des
archétypes des contes de fées. De même que l'île des
mutants, ou la galaxie des mutants correspond au
vieux rêve des Iles Bienheureuses, les pouvoirs paranormaux correspondent à l'archétype des dieux grecs.
Mais, si l'on se place sur le plan du réel, on s'aperçoit
que tous ces pouvoirs seraient parfaitement inutiles à
des êtres vivant dans une civilisation moderne. A quoi
bon la télépathie quand on dispose de la radio ? A quoi
bon la télékinésie, quand il y a l'avion ? Si le mutant
existe, ce que nous sommes tentés de croire, il dispose
d'un pouvoir très supérieur à tout ce que l'imagination
peut rêver. D'un pouvoir que l'homme ordinaire
n'exploite guère : il dispose de l'intelligence.

Nos actions sont irrationnelles et l'intelligence
n'entre que pour une faible part dans nos décisions. On
peut imaginer l'Ultra-Humain, échelon nouveau de la
vie sur la planète, comme un être rationnel, et non plus

seulement raisonnant, un être doué d'une intelligence objective permanente ne prenant de décision qu'après avoir examiné lucidement, complètement la masse d'informations en sa possession. Un être dont le système nerveux serait une forteresse capable de résister à tout assaut des impulsions négatives. Un être au cerveau froid et rapide, équipé d'une mémoire totale, infaillible. Si le mutant existe, il est probablement cet être qui physiquement ressemble à un humain, mais en diffère radicalement par le simple fait qu'il contrôle son intelligence et use de celle-ci sans un instant de relâche. Cette vision paraît simple. Elle est cependant plus fantastique que tout ce que nous suggère la littérature de science-fiction. Les biologistes commencent à entrevoir les modifications chimiques qui seraient nécessaires à la création de cette espèce nouvelle. Les expériences sur les tranquillisants, sur l'acide lysergique et ses dérivés, ont montré qu'il suffirait d'une très faible trace de certains composés organiques encore inconnus pour nous protéger contre la perméabilité excessive de notre système nerveux et nous permettre ainsi d'exercer en toutes occasions une intelligence objective. De même qu'il existe des mutants phényl-cétoniques dont la chimie est moins bien adaptée à la vie que la nôtre, il est loisible de penser qu'il existe des mutants dont la chimie est mieux adaptée que la nôtre à la vie dans ce monde en transformation. Ce sont ces mutants, dont les glandes sécréteraient spontanément des tranquillisants et des substances développant l'activité cérébrale, qui seraient les annonciateurs de l'espèce appelée à remplacer l'homme. Leur lieu de résidence ne serait pas une île mystérieuse ou une planète interdite. La vie a été capable de créer des êtres adaptés aux abîmes sous-marins ou à l'atmosphère raréfiée des plus hauts sommets. Elle est aussi capable de créer l'être ultra-humain pour qui l'habitation idéale est Métropolis,

« la terre fumante d'usines, la terre trépidante d'affaires, la terre vibrante de cent radiations nouvelles »...

La vie n'est jamais parfaitement adaptée, mais elle tend vers l'adaptation parfaite. Pourquoi relâcherait-elle cette tension depuis que l'homme a été créé ? Pourquoi ne préparerait-elle pas mieux que l'homme, à travers l'homme ? Et cet homme d'après l'homme est peut-être déjà né. « La vie, dit le docteur Loren Eisely, est une grande rivière rêvante qui coule à travers toutes les ouvertures, changeant et s'adaptant à mesure qu'elle avance[1]. » Son apparente stabilité est une illusion engendrée par la propre brièveté de nos jours. Nous ne voyons pas l'aiguille des heures faire le tour du cadran : de même, nous ne voyons pas une forme de vie couler dans une autre.

Ce livre a pour objet d'exposer des faits et de suggérer des hypothèses, nullement de promouvoir des cultes. Nous ne prétendons pas connaître des mutants. Toutefois, si nous admettons l idée que le mutant parfait est parfaitement camouflé, nous admettrons l'idée que la nature échoue parfois dans son effort de création ascensionnelle et jette en circulation des mutants imparfaits qui, eux, sont visibles.

Chez ce mutant imparfait, des qualités mentales exceptionnelles se mêlent à des défauts physiques. Tel est le cas, par exemple, pour de nombreux calculateurs prodiges. Le meilleur spécialiste en la matière, le professeur Robert Tocquet, déclare notamment : « Plusieurs calculateurs ont été d'abord considérés comme des enfants arriérés. Le calculateur prodige belge Oscar Verhaeghe s'exprimait à l'âge de dix-sept ans, comme un bébé de deux ans. Au surplus, nous avons

1. *New York Herald Tribune*, 23 novembre 1959.

dit que Zerah Colburn présentait un signe de dégénérescence : un doigt supplémentaire à chaque membre. Un autre calculateur prodige, Prolongeau, était né sans bras ni jambes. Mondeux était hystérique... Oscar Verhaeghe, né le 16 avril à Bousval, Belgique, dans une famille de modestes fonctionnaires, appartient au groupe des calculateurs dont l'intelligence est très au-dessous de la moyenne. Les élévations aux puissances diverses de nombres formés des mêmes chiffres est l'une de ses spécialités. Ainsi 888,888,888,888,888 est élevé au carré en 40 secondes et 9,999,999 est élevé à la cinquième puissance en 60 secondes, le résultat comportant 35 chiffres... »

Dégénérés ou mutants ratés ?

Voici peut-être un cas de mutant complet : celui de Léonard Euler, lequel était en relation avec Roger Boscovitch [1], dont nous avons raconté l'histoire dans un chapitre précédent.

Léonard Euler (1707-1783) est généralement tenu pour un des plus grands mathématiciens de tous les temps. Mais cette qualification est trop étroite pour rendre compte des qualités supra-humaines de son esprit. Il feuilletait les ouvrages les plus complexes en quelques instants et pouvait réciter complètement *tous* les livres qui lui étaient passés entre les mains depuis qu'il avait appris à lire. Il connaissait à fond la physique, la chimie, la zoologie, la botanique, la géologie, la médecine, l'histoire, les littératures grecque et latine. Dans toutes ces disciplines, aucun homme de son temps ne fut son égal. Il possédait le pouvoir de s'isoler totalement, à volonté, du monde extérieur, et de poursuivre un raisonnement quoi qu'il arrive. Il perdit la vue en 1766, ce qui ne l'affecta pas. Un de ses élèves a noté que lors d'une discussion

1. On a publié en U.R.S.S., au début de 1959, le journal du père de l'astronautique, Tsiolkovski. Il écrit qu'il a pris la plupart de ses idées dans les travaux de Boscovitch.

portant sur des calculs allant à la dix-septième décimale, un désaccord se produisit au moment de l'établissement de la quinzième. Euler refit alors, les yeux clos, le calcul en une fraction de seconde. Il voyait des rapports, des liaisons, qui échappaient au reste de l'humanité cultivée et intelligente. C'est ainsi qu'il trouva des idées mathématiques nouvelles et révolutionnaires dans les poèmes de Virgile. C'était un homme simple et modeste et tous ses contemporains sont d'accord sur le fait que son principal souci était de passer inaperçu. Euler et Boscovitch vivaient à une époque où les savants étaient honorés, où ils ne risquaient pas d'être emprisonnés pour des idées politiques ou contraints par le gouvernement de fabriquer des armes. S'ils avaient vécu dans notre siècle, peut-être se seraient-ils organisés pour se camoufler entièrement. Peut-être existe-t-il aujourd'hui des Euler et des Boscovitch. Des mutants intelligents et rationnels, munis d'une mémoire absolue et d'une intelligence constamment lucide, nous côtoient peut-être, déguisés en instituteurs de campagne ou en agents d'assurances.

Ces mutants forment-ils une société invisible? Aucun être humain ne vit seul. Il ne peut s'accomplir qu'au sein d'une société. La société humaine que nous connaissons a plus qu'abondamment démontré qu'elle est hostile à l'intelligence objective et à l'imagination libre : Giordano Bruno brûlé, Einstein exilé, Oppenheimer surveillé. S'il existe des mutants répondant à notre description, tout porte à penser qu'ils travaillent et communiquent entre eux au sein d'une société superposée à la nôtre, et qui sans doute s'étend sur le monde entier. Qu'ils communiquent, en usant de moyens psychiques supérieurs comme la télépathie, nous semble une hypothèse enfantine. Plus proche du réel, et donc plus fantastique nous paraît l'hypothèse selon laquelle ils se serviraient des communications humaines normales pour véhiculer des messages, des renseignements à leur usage exclusif. La théorie générale de l'information et la sémantique montrent assez bien qu'il est possible de rédiger des textes à double, triple ou quadruple sens. Il existe des textes chinois à sept significations emboîtées les unes dans les autres. Un héros du roman de Van Vogt, *A la poursuite des Slans*, découvre l'existence d'autres mutants en lisant le journal et en décryptant des articles d'apparence inoffensive. Un tel réseau de communication à l'intérieur de notre littérature, de notre presse, etc., est concevable. Le *New York Herald Tribune* publiait le 15 mars 1958 une étude de son correspondant de Londres sur une série de messages énigmatiques parus dans les petites annonces du *Times*. Ces messages avaient retenu l'attention des spécialistes de la cryptographie et des diverses polices, car ils avaient manifestement un second sens. Mais ce sens avait échappé à tous les efforts de déchiffrage. Il y a sans doute des moyens de communication moins repérables encore. Tel roman de quatrième ordre, tel ouvrage technique, tel livre de philosophie en apparence fumeux, véhiculent peut-être secrètement des études complexes, des messages à l'intention d'intelligences supérieures, aussi différentes de la nôtre que celle-ci l'est d'un grand singe.

Louis de Broglie écrit[1] : « Nous ne devons jamais oublier combien nos connaissances restent toujours limitées et de quelles évolutions imprévues elles sont susceptibles. Si la civilisation humaine subsiste, la physique pourra dans quelques siècles être aussi diffé-

1. Cf. *Nouvelles littéraires*, 2 mars 1950, article intitulé : « Qu'est-ce que la vie ? »

rente de la nôtre que celle-ci l'est de la physique d'Aristote. Peut-être les conceptions élargies auxquelles nous serons alors parvenus nous permettront-elles d'englober dans une même synthèse, où chacun viendra trouver sa place, l'ensemble des phénomènes physiques et biologiques. *Si la pensée humaine, éventuellement rendue plus puissante par quelque mutation biologique*, devait un jour s'élever jusque-là, elle apercevrait alors sous son véritable jour, que nous ne soupçonnons sans doute pas encore, l'unité des phénomènes que nous distinguons à l'aide des adjectifs " physico-chimiques ", " biologiques " ou même " psychiques ". »

Et si cette mutation s'est déjà produite ? L'un des plus grands biologistes français, Morand, inventeur des tranquillisants, admet que les mutants sont apparus tout au long de l'histoire et de l'humanité[1] : « Les mutants se nommèrent, entre autres, Mahomet, Confucius, Jésus-Christ.. » Bien d'autres existent peut-être. Il n'est nullement impensable qu'à l'époque évolutive où nous nous trouvons, des mutants considèrent comme inutile de se donner en exemple ou de prêcher quelque forme de religion nouvelle. Il y a mieux à faire, présentement, que s'adresser à l'individu. Il n'est pas impensable qu'ils considèrent comme nécessaire et bénéfique la montée de notre humanité vers la collectivisation. Il n'est enfin pas impensable qu'ils regardent comme souhaitables nos souffrances d'enfantement, et même comme heureuse quelque grande catastrophe susceptible de hâter la prise de conscience de la tragédie spirituelle que constitue dans sa totalité le phénomène humain. Pour agir, pour que se précise la dérive qui nous entraîne peut-être tous vers quelque forme d'ultra-humain dont ils possèdent l'usage, il leur

1. P. Morand et H. Laborit *Les Destins de la vie et de l'homme* Masson, éd., Paris, 1959.

est peut-être nécessaire de demeurer cachés, de maintenir secrète la coexistence, tandis que se forge, en dépit des apparences et peut-être grâce à leur présence, l'âme nouvelle pour un monde nouveau que nous appelons, quant à nous, de toute la force de notre amour.

Nous voici aux frontières de l'imaginaire. Il faut nous arrêter. Nous ne voulons que suggérer le plus grand nombre possible d'hypothèses non déraisonnables. Sur la quantité, beaucoup seront sans doute à rejeter. Mais si quelques-unes ont ouvert à la recherche des portes jusqu'ici dissimulées, nous n'aurons pas travaillé en vain ; nous ne nous serons pas inutilement exposés au risque du ridicule. « Le secret de la vie peut être trouvé. Si l'occasion m'en était donnée, je ne la laisserais pas échapper par peur des ricanements[1]. »

Toute réflexion sur les mutants débouche dans une rêverie sur l'évolution, sur les destins de la vie et de l'homme. Qu'est-ce que le temps, à l'échelle cosmique où il faut situer l'histoire terrienne ? L'avenir n'est-il pas, si je puis dire, de toute éternité commencé ? Dans l'apparition des mutants, tout se passe peut-être comme si la société humaine était parfois atteinte par un ressac du futur, visitée par les témoins de la connaissance à venir. Les mutants ne sont-ils pas la mémoire du futur, dont le grand cerveau de l'humanité est peut-être doté ?

Autre chose : l'idée de mutation favorable est évidemment liée à l'idée de progrès. Cette hypothèse

1. Loren Eiselev

d'une mutation peut être ramenée au plan scientifique le plus positif. Il est parfaitement certain que les régions les plus récemment acquises par l'évolution, et les moins spécialisées, c'est-à-dire les zones silencieuses de la matière cérébrale, mûrissent les dernières. Des neurologues pensent avec raison qu'il y a là des possibilités autres que l'avenir de l'espèce nous révélera. L'individu jouissant des possibilités autres. Une individualisation supérieure. Et cependant, l'avenir des sociétés nous semble bien orienté vers une collectivisation grandissante. Est-ce contradictoire ? Nous ne le pensons pas. L'existence à nos yeux n'est pas contradiction, mais complémentarité et dépassement.

Dans une lettre à son ami Laborit, le biologiste Morand écrit : « L'homme devenu parfaitement logique, abandonnant toute passion comme toute illusion, sera devenu une cellule dans le continuum vital que constitue une société arrivée au plus haut terme de son évolution . nous n'en sommes pas encore là de toute évidence, mais je ne pense pas qu'il puisse y avoir évolution sans cela. Alors, et alors seulement, émergera cette " conscience universelle " de l'être collectif, vers laquelle nous tendons. »

Devant cette vision, hautement probable, nous savons bien que les partisans du vieil humanisme qui a pétri notre civilisation se désespèrent. Ils imaginent l'homme désormais sans but, entrant dans sa phase de déclin. « Devenu parfaitement logique, abandonnant toute passion comme toute illusion... » Comment l'homme changé en foyer d'intelligence rayonnante serait-il sur le déclin ? Certes, le Moi psychologique, ce que nous appelons la personnalité, serait en voie de disparition. Mais nous ne pensons pas que cette « personnalité » est la richesse dernière de l'homme. En ceci, nous sommes, croyons-nous, religieux. C'est le signe de notre temps, de faire déboucher toutes les observations actives sur une vision de la transcendance. Non, la personnalité n'est pas la richesse dernière de l'homme. Elle n'est qu'un des instruments qui lui sont donnés pour passer à l'état d'éveil. L'œuvre faite, l'instrument disparaît. Si nous avions des miroirs capables de nous montrer cette « personnalité » à laquelle nous attachons tant de prix, nous n'en supporterions pas la vue, tant de monstres et larves y grouilleraient. Seul l'homme réellement éveillé s'y pourrait pencher sans risquer la mort par épouvante, car alors le miroir ne refléterait plus rien, serait pur. Voilà le vrai visage, qui dans le miroir de la vérité n'est pas *renvoyé*. Nous n'avons pas encore, en ce sens, de visage. Et les dieux ne nous parleront face à face que lorsque nous aurons nous-mêmes un visage.

Rejetant le Moi psychologique mouvant et limité, Rimbaud disait déjà : « Je est un autre. » C'est le Je immobile, transparent et pur, dont l'entendement est infini : toutes les traditions enjoignent à l'homme de tout quitter pour y atteindre. Il se pourrait que nous fussions dans un temps où le proche avenir parle le même langage que le lointain passé.

Hors de ces considérations sur les possibilités *autres* de l'esprit, la pensée, même la plus généreuse, ne distingue que contradiction entre conscience individuelle et conscience universelle, vie personnelle et vie collective. Mais une pensée qui voit des contradictions dans le vivant est une pensée malade. La conscience individuelle réellement éveillée entre dans l'univers. La vie personnelle, tout entière conçue et utilisée comme instrument d'éveil, se fond sans dommage dans la vie collective.

Il n'est pas dit enfin que la constitution de cet être collectif soit le terme ultime de l'évolution. L'esprit de la Terre, l'âme du vivant n ont pas fini d'émerger. Les pessimistes, devant les grands bouleversements visibles que produit cette secrète émergence, disent qu'il faut au moins tenter de « sauver l'homme ». Mais cet homme n'est pas à sauver, il est à changer. L'homme de la psychologie classique et des philosophies en cours est déjà dépassé, condamné à l'inadaptation. Mutation ou non, c'est un autre homme que celui-ci qu'il convient d'entrevoir pour ajuster le phénomène humain au destin en marche. Dès lors, il n'est question ni de pessimisme, ni d'optimisme : il est question d'amour.

Du temps où je pensais pouvoir posséder la vérité dans mon âme et mon corps, où j'imaginais avoir bientôt la solution à tout, à l'école du philosophe Gurdjieff, il est un mot que je n'entendis jamais prononcer : c'est le mot amour. Je ne dispose aujourd'hui d'aucune certitude absolue. Je ne saurais avancer résolument comme valable la plus timide des hypothèses formulées dans cet ouvrage. Cinq ans de réflexion et de travail avec Jacques Bergier ne m'ont apporté qu'une seule chose : la volonté de tenir mon esprit en état de surprise et en état de confiance devant toutes les formes de la vie et devant toutes les traces de l'intelligence dans le vivant. Ces deux états : surprise et confiance, sont inséparables. La volonté d'y parvenir et de s'y maintenir subit à la longue une transformation. Elle cesse d'être volonté, c'est-à-dire joug, pour devenir amour, c'est-à-dire joie et liberté. En un mot, mon seul acquis est que je porte en moi, désormais indéracinable, l'amour du vivant, sur ce monde et dans l'infinité des mondes.

Pour honorer et exprimer cet amour puissant, complexe, nous ne nous sommes sans doute pas limités, Jacques Bergier et moi, à la méthode scientifique, comme l'eût exigé la prudence. Mais qu'est-ce que l'amour prudent ? Nos méthodes furent celles des savants, mais aussi des théologiens, des poètes, des sorciers, des mages et des enfants. Somme toute, nous nous sommes conduits en barbares, préférant l'invasion a l'évasion. C'est que quelque chose nous disait qu'en effet nous faisions partie des troupes étrangères, des hordes fantomatiques, menées par des trompettes à ultra-son, des cohortes transparentes et désordonnées qui commencent à déferler sur notre civilisation. Nous sommes du côté des envahisseurs, du côté de la vie qui vient, du côté du changement d'âge et du changement de pensée. Erreur ? Folie ? Une vie d'homme ne se justifie que par l'effort, même malheureux, vers le mieux comprendre. Et le mieux comprendre, c'est le mieux adhérer. Plus je comprends, plus j'aime, car tout ce qui est compris est bien.

L'ALCHIMIE COMME EXEMPLE

TROISIÈME PARTIE

L'HOMME, CET INFINI

COLLECTION FOLIO

Impression Maury Imprimeur
45330 Malesherbes
le 3 octobre 2020
Dépôt légal : octobre 2020
1ᵉʳ dépôt légal dans la collection : juin 1972
Numéro d'imprimeur : 248707

ISBN 978-2-07-036129-8 / Imprimé en France.